陳自展

11.12

1624 年荷蘭人在臺灣設置的統治中心熱蘭遮城，鄭轄之後改稱安平鎮，其殘跡仍可見於今安平古堡。（資料來源：國立臺灣歷史博物館）

鄭成功畫像。（資料來源：臺南市立博物館）

沈光文斯庵先生象
丁巳春慈谿季康繪□圖

最早來臺灣的流寓文人沈光文。

寧靖王及五妃神像。　（資料來源：國立臺灣大學圖書館）

夢蝶園為明遺李茂春隱居處，入清後改為法華寺。　（資料來源：國立臺灣大學圖書館）

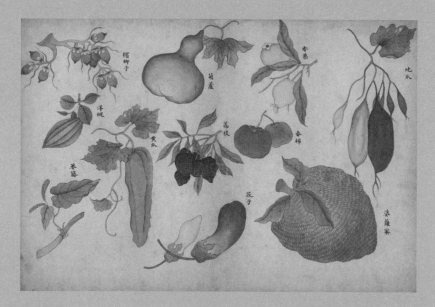

巡視臺灣監察御史六十七使臺期間（1744～1747）命工繪製之《番社采風圖》。（資料來源：國立臺灣歷史博物館）

清代臺灣八景之一「赤嵌夕照」，為詩人經常歌詠的主題。（資料來源：國立臺灣大學圖書館）

巡視臺灣監察御史六十七《番社采風圖》中的「捕
鹿」。（資料來源：中央研究院歷史語言研究所
藏品）

清代臺灣八景之一「澄臺觀海」，為詩人經常歌詠的主題。
（資料來源：臺南市政府文化局）

清代培育臺南地區人才的海東書院，拍攝於日治初期。（資料來源：石川源一郎編著《臺
灣名所寫真帖》，照片來自維基共享資源）

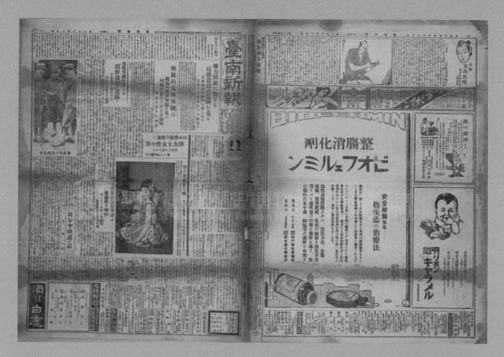

日治時期臺南文人經常在《臺南新報》發表詩、文、小說等作品。（資料來源：國立臺灣歷史博物館）

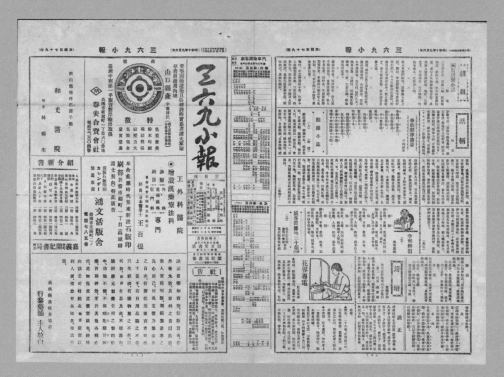

一九三○年代臺南文人創辦的《三六九小報》。（資料來源：國立臺灣文學館）

府城舉人羅秀惠（蕉麓）。（資料
來源：國立臺灣大學圖書館）

府城秀才林逢春（珠浦）。（資料
來源：國立臺灣大學圖書館）

新化秀才王則修。（資料來源：
國立臺灣大學圖書館）

跨政商兩界且多才藝的府城仕紳
黃欣（茂笙）。（資料來源：國
立臺灣文學館）

因「臺南墓地事件」入獄的臺南
詩人楊天健（宜綠）。（資料來源：
國立臺灣大學圖書館）

集詩人、實業家、政治家多重身分
的臺南士紳王開運（杏庵）。（資
料來源：國立臺灣大學圖書館）

府城詩壇健將兼小說家洪坤益
（鐵濤）。（資料來源：國立臺
灣文學館）

鹽分地區重要詩人鄭國滇（靜
夫）。（資料來源：國立臺灣大
學圖書館）

鹽水女詩人黃金川。（資料來源：
國立臺灣大學圖書館）

善化詩人蘇東岳（太虛）。（資料
來源：國立臺灣大學圖書館）

《臺南新報》漢文主編三屋大五
郎（清陰）。（資料來源：國家
文化記憶庫）

多才藝的臺南文人許丙丁（鏡汀）。
（資料來源：國立臺灣文學館）

鹽分地帶詩人家族：左起吳萱草（父）、吳新榮（子）、吳本立（叔）。（資料來源：吳三連
台灣史料基金會）

1913 年「南社」社員於吳筱霞宅送別許南英。（資料來源：謝國城編，《謝籟軒詩集》）

酉山吟社十周年紀念會，昭和五年（1930）古燈節攝影。前排左一石中英、左二吳子宏、左六趙鍾麒、右二陳筱竹、右六洪鐵濤。次排左四黃溪泉、左五王鵬程、左六黃欣。（資料來源：黃隆正。）

1914年「南社嬉春圖」，拍攝於固園黃家。前排右起：張榜山（獵人）、林珠浦（相命仙）、曾右章之子、曾右章（藝妓）、連雅堂（貴婦）、謝石秋（護士）、陳筱竹（和尚）、陳介臣（學童）、黃壽山（醫師）、莊大松（軍人）、蔡津涯（道士）、黃少松（士紳）、許鏡山（老師）、黃茂笙（即黃欣，兒童）、趙鍾麒（烏龜頭）、黃溪泉（和尚頭）、楊宜綠（閹豬者）。後排右起：黃惠適（印度人）、莊燦珍（卜命仙）、許燕珍（武士）、嚴煥臣（護士）、陳壽山（武士）、吳筱霞（小丑）、謝星樓（武士）、謝溪秋（老翁）、陳明沛（刑警）、翁俊明（和尚）、黃福（竊盜）、洪登安（人力車伕）、黃兆彪（外國士紳）、盧韞山（尼姑）、汪祈安（士紳）、張振樑（黑人）。（資料來源：國立臺灣文學館，黃隆正授權）

延平詩社創立二週年紀念會。1953 年 9 月 28 日攝於蓬壺書院。前排右四社長吳子宏、右六王鵬程,二排左三許丙丁。
(資料來源:國立臺灣文學館。)

1955 年元旦，「延平詩社」春日臺南謁孔廟留影。 前排左起謝汝川、葉占梅、王鵬程、吳子宏、沈毓祥。後排左起黃起濤、沈榮、黃景南、林海樓、白劍瀾、潘春源。 （資料來源：國立臺灣文學館）

1961 年「慶祝鄭成功復臺三百周年紀念全國詩人大會」於臺南舉行。前排左二潘春源、左六白劍瀾、左八王鵬程、右一林海樓、右三黃起濤、右五高懷清、右六王席珍。中排右三楊乃胡、右六高堆金、右七黃少卿、右九陳韻香。後排左二曹井泉、左三蘇子傑、左六林草香。（資料來源：國立臺灣文學館）

1985年6月2日，「鯤瀛詩社」第六屆第一次理監事聯席會議，攝於南鯤鯓代天府。前排右起：劉倉總、劉西川、郭水潭、高育仁、吳登神、不詳、周清雄、曾德義。後排右起：沈志成、李穎周、莊秋情、劉銀樹、楊進雄、費昭銘。（資料來源：吳登神家屬）

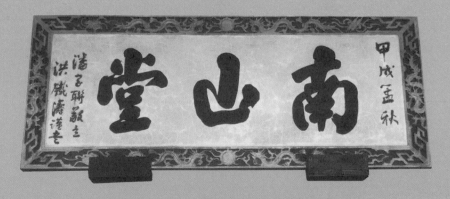

鶴算籌添甲子盈

鵬程酒晉菊花醍

宗兄己丑吾辛卯

祈願先生覺後生

己丑重九節後三天為

開運宗兄六十晉一壽賦祝

王鵬程

1949 年臺南文人王鵬程為王開運六十晉一題祝壽
詩。（資料來源：國立臺灣文學館）

南山堂

潘子聯敬立

洪鐵濤謹書

甲戌孟秋

甲戌（1934）洪坤益為開元寺題匾。（資料來源：邱郁茹）

1950 年陳逢源與于右任、賈景德、王開運等
創刊的《臺灣詩壇》。（資料來源：國立臺
灣文學館）

《詩文之友》創刊號（1953 年）。（資料來
源：國立臺灣文學館）

《中華詩苑》創刊號（1955 年）封面。（資
料來源：國立臺灣文學館）

《鯤南詩苑》創刊號（1956 年）封面。（資
料來源：國立臺灣文學館）

虎尾郡

崙背庄　二崙庄　西螺街　莿桐庄

海口庄　土庫庄　虎尾庄　斗六街　斗六郡

北港郡　四湖庄　元長庄　大坪庄　斗南庄　古坑庄

口湖庄　水林庄　北港街　溪口庄　大林庄　小梅庄　嘉義郡
1月20日，下轄嘉義街
升格為州轄市嘉義市

六腳庄　新巷庄　民雄庄　竹崎庄　番地

東石庄　太保庄　嘉義街　番路庄

東石郡　朴子街　水上庄　中埔庄

布袋庄　鹿草庄　後壁庄　白河庄

義竹庄　鹽水街　新營庄　番社庄　大埔庄

北門庄　學甲庄　柳營庄　新營郡

北門郡　將軍庄　下營庄　六甲庄　曾文郡

佳里庄　麻豆街　官田庄　楠西庄

七股庄　西港庄　善化庄　大內庄　玉井庄　南化庄

安定　新市庄　山上庄　左鎮庄

安順庄　永康庄　新化街　新化郡

臺南市　仁德庄　關廟庄　龍崎庄

永寧庄　歸仁庄

新豐郡

1920 年臺南州
行政區域示意圖

臺南文學史
Tainan Literary History

古典文學 卷
鄭轄—日治 1651—1895

主編 陳昌明　　作者 施懿琳　陳家煌

璀璨臺南四百　輝煌文學榮光

　　四百多年來，「青暝蛇」曾文溪不斷舞動它蜿蜒的身軀，變化莫測的移動過程在嘉南平原上潤澤出一片肥沃豐饒的土地，眾多流經此地的溪河，或流入倒風內海，或進到臺江內海，逐漸孕育成今日大臺南的風土。不同族群在此匯聚，文化間的碰撞、對話與積累，進而編織出形塑臺南文學的搖籃。

　　文學在臺南這塊土地扎根茁壯、開花結果，是無數文人、作家與熱愛這片鄉土的人們共同努力和投入的成果結晶。凡提及臺南文學，我們不能不提古典詩興盛的南社、充滿鹽分地帶地方采風的北門七子、超現實主義文學的風車詩社；以及諸如〈西拉雅吉貝耍開關鬼門傳說〉、《小封神》、《送報伕》、《臺灣男子簡阿淘》、《鹽田兒女》及《花甲男孩》等眾多臺南作家的文學作品。直至今日，臺南仍是許多作家的故鄉，或文學靈感發想與創作的筆耕之地。

　　臺南作為文化古都，市府為迎接 2024「臺南 400」，與國立成功大學合作編纂《臺南文學史》，由陳昌明名譽教授擔任主持人，集結施懿琳、

呂美親、鳳氣至純平、蘇敏逸、陳家煌、林培雅、廖淑芳、洪文瓊、薛建蓉、秦嘉嫄、趙慶華與許倍榕等臺灣文學領域之重量級專家學者撰稿成書，並與文訊雜誌社合作出版。《臺南文學史》全書共五冊，依時間軸從十七世紀古典文學到二十一世紀現代文學，橫跨數百年間不同歷史時期，涵蓋原住民口傳文學、臺語文學、兒童文學、神話傳說與民間文學等文學類型，彰顯臺南文學在臺灣文學史當中的重要意義及地位，更凸顯臺南文學的豐富與多樣。

　　臺南文學不只是地方文學，而是臺灣文學的歷史縮影。藉由回首臺南文學史，瞭解這座城市的前世今生，放眼前瞻未來臺南文學的可能性。臺南作為臺灣文學城市，將持續綻放其文學魅力，璀璨光彩輝煌下一個百年榮光。

臺南市　市長　黃偉哲

悠南文學好日　回首臺南

　　都說城市如詩，臺南這座城市所帶給我們的南方想像，像是重拾那些巷弄裡遙遠歷史的記憶，軸走在此時彼時漫長流轉的時間洪流，品嘗美食當中南風帶鹹的土地文學味，用指尖在書本紙張上的文字語句之間漫步，翻過一頁一頁的南土好日。

　　臺南便是如此充滿文學的城市。因此在即將迎接「臺南400」之際，無法忽視臺南文學史所占有的重要地位。本書《臺南文學史》自109年起與國立成功大學共同合作，歷時長達三年的時間，經過多位專家學者撰寫及審查委員審閱編校後，終於在今112年問世亮相。《臺南文學史》全書有五冊，分別為《古典文學卷：鄭轄～日治（1851～1945）》由施懿琳、陳家煌主筆；《古典文學卷：日治～戰後（1895～）／現代文學卷：日治（1895～1945）》由薛建蓉、施懿琳、許倍榕、鳳氣至純平主筆；《現代文學卷：戰後（1945～）》由廖淑芳、蘇敏逸主筆；《臺語文學卷》為呂美親撰寫；《現代戲劇卷‧兒童文學卷‧神話傳說卷‧民間文學卷》則是秦嘉嫄、洪文瓊、趙慶華、林培雅主筆。總計文字量超過一百萬字，

可見其纂修資料之豐富及繁複。

　　在此感謝擔任計畫主持人的陳昌明名譽教授不辭辛勞，召集編纂撰寫的專家學者們皆為一時之選。以及感謝三年期間協助審查的委員張良澤、廖振富、江寶釵、王建國，總是在忙碌之餘熱心提供許多貴重建議。並特別感謝國立成功大學的支持，讓如此有劃時代意義的《臺南文學史》得以順利完成。

　　猶如出身臺南的臺灣文壇巨擘葉石濤所言「沒有土地，哪有文學」，大臺南是個多元文化交匯的所在，蘊含厚實歷史文化能量，百年以來激發許多來往此處的騷人墨客們創作書寫的靈感，稿紙落筆之處盡是字句耕耘。文化局將持續以文學城市為願景，發掘更多臺南文學獨有魅力，期待《臺南文學史》能讓更多人認識臺南文學不僅只是回望臺灣文學史當中的一頁篇幅，而是悠然自在地寫下屬於自己的文學好日。

　　　　臺南市政府文化局　局長

國立成功大學校長序

臺灣地方文學史的永恆資產

　　在臺南生根立足、成功大學近百年的發展一直與府城共好共榮，也為其迤邐綿長的城市風華鑲嵌著曖曖含光的驕傲！

　　「2024臺南四百」也是臺灣四百、更是各界矚目的文化大事。於此關鍵時刻，我有幸在校長任內與師生一起貢獻！從推動「臺灣學研究」，包括「熱蘭遮城400：世界體系與影響」、「偎海e所在」、「如何成為臺灣人」；相關策展，例如：「城東有成──成大╳印象╳臺南」、「鯤首之城：十七世紀荷治福爾摩沙的熱蘭遮堡壘與市鎮」、「1643熱蘭遮虛擬實境：堡壘、市鎮與市民特展」；也在歷史現場舉辦以「走讀府城，重回熱蘭遮城時代」的論壇；無一不在為城市的過去尋溯更多觀照的視角，讓她多元飽滿的面貌漸露光影，為我們所見。

2019 年終之際，本校在行政與經費上全力支持，與臺南市合作「四百年臺南文學史」，由陳昌明教授統籌。參與資料蒐集、編寫的校內外專家學者皆為一時之選，呈現恢弘的視野，更推進了臺灣地方文學史的書寫層次，可謂當今最系統性、亦是首見涵蓋各文類的大作。

　　國立成功大學素以成為一所能夠回應社會與世界關鍵議題的大學為使命，期待未來得以持續透過與臺南文化內涵的深度結合，驅動出更豐富的文學研究與活動，為師生擴展更多樣的共學場域，建立使大學、文化與社會得以永續發展的基礎，也為下一個四百年的臺南文學史留下不可替代的永恆資產。

　　　　國立成功大學第十七任校長　　蘇慧貞

追溯文化根源

　　四十多年前就讀成功大學，當時臺南對我是純然陌生的都市，只知小吃豐富，古蹟林立。因為師友的帶領，才慢慢辨識這個城市的紋理，深刻感受此城市歷史文化的魅力。大二開始，拜訪過葉石濤、黃天橫、趙雲、蘇雪林、紀剛、林宗源等人，初識前輩文人風采。又跟張良澤老師、張恆豪、張德本、許素蘭、陳國城（舞鶴）在筆鄉書屋校看《前衛》雜誌；因緣際會下與班上同學帶李喬、洪醒夫尋訪玉井噍吧哖故地，都開啟我對臺南文學與歷史的認識。三十多年前回成大任教，幫文化中心籌畫臺南市作家作品集，後來擔任臺灣文學館副館長，更有機會蒐集前輩作家作品，接觸更多當代作家。其中與楊熾昌多次聚餐，呂興昌、陳萬益、林瑞明、葉笛以及南臺灣作家經常性的聚會，優游臺南作家之中，算是對臺南文學的初步認識。而開始編纂文學史，才是對臺南文學的深度感受。

　　臺南是文化古都、全臺首學，文化教育開發甚早，可謂人文薈萃，俊才輩出。不管在文學創作或文化活動上都成果斐然，其中文人創作甚多，留下傑出佳篇，形成臺南文學。所謂「臺南文學」乃指籍隸臺南或曾居臺南，或以臺南的人、地、事、物、景等為題材所創作出來的文學作品，包括口傳文學、古典文學，日治時期文學，以至戰後現當代文學。在府城建

城四百年出版一部臺南文學史，是文化界眾所期盼之事。過去雖有學者撰寫相關著作，如彭瑞金教授的《臺南文學小百科》、龔顯宗教授《臺南縣文學史（上）》，及日本大東和重教授《台南文学の地層を掘る》等著作，都貢獻卓著，但因為篇幅無法呈現前後相承的完整性。因此有意藉此機會，召集志同道合的學術伙伴，共同來承擔這次《臺南文學史》的編纂工作，希望在文類與歷史的傳承上有較深入的探討。

臺南自 1624 年荷蘭東印度公司築安平築熱蘭遮城開始，至 2024 年將屆滿 400 年，所以明年將有系列慶典活動，也會透過「博覽會」形式，探討臺南城市發展與文化構築等相關議題。三年前時任文化局的葉澤山局長，為籌畫臺南 400 年相關活動，委請我編纂臺南文學史，當時我正想退休而婉拒。他轉而與成大蘇慧貞校長洽談，蘇校長對我說，不論我是否退休，成功大學作為位居臺南的頂尖大學，似乎責無旁貸，希望我能接任。於是請我召集學者，古典文學委請施懿琳、陳家煌主筆，日治時期古典散文、日文現代文學、漢文現代文學由薛建蓉、鳳氣至純平、許倍榕主筆，戰後現代文學由廖淑芳、蘇敏逸主筆，現代戲劇由秦嘉嫄主筆，臺語文學由呂美親主筆，口傳文學由趙慶華主筆，次年又加入兒童文學，由洪文瓊

教授主筆，然口傳文學因趙慶華工作繁忙，由林培雅老師接手，林老師重新改寫神話傳說與與增加民間文學，成為新的面貌。每位教授都在忙碌的研究工作中，願意撥出時間擔任此辛苦工作，熱情讓人感動。

　　撰作之初，困擾最大的是體例建構與寫作的方式，所以一開始的籌備會，由幾位教授們討論彼此的分工，臺南文學史撰寫體例則由我初擬，原則上將臺南文學史分成幾個領域，即上述的口傳文學、古典文學、日治時期日文文學、日治時期漢文學、現當代文學、戲劇、台語文學等方面，後來在執行九個月後，因為臺南作家作品集發表會上，兒童文學作家陳玉珠提出，臺南文學史應加入兒童文學，次年才委請洪文瓊教授加入團隊。至於各領域敘述則以時間軸為主，章節由各領域撰寫老師安排，每一章節前有一文學演變的總敘述，透過時間軸繫人（作者）、繫事（重要文學事件）。時間的標示，以西元紀年後附年號，作者首次出現標生卒年，其他引文或附註形式細節，也都透過體例說明，我們都知道每位寫作者有自己的寫作習慣，但在要求較淺顯易讀的情況下，希望能有其嚴謹性。然而分工整合的部分最難處理，我們一開始採分類各自書寫方式，但又怕有些跨時代與跨文類作者會有重複的問題，經過顧問會議，邀請陳萬益、彭瑞金、龔顯宗三位教授提供經驗，文學史以時間軸為主，部分寫作在時代與文類上進行協作。到第二年末我們又進行了一輪體例的修訂，由於有個別寫作的差異，文類上又進行了拆解，為了尊重撰寫老師各自的特性，乃成為今日的面貌。

　　府城建城 400 年，臺南文學當然不只 400 年，臺灣作為矗立海上千萬年的美麗島嶼，原始初民在六千多年前已活躍於這塊土地上，然而原住民透過口說相承，缺乏文字記載，早期的文學殊難查考。本文學史提到臺南

西拉雅口傳文學，涉及新港社、目加溜灣社、麻豆社、蕭壠社等平鋪族群，乃根據 1628 年荷蘭牧師喬治 甘迪留斯（Georgius Candidius）《臺灣島略說》的記載。清朝陳第《東番記》、黃叔璥《臺海使槎錄》僅提供少數原住民口傳文學與傳說。對原住民較大規模的調查要等到日治時期，我們今日所見如佐山融吉、大西吉壽《生番傳說集》，小川尚義、淺井惠倫《原語にょる臺灣高砂族傳說集》，都是日治時期調查的重要文獻。更早的資料難以索求，我們只能透過想像，那個林野開闊，百萬野鹿奔騰於嘉南平原上，茫昧缺乏紀載的時代。

所以臺南文學史雖涉及原住民口傳文學，實際主軸卻從漢人的傳統文學開始，雖非故意呼應府城建城 400 年，無意中卻不謀而合。古典文學從明鄭、清領至日治，沈光文設帳講學始，我們會看到許多府城膾炙人口的掌故，以及精采多元的佳篇。施懿琳與陳家煌兩位教授長期從事相關研究，提供我們宏觀的視野，古臺南的生活景貌，仕紳往來，盡收眼底。於是我們會接觸到如沈光文、朱術桂、陳永華、鄭成功、鄭經、郁永河、孫元衡、黃叔璥、陳輝、章甫、施瓊芳、劉家謀、許南英、施士洁、蔡國琳、蔡碧吟、羅秀惠、楊宜綠、連橫、黃欣等知名文人。我們今日遊府城時，聽到耆老談到赤崁樓、孔廟、五條港、米街、關帝廳、大舞臺、新町……這些老地名，或者進入小巷，與荷蘭、明鄭、清領、日治等各個時代的歷史痕跡相會面，透過臺南文學史的映照，會有更深層的認識。所以至赤崁樓，會讓人懷想施瓊芳、施士洁父子兩進士故居，至水仙宮則可遙想章甫的〈水仙宮志〉。總之，這些古典文人作品處處可與府城生活相輝映。

至日治時期，漢詩文與現代文學的承轉，也對應到政治演變所引發文學社群的質變。從古典文學進入現代文學的寫作，也有新舊文學交替的問

題，最明顯的如古典文學跨越日治時期，有著新舊文學各自爭鋒，加上日語的書寫，形成複雜的多樣面貌，所以在寫作上除了古典詩，又加入漢文小說、散文，以及漢語現代文學、日語現代文學的分類。這些新舊文學交錯時代，有許多作者跨越新舊文類寫作，如黃欣、王開運、洪坤益、許丙丁等。其中楊宜綠作為傳統古典詩人，他的兒子楊熾昌在日治時期成立「風車詩社」，標榜法國象徵詩派，是臺灣最早的超現實主義書寫者，父子兩人正代表古典至現代的轉型。而現代文學的風潮是隨著現代文明與現代生活產生的作品，相映於臺灣當時與現實政治抗爭的年代，臺灣文藝聯盟佳里支部的成立，關懷故土與生活的居民，隱然與殖民主義相對抗，楊逵、鹽分地帶文學群、以至葉石濤，都有此種精神的延續。當然，臺南也有仕紳文人風花雪月的一面，詠嘆景物、居食、藝文之美的篇章，別有風光。

　　臺南現代文學的發展非常精采，類型多元且人才薈萃。書寫過程以時序先後撰寫，後來又將文類區分開來，曾經多次修訂改版，負責戰後現代文學的廖淑芳與蘇敏逸老師又都重視文本閱讀，改版過程頗為辛苦。但也讓我們從新巡禮了葉石濤、楊逵、吳新榮、郭水潭、許丙丁、姜貴、紀剛、蘇雪林、周梅春、林宗源、許達然、楊青矗、葉笛、呂興昌、林瑞明、林佛兒、白萩、羊子喬、桑品載、黃武忠、蔡德本、黃勁連、袁瓊瓊、蘇偉貞、舞鶴、蔡素芬、趙雲、王家誠、張德本、陳耀昌、陳正雄、鹿耳門漁

夫、張瀛太、賴香吟、鴻鴻、利玉芳、顏艾琳、孫維民、張耀仁、伊格言、邱致清、施俊州、黃崇凱、楊富閔等作者。臺南文學史有許多過去文學史較少碰觸的分類，前文已提及，譬如將日治時期漢語古典小說、散文與現代文學分開，又獨立書寫日文現代文學，幸好近年相關研究已較成熟，建蓉與倍榕兩位老師幫忙彙整。日文部分則請日本來臺研究臺灣文學的鳳氣至純平老師幫忙，也得以順利進行。戲劇與兒童文學在傳統文學史頗受忽略，這部文學史則將此兩文類委請秦嘉嫄與洪文瓊老師撰寫，以示重視。而臺語文學的編著，是臺南文學史不可或缺的一環，全國各地雖有臺語文作家，但沒有能像臺南這樣的質量與重量，雜誌、作品、人才輩出，委請移居於臺南，在臺灣師範大學從事相關研究與教學的呂美親教授撰寫，是熱情又適當的人選。

臺南作為全國開發最早的古都，文化的展現豐富多元，許多文人風貌，歷史掌故口耳相傳，或經文字記載下來，成為今日我們認識己身文化、認識臺灣土地的憑據。這部臺南文學史相當龐大，是追溯文化臺南的重要著作，能夠完成殊為不易。然臺南文學史今雖有紙本出版，未來更重視可讓讀者在網路查索，而且出版後若有遺漏需增補，或錯誤需修訂，希望可在網路版本繼續進行。文學史的撰寫不可能完美，但我希望臺南文學史是一部可以滾動修正，讓讀者愈來愈喜歡的文學史。

《臺南文學史》編纂主編　
國立成功大學中文系名譽教授

圖片輯——2

市長序　璀璨臺南四百　輝煌文學榮光／黃偉哲——18

局長序　悠南文學好日　回首臺南／謝仕淵——20

國立成功大學校長序　臺灣地方文學史的永恆資產／蘇慧貞——22

主編序　追溯文化根源／陳昌明——24

目錄

古典文學卷　前言　施懿琳——32

上篇

十七世紀中期至十九世紀末（1651～1895）
的臺南古典文學　陳家煌

第一章　　**鄭轄時期的臺南文學**——37

　　　第一節　　沈光文——38

　　　第二節　　鄭經——45

　　　第三節　　來臺遺民文人——51

第二章　　**清治時期的臺南文學**——57

　　　第一節　　康雍時期的臺南文學——58

　　　第二節　　乾嘉時期的臺南文學——82

　　　第三節　　道咸時期的臺南文學——116

　　　第四節　　同光時期的臺南文學——147

第三章　　臺南文學書寫主題——177

第一節　　臺南方志中保存的文學作品概說——178

第二節　　宦遊文人階層的形成——184

第三節　　府城的文人社群活動與社會寫實作品——195

第四節　　〈臺灣賦〉及八景詩中臺南書寫——201

第五節　　記錄臺南風土民性的詩作及竹枝詞——210

第六節　　非臺南出身之本土文人關於臺南的書寫——220

中篇

**十九世紀末到二十世紀中期（1895～1945）
的臺南古典文學**　施懿琳——231

第一章　　日治時期臺南古典文學作家及其作品——235

第一節　　府城文人群及其衍生世代——237

第二節　　「南瀛」地區文人群——276

第三節　　日本漢文人在臺南——299

第二章　　日治下臺南古典文學社群——311

第一節　　日治時期「府城」詩社——313

第二節　　日治時期「南瀛地區」詩社——350

第三章　　日治時期臺南古典詩的寫作主題——361

第一節　　地理景觀與歷史記憶——362

第二節　　歲時節慶與迎神賽會——389

第三節　　飲食物產——394

前言　施懿琳

　　十七世紀由於西方航海勢力的崛起，臺灣的重要性開始受到矚目，於是逐漸浮現於世界舞臺。荷蘭、西班牙、葡萄牙等國家，在此競逐海上勢力，使得原本素樸的海島，翻開了複雜的歷史扉頁。1624 年荷蘭東印度公司統轄了以臺南為中心的臺灣西海岸，1626 年西班牙也在北臺灣建立統治政權，一直到 1642 年始被荷蘭人驅離。1661 年鄭成功擊退荷蘭人，在臺灣建立第一個漢人領導政權，自此將漢文化引入臺灣。

　　從漢文化的角度來說，臺灣文學史上發展時間最長，累積文學成果最多的首推古典文學。古典文學中，又以臺南為最早發展的地區。本卷即從「古典文學」的角度，探討十七至二十世紀臺南地區的文學發展。這裡的「臺南」指的是現在的「大臺南市」，即 2010 年 12 月 25 日，舊臺南縣與臺南市合併改制為直轄市之後的臺南市。以之為主軸，對應不同階段的行政區域。《臺南文學史・古典文學卷》依時間先後，分三階段敘述：

上篇　十七世紀中期至十九世紀末（1651～1895）的臺南古典文學

　　十七世紀中期至十九世紀末（1651～1895）等同於鄭氏政權與滿清王朝統治臺灣時期。這階段的臺南古典文學史，分三章探討：鄭氏及其前的臺南文學、清領時期的臺南文學及鄭清時期臺南文學的主題書寫。前二章以鄭氏時期及清領時期為分章依據，分節探討臺南文人生平及作品，聚焦於不同階段文學的流變及代表性文學家的敘述。第三章則專就鄭、清兩代臺南地區文人的主題書寫進行論述。

　　第一章主要分成三小節，分別論述沈光文、鄭成功與鄭經與跟隨鄭氏來臺的遺民文人群。沈光文在荷治時期即來臺灣，主要的文學活動在鄭、清兩代。由於他是最早來臺的漢文人，為臺灣的地理歷史物產做了許多見

證與書寫，影響後世深遠，夙有「海東文獻初祖」之稱，因此，在臺南古典文學史的開篇，將沈光文列為首位文人，敘述他於荷、鄭時期及清領時期的文學活動、作品及成就。鄭氏統治臺灣僅23年，留存的作家作品甚少，討論不易。撰者儘量從有限的資料裡，還原當時的文學樣貌。第二章敘述清領臺灣213年間的臺南文學作家及作品，大致依清帝統治時期分成四節：康雍時期的臺南文學、乾嘉時期的臺南文學、道咸時期的臺南文學及同光時期的臺南文學。康雍時期的臺南文學活動，大多以來臺宦遊文人群體為主。此時，臺灣初納入清帝國版圖，機構草創未完備，諸羅縣及鳳山縣官員，有很長的一段時間都在臺灣縣辦公。因此臺灣府的所在地——臺南的文學活動，幾乎就是當時全臺灣的文學活動。宦遊文人來臺大多擔任地方官及學官，獎掖文教、備載舊史事典及描述臺灣異地風情，成為其文學創作主題。乾嘉時期，本土文人開始浮現，其觀看臺灣及創作態度稍異於來臺的宦遊文人。在文學活動和作家作品的敘述上，依次擷取其成就及特色，並略述宦遊文人及本土文人寫作的殊異性。第三章依主題呈現臺南文學的流變，比如討論方志藝文志收錄的作品，展現了修志者的文學品味及評價。其次亦討論了本土文人社會寫實和八景詩之類的文學流變。最後則敘述非臺南出身的本地文人，前來臺南的印象及相關書寫。臺南在臺北府尚未設置之前，一直是臺灣的政治、經濟、教育、宗教、文學及文化中心，地位無可取代。在宦遊及本土文人共同努力下，編織出二百餘年豐碩而多元視角的文學成果。

中篇 十九世紀末到二十世紀中期（1895～1945）的臺南古典文學

十九世紀末到二十世紀中期（1895～1945），對應的是日本殖民時代。這階段由於政權的轉移，臺灣古典文學的撰寫者以本土文人為主體，少數日本漢詩人亦加入其中，透過共同的「漢字」書寫，以詩、以文描寫

這個政局變動，生活空間產生巨大差異的時代。世變下，當地的科舉士子、名望家族，成為日本當局積極拉攏的對象。年長有威望者（如蔡國琳、趙鍾麒）擔任基層公職，協助日人調查、安撫地方，參加揚文會，接受當局頒贈的紳章。稍年輕者（如謝汝銓）除傳統漢文教育外，也嘗試接受新式教育，開展更寬廣的視野。這樣的態勢，一直到日本統治前後出生的第二世代（本文稱「衍生世代」，詳後），雖然也到私塾學習漢詩文，但是其正式接受的大多是現代化的教育，其生命經驗、知識養成、觀察社會的視角、文學書寫都與前世代有著不同。尤其經歷過一九二○～一九三○年代新舊文學論戰與一九三○年代臺灣話文運動衝擊，這一群跨越新舊文學一代的文學表現方式，與前世代有一定程度的差異。

本篇第一章介紹日治時期府城及其周邊的臺南文人作家之生平及作品。首先探討府城文人群及其衍生世代的生平及作品；其次，依地緣關係，介紹「南瀛文人群」包括日治時期的新化郡（鹽水、柳營、新化、善化）、北門郡（北門、將軍、七股）、曾文郡（麻豆、佳里）等區域的詩人及其作品，最後則探討日本在臺南的漢文人及其作品。第二章介紹日治時期漢文人所組織的詩社團體。這階段臺南地區有兩個軸心，帶動了當地的詩歌風氣：一是以「南社」為主體的「府城詩人群」；另一個則是以「白鷗吟社」為主體的「北門郡詩人群」。因審美觀、生活環境、生命經驗的差異，各自形成不同的書寫風景。這兩大詩人集團，雖各有特色，卻非迥然對立。透過詩人的遷移流動、師生、同門、姻親等人際網絡的連結，以及詩社的聯吟、報章雜誌的發表刊載……串聯起彼此的關係。第三章探討日治時期臺南古典詩的書寫主題，分別從地理景觀、歲時節慶、飲食物產幾個角度呈現臺南漢詩人的書寫內容。首先從古蹟建築、庭園酒館以及山海書寫三個角度觀察地理景觀，其次，透過幾位擅長記錄庶民生活習尚的詩人之雜詠組詩，多方面地呈現臺南地區的節慶民俗與飲食物產之特色。第四章探討日治時期臺南古典散文的書寫主題。首先探討相關背景，分析日治時期

報刊雜誌與古典文學的關聯，並考察臺南出版報紙與雜誌之現象。接著點出數位擅長書寫古典散文的名家，而後探討臺南古典散文的主題特色，觀察特定文人的創作理念與寫作風格，及其對當時臺南文壇的影響。第五章探討漢文小說家：洪鐵濤、趙鍾麒、趙雅福、許丙丁、鄭坤五、譚瑞貞之作，內容以描述社會言情、鬼魅敘事、歷史考究、現代性對話為主。此外，亦涉及新興的電影小說、翻譯小說，內容豐富而具趣味。

　　從十七世紀到二十世紀，臺南文人最嫻熟的文體當屬古典詩，一方面能夠貼近文人的日常生活、內心世界，一方面凸顯時代的遞嬗、空間的變異，豐富了臺南古典文學的內容。古典散文作品則能以較長的篇幅、淺白平易的文字，凸顯政治社會問題，進入二十世紀之後，加入性別視野、現代性知識觀察、空間移動，在在呈顯作者的閱讀視野及生命經驗的變化。至於小說的書寫，則呈現新舊並置的現象，一方面有中國章回小說的續衍，《西遊補》、《續聊齋》等神魔、鬼怪小說，仍舊吸引了大量的讀者群。續衍書寫之時，作家往往又增添許多時代與在地特色，如許丙丁的《小封神》以典雅的臺灣話文書寫，將臺南當地的神明納入小說，透過諷刺幽默的筆法，寫出地方故事與神仙世界的愛恨糾纏，別具趣味。另外，趙鍾麒、趙雅福父子的「史遺」，以虛實相參的方式，記錄臺灣歷史上的人物或事件，亦頗見精采。

下篇　二十世紀中期至今（1945～）的臺南古典文學

　　戰後，臺南地區古典文學依然以詩為大宗，散文與小說已趨式微。一批擅長古典詩歌的文人群，跟隨國民政府退守臺灣，與日治以來臺灣舊有的詩人社群互相交流，在一九五〇、一九六〇年代再度展現古典詩蓬勃的生機。本篇第一章首先探討戰後臺南古典詩壇與詩社。由於時局變動、老成凋零，臺南詩社有的停止運作，有的重新整頓之後，再度出發。其中規模最大的當屬 1951 年合併府城各詩社之後創立的「延平詩社」，為舊

臺南市的詩界領導核心。至於舊臺南縣，則以百年間經過六次改組，於1962年重整成立的「鯤瀛詩社」為代表。亦有一些戰後新創的詩社，以微小的力量，默默為延續傳統文化而努力。藉由「延平詩社」、「鯤瀛詩社」為雙主軸，推動大臺南地區古典詩社改革、舉行聯合詩會、結合宗教組織、將作品刊登於報紙詩刊、結合教學活動……致力於古典詩學命脈的延續。第二章探討戰後臺南古典詩人與詩。舊臺南市比較活躍的詩社成員有：早期「南社」的吳子宏、高懷清、白劍瀾、葉占梅、王鵬程、謝汝川、林海樓、洪子衡、楊乃胡，以及戰後積極加入「延平詩社」的李秉璜、黃少卿、黃天爵、吳榮富等，維持一定的創作力。舊臺南縣方面，幾位重量級的詩人王大俊、林泮、王炳南先後辭世，創作力依然豐沛的有：李步雲、吳萱草、鄭國禎、陳嘯、黃生宜、施獻忠、陳昌言、陳明三等，尤其是吳萱草、李步雲、黃生宜三位前輩詩人，更帶動了臺南縣新生力軍的創作能量，使得年輕一代的接棒者如吳新榮、陳進雄、吳素娥、吳登神，在古典詩壇展現優異的成果。這階段由於中華民國退守臺灣，少數外省籍詩人，如程薌、陸宗炎、朱遐昌等落腳在臺南縣市，亦納入本章討論。戰後臺南古典詩多以擊缽、課題、徵詩為主，閒詠詩數量偏少。本章從詩社的集體創作，略述戰後至今臺南地區古典詩社群所關懷的議題，包括：時序遷流下的王城記憶、鄉鎮聚落的農漁景觀、人際關係的密切連結、宗教與民俗、文化傳承……，為戰後大臺南地區的古典詩書寫，添增了豐富的內涵，灌注了蓬勃的活力。

第一章

鄭轄時期的臺南文學

◆陳家煌

國姓爺鄭成功在 1661 年春末自廈門出兵臺灣，於 1662 年初擊敗荷蘭東印度公司後占領臺灣，結束了荷蘭 38 年的殖民統治，也正式在臺灣島上建立漢人主掌的政權。本卷主要書寫的乃是臺南古典漢文學的流變發展。荷治時期雖已有沈光文來臺，且有漢文著述。不過沈光文亦完整度過 21 年的鄭轄時期，可能大部分的詩文創作都是在鄭轄時期完成。因此本卷時間始於沈光文來臺的 1651 年，但政權朝代的肇始，則由鄭轄時期開始。沈光文及鄭成功來臺，時間相差 10 年左右，但便於敘述，亦將沈光文歸於鄭轄時期，而不另闢專章荷治時期的文學史。

　　從沈光文到鄭氏降清，三十餘年間，臺南文壇可書入文學史之作家，人數及作品均有所不足。作品量大可資記述的，僅有沈光文及鄭經二人，故此二人專闢兩節討論。鄭轄時期，因文獻散佚太多，作家作品鳳毛麟角，若有詩文傳世，均彌足珍貴。第三節則論述其餘作家，略作概說。

第一節　沈光文

　　歷來對於臺灣的漢文記載，自《漢書》之〈地理志〉中記載有「東鯷」以降，歷來不論詳略，均陸續參差見於史書或文人筆記中。相關的資料，伊能嘉矩所著《臺灣文化志》第一篇〈清代以前中國人所知之臺灣〉，考據極為詳盡。雖然以地緣關係而言，臺灣這個島嶼距離中國最近，而且是最容易讓漢人移墾之地。但是奇怪的是，至元代為止，漢人的足跡都僅至澎湖，鮮少涉足臺灣。以至於到明朝為止，中國歷代的領土主權宣示，都僅止於澎湖，並視臺灣為化外之地，不在其統治疆域內。

　　在明朝時期，臺灣一地為日本到中國的航運中繼樞紐，因此島上不僅有漢人暫居，也有日人，且多為海盜巢穴。明朝海軍定期巡弋之地，僅止於澎湖，而不及於臺灣島。在十七世紀初脫離西班牙統治的荷蘭人

成立荷蘭聯合東印度公司，在占領巴達維亞成為其亞洲最重要的核心據點後，於 1603 年（萬曆 31 年）由提督韋麻郎（Wybrand van Warwijck, 1566-1615）率領一艦隊攻擊葡萄牙占領之澳門，準備襲取澳門作為與中國貿易的轉運港。但韋麻郎的軍事攻擊，卻被澳門守軍擊退，艦隊便於海上遇暴風而漂流至澎湖媽宮澳。韋麻郎在澎湖暫時駐軍後，隨即離去。不過在 1622 年（天啟 2 年），荷蘭東印度公司又由賴爾遜（Cornerius Reyerszoon）率軍艦六艘及士兵兩千人，在進攻澳門失敗後，便轉向攻占澎湖，並建造軍事工事，準備久占。至 1624 年（天啟 4 年），明朝軍隊在福建巡撫南居益（1565～1644）的主事下，令福建總兵俞咨皋（生卒年不詳，俞大猷〔1503～1579〕次子）進擊荷蘭守軍，並生擒荷將高文律（KoboenLoet），逼迫荷人退出澎湖。荷人便於 1624 年 8 月放棄澎湖而入據臺灣南部，於臺南一鯤身大員海岸建築工事，開始了臺灣荷蘭東印度公司的荷治時代。

　　從上面的扼要敘述看來，荷蘭人本來打算從葡萄牙人手中奪取澳門作為對中國貿易的轉運點，失敗後，退而求其次，打算占領澎湖。但澎湖為明帝國之領土，在優勢的軍力下，明朝人將荷蘭人驅逐至臺灣。最後荷蘭人於 1624 年落腳於臺灣臺南一鯤身，開始殖民經營臺灣，大量引進漢人勞力，並建熱蘭遮城將臺灣打造成荷蘭東印度公司最重要的東亞轉運港。但是，臺灣此島並不是荷蘭人一開始的第一選擇。

　　在荷蘭人開始殖民臺灣時，固定居住於臺灣的漢人並不多。在臺漢人，大多是漁民或是海賊，不過荷蘭人似乎開始大量引進漢人，以填補其遠東勞動力的不足。當時東亞的局勢，日本在關原之役（1600 年）後開始進入德川江戶幕府（1603～1867）的安定時期；而中國卻進入了明光宗及思宗的最後兩任皇帝的統治期，直到 1644 年明朝滅亡。

在瞭解了以上的時代背景後，大約在 1651 年左右，在航行時遭颶風漂流至臺灣的沈光文處境，[1]便大致可以掌握。

沈光文（1612～1688）在臺灣文學史是一個重要的人物，被尊稱為「海東文獻初祖」、「臺灣孔子」等。字文開，號斯庵，生於浙江鄞縣（今寧波），副貢出身。在 1644 年，李自成攻破北京城後崇禎皇帝自殺，明朝滅亡。接著吳三桂引清兵入關後，沈光文便積極地參與了南明政府抗清的活動。起先，魯王朱以海先授以太常博士官職，在魯王政府升任至工部郎中。其後隨桂王轉戰至肇慶，任太僕寺少卿，因此又被稱為沈太僕。

至於沈光文抗清之際來臺的原因及時間，雖然學界有諸多爭論，但是最早記錄其事的，乃是臺灣首任諸羅縣令季麒光（1634～1702）的〈沈光文傳〉（收於《蓉洲文稿》卷三），後來的方志傳記，多以此文為本：

> 沈光文，四明故相文恭公世孫，字文開，別字斯菴，以恩貢歷仕紹興福州肇慶之間，由工部郎中加太僕寺少卿。鼎革以來，避跡不仕。辛卯年（1651），從肇慶至潮州，由海道抵金門，督院李公聞其名，遣員致書幣邀之，斯菴不就。七月，挈其眷，買舟欲入泉州，過圍頭洋，遇颶風，飄泊至臺。及鄭大木掠有其地，斯菴以客禮相見。鄭經嗣爵，多所變更，斯菴知經不能用人，且以一賦寓譏諷，為忌者所中。乃改服為僧，入山不出，教授生徒，兼以醫藥濟人。（〈沈光文傳〉節錄）

在這段記載中，過於簡略甚至有語焉不詳之處。首先，沈光文的官職，均是南明魯王、桂王封任，季麒光僅寫其「歷仕」於紹興、福州、肇慶，略

1——沈光文遇颶漂流來臺年代學界尚無定論，本書採取的是盛成的説法。見盛成，〈沈光文公年表及明鄭清時代有關史實〉，收於龔顯宗主編，《沈光文全集及其研究資料增編·下》，臺南：臺南市政府文化局，2012年，頁52。本文原收於《臺灣文獻》第12卷第4期，1961年12月。

去南明諸王名諱。接著寫「鼎革之後，遯跡不仕」，這兩句更是不實的記載。若由明入清鼎革之後，沈光文遯跡不仕，那麼他在南明時期的所有官銜，終不復存在，也不會有工部郎中加太僕寺少卿的職位官銜。

此文如此敘述，當然是因為季麒光為清代官員，對於南明抗清之事隱晦不提。不過，這段記載中，大致上可以確定的年代，乃沈光文在桂王流亡廣東西南的肇慶時，他離開了桂王前往金門，大概是要返回故鄉浙江寧波。結果在 1651 年的 7 月，於金門和晉江間的圍頭灣洋面，遇到了颶風而漂流到臺灣。因此沈光文抵臺的時間，比鄭成功還早十年。也因為季麒光這篇傳記的關係，因此大部分的學者，將沈光文抵臺的時間，定於尚在荷治時期的 1651 辛卯年。

不過，季麒光又在〈跋沈斯菴襍紀詩〉一文中又提到：

從來臺灣無人也，斯菴來而始有人矣。臺灣無文也，斯菴來而又始有文矣。斯菴學富情深，雄於詞賦，浮沉寂寞於蠻烟瘴雨中者，二十餘年。

（〈跋沈斯菴襍紀詩〉，收於《蓉洲文稿》卷二）

季麒光於 1684 年赴臺任首任諸羅縣令，因而得識沈光文。若沈光文早在1651 年便抵臺，則文中便不宜記錄為「二十餘年」，當作三十餘年。如此，則沈光文與鄭成功來臺時間相當，約為 1661 年。另一篇重要的沈光文傳記，乃是全祖望於 1745 年（乾隆 10 年）所撰，收於《鮚埼亭集》的〈沈太僕傳〉，此文與季傳大同小異，但更為詳細，文中所提到沈氏來臺，亦定位於 1651 年左右，且文中提及「公居臺三十餘年，及見延平三世盛衰」，可見沈光文於 1651 年遇颶漂流來臺的說法，被比較多學者採信。

不過，不論沈光文何年抵臺，均不影響其人作為臺灣漢文文獻第一人的地位。以漢文傳統而言，便如季麒光所評價：「臺灣無文也，斯菴來而

又始有文矣」，沈光文身為臺灣第一位漢文文學家，全祖望稱其「海東文獻，推為初祖」，其人及作品本不辱其「海東文獻初祖」斯名。

沈光文的作品，大多收錄於《臺灣府志》、《諸羅縣志》以降的臺灣、福建各時期方志中，其著作在清代並沒有單獨刊刻成書。全祖望曾蒐集其作品，編次著作有〈花木雜記〉、〈臺灣賦〉、〈東海賦〉、〈檨賦〉、〈桐花賦〉、〈芳草賦〉及古今體詩。目前可得見的沈光文作品，共有各體詩約 120 首；古文〈東吟社序〉、〈臺灣輿圖考〉、〈題梁溪季蓉洲先生海外詩文序〉三篇；賦〈臺灣賦〉一篇；駢文〈平臺灣序〉一篇。〈平臺灣序〉一文，不見全祖望之著錄，所以臺大教授盛成於〈荷蘭據臺時代之沈光文〉一文中曾說：

> 余以為臺灣之教育，實始自沈公教學番社始，繼荷人而教以漢字也。而臺灣之文獻，始於沈公之臺灣輿地圖考，成於荷治時代，臺灣之賦，始於沈公之〈臺灣賦〉，亦當起草於荷治時代，成於延平之死後。臺灣之詩，始於沈公之寄跡效人吟，亦成於荷治時代。至於今傳〈平臺灣序〉，乃係贗品，由范咸將〈臺灣輿地圖考〉與〈臺灣賦〉合而為一，加上施琅之〈飛報澎湖大捷疏〉，改頭換面，而成為沈光文之〈平臺灣序〉，冤哉枉也。[2]

上文盛成評述沈光文之文學教育成就允當，並認為〈平臺灣序〉為偽作。此外彭國棟也在《廣臺灣詩乘》中提到：「後人以《臺灣府志》有〈平臺灣序〉一篇，託名斯庵作，序中詆斥鄭氏，諛美滿清，遂謂其晚節不全，而不知〈沈太僕傳〉詳列斯庵著述，並無〈平臺灣序〉，其為假託無疑也。」[3]盛成及

2——盛成，〈荷蘭據臺時代之沈光文〉，收於林熊祥等著，《臺灣文化論集》第二冊，臺北：中華文化出版事業委員會，1954年，頁289。此外，本文力主沈光文來臺，乃是為了鄭成功收復臺灣作內應，因此四處勘查地形山川，以便日後鄭軍來臺參閱，並論述其與郭懷一事變之關係，雖立論特異，但有值得一讀之處。

3——彭國棟，《廣臺灣詩乘》，臺北：臺灣文獻委員會，1956 年，頁 10。

彭國棟從全祖望著錄沈光文著作無〈平臺灣序〉，且此文詆毀鄭氏治臺、切合清國統治切入，認為沈光文當不至晚年變節而有此文。不過，沈光文的政治立場本來就與鄭氏有極大的差異，也因為寫了〈臺灣賦〉後得罪鄭經而逃入羅漢門削髮避禍。鄭氏被滅，東寧亡國。沈光文亦與施琅交好，甚至與季麒光過從甚密，〈平臺灣序〉一文是否為七十餘歲老翁沈光文的作品，實應深入研究。

在 1684 年（康熙 23 年）秋施琅於澎湖海戰大捷後，鄭氏於前寧靖王府前廣場（現今臺南大天后宮）舉行薙髮易服的降服儀式。寧靖王朱術桂自縊殉國，鄭氏家族以降王身分盡數遣返北京。隔年，清帝國在臺灣西南部設一府三縣，正式將臺灣部分區域納入清帝國領土，此時沈光文的立場便顯得尷尬不已。對於曾服侍過監國魯王及永曆帝桂王的抗清志士沈光文來說，因反對鄭經稱王而受迫害，但面對鄭氏王朝被昔日反抗的清國政權消滅，沈光文既不反抗也不歸順回鄉，面對清帝國統治臺灣時展現出一種隱晦微妙的態度。

不過施琅對於沈光文倒是採取禮遇懷柔的禮貌態度，沈光文表面上也以禮相待，不過彼此往來似乎不那麼密切熱衷。但接下來清國在設一府三縣後，首任諸羅縣令季麒光倒是主動親近當時在善化（目加溜灣社）生活的沈光文。季麒光（1634 ～ 1702）字聖昭，號蓉洲，江蘇無錫人，1676年（康熙 15 年）進士，於 1684 年（康熙 23 年）來臺擔任首任諸羅縣令。在任期間，曾與幕僚及在臺士人集會吟詠，合成其創作為《東吟詩》、《東寧倡和集》，並組詩社「福臺新咏」（臺灣方志亦多作《福臺閒詠》）、「東吟社」，為臺灣詩社濫觴。關於《福臺閒詠》及東吟社關係，季麒光於〈東吟詩敘〉一文開頭，便有清楚的解釋：

東吟者何？就《福臺新咏》而名之也。《福臺新咏》何昉乎？始於斯菴老僧及渡海諸君子倡和之作也。福臺者何？在臺言臺，兼誌省會也。然則曷為以東吟名也？曰紀異也。異維何曰？方輿之廣也。會遇之奇也，風雅之所自作也。（季麒光：〈東吟詩敍〉，收於《蓉洲文稿》卷一）

以沈光文及季麒光為首，聚合當時在臺文人組成東吟社，其作品集結，便是《東吟詩》。福臺新咏作為臺灣第一個詩社，其成員依〈東吟詩敍〉最末的記載有：

今上康熙二十有四年，乙丑嘉平（按，農曆十二月），四明沈斯菴光文、宛陵韓震西又琦、關中趙素菴行可、會稽陳易佩元圖、錫山華蒼崖袞、鄭紫山廷桂、榕城林御輕奕、丹霞吳衣芙蕖、輪山楊載南宗城、莆陽王鴻致際慧，集東吟社而序之者，梁溪季蓉洲麒光也。（季麒光：〈東吟詩敍〉，收於《蓉洲文稿》卷一）

從這些人來看，東吟社除沈光文在臺灣居住較久外，其餘大多是宦遊來臺的官員及幕僚。這份宦遊來臺的東吟社成員名單，又與沈光文寫於康熙24年4月的〈東吟社序有所出入，可見東吟社的成員並不是變動不居的。4月及12月的集會共同成員，僅有沈光文、季麒光、華袞、韓又琦、陳元圖、鄭廷桂六人。

在康熙24年東吟社歷來酬唱聯吟集結的作品集《福臺閒詠》，目前已不存。不過從沈光文的詩作及季麒光的《蓉洲詩稿》中，殘存某些詩作，大致可推測為當時詩社吟詠的課題。沈光文詩作、古文及賦作，數量雖然不多，也無輯成刊刻，但是其作品質與量，在荷、鄭時期，甚至清代初期，臺灣無人能出其右。對於推廣漢文教化及書寫臺灣的作品，影響後來臺灣文教甚鉅，其作品亦大量收入臺灣各時期方志藝文志中，

故其為臺灣漢文化傳播第一人之地位，無庸置疑。施懿琳在〈明鄭時期寓臺的遺民詩人及其作品〉一文中，認為沈光文對臺灣文教有四大貢獻，奠定其海東文獻初祖的地位：一是臺灣漢文學創作始祖、二是設帳授學，學徒不僅有漢人，甚至擴及原住民、三是相關臺灣風物書寫記錄，建立了當時豐富的漢人觀點的臺灣資料、四是與季麒光共同建立東吟社，為臺灣詩社始祖，並且確立了臺灣文學以「詩」為主流的特質。[4]但是，若以知人論世的角度來看沈光文現存的一百多首詩作，實在很難從詩中的描述呈現他在臺生活的過程，反而是他的臺灣相關古文或賦的書寫及記載，對於我們理解當時的臺灣有一定的幫助。

第二節　鄭經

　　雖然沈光文大約是首位來臺灣且富有教養的漢人文士，而且從 40 歲左右因航行遭颶風吹盪到臺灣後，在臺灣生活了三十餘年直至老死。經歷荷蘭、鄭氏、清國三次政權更迭，著作也算豐富。不過，臺灣第一個將自身著作單獨集結刊刻的，卻是國姓爺鄭成功（1624 ～ 1662）的長子：鄭經（1642 ～ 1681）的《東壁樓集》。

　　鄭成功與鄭經，雖然在政治上建立了大功業，卻苦無著作流傳。在1994 年之前，鄭氏父子二人著作，學界所能看到的，僅收錄在鄭振鐸（1898 ～ 1958）等人在抗戰時編刊的《玄覽堂叢書》續集中《延平二王遺集》中鄭經的 12 首詩。關於《東壁樓集》的出土，《全臺詩》第壹冊中鄭經的作品簡介有扼要的說明：

4──施懿琳，〈明鄭時期寓臺的遺民詩人及其作品〉，《從沈光文到賴和──臺灣古典文學的發展與特色》，高雄：春暉出版社，2000年，頁25-27。

過去談鄭經詩多以「玄覽堂叢書」《延平二王遺集》中署名為「元之」的十二首詩為主。朱鴻林於 1994 年發表〈鄭經的詩集和詩歌〉（按：此文刊在《明史研究》第四集，黃山書社，1994 年。）介紹了新發現的原始資料《東壁樓集》，並據序文內容及所蓋的篆印證明此乃鄭經於永曆二十八年西征初捷時在泉州的首刻本。此刻本原藏於日本內閣文庫，今臺灣國家圖書館漢學中心，以及中央研究院傅斯年圖書館均有影本。以下先呈現泉州刻本之《東壁樓集》詩作四百餘首，而後呈現《延平二王集》所收鄭經在臺詩作。[5]

因為《東壁樓集》的重新出土，開啟了鄭氏治臺的文學史研究新天地。不過，如同沈光文的詩作一樣，鄭經在《東壁樓集》中四百餘首詩，較少書寫臺灣風土，詩中也鮮見時事具體記載。話雖如此，鄭經留下來的 480 首詩，的確在臺灣文學史中，留下舉足輕重的地位。

在〈東壁樓集自序〉中，鄭經提到：

> 及先王賓天，始出臨戎，嗣守東寧，以圖大業。但公事之餘，無以自遣，或發於感激之時，或寄於山水之前，或托於風月之下。隨成吟詠，無非西方美人之思。[6]

因此從這段自序可知，此集中 480 首詩作，大約作於鄭成功死後，鄭經於臺灣繼任延平王之後（1662），到「永曆甲寅歲夏六月」（1674）此集刊刻的十餘年間鄭經所作的詩作。12 年間，能為詩近 500 首，足見鄭經精擅詩藝且用力創作。其詩雖多以描寫風月山水主題之作，但亦可見其詩思詩心。此外，《東壁樓集》鮮少將公事時勢入詩，如這首〈東壁樓〉詩所寫的：

5——施懿琳等編，《全臺詩·壹》，臺南：國家臺灣文學館，2004年，頁71-72。

6——鄭經，《東壁樓集·序》，臺北：龍文出版社，2011年，頁2。

高樓遠峙白雲邊，綠海環城動碧漣。孤渚彩霞生畫閣，一江明月度漁船。朱簾斜捲盤波日，玉檻橫棲出岫煙。聽政餘閒覺寂寞，寄情山水墨翰筵。[7]

此詩寫景，風景絕美，身處其間，隱然便是一位高潔的處士。東壁樓大概是鄭經公務之餘讀書休憩的處所。依首聯看來，應該是位於一鯤身「王城」安平鎮之中，甚至有可能是直接興建於荷人的熱蘭遮城之中，因此才有「高樓」及「綠海環城」之景。接下來此詩記錄周遭美麗海景，最後才寫出。他的諸多詩作，大多是聽政之餘，寄情山水的怡情養性以排遣寂寞的作品。這首詩具體而微地道出鄭經《東壁樓集》的主要創作心態，亦即寫詩乃是繁忙公務之餘，讓自己跳脫政事的一種高級娛樂。因此，鄭經在創作時，便有意識地排除將具體實務的事件寫到詩中。換言之，鄭經的時事詩相當稀少，但卻有山水詩、隱逸詩、懷古詩、鄉愁詩，甚至樂府詩及閨怨詩。這些詩作所吟詠的題材內容，似乎不符合其延平王爺的身分。不過若是能理解鄭經將其寫詩的心境刻意地與現實生活分隔，其間不涉實事，無關現實，純粹僅是心境的吟詠及感情的抒發，著重在詩歌藝術的呈現。因此《東壁樓集》中的詩作，多有唐宋格高華美的風格。若說鄭經21歲便統治了東寧王國，甚至不到40歲便揮戈西征，進軍福建，欲完成鄭成功遺願。在位期間與清帝國相頡頏，毫無遜色，展現其政治、軍事及外交上的才能，那麼，《東壁樓集》的詩作，便是他身為詩人最具體的表現。言志抒情，質精量多的詩作，放諸當時詩壇，亦毫不遜色。

雖然鄭經詩作鮮涉實事，但也有少數吟詠臺灣一地及想要西征意圖的詩作。例如詩集中的〈東樓望〉、〈獨不見〉、〈讀喜達集有感依諸公韻成篇〉、〈詠昔年北征〉、〈悲中原未復〉、〈和康甫應天討虜大海出師〉、

7──《全臺詩·壹》，頁137。

〈讀張公煌言滿洲宮詞足徵其雜揉之實李御史來東都又道數事乃續之〉、〈滿酋使來有不登岸不易服之說憤而賦之〉、〈痛孝陵淪陷〉等，這些都記錄了鄭經治臺時，於東都西望故土，「嗣守東寧，以圖大業」的志向。如〈獨不見〉此詩所寫的：

> 腥羶滿中原，林木巢胡燕。天子蒙塵出，皆繇諸臣譴。壯士懷激烈，忠心在一片。義旗照天地，驛絡蔽日晛。徒苦諸群黎，作計良不善。胡騎一朝至，人人自為變。我今興王師，討罪民是唁。組練熊羆卒，遵養在東洵。企望青鸞至，年年獨不見。[8]

此詩可能不是在臺灣所作，而是鄭成功於金廈兩島準備北伐時的作品。此詩詩末「遵養在東洵」，「洵」字一定是訛字，因為本詩押去聲十七霰，但洵為平聲不入韻，因此查霰部，此字應為「甸」之訛誤。東甸，有可能是明帝國東方金廈一帶。詩末的青鸞，為皇帝車駕前的鈴，應是指桂王永曆。桂王在鄭成功驅逐荷人前一年（1661）被吳三桂射殺，若鄭經來臺，不能有此詩末聯「企望青鸞至」之句。所以此詩當為鄭經任世子，隨鄭成功駐守金廈時所作。

此外，〈悲中原未復〉，光從題目便可見其志氣：

> 胡虜腥塵遍九州，忠臣義士懷悲愁。既無博浪子房擊，須效中流祖逖舟。故國山河盡變色，舊京宮闕化成丘。復仇雪恥知何日，不斬樓蘭誓不休。[9]

此詩並無特別新意，內容及使用的典故也都尋常可見而非僻典，最後一句則明指清人為外族，必須對其復仇雪恥。

8——《全臺詩·壹》，頁74。
9——《全臺詩 · 壹》，頁130。

鄭經在《東壁樓集》有二首寫給他的老師陳永華的詩，分別是〈和康甫應天討虜大海出師〉及〈和康甫〉。康甫為陳永華的字。其中，〈和康甫應天討虜大海出師〉應是 1674 年，鄭經附應三藩之亂起兵而西征福建時所寫的詩：

　　薄出西征駕戰舟，長歌擊楫濟中流。國家元運今朝復，胡虜妖氛一旦收。萬姓歡呼恢漢室，孤臣喜得見神州。十年遵養因時動，壯士何辭櫛沐秋。[10]

詩中有十年遵養，自 1662 年鄭經入臺到 1674 年，一紀 12 年，可見在鄭經揮軍西征時，總制陳永華作詩贈鄭經，而鄭經亦作詩相和。此詩當然是鄭經在整軍經武十餘年後再度西征，希望在臺軍隊能恢復漢室，驅逐韃虜，光復神州。最後結果雖然事與願違，鎩羽而歸，但由此詩亦可看出鄭經西征時的氣勢。

　　在《東壁樓集》的 480 首詩中，有 63 首詩題後有「得○字」，即依所得之字押韻，此乃詩會時限韻賦詩之作品。由此可知鄭經在統治東寧王國時，應該經常舉辦詩會，與群臣賦詩娛樂。再如上有〈和康甫應天討虜大海出師〉、〈和康甫〉唱和陳永華的作品，而陳永華原作今不復見，可見當時東寧鄭家詩會及群臣文人詩作必定不少。可惜的是目前均散佚缺失，不復再見。若我們再細看《東壁樓集》的詩題及內容，可見許多倣效的樂府作品、山林隱逸的詩作，都與鄭經王爺身分不符，可知這些作品都是效倣擬作。鄭經在此詩集的自序中自稱「或寄於山水之前，或托於風月之下。隨成吟詠，無非西方美人之思」，不過其脫離現實的斧鑿之跡也過於明顯，例如〈野居〉這類的詩，其寫作心態便是模擬的：

10——《全臺詩・壹》，頁 147。

野外結幽居，臨流復倚樹。高低雜峰巒，靄靄皆雲霧。山徑少車馬，惟有牧樵度。泉多瀑布飛，天晴聞風雨。瀠洄動龍蛇，遊鱗常逆泝。來往漁人舟，終年住歲暮。漁父與樵童，時時頻相顧。興起閒遊行，到處成佳句。自得意悠悠，休與俗者晤。[11]

這類閑適清幽的田園山野情調詩作，在《東壁樓集》中俯拾皆是。但鄭經住在安平的王城內，身為東寧王國王爺，為臺灣之主，應該不太能前往郊外，並且在「野外結幽居」，能和牧童樵夫漁父「時時頻相顧」。當然，我們不能說鄭經這類作品虛假矯情。但很明顯的，這類田野牧歌式的詩作，都是鄭經心嚮往的理想生活。或者從這類隱退詩作的大量寫作，亦可推測鄭經執政時的苦悶辛苦。

臺灣荷、鄭兩時期的最重要兩位詩人，沈光文及鄭經，在詩歌創作上，都呈現出與日常現實生活有所區隔的創作意圖，也就是缺乏事件的紀錄。當然，在沈光文百餘首詩及鄭經四百餘首詩中，或多或少也有寫到當時處境及時事的作品，但以比例而言，微乎其微。若從沈、鄭二人的作品看來，此二人大致也奠定了臺灣古典詩的另類傳統：亦即，這群早期從臺灣外地來臺居住的人士，其寫作的詩歌，似乎可以與他們真實生活中的臺灣環境及時事脫離。他們在詩歌所描寫的情志及山海美景，若放諸中國其他地方都可以。也就是，不論是沈光文或是鄭經，都沒有因為在臺灣生活 20、30 年，而對臺灣產生特殊的情感，並且將臺灣的特殊性，以詩歌這種文學作品的形式呈現出來。總而言之，「臺灣」的意象，在沈光文及鄭經的眼中及詩中，意味淡薄且不重要。沈、鄭是鄭氏時期臺灣最重要的兩位詩

11——《全臺詩・壹》，頁 88。

人，其詩作特色也說明了，在漢人文化尚未深植的臺灣，並無特別值得書寫的價值。在這兩人的詩中，書寫最多的，反而是中國故鄉的風物，以及值得他們懷念的事物。因此鄉愁書寫及個人情感的抒發，甚至傳統詩歌美感的追求，成了他們在臺灣創作時卻不將臺灣風物作為關注書寫對象的通則。在面對實際生活的臺灣，在創作時，他們卻比較少提到臺灣。

這種與現實脫勾的詩歌創作模式，卻也成為日後來臺宦遊人士的書寫通則，甚至成為臺灣傳統漢文的書寫傳統。只不過與沈光文、鄭經不同的是，將臺灣視為清帝國疆域的新闢領土，來臺執行統治權的官員及其幕僚，會花時間及精神，將臺灣一地異於中原本土漢人居住的中國大陸風土民情，當成異類或異文化，變成他們的書寫題材。將臺灣殊異於中國的存在，並用紙筆將這些差異書寫出來，乃是清國領有臺灣之後才開始。在荷治、鄭轄時期在臺灣的漢文人，活動範圍均在現今大臺南市附近，且大多將臺灣風物視為異數而加以書寫，因此稍微缺乏關於臺灣更深入的紀錄及互動感受。

第三節　來臺遺民文人

1644 年明亡之後，清兵入關建立清帝國，中國南方各地組成南明流亡政府與清國對抗。明亡後，先後流亡來臺寓居的遺民有沈光文、朱術桂、盧若騰、王忠孝、辜朝薦、沈佺期、李茂春、徐孚遠、陳永華等文人外，鄭成功、鄭經父子亦有詩作傳世。但如前文所敘述，僅有沈光文及鄭經留有較多詩作。這些人除了沈光文及鄭經外，其餘大多是因鄭成功攻圍荷蘭人後接收臺灣，因鄭氏的禮遇才來臺灣。在這些南明遺老中，金門人盧若騰舟行至澎湖便身亡，澎湖至今遺留其墓。王忠孝（1593～1666）寓臺五年（1662～1666）、沈佺期（1608～1682）居臺至 1682 年（永曆 36 年）卒、寧靖王朱術桂（1617～1683）卒於施琅入臺前、徐孚遠（1599～

1665）居臺生一子、辜朝薦（1598～1668）亦卒於臺灣，而陳永華（1634～1680）輔佐鄭經經營臺灣，於文教事業上亦有重大功績。不過在文學上，這些遺老來臺有遺留下作品的，當以王忠孝及徐孚遠最為重要。

王忠孝於 1664 年（康熙 3 年）三月與好友辜朝薦東渡來臺，並受到鄭經禮遇，與寧靖王朱術桂、沈光文、徐孚遠等滯臺遺老往來甚密，最後於臺灣身故，享壽 74 歲。王忠孝留有《惠安王忠孝公全集》，其中收詩約百餘首、95 題，存詩不多，但於臺灣所作的詩，也有 16 首左右。王忠孝在臺的詩作，大多呈現他在臺灣居住的遭遇，以及其抗清不降的氣節。對於東渡來臺，面對缺乏漢文化沾溉的臺灣一隅，王忠孝亦展現其欲教化之心意，如〈東寧風土沃美急需開濟詩勗同人〉此詩所寫的：

> 巨手劈洪濛，光華暖海東。耕耘師后稷，絃誦尊姬公。風俗憑徐化，語音以漸通。年來喜豐稔，開濟藉文翁。[12]

對於一個 70 餘歲跨海來臺的漢儒老翁而言，希望將異域臺灣教化成漢文化圈的一環，篤志堅實，亦令人佩服。

徐孚遠（1599～1665），則是在鄭經執政時期曾短暫來臺。徐孚遠為明末江蘇知名文士，曾與陳子龍等人組幾社。著有《釣璜堂存稿》詩集 20 卷，存詩 2700 餘首，為明末、南明期間重要詩人。來臺期間，作品不多，詩作約 20 餘首。而在臺詩作，亦多去國懷鄉及述志抗清之作。因其文名甚盛，其詩亦多受後人重視。依其〈東寧詠〉一詩中首聯「自從飄泊臻茲島，歷數飛蓬十八年」來看，自李自成入北京使明朝滅亡的 1644 年起算，徐孚遠可能是 1661 年鄭成功圍荷蘭熱蘭遮城時首次來臺。接著在亡故前

12——《全臺詩‧壹》，頁 21。

曾三次來臺，並跟隨 1663 年（永曆 17 年）以監軍身分來臺的寧靖王朱術桂及王忠孝前來臺南，而有〈陪寧靖集王愧兩齋中〉一詩：

軒車夕過喜王孫，呼取黃衫共酒尊。入釣新魚堪一飽，小齋明燭好深論。龍無雲雨神何恃，劍落淵潭氣自存。飲罷不須愁倒極，還期珍重在中原。[13]

詩題中之「王愧兩」即王忠孝。此詩乃徐孚遠於臺南與朱術桂、王忠孝相聚後所作。詩中當然書寫了相聚悲喜心情，及彼此一生貞節志業。頷聯雖然書寫其落拓失意，但志氣尚存，令人動容。詩作最後，則與大家相約於中原再會。雖然局勢如龍失雲雨、劍落淵潭一樣不利，不過大家圖謀復興之願望依然強烈。此外，在〈東寧詠〉這首七律中，則寫出了兵馬倥傯漂泊半生後來到臺灣，雖然物質條件不如中國內陸，不過卻能暫時心安於此，平靜度日：

自從飄泊臻茲島，歷數飛蓬十八年。函谷誰占藏史氣，漢家空歎子卿賢。土民衣服真如古，荒嶼星河又一天。荷鋤帶笠安愚分，草木餘生任所便。[14]

此詩開始寫來臺前如飛蓬漂泊的辛酸，來臺後的心境就像騎青牛出函谷關西去的老子及持節牧羊北海的蘇武一樣，去國懷鄉，無可奈何。不過腹聯則寫來臺感受，從詩意的表現來看，徐孚遠雖不滿意此地的文明教化，但基本上喜歡臺灣這塊土地。所以最後則寫他願盡一己之力，荷鋤帶笠耕種臺灣，雖然帶有退隱意味，不過還是透出想要開墾此地的意願。此外，徐孚遠亦有〈壽陳復甫參軍〉，對陳永華有極高的期許及評價：

世事方屯艱，經營賴上材。小心參帷幄，大力運昭回。入座香風滿，懷人梁月催。笑言通夢寐，杯斝屢追陪。徐孺沈憂久，元龍爽氣開。旅途

13——《全臺詩‧壹》，頁 24。
14——《全臺詩‧壹》，頁 25。

雖偃蹇，高義感風雷。頻有西園賞，無虞江夏災。欣逢瑤海使，新自日
邊來。正值龍山會，兼陳戲馬臺。可令南極老，黃髮倚鄒枚。[15]

陳永華為鄭經的老師，後任臺灣總制，其地位有點類似李斯和諸葛
亮，均和君王有師生情誼。徐孚遠年齡大了陳永華三十餘歲，寫作此詩，
當然是因為陳永華以參軍總制之名位，輔佐鄭經，掌握了當時臺灣鄭氏王
朝的實權。徐孚遠在臺灣，也見了陳永華勵精圖志，倡興文教的努力，所
以寫了這首五言排律祝壽。詩中出現的「龍山會」，乃是桓溫攻克洛陽後，
在重陽節登洛陽龍山主持的酒會；而戲馬臺則是項羽滅秦定都彭城後，興
建以觀戲馬的樓臺。詩中在在都以霸主期許鄭經，也帶出了當時鄭氏君臣
常舉辦宴會之事。詩末再自謙為鄒枚二老，為西漢梁王詩酒之伴自喻。

在鄭氏主政臺灣二十餘年期間，由於臺灣屬漢人初闢之地，文教未
興，於臺南一地所創作的漢文作品，現存者大多以詩為主。因文獻保存不
易，除上述之沈光文、鄭經有較完整且數量多的詩歌傳世外，來臺將領文
人及遺老，其詩文大多湮滅不彰。如鄭成功僅存〈復臺〉一詩、朱術桂僅
留一首七律及一首五絕〈絕命詞〉、王忠孝存臺灣所作詩不到廿首、徐孚
遠存詩亦不多。盧若騰則未抵臺灣而亡，集中無臺灣詩，陳永華僅存〈夢
蝶園記〉一文。其餘如辜朝薦、沈佺期、李茂春等渡海來臺遺老賢臣，竟
無隻字片語詩文留傳。應當是時代久遠，有所遺佚，甚是可惜。如果如上
節鄭經的《東壁樓集》大量存有與他人詩酒唱和的詩作來看，這些人在鄭
經統治臺灣 20 年相對承平期間，應有相當多的作品。如鄭經亦有和陳永
華之詩。不過這些作品鮮少留傳，清兵入臺時，臺灣又無兵燹災難，這群
遺民作品是否因政權轉移而被刻意消除或被忽視，現在則不得而知。

15── 《全臺詩・壹》，頁 26-27。

目前臺灣文史研究中，荷治、鄭轄、清治、日治及戰後各時期，研究最少的時期，便是鄭氏三代主政下的鄭轄時期。這當然是目前能掌握到的文獻，不論是史書記載或是文藝作品，文史方面資料極度缺乏。但是，鄭氏作為滿清最後一個漢人敵對勢力政權，孤懸海外從不妥協二十餘載。在鄭經主政下的東寧王國，拒絕清帝國八次招降和議。鄭經於臺灣史上，亦是功績卓著的一號人物。在鄭經近二十年的統治中，其師陳永華的輔佐，居功厥偉。接著藉三藩起事而西征失利，陳永華先逝，鄭經喪志，無心政事，未滿四十而英年早逝，遂使當時王國朝中無人。其後幼子弒兄，克塽即位，終被清國滅國。清國治臺後，鄭氏二十餘年政事紀錄鮮少保存，致使鄭氏治臺二十年功過，全憑清國論述。當然，鄭氏政權功過，在日治時期的賴和也曾作詩有過感嘆，例如他在〈臺南雜感〉六首之二中提到「人悲克塽心先死，我惜鄭經命不長」，便是一種身為臺灣知識分子對鄭氏歷史人物的再評價。陳永華輔佐年輕的鄭經治臺，其細節如何，後人難以得知。但是在鄭氏統治臺灣期間，卻有楊英撰著《先王實錄》（亦稱《從征實錄》）留傳後世。

楊英原為鄭成功主管戰爭時糧事及後勤補給之官員，《先王實錄》亦是楊英從 1649 年後跟隨鄭成功征戰，到 1662 年鄭成功於臺灣亡故的隨軍紀錄。此書的成書時間，大約是在鄭經統治臺灣時，楊英卸任天興州知州，轉任戶部主事時所上呈的書籍。在鄭氏被清國滅後，此書一直以抄本的樣貌於福建民間流傳，一直到 1927 年才被學者發現，1931 年由朱希祖校訂，命名為《延平王戶官楊英從征實錄》，簡稱《從征實錄》。在戰後，再由臺灣銀行經濟研究室，重新校訂排版，收入《臺灣文獻叢刊》第 32 種，於 1958 年出版。楊英的這部實錄，記載了鄭成功起兵抗清後到逐斥荷人收復臺灣的過程。雖然近半的文字因流傳久遠及保存不當，造成字跡漶

漫，辨識不清，目前可見版本，缺文不少。但由於楊英將親見所聞記錄下來，其第一手有關鄭成功的資料依然珍貴可信，在史料上的重要性，亦遠遠大於日後江日昇的《臺灣外記》及日人川口長孺於 1822 年成書的《臺灣割據志》與 1828 年成書的《臺灣鄭氏紀事》。不過，《從征實錄》僅記載至鄭成功逝世為止，關於鄭經之後的臺灣鄭氏統治原委，沒有往下記錄，非常可惜。

荷蘭時期到清國入臺初期，臺灣以沈光文為海東文獻初祖，留下百餘首詩作及相關臺灣風物地理文章，均使漢文學在臺灣奠基及生根，其詩文亦在文學史上生色不少。沈光文經歷了鄭氏統治的 22 年時期之間，鄭氏王朝君臣暨海外南明遺民文人群體，理應有大量的酬唱贈答或即席創作的詩文作品，遺憾的是這些人的文學作品，除了鄭經的《東壁樓集》外，大多沒有在世間流傳，今所能見到的，僅有鳳毛麟角。因為文獻不足徵，我們對鄭氏統治臺灣二十餘年的文學活動，便無法建構及敘述，相當可惜。期望日後有更多出土文獻，能讓研究者能補足這段文學史的不足。

第二章

清治時期的臺南文學

清國於 1683 年在澎湖海戰後迫使鄭氏王朝投降，並於隔年設一府三縣將臺灣納入版圖後，便有許多文人官員因公渡海來臺。這些來臺任官或從軍的文人，大多有一定程度的文學素養。例如康熙朝的政治菁英，在他們宦遊臺灣期間，也為臺灣留下大量的文學文獻。清國統治臺灣的 213 年間，使得臺灣漢文學發展到高峰，留下許多珍貴的文學遺產。本章則依時間及清帝統治順序分成四期：康熙雍正時期（1683 ～ 1735）、乾隆嘉慶時期（1736 ～ 1820）、道光咸豐時期（1821 ～ 1861）及同治光緒時期（1862 ～ 1895）來闡述這二百餘年臺南文學發展概況。在清治時期的臺南文學，可以宦遊文人及本土文人的身分角度切入來分別探討。從乾嘉時期，本土文人雖逐漸嶄露頭角，不過由於主導文壇發言權的，還是在官員及學官身上，因此臺南當時各級官員及宦遊人士詩文創作，依然居於主流地位。來臺官員中，又以兼有學政職責的官員，於文壇的影響力最大。乾隆前以巡臺御史，之後以臺灣道為主，主宰著臺南甚至全臺的文壇。本章在敘述文學流變及文權消長時，亦大量解釋官制及科舉制度的背景，希望在客觀制度的脈絡理解下，對清治時期的臺南文學發展，有較清楚的認識。

第一節　康雍時期的臺南文學

一、郁永河

清帝國於 1683 年（康熙 22 年）夏天由施琅率軍於澎湖海戰中擊敗鄭氏軍隊。鄭克塽最後選擇投降不反抗，清國海軍由鹿耳門入臺，接管臺灣。如前一章所述，在鄭氏統治臺灣期間的史料相當缺乏，除了江日昇及日人川口長孺的著作外，這二十餘年間可以提及流傳有較多作品的臺灣文人，也僅有沈光文及鄭經二人。至於其他政治事件及制度沿革，可資參考的文獻，幾乎付諸闕如。在 1697 年（康熙 36 年）因公務來臺採硫的郁永河，

在採硫任務結束後，撰寫《裨海紀遊》（又名《採硫日記》）三卷，其中對鄭氏事蹟著墨甚多，也對當時親見所見的府城及北上沿途風土民情描寫詳細，堪稱十七世紀末臺南書寫中最重要的文獻。

1696 年（康熙 35 年）福建省省會福州火藥庫發生大火，燒毀硝礦火藥五十餘萬斤。郁永河時任幕賓，奉命來臺採硫以彌補福州火藥庫因火損失的火藥。在當時，火藥乃軍事管制物資，而中國內陸缺乏硫礦產地，所幸新納入帝國領土的北臺灣盛產硫礦。在明朝萬曆年間便有漢人至北臺灣開採硫礦，之後，天啟與崇禎年間，西班牙人及荷蘭人亦將北臺灣產的硫礦由淡水出口，年以數萬斤計。

郁永河，生卒年不詳。字滄浪，浙江省仁和縣人。科考功名僅至生員（俗稱秀才），長期於福建官府擔任幕僚。1696 年（康熙 35 年）冬，福州火藥庫遇災爆炸，主事者於隔年派郁永河至臺灣淡水採集火藥原料硫礦。郁永河由福州經泉州抵廈門出海，於臺南府城上岸，在府城經辦採硫器械工具及招聘人力後北上，經新港、目加溜灣、大肚、後龍、竹塹等地。最後抵達淡水，並赴北投築屋煮硫，歷盡艱險，於十月初由八里坌搭船載運開採硫礦，完成任務後離開臺灣。郁永河來臺灣九個多月，對全臺歷史文化、物產經濟、山川形勢、番俗民情，於《裨海紀遊》中都有特別詳細記載，此書為散文佳作。其中詩作〈臺灣竹枝詞〉12 首、〈土番竹枝詞〉24 首，對臺灣彼時生活狀況有深刻之描寫。

郁永河將來臺採硫過程，寫成三卷的記實日記。在這三卷《裨海紀遊》中，上卷的前半部記載的是他從省會福州出發，途經泉州、廈門，在廈門候船後、上船渡海過黑水溝、抵達澎湖，最後從鹿耳門水道入臺江內海抵達府城的過程。《裨海紀遊》卷上的這段廈門至鹿耳門的海上航程書寫，是最早的橫渡臺灣海峽的翔實紀錄，在《裨海紀遊》前，首任諸羅縣令

季麒光雖然有提到渡海來臺過程，但過於簡略，不像郁永河一樣有那麼詳細的渡海描寫。郁永河從廈門候風等待登船開始，細膩地記錄每日渡海航程。尤其是在金門料羅灣候風後橫越黑水溝的過程，包括海象的描寫、船隻的帆舵操控、乘客搭船的緊張心情，躍然紙上。黑水溝的記載，雖然文獻上是在季麒光的文章中第一次出現，不過詳細描寫臺灣海峽這個特殊海象的紀錄以郁永河為佳。此黑水溝的紀錄，也影響其形塑後來文人渡海來臺時對黑水溝的刻板書寫。此外，越過黑水溝後抵達澎湖，郁永河所乘之船清晨便已駛至媽宮港外，卻因風向因素，折騰至傍晚方能入港。在記錄進入澎湖馬公港的過程後，郁永河也在書中大致介紹澎湖的地理環境及風土民情。

《裨海紀遊》卷上的下半，則是記載了他航抵鹿耳門水道後，自臺江內海登陸進入當時府城的過程。甫抵達臺灣，郁永河旋即拜訪當時臺灣知府、同知、諸羅縣令、鳳山縣令等臺灣重要文官，可見其採硫任務乃重要公事。在記錄完與官員的會面後，郁永河便開始概述臺灣的歷史及風土民情。在荷治與鄭轄期間，清帝國文人經常於筆記小說中提到臺灣狀況，即臺灣話題乃宦遊文人間可資閒談的重要話題。郁永河幾乎是繼季麒光之後，第二個親臨臺灣，並以親身所見詳細描述眼中當時臺灣的重要文人。但與季麒光來臺任諸羅縣令不同，郁永河奉命來臺採硫，雖於臺南籌辦練硫工具及招聘必要人力，但停留的時間並不長。對於臺灣荷治及鄭轄歷史概述，其資料來源，大部分必然不是經由親眼聞見而來。但在《裨海紀遊》卷一的後半部，確實可以看出郁永河蒐集了相當多資料，寫出清治前的臺灣小史，以私人著述而言，簡明扼要，令人佩服。

《裨海紀遊》在概述清治前臺灣史時，郁永河尤重鄭氏治臺記載。在相關的敘述中，對鄭氏三代治理臺灣，郁永河給予相當高的評價。因此，

我們幾乎可以這麼認為，《裨海紀遊》裡對清治前的臺灣歷史簡介，幾乎是私人著作中首開先例地全面記錄。或許郁永河本來著書的動機，便有藉此書的書寫，將新納入清帝國領地的臺灣，介紹給清帝國中對臺灣有濃厚興趣的國人知道。若非存有這種書寫動機，不然我們實在不瞭解為何郁永河會在採硫日記中，將臺灣的歷史及物產和風土，介紹得如此詳細。此外，《裨海紀遊》中所記載的寧靖王朱術桂事蹟，也可看出郁永河可能參酌陳元圖的〈明寧靖王傳〉中的記載，將之修改隱括寫入書中。

　　除了清帝國治臺前的歷史概述外，郁永河亦於《裨海紀遊》概論臺灣的自然風土及地理形勢，如：

> 總論臺郡平地形勢，東阻高山，西臨大海，自海至山，廣四五十里；自鳳山縣南沙馬磯至諸羅縣北雞籠山，袤二千八百四十五里，此其大略也。雖沿海沙岸，實平壤沃土，但土性輕浮，風起揚塵蔽天，雨過流為深坑。然宜種植，凡樹秔芃芃鬱茂，稻米有粒大如豆者……[16]

從這段描寫看來，郁永河來臺採硫之前，肯定對臺灣進行過相關的研究。除了對臺灣地理形勢加以記錄介紹外，甚至連臺灣當時的物產也詳加記錄。關於這點，似乎其書寫範圍已超過遊記體裁，而接近方志式的記錄了：

> 又近海無潦患，秋成納稼倍內地。更產糖蔗雜糧，有種必獲。故內地窮黎，裹至輻輳，樂出於其市，惜蔗地尚多，求闢土千一耳。五穀俱備，尤多植芝蔴。果實有番樣（土音作蒜，查無此字，或云當從木賤）、黃梨、香果、波羅蜜，皆內地所無，然皆絕少，市中不可多見。楊梅如豆，桃李澀口，不足珍。獨番石榴不種自生，臭不可耐，而味又甚惡。蕉子

16—— 郁永河著、許俊雅校釋，《裨海紀遊校釋》，卷上，臺北：國立編譯館，2009年，頁88。

冷沁心脾，膩齒不快，又產於冬月，尤見違時。惟香果差勝。檳榔形似羊棗，力薄，殊遜滇粵；椰子結實如毬，破之可為器，有椰酒盈椀，肉附殼而生，用與檳榔共嚼。……[17]

郁永河來臺採硫短短幾個月時間，不太可能親自調查臺灣的物產狀況。不過他還是依現實情況許可，盡可能地將臺灣特產依親眼所見及親自品嘗後，記錄其特色。在這段果實紀錄後，接下來是臺灣特種花卉植物介紹、氣候氣象介紹。卷一的最末，則以 12 首七絕形式的〈臺灣竹枝詞〉，總括完結臺灣一地介紹。這 12 首竹枝詞都有郁永河的注釋，以文解詩，成為後來很多文人歌詠臺灣寫作竹枝詞效法的對象，如這首寫船抵臺江內海後，再由小舟接泊上岸的詩及注，具有代表性：

雪浪排空小艇橫，紅毛城勢獨崢嶸。渡頭更上牛車坐，日暮還過赤崁城。[18]

此乃竹枝詞，其下便有詩註：

渡船皆小艇也，紅毛城即今安平城，渡船往來絡繹，皆在安平、赤崁二城之間。沙堅水淺，雖小艇不能達岸，必籍牛車挽之。赤崁城在郡治海岸，與安平城對峙。[19]

12 首竹枝詞體製大致如此。詩註並行以竹枝詞形式來記錄臺灣風土民情，最有名的當然是劉家謀的百首〈海音詩〉。不過這類詩文合一具臺灣特色的介紹性竹枝詞文類，以郁永河為濫觴，自康熙年間至整個清領時期，文人相繼創作方興未艾，成為臺灣書寫最具特色的形式。

在《裨海紀遊》中，除了 12 首〈臺灣竹枝詞〉外，郁永河另外寫了

17—— 郁永河著、許俊雅校釋，《裨海紀遊校釋》，卷上，頁89。
18—— 郁永河著、許俊雅校釋，《裨海紀遊校釋》，卷上，頁95。
19—— 同上。

原住民相關的〈土番竹枝詞〉，收錄於《裨海紀遊》卷下的最末。而這組〈土番竹枝詞〉，如同郁永河於書中自述，乃「追憶遊歷所覩」的作品。雖是追憶，卻是親眼所見之臺灣原民風情，具可信性。書寫的方式，也如同卷一的〈臺灣竹枝詞〉一樣，先四句七言詩，後加註：

> 覆額齊眉繞亂莎，不分男女似頭陀。晚來女伴臨溪浴，一隊鸕鶿蕩綠波。
> （半線以北，男女皆翦髮覆額，狀若頭陀。番婦無老幼，每近日暮，必
> 浴溪中。）
> 輕身矯捷似猿猱，編竹為箍束細腰；等得吹簫尋鳳侶，從今割斷伴妖嬈。
> （番兒以射鹿逐獸為生，腹大則走不疾，自孩孺即箍其腰，至長不弛，
> 常有足追奔馬者，結縭之夕始斷之。）
> 竹弓楛矢赴鹿場，射得鹿來交社商。家家婦子門前盼，飽惟餘瀝是頭腸。
> （番人射得麋鹿以付社商收掌充賦，惟頭腸無用，得與妻孥共飽。）[20]

這組〈土番竹枝詞〉共有 24 首，遍寫郁永河所見當時原住民習俗民情，有的詩下有註，有的無註，端視其特殊性是否需加註為主。臺灣的原住民，一向是外來統治政權所關注的對象。這當中有「我者／他者」相互凝視的獵奇心態，也有彼此文化隔閡所造成非我族類的敵視感。值得注意的是，郁永河在看待原住民時，大致採取客觀持平的心態，來觀察記錄原住民的風俗民情。當然，郁永河在描寫記錄當時臺灣原住民時（大多是西拉雅族等平埔族），當然是以獵奇的角度切入，將書寫作為一種介紹的手段。他大概想要讓他的漢人讀者能藉由閱讀他的書，瞭解臺灣原住民。不過，在書中敘述的過程，郁永河明顯地站在尊重異民族異文化的立場，對原住民

20—— 郁永河著、許俊雅校釋，《裨海紀遊校釋》，卷下，頁208-213。

的活動及特性加以書寫，並無傳統以漢人為中心的偏頗自大心態，甚至在書中讚揚原住民純樸的性情及無欲無求的生活：

> 若夫平地近番，冬夏一布，粗糲一飽，不識不知，無求無欲。自遊於葛天、無懷之世，有擊壤、鼓腹之遺風。亦恆往來市中，狀貌無甚異，惟兩目拗深瞪視，似稍別。其語多作都盧喝轆聲，呼酒曰「打剌酥」、呼煙曰「篤木固」略與相似。相傳臺灣空山無人，自南宋時元人滅金，金人有浮海避元者，為颶風飄至，各擇所居，耕鑿自贍，遠者或不相往來，數世之後，忘其所自，而語則未嘗改。[21]

上文記載臺灣原住民為金人後裔，當然是謠傳的無稽之談。不過從這段描述來看，郁永河推崇原住民知足樸素的生活，並將其語言加以漢音轉譯記錄，亦可見郁永河並不以優越進步之漢文化來鄙夷原住民。相反地，在《裨海紀遊》卷下中，他還用了相當大的篇幅，來記錄介紹原住民。在看待當時臺灣的異族異文化的心態上，郁永河相對的尊重臺灣原民。

　　《裨海紀遊》全書三卷，雖另有書名為《採硫日記》，不過郁永河卻花了許多的篇幅在記錄和書寫臺灣，反而採硫的過程紀錄，大概只占全書三分之一的文字。其餘書中約三分之二的篇幅，乃是郁永河對臺灣歷史、地理、風土、民情、物產、原住民等資料的整理，以及當時親身聞見的臺灣狀況。採硫工作的記載，反而成為陪襯的次要書寫主題。郁永河的《裨海紀遊》一書，對清領時期來臺的官員文士進行的臺灣書寫工作，立下了典範。

　　首先，對清帝國文人而言，臺灣曾受荷蘭紅毛人統治，已是他國異域的代表之地。接著國姓爺鄭成功在揮軍北上攻打南京不利之後，率軍來臺

21——郁永河著、許俊雅校釋，《裨海紀遊校釋》，卷下，頁182-183。

驅逐荷人。在臺灣開基，讓漢人在臺灣開枝散葉，使臺灣成為以漢人為主體的社會，鄭氏三代功不可沒。不過鄭氏以反清復明為基本國策，鄭氏三代在臺灣經營二十餘年，始終與清帝國敵對。這使得清國拿下臺灣後，一度想棄留臺灣。在施琅等人的大聲疾呼下，清國才以將臺灣視為特殊領地納入帝國領土。因此對於鄭氏統治下的臺灣，康熙初期剛治理臺灣時的帝國文人都有相當濃厚的興趣。距離臺灣納入清帝國版圖不久後，郁永河以比較客觀的立場，將鄭氏治臺的歷史及清治初期臺灣的安定富庶描寫出來。此外，臺灣作為相對於中國大陸的異文化存在之場域，在郁永河的《裨海紀遊》中亦介紹了許多原住民及臺灣特殊物產，用來滿足清國文人的獵奇欲望。若從記載臺灣之奇的角度來看，《裨海紀遊》獲得相當大的成功。

在《裨海紀遊》的一開始，郁永河描寫了乘坐海船、橫越黑水溝渡來臺的過程。黑水溝雖然最早由季麒光提及並記載，但真正仔細描寫黑水溝的始祖乃是郁永河。自此之後，清代文人書寫乘坐海舶渡海艱辛過程，便成為之後來臺宦遊文人的書寫主題之一。同樣地，臺灣特殊地理山川物產民情風土還有原住民樣貌，也是郁永河後來臺文人書寫的主題。郁永河的〈臺灣竹枝詞〉及〈土番竹枝詞〉，詩文合寫的形式，提供日後宦遊文人可資效法的對象。總之，郁永河雖然肩負來臺採硫的任務，不過《裨海紀遊》一書卻成為來臺宦遊文人書寫的典範。

二、孫元衡

若說郁永河的《裨海紀遊》是康熙時期宦遊來臺文人短期停留所撰寫的臺灣紹介案內，那麼，來臺灣擔任海防同知長達四年之久的孫元衡，所留下來的四卷《赤嵌集》，便是來臺宦遊文人親自紮實觀察臺灣本土風土民情的詩歌紀錄了。

孫元衡（1661～？），安徽桐城人，歲貢出身。在康熙時期成長、科考及任官，曾任山東新城縣令、四川漢州知州。於 1705 年（康熙 44 年）時來臺擔任臺灣府海防同知，並在四年後卸任，隨即陞任山東省東昌府知府。在東昌府知府任滿卸任前刊刻《片石園詩》及《赤嵌集》二部詩集，此二詩集以其任官地漢州官署中之片石園及臺灣的赤嵌命名，且均行於世。

　　《赤嵌集》的命名，在西拉雅族語中將臺江內海西側的一鯤身喚為「大員」，而臺江內海東側的沿岸稱為「赤嵌」（西拉雅語：Chakam、閩南語：Chhiah-khàm），為漁村之意。孫元衡將詩集命名為《赤嵌集》，裡面收錄了從他接收了派任到臺灣任官的命令開始，到他離開臺灣為止的詩作。《赤嵌集》共收詩四卷、360 首詩，而四卷詩大致以年分卷，從康熙 44 年始至康熙 47 年止，四年期間，一年一卷。嚴飭的編撰體例，令人揣想此詩集是否為孫元衡有計畫的寫作。不然，在臺灣四年，共寫了 360 首，一年 90 首，若不是專精詩藝且以寫詩自豪的詩人，很難有這種創作量。

　　孫元衡來臺灣擔任的官職很特別，名為「海防同知」。同知雖然地位如同副知府，不過卻不是地方政府正式的編制，而是負責專門任務的職位。同知的官衙稱為「廳」，孫元衡任的海防同知便是「海防廳」的主管，主要職務是負責鹿耳門至廈門兩港正口對渡事宜：防止偷渡、走私，以及查看渡臺的官方證照。海防同知的工作，乃督導海防廳海關事宜，因此職務相對繁重。此外，孫元衡於臺灣任官期間，也經常因臺灣地方正印官員（知府及縣令）出缺未補，而暫代其職。在臺四年，孫元衡曾代理過諸羅縣令、臺灣縣令、臺灣府知府等正印官，在代理期間，都有相當的政績。例如議建諸羅縣孔廟、籌辦諸羅縣官廨、在臺灣發生饑荒時招商運米以濟民饑等，因此被後來的臺灣諸方志列為賢宦。孫元衡雖然在臺治理政績卓著，不過他對臺灣最大的貢獻，乃在宦臺四年期

間，以詩人之眼及筆力，留下一部《赤嵌集》，其詩作成為清代康熙時期臺灣重要且珍貴的文學遺產。

孫元衡是清代早期典型來臺任官的文人。因為明清時漢人對臺灣不熟，大概視臺灣為未開發的化外之地，以漢人的觀點想像臺灣經濟文化水準低下。加上臺灣一向在明朝及清國初期的管轄範圍外，1662 年後，臺灣又成為鄭成功反清復明的基地，成為清帝國的敵對勢力，因此，清代文人除非像郁永河一樣，有親身履臺經驗，否則很容易對臺灣產生偏見。例如《赤嵌集》詩集的第一首詩，便寫出了孫元衡被派任臺灣海防同知之初的驚懼心情：

> 中原十五州，無地託我足。銜命荷蘭國（臺灣本荷蘭地），峭帆截海腹。披茲瀛壖圖，島嶼紛可矚。回身指南斗，東西日月浴。颶風怒有聲，駭浪堆篷幅。滌汔終古心，瀇瀁萬里目。毫釐晰舟輿，稊米辨巖谷。道犖裸體人，市莽連雲竹。覽者睫生芒，聞之肌起粟。寄語平生親，將毋盡一哭。[22]

此詩詩題為〈除臺灣郡丞，客以海圖見遺，漫賦一篇寄諸同學〉，對剛接到派任臺灣任同知的命令後，孫元衡看著臺灣地圖時，寫出他對即將前往臺灣的恐懼。對他而言，臺灣非中原一地，乃化外之地，原來是「荷蘭國」，不是漢人的勢力範圍。對來臺任官的文人而言，最危險之處，便是渡越橫洋的風波難測，有可能在來臺的航程中葬身海底。此外，孫元衡在未抵臺前對臺灣的想像是「道犖裸體人，市莽連雲竹」，在文化及經濟上，都與孫元衡的生活圈有格格不入的差異感，因此當接到臺灣派任令，以及

22—— 孫元衡，〈除臺灣郡丞，客以海圖見遺，漫賦一篇寄諸同學〉，《全臺詩‧壹》，頁252。

看著臺灣地圖時，孫元衡的心情是「覽者睫生芒，聞之肌起粟」，深怕赴臺任官會死在海上或是充滿著原住民的異域中。

《赤嵌集》四卷 360 首詩，將孫元衡啟程來臺到離開臺灣的生活，翔實地以詩歌記載下來。雖然詩歌有些浪漫的想像及誇張的表現手法，但大體而言，此詩集乃孫元衡居臺四年如實的心境寫照。從這部詩集，也可以看出清初臺灣的樣貌，其資料記載的豐富程度，可能還高過《裨海紀遊》。

《赤嵌集》中卷一所記述來臺過程的一系列詩作，從〈渡浯通支海〉一詩，乘渡船從同安至廈門港準備搭船來臺，到〈抵臺灣〉二首七律，共 13 題 17 首詩，詳細地寫出清初從中國來臺灣的行程及細節。關於宦遊人士來臺路程，郁永河的《裨海紀遊》卷上的部分，大致上已扼要地記錄。因此在閱讀《裨海紀遊》時，可以得知清初「廈門－鹿耳門」兩個正口對渡實行時的程序。在橫渡臺海時所遇的海象及搭乘經驗，還有關於危險海域如紅水溝、黑水溝的描寫，郁永河均於書中如實地書寫出來。不過，孫元衡在這十餘首渡海來臺的詩作中，鉅細靡遺地將渡越黑水溝的驚險過程寫出來。中國文人，大部分都沒有乘船渡海的經驗。以詩來記錄親身渡海體驗的孫元衡這系列詩作，便成為臺灣古典文學的經典，大量地被收錄到歷來的臺灣方志〈藝文志〉之中，成為宦遊人士來臺的詩作典範。

例如〈守風廈門排悶〉四首七絕組詩中，我們可以看到來臺宦遊文人必須於廈門上船，且必須「守風」，因海上若颳大風便無法啟航，而無風時也要等起風時帆船方有動力渡海。這也就是郁永河在《裨海紀遊》中所謂「始悟海洋汎舟，固畏風，又甚畏無風。大海無櫓搖棹撥理，千里萬里，祇藉一帆風耳。」因此，孫元衡在廈門守風候船，如他詩句所言：「長風十日無休息，不遣鶼鷗自在飛」，等了十天才能上船。上了船後，出了金門外海後卻遇到颱風，不得不返回金、廈近海。關於此次渡海遇颱，孫元

衡特地寫作一首七言長詩記述，詩題便是〈乙酉三月十七夜渡海，遇颶，天曉，覓澎湖不得，回西北帆，屢瀕於危，作歌以紀其事〉。從這首這麼長的詩題可知，從廈門啟航，在越過臺灣海峽的航程中，若被颶風吹亂了既定的航線而沒見到澎湖後，便需「回帆」，回金門外海後再重新啟航一次。對於孫元衡這些親身體驗的特殊航海經驗能寫進詩篇中，則讓我們更能瞭解帆船時代橫越臺海的艱困危險。

　　當然，孫元衡記述臺海航程中最著名的詩作，非〈黑水溝〉一詩莫屬。這首詩前有序，以七律形式，寫出橫越黑水溝驚心動魄的過程。當然，詩中運用大量的典故，造成些許的閱讀障礙，不過若能理解其典故意涵，則可看出孫元衡用典之貼切：

> 大海洪波，實分順逆；凡適他國，悉循勢以行。惟臺與廈藏岸七百里，號曰橫洋；中有黑水溝，色如墨，曰黑洋，廣百餘里，驚濤鼎沸，勢若連山，險冠諸海。或言順流而東，則為弱水；雖無可考證，然自來浮去之舟，無一還者，蓋亦有足信焉。（〈黑水溝序〉）
>
> 氣勢不容陳茂罵，犇騰難著謝安吟。十洲遍歷橫洋險，百谷同歸弱水沉。黔浪隱檣天在臼，神光湧櫂日當心。方知渾沌無終極，不省人間變古今。（〈黑水溝〉）[23]

此詩，康熙時期詩壇領袖王士禎評為：「險絕，又妙於典。」可見此詩前兩句反用陳茂渡瓊州海峽及謝安乘船泛遊浙江外海典故之精確。孫元衡的〈黑水溝〉一詩乃佳作，影響後人甚鉅。因此自范咸修《重修臺灣方志》後，幾乎乾隆後所修的臺灣方志其藝文志都會記載此詩及此序。

23—《全臺詩‧壹》，頁257-258。

據《全臺詩》的校者統計，收有此詩的臺灣方志藝文志有范咸的《重修臺灣府志》、魯鼎梅的《重修臺灣縣志》、王瑛曾的《重修鳳山縣志》、胡建偉的《澎湖紀略》、余文儀的《續修臺灣府志》、薛志亮（謝金鑾）的《續修臺灣縣志》、林豪的《澎湖廳志》等。因此，黑水溝這個渡海來臺的海象，變成了文學意象，在詩人的吟詠，甚至過度渲染下，此意象變成了渡海險阻的象徵。我們目前將帆船時期渡海險阻集中約束在「黑水溝」這個臺灣海峽中特殊的海象，而且對其有極大的畏懼，都與孫元衡此詩有著極大的關係。

除了將來臺時的海上航程以文學形式的詩歌記載，孫元衡來臺任官初期，也是帶著獵奇的心態來看待臺灣一切事物，因此在詩歌題材的抉擇上，會以奇、怪的原民風俗或臺灣物殊風物入詩。例如詩集中有〈裸人叢笑篇〉15 首、〈颶風歌〉、〈臺人服多不衷戲為一絕〉、〈日入行〉、〈瘴氣山水歌〉、〈紅夷劍歌〉、〈巨蛇吞鹿歌〉、〈海吼〉等詩，其中專寫原民的〈裸人叢笑篇〉，被王漁洋評為「右十五首可作裸人風土記，自為一書，與《溪蠻叢笑》並傳」。不過早期這類獵奇的詩作，也大多收入了後人所編的臺灣方志中。這些詩孫元衡以中原人士的觀點，記錄當時他所認為臺灣新奇的一面。詩中這些事物，或為中原所無，或與中原相反，或與中國文化比較起來為奇風異俗。總之，初閱讀孫元衡這些詩篇的中原人士，耳目必然為之一新。另外，孫元衡在將這些題材化為詩篇時，也使用了一些文學技巧。尤其是奇字和奇句的運用，使得這些屬於臺灣的新奇題材，看來更加的特殊和奇怪。

如他的名作〈裸人叢笑篇〉15 首中，句法不一，有四言句、五言句、七言句、九言句，在描寫上，孫元衡也盡量以表現新奇的特異點為主。這些尚奇客觀記錄的詩作，是屬於孫元衡刻意加以「介紹」性書寫的，因為

詩中有很強烈的介紹台灣一地奇風異俗的動機。不過孫元衡到了來臺第三年後的詩中，就將原住民的風俗視為生活的一部分，習以為常了。所以在詩作的敘述手段上，也就不強調這些風俗的新奇和特殊，語言也轉為平易和自然。如在 1708 年（康熙 47 年）所寫的〈秋日雜詩〉廿首，其中描寫到原住民部分的詩，寫得也比較細膩和深入，注意到的點也比較生活化與實在，與〈裸人叢笑篇〉那種專就「奇」和「怪」來著眼，就有很大的不同。就〈裸人叢笑篇〉15 首和〈秋日雜詩〉20 首這兩組組詩來比較，我認為前一組對原住民的描寫是根據傳聞而來，而後一組的詩，卻是孫元衡生活中與原住民（應該都是平埔族）來往得到的經驗。因為在〈裸人叢笑篇〉詩中，我們看到孫元衡口氣上對原住民的生活提出很多質疑，但是〈秋日雜詩〉中孫元衡的口吻就顯得自然許多了。例如同樣以「文身」此事來說，〈裸人叢笑篇〉就提出了「謂當祝髮從甌駱，爾胡不髡能自完」，將臺灣原住民的文身與古越蠻族「甌駱」相比，並提出質疑。不過在〈秋日雜詩〉中同樣提到文身，就以「文身似羽翰」的審美觀念來看待，語氣也較為肯定。他在〈秋日雜詩〉第一首的首兩句「三年身入幻，味物海東丞」，他認為來臺這三年為郡丞，就如來到幻境般，而他所採取的生活態度便是一種「味物」的品鑒心態。除了仔細觀察原住民風俗與漢人迥異處外，孫元衡可能也嘗試著接近他們的生活。如他曾感慨：「所嗟鉛槧客，風俗未相親」，可見他也曾想要去與原住民的風俗相親，甚至也有學原住民語言的舉動：「選句收蠻語」，及試穿臺灣服。從這些例子看來，孫元衡在臺灣多年後，從對原住民習俗感到新鮮、奇異，到了後來，便轉為接受和欣賞。

此外，在《赤嵌集》卷四，有一系列描寫臺灣特有植物的詩。計有〈刺竹〉、〈羞草〉、〈葉上花樹（志稱三友）〉、〈波羅蜜〉、〈鳳梨〉、〈香果〉、〈羨子〉、〈刺桐花〉、〈茉莉〉、〈鐵樹花〉、〈蝴蝶花樹〉、

〈曇花〉、〈午時梅〉、〈紅繡毯〉、〈黃美人蕉〉、〈月下香〉、〈迎年菊〉、〈石榴花〉。這些將臺灣特有植物入詩，看來是有意為之，如他在〈秋日雜詩〉所寫的「欲補魚蟲註，徒多玩物情」，將臺灣特有物產入詩，以詩人之眼歌詠臺灣風物。

《赤嵌集》為清朝第一個以臺灣為主題，大量創作的詩集。孫元衡剛開始時是抱持著一種無奈的心情來臺，等到後來漸漸熟悉臺灣的生活後，也就漸漸地安於臺灣的一切。孫元衡來臺後漸漸地安於臺灣的一切，並漸漸地去欣賞屬於臺灣、異於中原的異族文化。此外孫元衡如何看待和描寫屬於臺灣特色的一切，這些其實都可以在《赤嵌集》中找到孫元衡的轉變。還有因為在臺灣生活較長的時間，讓孫元衡逐漸心安並喜愛臺灣事物，這使得孫元衡筆下描寫的臺灣風物，便與其他短暫來臺宦遊的文人不同。

三、黃叔璥

黃叔璥（1682～1758），字玉圃，號篤齋，順天府大興縣人，1709 年（康熙 48 年）進士，著有《臺海使槎錄》、《南征紀程》等書。黃叔璥是康熙末年因朱一貴事變（1721 年 3 月～1721 年 6 月）後設置的第一任巡臺御史。

朱一貴事變是臺灣三大民變的第一起，而且是清代之中唯一攻陷府治臺南的民變。漳州人鴨母王朱一貴（1690～1722）於 1721 年（康熙 60 年）打著反清復明的旗幟反叛。但其起義的起因乃是知府王珍命己子代攝鳳山縣令，橫徵暴斂，造成官逼民反。之後導致以閩人為主的朱一貴集團和粵人為主的杜君英集團聯手造反，並獲得巨大的成功。在起義後很短的時間內，朱一貴與杜君英聯手攻入府城，逼迫當時在府治的臺灣最高階文武官員，如臺廈道臺、知府、同知、縣令等，全都出海乘船至澎湖逼難。當時臺灣最高階武官臺灣鎮總兵歐陽凱戰死，臺灣全島淪陷。

在臺灣官員因民變全數撤離臺灣府城後，由福建水師提督施世驃（施琅第六子）統籌平亂事宜，命南澳鎮總兵藍廷珍率水軍由廈門出海，並在澎湖會同福建水師後向臺灣進發。最後靠著強大的軍力，以及分化閩粵族群手段挑起朱一貴與杜君英內鬨後，最後平定臺灣。活抓了事變的朱、杜等集團首腦北上北京，公開處決。

平定臺灣朱一貴叛亂，讓清帝國威勢大振，但也讓康熙重新檢討治理臺灣的政策。平心而論，在康熙時期，來臺灣任地方官的官員，基本上素質都還不錯。如知府中的蔣毓英、齊體物、周元文、陳璸等人，對清國初期治理臺灣上都有重大貢獻。尤其是陳璸，曾擔任過臺灣知縣、知府，最後官至福建巡撫，是清代有名的清官。府轄下的三縣縣令中也有許多名宦，如季麒光、宋永清、周鍾瑄、陳璸等，都是康熙時對臺灣文治教化卓有成就的官員。不過，在康熙末年臺灣卻因為臺灣知府王珍派其子暫代鳳山知縣，施政不善引發大規模的民怨，爆發了朱一貴事變，導致府城淪陷，文官全部棄守臺灣，逃至澎湖，連臺灣最高武官臺灣鎮總兵也戰死。這麼大規模的民變，雖然在短短數個月內，清帝國便以優勢兵力及分化手段平定，但對清國執政者而言，便開始重新檢討其施政方針。

平亂之後，康熙先將逃往澎湖的臺灣大小官員全部押解回臺灣府城，並公開處決。這當然是清帝國向當時的臺灣人民及未來守土官員宣示治理臺灣的決心。在這個公開宣示後，臺南府城在歷經林爽文事件、張丙事件、蔡牽攻府城、戴潮春事件、清法戰爭後，從未再淪陷過，一直牢牢掌握在清帝國的控制中。除了處決棄逃官員外，康熙決定設置「巡臺御史」這種任務型的官員，每年派出滿、漢各一名御史來臺灣視察，而黃叔璥便是派任臺灣的首任漢人巡臺御史。

黃叔璥出身官宦書香世家，兄弟五人都在康熙年間進士登第。黃叔璥在朱一貴亂後，於 1722 年（康熙 61 年）銜命來臺考察，擔任首任漢人巡臺御史。作為清國重視臺灣的政治操作，具有高度政治象徵意涵。黃叔璥在 1724 年（雍正 2 年）離開臺灣，擔任巡臺御史兩年的期間，其任務便是來臺探察民瘼隱情，讓官逼民反的民變不再發生。巡臺御史位高卻無權責，並不具有地方官員的行政權力，只能探訪民情，提供資訊情報給清國執政者參考。因此，黃叔璥在巡察臺灣的這兩整年期間，便將他在臺灣所蒐集的文獻資料及親身聞見，撰成《臺灣使槎錄》一書。《臺海使槎錄》全書分八卷，卷一至卷四為〈赤嵌筆談〉，卷五至卷七為〈番俗六考〉，卷 8 為〈番俗雜記〉。〈赤嵌筆談〉是有關臺灣之歷史、地理、交通、防務、物產、民俗之全面記事，包括：原始、星野、形勢、洋、潮、風信、氣候、水程、海船、城堡、賦餉、武備及〈朱逆附略〉。〈番俗六考〉以「北路諸羅番」、「南路鳳山番」、「南路鳳山傀儡番」、「南路鳳山瑯嶠十八社」為臺灣原住民當時的族群分類，記述臺灣南北各地原住民之居處、衣飾、飲食、婚嫁、喪葬、器用各節，並於各番社記事之末，收錄〈番歌〉，以漢字音記錄各社傳唱之歌謠，凡 34 首。

黃叔璥藉著來臺灣巡視探訪的兩年期間，先蒐集資料，再就地取材其親身見聞。在文獻資料整理方面，不收山川人物這類與方志重出的資料，專就當時人的筆記著述，隻字片語，遐蒐博採，再針對自己「歲時巡歷所及」的親見所見，並將此書的重點放在「規撫椎髻情形」。所謂的規撫，乃仿效、依循之意，引申為描摹形容的意思；椎髻，原為中國少數民族的髮飾裝扮，此處泛指臺灣原住民之樣貌；情形則為風土民情及形狀容貌之合稱。從這段自序的這句話也可知，黃叔璥的《臺海使槎錄》全書八卷，關於原住民的記述便占一半的篇幅。觀看此書，前半部

四卷〈赤嵌筆談〉，其記載諸事，大多有援引出處，其資料來源有季麒光的《蓉洲文稿》、孫承澤的《春明夢餘錄》、林謙光的《臺灣紀略》、《方輿紀要》、〈諸羅雜識〉、夏之芳的《理臺末議》、《鳳山縣志》、孫元衡的《赤嵌集》、郁永河的《裨海紀遊》和《偽鄭逸事》、王漁洋的《居易錄》和《池北偶談》、楊陸榮《三藩紀事》等文獻。但是，在原住民的記錄撰述中，卻鮮少徵引文獻資料，就算有引述他人記載，都是將這些記錄置於各卷卷末的「附載」之中。可見其書的原住民的相關記載資料，應該都是黃叔璥親身探訪而來，非從紙本轉相傳鈔而來，可信度應該比較高。

臺灣原住民風情，自古以來一直是來到臺灣的外來族群深感興趣的主題。不論荷蘭人、西班牙人、漢人、滿人、日本人來臺灣建立政權之際，大多會留下許多以「他者」角度來記錄臺灣原住民的相關文獻。以來臺灣漢人的文人而言，不論是海東文獻初祖沈光文，或是首任諸羅縣令季麒光，還是郁永河、孫元衡等諸位清初宦遊來臺人士，在其臺灣相關著述中，或多或少都會有原住民相關的描寫及記載。不過，將原住民有系統地分族加以記述者，黃叔璥算是第一人。在黃叔璥之前，漢人在描寫原住民相關題材時，都是籠統地將所有原住民概括成一族，統稱「番」。最多也只將原住民分成生番及熟番兩類，但黃叔璥將臺灣原住民依諸羅縣、鳳山縣概分成南北二路的兩大類後，再另外將南路再分出「鳳山番」、「鳳山傀儡番」及「鳳山瑯嶠十八社」的三類原住民。此書下半部黃叔璥所撰〈番俗六考〉前的解釋如下：

> 番社不一，俗尚各殊，比而同之不可也。余撮其大要凡六：檄行南北兩令，於各社風俗、謳謠，分類詳註為〈番俗六考〉。[24]

24—— 黃叔璥，《臺海使槎錄》，臺北：臺灣銀行經濟研究室，卷5，1957年，頁94。

在前言的這些文句中，可知黃叔璥已知臺灣原住民番社不一，習俗各自不同，不能一概而論。所以他依南北兩縣粗分為二，另「分類詳註」，從六個方面來記錄各地原住民的差異。為何稱為「六考」？因為這六大面向分別是「居處」、「飲食」、「衣飾」、「婚嫁」、「喪葬」、「器用」這六部分，來記錄各地原住民風俗習慣的特色。

　　記錄原住民的民情，在臺灣文學中本是習以為見的主題。漢人以獵奇心態來看待異民族，將親眼見聞及文獻傳說加以整理成書中資料，有介紹及炫奇的作用。只是黃叔璥的〈番俗六考〉與前人不同，在六大主題介紹臺灣各社的原住民外，最後都會附上相關文人的吟詠，還有最特別的是也會附上「番歌」。例如首先介紹的「北路諸羅番・一」中，將新港社、目加溜灣社、蕭壠社、麻豆社、卓猴社五社合成一組，而前四社，被認為是靠府城臺南最近的平埔族西拉雅族四大社。這四大社，自荷蘭時期以來，因地利關係，或叛或降，均與統治者有密切關係。在〈番俗六考〉記載「北路諸羅番・一」中，最後附有〈新港社別婦歌〉、〈蕭壠社種稻歌〉、〈麻豆社思春歌〉、〈灣裡社誠婦歌〉這四首。特別的是，黃叔璥在記錄這些原住民歌時，都用漢字擬音的方式，將這些番歌用原住民的母語原音記錄下來，後面再加上漢譯，如〈麻豆社思春歌〉所記：

> 唉加安呂燕（夜間難寐），音那馬無力圭吱腰（從前遇著美女子），礁嗎圭礁勞音毛嘮（我昨夜夢見伊），沒生交耶音毛夫（今尋至伊門前），孩如未生吱連（心中歡喜難說）。[25]

25—— 黃叔璥，《臺海使槎錄》，臺北：臺灣銀行經濟研究室，卷5，1957年，頁98。

在〈番俗六考〉的各路番社後，幾乎都附有如上例用漢字標音兼加意譯的原住民番歌，這令人不得不懷疑，黃叔璥在任巡臺御史時，是否充分利用兩年的時間走訪各地番社？因此能實地採集到原住民當地各社的民歌。

這種疑惑，或許可以成立。因為書中在記錄到「北路諸羅番」十時，其原住民番社，幾乎都在桃園、臺北及宜蘭，收有南嵌社、澹水社、八里分（坌）社，大屯社、外北投社、大加臘社、奇里岸社、大雞籠社、金包裡社、蛤仔難社等，範圍幾乎從臺灣的北海岸到東海岸。尤其是蛤仔難社，當是指宜蘭／噶瑪蘭。但依當時的條件情況，黃叔璥幾乎不可能到達宜蘭去進行現地探察。因此在這部分，他所採集的番歌，也只有〈澹水各社祭祀歌〉一首而已。文末附載介紹蛤仔難三十六社後，寫下「其餘四社：一作肉生、打鄰里、劉簡、了喏；一作期尾笠、毋罕毋罕、貓嘮府偃、污泥肴，未知孰是？」可見關於蛤仔難三十六社的記載，黃叔璥也是由傳聞而來，並未實到是地。同樣地，關於南路鳳山傀儡番的記載情況也一樣，傀儡番無採番歌，可見黃叔璥應該在巡臺期間，未曾親自到傀儡番社親自視察。

黃叔璥來臺灣擔任巡臺御史兩年，任務當然是探訪民情。無論如何，他留下的《臺海使槎錄》，不論是〈赤嵌筆談〉四卷或〈番俗六考〉三卷，及〈番俗雜記〉一卷，都為當時臺灣留下豐富的文獻資料。在原住民的文獻記錄上，黃叔璥的確有獨到之處，饒有貢獻。至於將原住民當成文學主題，作為詩歌吟詠題材，黃叔璥也樹立了典範。在〈番俗雜記〉的最末附題詠，黃叔璥採擇了諸人吟詠原住民的詩歌納入此書之中，計有孫元衡〈裸人叢笑篇〉15 首及〈秋日雜詩〉3 首、郁永河的〈土番竹枝詞〉24 首、藍鼎元的〈臺灣近詠上黃巡使〉1 首、呂謙恒的〈題同年黃玉圃番社圖〉1 首、陸榮柜的〈題黃侍御番社圖〉2 首，還有黃叔璥的〈番社雜詠〉

24 首。從黃叔璥所選入的這些原住民相關詩作看來，除了郁永河、孫元衡外，這些收錄的原住民相關詩作都與黃叔璥自己有關。藍鼎元的詩是上呈給黃叔璥自己的作品，而呂謙恒、陸榮秬則根本沒來臺灣，其原住民相關詩作乃是想像下的酬唱作品。但是黃叔璥自己卻一口氣寫了 24 首〈番社雜詠〉，這組七絕類似竹枝詞，黃叔璥在每首詩前冠有小標題，如「文身」、「作室」、「種園」、「禾間」、「畫織」、「夜舂」、「捉牛」等，最後一首是「漢塾」。從這麼大規模有系統地將原住民作為詩歌吟詠的主題來加以書寫，可說明黃叔璥的原民書寫，是繼承郁永河及孫元衡傳統而來，並為日後乾隆、嘉慶年間來臺的宦遊文人原民書寫傳統，奠下了良好的基礎。

不過，若黃叔璥來臺灣有探訪及體察民情的政治任務，但是從《臺海使槎錄》那麼重視原住民的紀錄看來，說不定黃叔璥認為清國當時統治臺灣最不足之處，便是對臺灣原住民的深入認識，所以他才花那麼大的心力記錄原住民的風俗民情。

四、夏之芳

雍正、乾隆年間，臺南府城文壇的主流作家，依然還是以外省宦遊官員為主。在臺灣本土詩人尚未興起前，書寫臺灣的視角，均來自彼時的來臺官員。這些詩人官員或文士幕僚，其作品大多零星地收入臺灣方志的藝文志中。他們的臺灣書寫詩或文，在以往的讀者只能看到方志中的精選部分。近年來由於資訊流通方便，我們比較能從來臺宦遊各家文人的文集中，招攟出他們來臺的詩文全貌，如此一來，對於他們對臺灣的描寫及理解，也將更為全面。

在雍正、乾隆年間，來臺宦遊的官員中，在文學的場域中表現最為出色的重要官職，非「巡臺御史」莫屬。巡臺御史全名為「巡視臺灣監察御史」，乃是康熙皇帝在朱一貴事變（1722）後，認為臺灣「民番雜處，習尚悍戾」，因此新設專屬於臺灣的官職。滿、漢官員各一人，從五品，任期一年，負責對臺官員「稽查彈壓」之任務。1723 年（康熙 61 年），首任漢人御史黃叔璥、滿人御史吳達禮赴臺就任。巡臺御史這個職位，在雍正、乾隆時之所以能影響臺南文壇甚鉅，主要的原因，是在雍正 5 年（1727）時，清廷將「提督學政」的權力，分派給巡臺御史，如《續修臺灣縣志》卷二「巡察御史」中所述：

> 康熙六十年，設滿、漢察院各一員。每一年則滿，更代，然亦多任一年或二年者。雍正五年，始以漢御史兼提督學政。乾隆十七年，定例：三年巡視一次，不留駐，其提督學政事，仍歸巡道兼理。

自雍正 5 年（1727）到乾隆 17 年（1752）這 35 年期間，漢人巡臺御史兼負「提督學政」之職。所謂的提督學政，簡稱「學政」，設立於清朝，每省一人，專門負責「掌一省學校、士習、文風之政令」。但學政最重要的工作乃是主持生員（秀才）考試中的最後一試：「院試」，以及在所轄省人舉行例行的府儒學、縣儒學的「科考」及「歲考」。因為學政必須主持院試以選拔秀才，雖是皇帝欽差性質的職位，卻是各省中最高級的學官，而各省學政一般均駐紮在各省省會之中。

明清時的生員（秀才）考試，通常分為三階段：縣試、府試、院試。縣試的主考官為縣令，考試地點為各縣儒學；府試為知府，考場為各府儒學；生員考試的最後一級，主考官則是各省學政，所有考生必須到各省省

會去應考。臺灣因孤懸海外，為免考生渡海跋踄之苦，在清國領臺後，即效海南島例，將學政之權分派臺灣道臺，因此臺灣生員考試之府試、院試，均在府城臺南舉行，考生不用為了參加院試，而到省城福州。臺灣道在康熙 22 年初設，如《重修臺灣縣志》卷九〈職官志〉記載：

> 分巡道一員：兼理船政，康熙二十二年設，為分巡臺廈兵備道兼督學政。康熙六十年，兵備歸臺鎮。雍正五年，學政歸漢御史。六年，改為分巡臺灣道。乾隆十七年，仍兼提督學政。

在雍正 5 年到乾隆 17 年間，巡臺漢御史握有臺灣最高的文教權力。加上御史雖然是五品官，位階不如四品的臺灣道道臺和臺灣府知府，不過由察院出身的漢御史，大多擁有進士科考功名，具備一定文采。另外肩負教育和拔擢人才的任務，因此這些兼攝學政的漢御史，幾乎成為當時臺灣文壇的核心人物。在漢人御史兼掌學政之職期間，來臺知名且在文壇具影響力的御史，大概有夏之芳、楊二酉、張湄、六十七、范咸、錢琦，其中，僅有六十七是滿人御史，其餘均是漢人御史。這些人運用其職務權力及自身的文學創作，引領了當時臺南府城的文學活動。

夏之芳，自雍正 6 年至雍正 8 年任漢御史三年期間，有〈臺灣雜詠百韻〉（又名〈臺灣紀巡詩〉）傳世，以七絕組詩形式，記載其在臺所見風俗民情、地理山川及個人感慨。並以兼學政的身分，品試臺人士子的試牘，輯成《海天玉尺編》初編、二編，將夏之芳主持兩次歲考、科考時的臺人子弟所寫的具臺灣特色的應試文章，能留傳下來。在各方志載錄夏之芳的〈臺灣紀巡詩〉組詩，從《全臺詩》裡收錄各方志所存詩，共有 58 首，而此組詩又別名〈臺灣雜詠百首〉，也是屬於宦遊文人來臺的臺灣雜詠相關主題詩組。同樣地夏之芳這組長篇鉅製組詩，謝金鑾的

《續修臺灣縣志》的〈藝文志〉也是收錄兩首，題為〈巡行〉，所選詩作如下：

> 野田清曉碧天空，地指扶桑東複東。赤嵌城邊雲散彩，拓開海日一輪紅。負喧童叟愛冬溫，紅稻成堆擁蓽門。桐竹周遭雞犬靜，教人歷歷認花村。[26]

謝金鑾選錄夏之芳的這兩首詩，第一首指出府城面臨臺江內海，能看到夕照入水的中原看不到的地理特色，第二首則寫出臺灣氣候溫暖的天氣特色，都能顯示出身為江蘇人夏之芳來臺灣任官體會到的新鮮感受。但觀其〈臺灣紀巡詩〉五十餘首，也可見夏之芳對於臺灣風物的觀察和記錄，有著莫大的興趣。當然，夏之芳在臺灣任巡臺御史期間，在獎掖學子文學能力而編纂的《海天玉尺編》共兩編，影響臺灣科舉甚大。夏之芳在〈海天玉尺編初集序〉一文中的最末提到編集此書的內容：

> 茲因歲試告竣，擇其文尤雅馴者付之梓；而因以發之，益使臺之人知錄其文者之非徒以文示也。[27]

由此可知，夏之芳之所以會編《海天玉尺編》，乃是身為漢御史兼提智學政的夏之芳，在主持了生員的歲考後，將臺灣本地的生員們的答題，優秀的卷子收錄為一編。這編除了供後來的生員參考外，另也是夏之芳編此書，以誇示清帝國在臺灣科舉文教的成功。

夏之芳任漢御史兼學政期間，於臺灣舉辦歲試後的隔年舉行科試，也將這些生員應試卷子，批改後擇其優者共80篇，錄成一集，而成《海天玉尺編二集》。在此編中亦有序文，文末一樣說明了編文的緣由：

26── 謝金鑾，《續修臺灣縣志》，卷8，臺北：臺灣銀行臺灣文獻叢刊第140種，1962年，頁566。

27── 夏之芳，〈海天玉尺編初集序〉，收於《續修臺灣縣志》，卷6，頁447。

故歲試所錄，強半靈秀之編，科試則多取醇正昌博者。為臺人更進一格，亦俾知盛朝文教之隆，設科取士之法，以明白正大為宗，而不得囿於方隅聞見間也。乃更合歲、科試文，得八十首，付之梓，以為多士式。[28]

從這篇序文的最末自述中可知，夏之芳在編完了《海天玉尺編》後，再編了二集。初集和二集不同之處，在於初集僅收歲考的文章，但二集多收錄科考。夏之芳並在這段文字中，比較了他來臺擔任學政後，初到歲考，接著科考，初集所收僅初抵臺時生員歲考文章，僅能見其「靈秀」，即天才的呈現。但在他任學官後，隱約自詡臺灣風氣改變，到隔年科試後，便出現「醇正昌博」的卷子，可見其教化成功，此乃夫子自道之術也。所以他說：「臺人更進一格」，而且更能知道朝廷「設科取士之法」，自詡自己的教化有成，當能使臺人於日後科舉考試中，依此編所選臺人優秀之文為範式，獲得更好的成績。由於《海天玉尺編》初編及二集，現今皆存，雖然裡面所收都是制藝的八股文章，不過因為其作者均為臺灣本土的生員，因此保留臺人著作，此二編亦略有功勞。

　　繼夏之芳之後的漢御史楊二酉，雖然沒有重要詩文著作傳世，流傳的文學作品不到 20 首詩。但他卻因為奏建海東書院以培育臺灣人才，直接獎掖文風，讓臺南文學興盛。以雍正年間的臺灣文教事業而言，亦是助長了臺南的藝文風氣，功不可沒。

第二節　乾嘉時期的臺南文學

一、張湄、六十七、范咸、錢琦

　　雍正時來臺的巡臺御史夏之芳、乾隆時的楊二酉之後，最具影響力且有數量較多詩文作品的巡臺御史，便是乾隆 6 年來臺的漢御史張湄、乾隆

28—— 夏之芳，〈海天玉尺編二集序〉，收於《續修臺灣縣志》，卷6，頁448。

9 年來臺灣滿御史六十七、乾隆 10 年來臺的漢御史范咸及乾隆 16 年來臺的漢御史錢琦。

　　張湄，生卒年不詳，浙江錢塘縣人。1733 年（雍正 11 年）進士，1741 年（乾隆 6 年）由翰林院出任巡臺御史兼理學政，最後官至兵科給事中。在臺三年巡臺御史任中，主持歲科兩考，也傚夏之芳將臺地士子應試文章課藝佳作輯成《珊枝集》，但現已不存。在臺期間有吟詠臺地風物詩作：〈瀛壖百詠〉。〈瀛壖百詠〉為百首七言絕句集結成冊，曾於乾隆年間刊刻，但此書目前已失傳。經後人於臺灣各方志中的〈藝文志〉輯佚，存 57 首。張湄亦有詩集《柳漁詩鈔》傳世，詩集共錄一千一百餘首詩，《全臺詩》蒐羅集中與臺灣相關的詩作，得百餘首詩收入《全臺詩》第貳冊。以詩作的質與量而言，張湄可在臺灣詩史上有一席之地。

　　張湄的〈瀛壖百詠〉百首，以目前現存 57 首來看，為七絕形式，作竹枝詞式的臺灣風土民情記載。但特別的是，有許多詩在詩題下，會有小註，闡述此詩主題。這種寫法，似乎被後來在道光年間來臺擔任任學官的劉家謀〈海音詩〉百首所繼承。〈海音詩〉百首也是詩題有註的七絕詩歌，類似竹枝詞，卻在註腳中記載更多當時資料。如〈瀛壖百詠〉的這首〈五妃墓〉：

　　瘞玉埋香骨未塵，五妃青塚草長春。雲寒孤島魂相聚，直抵田橫五百人。[29]

寧靖王的五妃殉節之事，臺人皆知。而張湄於此詩題下註：「明寧靖王妃袁氏、王氏、秀姑、梅姑、荷娘同殉王，死葬臺邑之仁和里。」頗有向大陸讀者介紹此墓之意味。在這些巡臺御史歷述臺灣風土特色詩作中，有許

29—— 《全臺詩・貳》，頁165。

多詩作可以彌補雍正、乾隆兩朝關於臺灣風土民情及名勝記載不足之處。當時與張湄同時在臺的臺灣道臺劉良璧在〈瀛壖百詠跋〉中便指出這些詩作的特色：「未幾，點檢奚囊，得絕句百首，加以詁釋；皆其自廈、而澎、而臺、而南北兩路所賦也。遡版圖入我中國，上下六十餘年，山川景物，歷歷如繪，今觀者如閱《山海經》，如讀《水經注》，光熖陸離，千態萬狀，皆於斯集見之。」劉良璧以讀者的身分看待張湄〈瀛壖百詠〉百首詩作，還是聚焦在詩作所呈現當時臺灣山川景物的紹介特性，認為閱讀張湄來臺的詩作，便如同閱讀《山海經》、《水經注》這些地理獵奇古籍一樣，能增加對臺灣新闢之地的認識。

因此，張湄在臺的詩作，如劉良璧所言「山川景物，歷歷如繪」，以寫實記錄的態度，留下許多當時臺灣特色的詩。巡臺御史具有巡守臺灣各地的職責，當張湄南北巡臺的過程中，留下記錄各地的詩作，如〈水沙連〉、〈劍潭〉、〈北巡紀行〉四首、〈茅港道中〉等詩。但他對府城內的名勝古蹟，有更多的著墨，如〈赤嵌城〉、〈斐亭〉、〈夢蝶園〉、〈聚星園〉、〈海會寺〉、〈小西天〉、〈魁斗山〉等詩，可知在臺任官期間，張湄幾乎遊遍當時府城各勝地。這些勝地遊覽詩作，展現了身為宦臺文人的海外遊歷感慨，例如這首〈夢蝶園〉七絕所寫的：

疏林一碧映清渠，物外翛然水竹居。指點昔年尋夢處，秋風蝴蝶自蘧蘧。[30]

詩中首聯寫景，疏林水竹悠閑景致，如在目前。末聯兩句則扣緊園名「夢蝶」，抒發對明遺民李茂春寓居來臺，創居夢蝶園，並終老於斯的思古感懷。此詩也表現出人蝶互化的古今一體美妙想像，韻味十足。

30── 《全臺詩・貳》，頁168。

張湄主掌當時臺地文教，以巡臺御史身分主持院試，成為當時臺灣實權上最高階的學官。在臺詩作中，也有效倣夏之芳〈臺灣雜詠百首〉的詩作，名為〈臺灣雜感〉四首。但與夏之芳所作不同的是，張湄這四首都是七律而非七絕：

高浹天壚括九州，微茫一髮認流求。臺地舊屬流求國。風生鼇背重溟黑，雷奮鯤身巨島浮。針路向空難問渡，鐵礁拔地不容舟。顏林思齊道乾皆明季海寇幾輩蟲沙沒，落日蒼涼赤嵌樓。

干頭真聽草雞鳴，石上流言讖早成。廈門僧掘地得古甄，上有隸文曰，草雞夜鳴，長耳大尾，干頭銜鼠，拍水而起，起年減年，六甲更始，康小熙魂，太和千紀，凡四十字，識者曰：草雞大尾長耳，鄭字也。干頭銜鼠，甲子也。謂鄭芝龍以天啟甲子起海中為盜，至康熙甲子而滅，康小熙魂，寓年號也。七郡逋囚充臂枏，三江戰艦劇縱橫。火飛龍碩紅毛盡，鄭成功掘得銅礮，曰龍碩，無禦之者。颶涌羊山白下驚。劫運不曾逾甲子，俄看東海腐長鯨。

成功肆毒，濱海民患之，有善知識者云，此東海長鯨也。

青油紅斾擁風雲，閫外專征兕甲軍。窮島降帆爭獻璽，尚方御錦遠襃。癸亥，靖海侯施琅攻克澎湖，偽鄭歸降，聖祖解御衣并製詩賜之。乾坤何處存華髮，妾媵偏能伴旅墳。大師取澎湖，明寧靖王術桂投繯死，妻妾從死者五人。金盌不隨淋雨出，一杯蠻土野花薰。

牖戶誰懷陰雨思，春華忽謝刺桐枝。康熙辛丑，臺民朱一貴作亂，合郡刺桐不花。無端鴨母狂稱帝，直為豨群怒誓師。潮長海䲜頻得力，癸亥克鄭，逆舟進鹿耳門，海水驟漲，辛丑克朱一貴，港口亦然，前後若合符節。晛消冰雪未移時。山頭碧血成陳跡，釃酒還登五將祠。五忠祠在安平鎮，祀陣七將備許雲等五人。[31]

31—— 《全臺詩‧貳》，頁149-150。

這四首詩，從林道乾、顏思齊等海盜占領臺灣為據點開始，歷述鄭成功於海畔抗清、用龍碩精銳銅砲打敗荷蘭人據臺治理，再歌頌施琅滅掉鄭氏政權及寧靖王與五妃殉國的故事，最後則寫清國平定朱一貴事件，扼要地在這四首律詩中，將臺灣重要的歷史事件以詩作呈現。從張湄的這四首詩，詩句下以註腳來呈現臺灣歷史的寫法，具有一種介紹臺灣給大陸讀者認識的寫作意圖，其書寫心態，與其百首〈瀛壖百詠〉如出一轍。

在張湄離臺後，在 1744 年（乾隆 9 年）來臺任滿人巡臺御史的六十七，在當時府城文壇中，亦占有一席之地。六十七，號居魯，為滿州鑲紅旗人，乾隆 9 年來臺任巡臺御史。在臺三年期間，與漢人巡臺御史范咸共同獎掖文風，且纂修《重修臺灣府志》。在任期間，將巡視臺灣各地見聞詳加考證記錄，著有《臺海采風圖考》、《番社采風圖考》及《海東選蒐圖》，對當時原住民（尤其是平埔族）民情習俗有豐富的記錄，迄今亦為人類學及歷史學學者所重視的重要文獻。

六十七在宦遊臺灣期間的文學創作，大致都集結成《使署閒情》一書中。《使署閒情》共四卷，前兩卷為賦與詩，後兩卷為雜著，收雜文 40 篇。《使署閒情》雖然有收錄六十七在臺任御史的詩文，但此書也收有他人詩文作品。范咸為此書所作的序，可以清楚地明白此書的性質：

> 《使署閒情》者，巡臺給事六公輯臺江詩文成集而名之也。公本於使署之餘，作詩歌以適閒情，因有是集一卷；余與公修志時，已採入「雜著」中矣。既而志事已竣，公又搜得近時臺灣詩文若干首，不暇補入。公既珍惜此邦之文獻，且不忍沒人之長，因即移己之集之名以名之，而附己所作於後。[32]

32—— 范咸，〈使署閒情序〉，收入六十七，《使署閒情》，臺北：臺灣銀行臺灣文獻叢刊第122種，1961年，頁1。

從序文的這段文字看來，六十七在臺灣任上雖有詩文作品，但在修纂府志之餘，對蒐羅到的「近時臺灣詩文」不忍遺棄，便將這些當時臺灣文壇所見的佳作，也都收入自己的《使署閒情》書中。所以，若我們看此書所收錄的詩文，詩自沈光文以降，收有孫元衡等重要臺灣先賢詩作，到與六十七同時的范咸、陳輝等人的作品，幾乎可以當成是《重修臺灣府志》的〈藝文志〉補遺。但這種類似當代詩文選集的書，還是收有六十七的48首詩，這48首詩中，前13首是寫於來臺之前的作品，創作於臺灣任上的詩作，收有35首。另外，在卷三的「雜著」中，亦收錄六十七〈通飭慎婚姻重廉恥示〉及〈婆娑洋集序〉二篇文章。

　　《使署閒情》將自己的詩文摻雜在蒐集來的作品中，以著作而言，體例頗為特別。不過值得注意的是，在這部選集中，六十七開始大量收錄陳斗南、陳輝、錢元起、陳廷藩等臺灣本土文人的作品，保留當時文士文獻不致湮滅，其功甚偉。因此范咸才於此書序中稱六十七：「珍惜此邦之文獻」，良有以也。

　　六十七雖是滿人，但漢文造詣深厚，所作詩文典雅有趣，鮮落俗套。如〈九日〉此詩，雖是寫當時府城重陽習俗，卻描寫得引人入勝：

朝來門巷集儒巾，屠狗吹簫共賽神。臺俗：七夕、中秋、重陽俱祀魁星。是日，儒生有殺犬取其首以祀者。蝴蝶花殘清入夢，鯉魚風老健於春。酒澆幽菊舒黃藥，琴鼓飛鳶颺碧旻。重陽前後競放紙鳶，如內地春月。並著單衫揮羽扇，炎方空說授衣辰。[33]

此詩將民眾在重陽節府城一地習俗，深刻地描寫出來，保留了當時節慶活動的文字紀錄。例如首聯中的註腳，寫出府城在七夕、中秋、重陽拜祀魁星。

---

[33] ── 六十七，〈九日〉，《使署閒情》卷2，頁63。

因明清科舉考試對文人而言相當重要，讀書人大多會祭祀北斗七星的第一星：魁星。在道教信仰中，魁星被認為是主宰文運之神，常與文昌帝君一同奉祀，也與文昌帝君、朱衣帝君、孚佑帝君、關聖帝君合稱「五文昌」。清代文人常供奉手拿筆與錠而踢斗樣貌的「魁星圖」，以祈求科考中舉。此外，文廟、學官、府學、縣學、書院等，也多建有魁星樓或魁星閣。七夕是魁星生辰，各地都有「魁星會」的祭祀活動。但中秋和重陽拜祀魁星，卻不見臺灣方志有記載，只見於六十七此詩中。另外，殺狗祭魁星的習俗，也僅見於此詩記載的清代臺灣民俗，不見於清代中國大陸各地。腹聯也寫出內地是春天放風箏，但臺灣乃在重陽放風箏，與中國大陸殊異。最後則寫出臺灣炎熱，在深秋重陽時，依然穿著單衫還揮扇，絲毫沒有秋意。十月授衣的習俗，在臺灣只能「空說」，因為在十月時根本不需要更換冬裝。

在六十七的詩文中，依然帶有宦遊來臺清國官員獵奇的書寫心態，將異於內地物景人情加以記錄書寫，以呈現新鮮怪奇的臺灣異域特色。六十七在〈再答六司諫〉中自稱：「采風已有詩千首」，可見他在臺諸多詩作，與其《臺海采風圖考》、《番社采風圖考》二書，均帶有濃厚的臺地采風特性。大約與六十七同時在臺的漢御史范咸，其詩文作品，亦多采風性質，在臺詩作尤其以臺灣花卉與臺地風俗為主題為大宗。

范咸（？～？），字貞吉，號九池，浙江杭州仁和縣人。雍正元年進士，乾隆 10 年來臺任漢巡臺御史。在臺二年御史任內，與滿御史六十七共同獎掖文風，修纂府志，完成《重修臺灣府志》，蒐羅齊全，資料宏富，體例完善，為臺灣方志中傑作，俗稱「范志」。著有《婆娑洋集》、《浣浦詩鈔》等。范咸擅長各體詩歌寫作，學養俱佳，其詩文亦大量數錄在臺灣各方志的〈藝文志〉中。其中除采風與臺地花卉的大量書寫外，〈弔五妃墓〉的 12 首絕句組詩及〈北行雜詠〉12 首，及 12

首七律〈臺江雜詠〉、接下來 12 首七律〈再疊臺江雜詠原韻〉及同樣是 12 首七律〈三疊臺江雜詠〉共 36 首七律，幾乎全面地以七律組詩的方式，將范咸的臺灣采風主題詩推展到極致。以下選錄他的〈臺江雜詠〉12 首中的第五首為例：

占風小草宛如萁，風草初生無節，則周歲無颱。每一節，主颱一次。官廨粗營有綠廳。社番有公廨。園地慣收百日赤，稻種於園者，名埔占；穀白、米赤。六、七月種，十月熟。林間無改四時青。木葉經冬不凋。聲呼晴雨籠中鳥，語學咮嘀海上伶。郁滄浪竹枝詞：「咮味唱出下南腔」。最怪香燈誇七夕，三家村裏祀奎星。七夕，士子俱祀奎星。

（〈臺江雜詠〉之五）[34]

在這首詩中，幾乎每一句詩句下都作註解釋，這種寫法共三組各 12 首七律，對於認識當時臺灣土地民情有相當大的幫助。這樣子也是以采風獵奇的詩歌創作，留下當時的臺灣紀錄。

　　與六十七有相同的采風題材入詩，這也與兩人身為滿、漢巡臺御史，必須來臺觀風俗以上達北京朝廷有關。巡臺御史來臺巡臺采風以備治理，蒐集民情及地物，以供後來統治者參考，是自首任巡臺御史黃叔璥撰寫《臺海使槎錄》一書以來的傳統。六十七來臺蒐羅臺地異域題材內容，編纂成《臺海采風圖考》、《番社采風圖考》，以及范咸以御史地位，主持府志的重修，大概也有采風俗以備視聽的意味。范咸不似六十七有臺地采風的專著，但因其主纂府志重修工作，對於臺灣植物的考訂，實有力焉。例如他在〈七月一日宴七里香花下作〉這六首七絕組詩前的序文，仔細地考證臺灣所見的七里香乃是唐人詩的的玉蕊花：

34—《全臺詩‧貳》，頁272。

《廣群芳譜》：「山礬一名瑒花，一名春桂，一名七里香。」按《高齋
詩話》云：「唐人題唐昌〈觀玉蕊花〉詩云：『一樹瓏鬆玉刻成，飄廊
點地色輕輕』。今瑒花，即玉蕊花也。」《春明退潮錄》云：「瓊花一
名玉蕊。」蔡寬夫《詩話》云：「玉蕊，即揚州后土祠瓊花。」由三家
之言推之，似山礬即瓊花矣。考鄭興裔有〈瓊花辨〉，周必大有〈玉蕊
辨證〉，幾若聚訟。即七里香之果為山礬，亦微與《本草》異。要之，
皆不必有意牽合也。因宴花下，為賦六絕句。[35]

雖然此序文末說「要之，皆不必有意牽合也」，但范咸的這段對臺地
常見的七里香植物仔細的名物考證，亦可見其修府志時蒐集資料的用
心。同樣地，范咸在〈木蘭花歌〉前的詩序，亦是一篇長篇對臺灣木
蘭花的考據。在臺同為御史，六十七注意風土民情，而范咸兼重視考
訂臺地花木，兩人在乾隆初年來臺，對臺地自然人文的記錄，均有相
當程度的貢獻。

在乾隆年間，有另一位巡臺御史錢琦，在臺期間也留有許多詩作。錢
琦（1709～1790），字相人，號嶼沙、又號述堂，晚號耕石老人，浙江
杭州仁和縣人。1737年（乾隆2年）進士，1751年（乾隆16年）二月來
臺任巡臺御史，任內對理番、內政事務多有改革。錢琦一生好吟詠，自進
士登第後，官至福建布政使，喜好作詩，與乾隆年間詩宗袁枚交好50年，
著有《澄碧齋詩鈔》12卷，《別集》一卷。其詩作收錄於臺灣方志中，
最著名的作品乃〈臺陽八景詩〉，這組詩雖也是記錄當時臺灣的勝景風
俗，不過這八景與傳統的臺灣八景詩取材不盡相同。這八首分別是〈鹿耳
連帆〉、〈鯤身集網〉、〈赤嵌夕照〉、〈金雞曉霞〉、〈鯽潭霽月〉、

35── 《全臺詩·貳》，頁254。

〈雁門煙雨〉、〈香洋春耨〉及〈旗尾秋蒐〉，雖以臺南附近勝景為題材化為詩作，不過如〈鯤身集網〉寫漁民捕魚景致、〈香洋春耨〉寫春耕景象，而〈旗尾秋蒐〉疑記錄平埔族原住民狩獵盛況，此類書寫與往常八景詩不盡相同。

　　錢琦在臺詩作，除五七律外，多作五古及七古長詩，詩作頗具豪邁氣勢，遣詞造句，亦多有渲染臺地異域特色之處，如這首〈七鯤身〉詩作，縱橫敘述，足見筆力：

> 海中有鯤夜化鵬，將飛似墜忽伏蹲。浸作千年老雲根，分排玉立如弟昆。
> 蛟宮千丈姿雄跨，鼇浪萬里供饞吞。壯氣已作長虹吐，遠勢欲挾孤鶩騫。
> 如砥狂瀾留柱石，時撾天鼓殷雷門。左控安平右鹿耳，襟帶眾匯如繚垣。
> 當年蛙龜爭雄處，犀甲百萬齊雲屯。一聲海吼白骨枯，潮頭戰血交流渾。
> 自從歸我版圖後，恬波息浪清乾坤。昇平大業垂萬古，異域往往叨殊恩。
> 祇今窮崖絕壑地，已成紫蟹黃魚村。我來正值三月暮，袷衣習習春風溫。
> 他山可望不可即，遠見一片蒼煙痕。天地滄桑本變幻，古今興廢如朝昏。
> 況復浮生一泡影，忍令歲月逐塵奔。眼中俗客難為論，黯然默默銷神魂。
> 安得如爾息健翮，坐受晚露與朝暾。[36]

此詩為押平聲韻一韻到底的七古長詩，共 17 韻，乃錢琦極盡氣力書寫形容臺江內海外七鯤身沙洲的詩作。詩作開始從《莊子》中鯤鵬互化典故切入，寫出臺江內海外的七鯤身屏障臺江內海之功用，詩中多用炫奇想像大力鋪陳，並以「左控安平右鹿耳」，點出七鯤身地處要勢的重要性。所以接下來寫鄭荷於此地大戰的歷史，再歌頌清國納臺入版圖後，險地七鯤身

36——《全臺詩‧貳》，頁327。

失去軍事要地的重要性，成為平靜漁人生活的地方，詩末再書寫自己蒞臨此地所觸發的人生感嘆。

自首任巡臺御史黃叔璥以降，至乾隆年間，巡臺御史對保留當時臺灣民情風俗及歷史、地理文獻，有卓越的貢獻。此外，御史又兼領學政，對獎掖臺灣文風成績斐然，在雍、乾兩朝，巡臺御史在臺灣的詩文創作及文獻田調蒐集，都有顯著的表現，成為雍乾時期在臺灣最重要的文學領袖。

二、朱景英、鄭兼才

乾隆中期至嘉慶年間，在臺南的宦遊文人於文學上有所建樹，可以1769 年（乾隆 34 年）來臺任海防同知的朱景英，及 1804 年（嘉慶 9 年）來臺任臺灣縣教諭的鄭兼才為代表。

朱景英，生卒年不詳，湖南武陵人，乾隆 15 年鄉試解元，乾隆 34 年來臺任海防同知、乾隆 39 年遷北路理番同知，著有《畬經堂詩集》。朱景英來臺時期創作的詩文頗豐，著有《海東札記》專記宦臺時期聞見紀錄。朱景英在《海東札記》前有非常簡短的序言，以說明此書內容及撰作用意：

> 余貳守海東，逾三歲，南北路遍焉。凡所聽睹，拾紙雜然記之，日積以多，遂析為八類，鈔存四卷。隨筆件系，藉備遺忘，要無當於郡邑志體，故挂漏不免，覽者諒之！乾隆壬辰歲冬十月朔日，武陵朱景英幼芝自識。[37]

由此序言可知，此書分為四卷八類，分別是：卷一記方隅、記巖壑；卷二記洋澳、記政紀；卷三記氣習、記土物，卷四記叢璅、記社屬。此書大致可視為朱景英巡視臺灣的田野調查記錄，雖然是以筆記簡短的形式記載所見所聞，但寫作的方式則類似方志書寫。如卷四記社屬中記載，

37—— 朱景英：《海東札記》，臺北：大通書局影臺灣銀行臺灣文獻叢刊第19種，1987，頁1。

平埔族當時書寫文字尚留有荷蘭人影響：「社有事，集公廨以議。小番供役其間，有能書紅毛字者，謂之教冊，凡出入數皆經其手，字體如蝌蚪文，削鵝管濡墨橫書，自左至右，非直行也。」在記錄臺灣風土民情地理形勢上，雖也間採前人著作，不過書中還是有許多親身體驗的「凡所聽睹，拾紙雜然記之」，這類記實文字，對當時臺灣社會地理的認識瞭解，頗有助益。誠如黃美玲對此書研究後的結論所言：「由此可見朱景英的《海東札記》並非只剪裁抄錄舊有資料，當中的確提供許多新的資訊，可供我們瞭解清朝統治臺灣百年後各方面的變化。……《海東札記》在清初臺灣遊記史的地位應可視為接續黃叔璥《臺海使槎錄》後相當具有價值的類方志遊記。」[38]

不過，如朱景英在序言中所說的「隨筆件系，藉備遺忘，要無當於郡邑志體」，還是以記錄臺灣各地風土民情的實用性記載為主。《海東札記》畢竟類似郡邑志書，書中的文學性不高。雖然在卷四「記叢璅」部分，錄有自己的詩作，及題名〈東瀛署齋八詠〉的〈臨江仙〉八首詞作，但畢竟占少數。而朱景英存於方志的文章，也僅有收錄在《彰化縣志》的〈塹城武廟碑記〉一篇。不過在《畲經堂詩集》中，收有二卷朱景英在臺時期的詩作。《全臺詩》第貳冊也將這些詩作蒐羅齊全。朱景英這些在臺詩作中，有許多是他巡視南北二路的作品，並非全在臺南府城所作。寫於府城詩作，多為抒寫羈旅宦遊心情，也多酬唱贈答詩作，詩風穩健平實，頗能寫出渡海來臺任官的境況，如這首〈正月十六夜鯤嶼即事〉詩中所寫：

曼衍魚龍夜，喧闐鼓角來。將軍重橫海，賓客快登臺。古堞星芒出，高艫火射迴。還歌紫雲曲，一瀉白銀堆。[39]

38── 黃美玲，〈論朱景英《海東札記》在臺灣清初遊記史之地位與價值〉，《聯大學報》 9卷1期，2012年6月，頁113。

39── 《全臺詩‧參》，頁25。

詩題中的鯤嶼，應該就是一鯤身的「安平鎮」。安平鎮為清代臺灣鎮總兵駐紮的海軍基地。朱景英任海防同知，工作緝查地點雖然鹿耳門，不過在業務上，常與安平鎮水師合作。此詩作於元宵節隔夜，大概是朱景英赴約臺灣鎮總兵邀宴而寫的詩。朱景英任海防同知，主緝察鹿耳門海關。鹿耳門船隻進入臺江內海的門戶，也是朱景英工作的地點。朱景英在詩中，多次將鹿耳門稱為「海門」，如這首〈海門即日〉，即是抒寫身處鹿耳門時所思所感：

> 疆索寧憂控制遙，百年熙洽瘴霾消。島夷敢踞牛皮地，閫帥曾乘鹿耳潮。橫海樓船競笳鼓，專城符節屬嫖姚。承平羨爾當關策，入夜魚龍鎮不驕。[40]

此詩除收於朱景英的《畬經堂詩集》之外，也收錄在《海東札記》之中。對於查緝走私工作地點所在的鹿耳門，不止是進出臺灣臺江內海的必經通道，也是扼守進出臺南的天險。朱景英在看待海門／鹿耳門時，便是從此處作為軍事要地，並關係著臺灣攻守的荷鄭交戰著眼，腹聯再延伸至清國承平時期，派重兵鎮守安平鎮和此處，讓安平鎮在承平時期能發揮當關戍守職責。詩末的「不驕」，指的是鎮守於此處的王師，語出《商君書‧戰法》：「王者之兵，勝而不驕，敗而不怨。」指的是駐守安平鎮的水師，以不驕不怨的平常心執行海上勤務。

除了書寫宦遊臺灣思鄉之情及臺地異於中國內陸的物產民情的詩作外，與其他官員應酬飲宴出遊詩作，也是朱景英在臺南府城詩作的主題之一。這類詩作，朱景英也多以組詩或長篇詩作來展現，如這首〈龔蕙畹宣副帥招同任伯卿將軍登赤嵌城望海作〉，便是一首七古長詩：

40—— 《全臺詩‧參》，頁18。

赬霞墮海海濛澒，牡土御天天淬灡。中流堅壁乃塗 ，四際浮舟勿凝泳。
聞昔此城創荷蘭，氏以赤嵌雄當關。厥狀觥熾出紺鬘，屹然百雉凌飛湍。
婆娑洋外腥風扇，報駁重垣鬩爭戰。魚龍鬐鬣折且摧，甌脫如斯詫奇變。
惟應望遠憑高邱，蜿蜒島沒馳碁浮。白波山立黑風斷，奔走百怪收雙眸。
相於釣客任公子，乘興侵晨片帆指。況有賢主龔孟公，將攜直上條侯壘。
初從罋洞循階梯，周遭步墨勞參稽。陶旅工鉅費不訾，齒冷積甃旋空 。
連狀要復羞覼縷，矹瑣曷足當懷古。偶爾恣眺窮交睸，不覺高歌動譙櫓。
人生遊涉會有期，之罘蓬碣信所之。榑桑指點此郛郭，誰令感喟銷妖娞。
礮車矢砮青苔臥，殘堞斜陽影同破。承平畨戍此間宜，畫角聲中起選 。
暮煙現滅西忽東，歸舟依舊乘長風。眼中突兀意觸忤，萬里波瀾莽迴互。[41]

此詩為朱景英應當時以澎湖水師副將護理臺灣總兵龔宣之邀，陪同任伯卿登上荷蘭人所建於一鯤身安平的古熱蘭遮城所寫的詩。詩中明言「聞昔此城創荷蘭」，因此多敘荷鄭大戰史事，詩中用大量典故及生硬僻字來營造此地異域印象，頗有李賀詩長吉體的風格特色。這種寫法，應當是繼承孫元衡〈裸人叢笑篇〉15首、〈海吼行〉、〈日入行〉、〈巨蛇吞鹿歌〉等詩作，以怪奇詩風營造臺灣殊異中國內陸的詩作而來。當然，除了這種將臺灣曾被荷人治理，在留下來的異族建築物上刻意以奇幻險僻語句來刻畫古堡的詩作，以展現其異樣感外，朱景英還是有許多在臺任官時心境的書寫。這些描寫日常宦遊生活的詩作，就顯得較誠摯平淡，如這首〈歲晏〉詩所呈現的情境：

歲晏無消息，梅花似故人。何因慰幽獨，只覺涴風塵。歌為竹枝續，栢於桑落親。孤懷更誰託，我惜小園春。[42]

41── 《全臺詩‧參》，頁28-29。

詩中寫出因仕宦作客臺灣而思念故人、故鄉的寂寥況味，孤懷淡情，也易令人感同身受。

鄭兼才（1758～1822），字文化，號六亭，福建德化人，1798年（嘉慶3年）鄉試第一。1804年（嘉慶9年）調臺灣縣教諭。嘉慶10年11月蔡牽進犯府城時，鄭兼才受命協助防守大南門有功，隔年被調為江西長寧知縣，但他因志於續纂臺灣縣志，辭不就任。擔任學官期間，盡力蒐羅臺灣縣史料，鉅細靡遺，與嘉義縣教諭謝金鑾合力編纂方志，於嘉慶12年編成《續修臺灣縣志》。此方志體例完善，資料齊全，被認為是清代臺灣方志中最為優秀的其中一部。鄭兼才於道光2年卒於學官任上，年六十五，於道光5年入祀鄉賢，著有《六亭文集》，今存。戰後，臺灣銀行經濟研究室選編《六亭文集》中與臺灣相關文章，為《六亭文選》，收錄為《臺灣文獻叢刊》143號刊行，為目前最常見的鄭兼才文集版本。

鄭兼才一生擔任學官，重實學，大多以敦厚學子品德並勉勵向學，所著文章，教化性極強。姚瑩為其文集作序時提及：「瑩初至台灣，聞人言嘉慶中蔡牽之擾，君守城及上書論時事，有功於台，固知君幹濟，非僅工為文而已。君乃出所著宜居、愈喑二集與雜著文，屬為閱定，益知君所至以勵名節、崇實學為己任，文亦樸重如其為人。」今觀《六亭文集》，便如姚瑩所言，多上書論時事文章，實用性極強，觀其文集，亦可見嘉慶中至道光初臺灣文教及政事發展。例如鄭兼才於嘉慶9年初任臺灣縣學教諭後，便積極打算重修臺灣縣學宮，但遇到蔡牽率艦隊襲擾府城，船進臺江內海，並自府城外洲仔尾登陸，海陸合攻府城之際，重修縣學宮停擺。蔡牽於嘉慶11年後被李長庚擊退，鄭兼才以臺灣縣學

42—— 《全臺詩‧參》，頁25。

官身分，重新募資修整臺灣縣學宮，而作〈申報續修台灣縣學宮文〉，
此文全文如下：

> 台邑文廟改建於乾隆四十三年，歲久就圮。嘉慶九年某到任，會縣倡修，
> 嗣因內渡會試輟工。其明年七月回任，再興工修建，複因蔡匪滋事停止。
> 迨本年水陸賊潰散，郡治寧謐，始命匠再造。今崇聖殿、大成殿及殿後
> 文昌宮已漸次就緒，又移諸羅崎節孝祠於文昌宮之左；其右功德祠，祀
> 改建文廟之蔣前守元樞：計費白金為圓四千有奇。近又續捐三千金，修
> 東西兩廡、大成靈星兩門，增名宦、鄉賢兩祠及迤東之明倫堂、土地祠、
> 兩齋衙署，地既接連，工宜遍及。惟時董事職員林朝英，念事關鉅典，
> 工作繁興、財力或絀，乃出而肩其成。首議買置民房，增廣泮池，繼議
> 兩廡殿門改用石柱，複以舊制先師神龕規模粗小，繪圖營造，而列聖御
> 賜匾額如式鼎新，神案、鼓鐘先期裝置。其急公好義，既樂倡始，又願
> 圖終；同事推心；合庠斂服。同時董事為候選郎中吳春貴、舉人潘振甲、
> 貢生黃汝濟、游化、韓必昌、楊肇基、生員陳廷瑜，其常時督工則有鄉
> 飲魏爾青、童生王琳。惟董事林朝英自獨力肩成以來，在局營度，例得
> 請獎。所增名宦、鄉賢及原設之忠義孝悌、節孝四祠。例應補祀。統俟
> 竣工，博採輿論，據實轉詳。謹將捐修始末具報。

本文將縣學宮創建時間，以及鄭兼才到任後，縣學重議新修學宮，卻因蔡牽攻
府城而停止。蔡牽事後，打算重修學宮，鄭兼才便寫作此文。文中寫出縣學宮
規模構建、祭祀位置及所需花費，並且將總綰其事者林朝英欲擴增學宮規模的
想法，一併寫出。最後再將當時仕紳出錢出力的重修功勞，一併上報。在文中
我們可以得知當時續修學宮之仕紳，自林朝英以下，均是嘉慶年間臺灣最重要
的仕紳。由這份董事名單，也可以得知當時臺灣府城內有權勢的仕紳階層。

同樣地，鄭兼才以縣學教諭的身分寫了〈申報續修台灣縣學宮文〉，
類以向上呈報的公文制式文章，內容與鄭兼才職責相關。清代地方仕紳及
文化人有一項重要的職責工作，便是修纂家鄉本地的方志，而其事必須得
正印官知府或縣令支持，而且要開局修纂。若說鄭兼才對臺灣最大的功
績，除了指揮戍守府城守軍阻止蔡牽入侵的軍功外，便是倡議重修臺灣縣
志了。在〈申請續修台灣縣志文〉一文中，鄭兼才詳述了必需重修縣志的
原因，以及他所構思的縣志體例：

　　竊以征今述古，文獻兼資；補闕訂訛，纂修為重。台灣古屬荒服，自入
　　版圖，文物漸開；郡縣志書，紀載昭然，足資考信。弟查台灣縣志重修
　　於乾隆壬申歲，迄今五十餘年；中經林爽文之變，沿革損益，規制異前。
　　如萬壽宮之肇創、巡台御史之久裁、昭忠祠之奉敕特建、旌義祠之倡義
　　更新與夫街市城垣之改造、學舍祠廟之增修，其鴻規鉅制，皆不可以不
　　書。又如本邑學宮，兩經修建，地既由狹而廣，制亦由簡而隆，實因捐
　　充屋地得拓舊規以及殿廡之捐造、祭器齋課之增置學田，皆前志所未有；
　　又不可以不書。至若職官貢舉之有題名、循吏武功之當入傳、人物之首
　　重忠孝節義、藝文之不廢雜記歌詩、學校之漸臻隆盛、番俗之日就文明，
　　凡此雖系海外之規模，均關一朝之典故。惟積歲久遠，其中次第源委已
　　難詳考。某奉調來台，與台灣縣薛令屢思興舉，俱阻於兵役。今則海氛
　　不扇、山匪潛蹤，列憲宣播皇猷，一切善後事宜雖尚煩塵念，而教官藉
　　庇寬閒，已得一意於文事。因思台邑為附郭首邑，歷任各憲建節重地，
　　凡興除善政、舉廢宏規，例當備書。其志視外邑所關較重，而頭緒亦較繁，
　　非得淹通博雅，未易綜核詳明。竊見嘉義縣學謝教諭金鑾，醇實端方，
　　學有本原。令掌斯役，非惟繼事修明，足補未備；而於前志所載，其異

同得失之故，必能有所折衷，以傳來許。某在任已越兩年，耳聞目睹，亦得與薛令仰承大示，博採輿論，參核成書。大抵體例仍其舊有，事實益所本無，與前志別為一編，統眾人歸於一手，庶意見不至錯出，而刻期可以告成云。紳士捐資業就緒，容開局日酌擬條款。

在這篇 530 餘字的文章中，鄭兼才提出的臺灣縣志，自乾隆壬申歲（乾隆17 年）修後，已超過 50 年沒有重修。在這 50 年間發生的重要事件，例如林爽文事件、萬壽宮、巡臺御史、昭忠祠、旌義祠、學制員額、學宮學田……等等的事件、機構及制度的沿革，都沒有記載。因此在嘉慶末年蔡牽事件告一段落後，鄭兼才認為修志之事刻不容緩。敘述了必需立刻重修縣志之後，他也提出了預想中的志書體例，主要是職官、選舉、武功、循吏、人物、藝文、學校及番俗，這些綱目，後來也成為修志時的各類分志。本文最後寫出，在臺灣縣知縣薛志亮的支持下，鄭兼才請求當時的嘉義縣教諭謝金鑾的協助，終於完成了《續修臺灣縣志》的編纂。文末最後提到志書修纂完成後，便要募資刊刻。

在《六亭文選》的文章中，除了以上修建學宮和修志的文章與鄭兼才的職務志向較密切相關外，其餘的如他於道光初第二次來臺任臺灣縣學教諭時向當時臺灣兵備道臺胡承珙一連串的治理臺灣建言：〈上胡道憲〉約十餘篇，還有〈山海賊總論〉、〈上慶觀察言南路緝捕事宜書〉、〈上慶觀察論疏浚城濠及應行事宜書〉、〈巡城紀事〉等文。這類文章都可見鄭兼才於瞭解臺灣後，對治臺有一定的想法，並將想法形成政策，獻策給臺灣當時的執政者。

鄭兼才重實事，比較缺乏文采。《全臺詩》中蒐集其詩，僅得五律一首、七律六首、五絕一首，總共八題 13 首詩。這些詩作多收錄於《續修

臺灣縣志》中的〈藝文志〉，而不見於《六亭文集》中，可見鄭兼才擅長為文論事而較少吟詠情性詩作。不過這 13 首存於方志的詩作，全然作於臺灣擔任學官時期，尤其蔡牽擾臺時所作尤多，存留共有四首，分別是：〈喜李提軍舟師至〉、〈經猴洞感詠〉、〈經旗尾山〉、〈蔡騫逸出鹿耳門聞信感作〉，這些詩作及詩句註，留下了當時蔡牽侵臺的一些記載。如〈喜李提軍舟師至〉中的李提軍，便是當時清廷追捕蔡牽的海軍大將浙江水師提督李長庚，在聽聞蔡牽以海陸之勢合圍府城時，便率軍布防鹿耳門外，等候攻擊蔡牽軍隊。鄭兼才在圍城中聽到李長庚率援軍來臺，喜而賦詩。〈經猴洞感詠〉則是寫蔡牽潰敗後，府城城外被戰火蹂躪後村落的狀況：

> 環村煙雨亂如絲，草店傷遭劫燼遺。十里空寮餘鹿陷，去紅毛寮數里，有鹿陷。一方重鎮借牛皮。莊通羅漢朝營壘，地近岡山夜舉旗。羅漢門既起義勇保莊，朱槓、蔡瑞等亦即豎旗岡山，嘯聚猴洞。不是將軍能破賊，又教白骨障荒陂。桶盤棧既破，游化領義勇由內門莊出攻，賊已潰散。[43]

蔡牽圍府城，其實是有計畫的奪取臺灣作為海賊根據地的軍事行動。首先，大出海蔡牽由海上主攻，百餘艘船艦由鹿耳門進入臺江內海，在洲仔尾上岸，由府城北邊及西邊，以陸海軍隊圍攻府城。蔡牽另聯絡了臺灣本地的土匪盜賊，由府城東、南邊進攻。當時鄭兼才即以學官奉命駐守大南門。此詩作於土匪圍攻南門敗戰之後，鄭兼才出城巡視村落時所見所思。這類的寫實記錄詩，雖然也能呈現鄭兼才的詩思及詩藝。對於作詩能力乃當時一般文人的基本素養而言，此詩寫得中規中矩，也能如實地寫下鄭兼才出巡亂後荒村而興起聚落殘敗的味道，寫出當時官兵鄉勇對抗朱槓、蔡

43—— 《全臺詩‧參》，頁302。

瑞等盜匪聚嘯集結於猴洞的景況。詩的最後也寫出若不是將軍（應是指水師提督李長庚）最後滅賊的話，那麼人民枯骨將會堆積在桶盤棧附近的荒陂上。值得一提的是，清代的桶盤棧，乃出了大南門或小南門後，為府城到鳳山的交通要道，位於現在臺南機場及南山公墓附近。在清代時為盜匪聚集打劫的地點，因此清國有派遣「汛兵」在此駐守，且自鄭清以降，此處便為府城城外重要的居民墓葬區。所以此詩最後一句，除了寫將軍即時滅賊外，也連帶將桶盤棧的地理特色寫出來。對桶盤棧有清楚的認識，應該是身為學官的鄭兼才，纂修方志後得到的地區性知識吧。

三、陳輝

　　陳輝，生卒年不詳，字旭初，號明之，臺灣縣人，1738年（乾隆3年）舉人。陳輝中舉後，並未任官，一生蟄居鄉里，有時也參與臺灣方志的編纂。一生中曾擔任兩次臺灣方志的編修，其職務分別為為：乾隆9年臺灣道劉良璧主纂的《重修福建臺灣府志》時擔任分輯；乾隆17年臺灣知縣魯鼎梅主修《重修臺灣縣志》時擔任編纂。對於蒐羅臺灣文獻，撰述史料，具有相當的貢獻。

　　陳輝乃清治早期土生土長於臺灣的本土詩人，因他兩次參與臺灣方志的修纂，且對於詩歌創作也有所擅長。所存留下來的詩文作品，量較多，品質亦佳。雖無專著刊刻傳世，但留存在各方志中的〈藝文志〉及六十七編輯的《使署閒情》中的陳輝詩文作品，計有收入方志的〈臺海賦〉／〈臺灣賦〉一篇[44]，收入《使署閒情》的〈老古石山記〉及〈勸學箴〉二文；詩作部分，依《全臺詩》的蒐羅收錄，共有48首詩。在《續修臺灣縣志》中引《檳榔閒話》概括論述鄭清之際臺灣詩作時，也提到了陳輝詩的特色：

---

[44]——此文在《重修臺灣縣志》及《續修臺灣縣志》中均名為〈臺海賦〉，而在《續修臺灣府志》題作〈臺灣賦〉。但因本文內容主要寫海，且《重修臺灣縣志》為陳輝親自參與編纂的志書，故以〈臺海賦〉較為正確。

島上談詩，名宦則以高觀察、孫司馬為最；而張、書、六、范數御史，並有可觀。至藍鹿州呈黃玉圃數篇，在此地為經濟絕作，乃台灣之治經，而不可以詩目之矣。其隱而在下者，自逸客沈文開而外，所見蓋尠。《舊志》鈔錄，以孝廉陳輝為獨多，然亦清穩完搆而已。黃半偓佺語本性情，頗稱特出；陳俊臣斗南五、七字中尚能完足，其他寂無聞焉。[45]

《檳榔閒話》為清代道光年間鳳山鳳儀書院山長陳震曜（1779～1852）所撰，今已失傳，惟些許文字見諸方志所引書之中。陳震曜為嘉義縣人，後居府城，與張青峰、陳廷瑜十數人，在府城寧南坊呂祖廟建「引心文社」。後歷宦福建各縣教諭學官，一生致力文教，著述頗豐，以臺灣人論臺灣詩的源流發展，當有可信者。在這段評論中，陳震曜認為高拱乾、孫元衡在清初領臺能詩的宦遊人士中，詩作最優秀的名宦。而張湄、書昌、六十七及范咸這四位巡臺御史，其詩亦有可觀之處。藍鼎元呈獻給黃叔璥的〈臺灣近詠十首呈巡使黃玉圃先生〉，則以論政為主，乃經世濟民的作品，不能以單純的文學作品視之。此外，「隱而在下」非來臺宦遊的詩人中，以荷蘭時期便來臺的沈光文詩作為首，早期臺灣本土文人詩作，陳震曜僅提出陳輝、黃佺及陳斗南三人。但陳斗南詩作《全臺詩》僅收十一題十四首、黃佺僅收二題七首，在現在詩作數量完全比不上陳輝。原因乃是陳輝詩作靠著「《舊志》鈔錄」，及六十七的《使署閒情》保留，雖無刊刻，卻能流傳於世，而黃佺、陳斗南之詩，雖被陳震曜標舉討論，其詩至今卻大多失傳遺佚，甚為可惜。

連橫亦給予陳輝的詩高度評價，他在《臺灣通史》中提到：「先是有陳輝者，亦撰《臺灣賦》一篇，而詩尤工，舊志載之。」[46]關於陳輝這48

45── 謝金鑾，《續修臺灣縣志》，卷5，頁389。

首詩作的內容，許惠玟大致分成幾類，一是對今大臺南地區的在地描繪，二是臺南以南地區的遊歷寫實之作，三是自我心跡的表述，最後還有自府城到福建應試的行旅作品。[47] 至於陳輝為何會自府城南遊，留下至當時的鳳山縣、今日至屏東為止，甚至遠達東港、小琉球和恆春地區的諸多詩作？許惠玟在註解〈依仁道中〉一詩時，將陳輝南遊的動機，解釋為是為了避開林爽文事件的兵燹之災。〈依仁道中〉一詩如下：

> 踽踽行來望翠微，晚風吹度拂征衣。槎林斜影迷樵徑，竹塢繁陰引釣磯。
> 路轉紆迴溪鳥散，山橫黯淡野人歸。鄉村擾擾何時靖，萬馬頻嘶未解圍。
> 時王師十餘萬進討。[48]

許惠玟認為此詩寫於林爽文事件時，大概就是詩末最後一句下的詩句自註，「王師十餘萬進討」，在乾隆年間，僅有發生在 1786 年（乾隆 51 年）的林爽文事件。不過，值得注意的事，陳輝於乾隆 3 年中舉，林爽文事件離陳輝中舉近 50 年，若是此詩作於林爽文事件時那麼陳輝可能已經是超過 80 歲的老耄長者了。若陳輝以 80 歲左右的年齡離開府城往南避難，那麼還能遠行至東港、恆春，其精力可謂驚人。關於陳輝的相關生平事跡，由於文獻不足徵，且詩文較少出現相關事件連繫，因此相當難作詩文繫年。但是若將此詩詩末的詩句自註，推測是康熙 60 年發生的朱一貴事件後所寫的，則更有可能。清代士人中舉年齡，除非是特異秀出之人，不然大約都在 30 歲左右。若陳輝於 40 歲後中舉，那麼康熙 61 年清廷派出藍廷珍鎮壓時，陳輝大概是 20 餘歲，且府城於亂中被攻陷，那麼陳輝才需要出城往南臺灣避難。若將陳輝寫作〈依仁道中〉及相關的南行詩，解釋

46—— 連橫，《臺灣通史》，臺北：眾文圖書出版有限公司，1979年，頁976。
47—— 許惠玟選注，《陳輝・章甫集》，臺南：國立臺灣文學館，2011年，頁17-18。
48—— 《全臺詩・貳》，頁193。

成為逃離陷入朱一貴集團手中而南下避難的詩作，那麼這些詩就都是陳輝尚未中舉時的作品。

不過這些可能因為是為了避亂的南行詩作，除了〈依仁道中〉一詩外，似乎很少在詩中看到戰亂的煙硝味。這些南行紀遊詩，大多呈現一種平靜恬淡的臺灣自然風光景色，風土民情，陳輝亦是刻意將這些府城南方的地點描寫成淳厚質樸的所在。例如這首剛離開府城的作品〈二贊行溪〉所描寫的景色：

> 竹橋平野路，春水漲清溪。風靜寒沙闊，煙濃遠樹低。青蕪喧海燕，碧岸叫村雞。為語南遊客，應知慎馬蹄。溪當秋雨泥濘，行人難之。[49]

二贊行溪為清代二層行溪的古名，因臺語的「層」和「贊」同音，現在則名為二仁溪，為現今臺南市和高雄市的界河。在清治時期，臺灣縣在渡過了二贊行溪後，就是鳳山縣的縣境了。此詩前三韻，充滿了田園恬靜氛圍，時序為春天但溪水漸漲，所以應該是春末夏初，才能有「春水漲清溪」的景色。接下來寫鄉村樣貌，腹聯寫河岸沙闊，而遠方的樹林冒出了蘊藹煙嵐，青蕪雜草中聽得見海燕鳴叫，而對岸畔聚落人家中飼養的村雞也發出雞鳴。最後則寫出此處秋天後若有秋雨則泥濘難行，行人當注意。此詩值得注意的是，詩末應該是自我提醒的意味，也就是詩中的南遊客，指的就是自己。他認為屆時回歸府城時，可能在秋天，若遇到秋雨使河畔沙岸泥濘，則必需小心注意。

在〈二贊行溪〉後，接下來有一連串的南行紀遊詩，如〈五里林〉、〈小店仔夜宿〉、〈依仁道中〉、〈鳳山春眺〉、〈鳳山道中〉、〈東港渡〉、

49── 《全臺詩‧貳》，頁191。

〈東港〉、〈琉球山〉、〈瑯嶠山〉、〈九日登龜山〉等詩。這裡的龜山，是位於現在高雄市左營區蓮池潭西南邊的龜嶺山，而左營為清初鳳山縣縣治所在，為鳳山縣舊城。石屏山亦為陳輝可能南遊至瑯嶠／恆春後，回程暫宿鳳山舊城而有登臨之作，而時節已是深秋重陽。至於離開府城南下遠至瑯嶠，至秋天回到鳳山舊縣城，是不是同一年，則不得而知。這些南行詩作，其實充滿詩意，卻缺乏個性，也少有怪奇性，顯現出一般詩情畫意鄉村景致的樣貌。這種看似平淡、平常的風景書寫，將獨特事件的脈絡從詩作的內容抽出，特意不以詩來敘事，是陳輝詩作的特色。只展現共相而不凸顯殊相，使得陳輝的詩，看似歌詠南臺灣的鄉村美好生活，卻無法展現專屬於臺灣南方的特色。我認為，在詩作內容的書寫上，不再強調臺灣異於中國的異域特質，是首位本土文人陳輝刻意的詩歌書寫行為。若我們縱觀陳輝留下來的近 50 首詩作，首先，他沒有臺灣八景詩的書寫；再則，他不寫原住民風俗及習慣；最後，他不再強調臺灣特有且迥異於中國大陸的地貌及氣候。從這一點看來，首位本土文人在文學創作上最重要的貢獻，殊異於宦遊文人的，便是他不再將臺灣視為「異域」；從作為漢人臺灣住民來說，不再強調漢「番」的不同；從歷史來看，不再重視荷蘭殖民的過去；從地理來看，不再強調臺灣燠熱異於中原的氣候，以及水流向西、日入於海的地理現象。自郁永河、孫元衡、黃叔璥這些康熙來臺的宦遊文人，刻意將臺灣描繪成化外之地、神州境外的島嶼的文學怪奇書寫來說，陳輝的詩文作品，反而以本地人的角度，不再強調臺灣異化於中國的一切。例如他留下來在方志的詩作，就沒有竹枝詞和八景詩之類強調臺灣特色的詩。少了地方異域特色的書寫，所以陳輝的詩文，看起來則喪失異域、異族及異文化特性，流於一般，不過這種一般性的追求，從另一個角度來看，正是身為本土文人的

陳輝以「正常化」的心態來看待臺灣一切人事物象。例如這首〈鳳山春
眺〉所寫的手法：

> 滿山春樹鳳毛張，石潤嵐寒接大荒。翠竹低橫三社遠，鳳山居民，分為三莊。
> 黃沙倒接一溪長。山近淡水溪。猿啼雨外空雲岫，鷺宿煙中靜野塘。畫意誰
> 知從此得，可堪登眺暫相將。[50]

詩中的鳳山，指的是現今高雄市小港、大寮及林園一帶丘陵，而且緊臨東側
的高屏溪。這地形因為形狀像鳳凰展翅，所以在清代便稱為鳳山。此詩將經
過鳳山時往即將前往的東邊遠眺，看到了下淡水溪（高屏溪）沿岸到鳳山丘
陵的景色。此詩首句寫春天時山中樹木長出如同鳳毛的新芽，山嵐溼潤了山
石，而遠方遼闊的處所跟是未開墾的荒遠之地。清初閩、客漢人雖然已沿著
下淡水溪及東港溪有所拓墾，但在陳輝眼中還是宛如大荒之地。詩後寫三社
人家聚落多種竹，並寫出山上俯瞰高屏溪壯濶的溪景樣貌。最後寫他聽到遠
山傳來猿啼，在野外水塘看到鷗鷺宿眼。詩末的最後，則將鳳山往東遠眺的
景色形容成一幅畫，在鳳山登眺便能欣賞。此詩雖然將鳳山東望的地理特色
寫出，例如看到高屏溪景，甚至高山（應該是高聳的大武山）野塘景色也能
遠眺得見。不過，此詩卻不強調鳳山東望的「異域性」，原民風俗及南方花
卉等臺灣異於中國大陸的特點，於此詩也都看不到。這就是陳輝書寫臺灣
時，不以另類殊異眼光看待臺灣的詩歌寫作手法。同樣的，這首〈鳳山道中〉
更是僅將鳳山道中具詩意的感受寫出來，而不重視臺地的特異性書寫：

> 鳳嶺崎嶇道，遊人躡屐行。躋雲穿樹隙，踏石越浮坪。野鳥半知類，山
> 花不識名。登臨望無極，莽蒼色縱橫。[51]

50—— 《全臺詩·貳》，頁193。

此詩也是寫於鳳山丘陵地之間。其實高雄的鳳山丘陵地並不高聳，但此詩卻誇大此丘陵區的崎嶇難行。其中，頷聯的「躋雲穿樹隙，踏石越浮坪」就算是詩人個人的旅途感受，但也未免言過其辭，因為鳳山丘陵區的海拔高度僅有不到 150 公尺。不過陳輝此詩的寫法，也是傳統的藉景抒情，並沒有把鳳山丘陵當成異域存在，來強調其怪奇的特色。「野鳥半知類，山花不識名」，恰巧將這個府城南方的丘陵地，如實地寫出其一知半解的認識。詩末再寫登臨時心生莽蒼遼闊的空曠感，並不特別。

身為臺南人，陳輝並不將臺灣視為異域，而是將此地當成日常生活的處所，描寫居住此地的生活感受，使得陳輝詩文異於同時代來臺的宦遊文人。若拿陳輝和大概與他同時來臺的宦遊文人作品風格相比較，就能分辨其間的差異。例如陳輝除南行詩組外，府城景點詩作也是其作品大宗。在這些記述府城勝蹟的詩，也同樣也展現出陳輝不特意將臺灣視為異域書寫的寫作手法。例如〈赤嵌夕照〉的寫法：

> 夕陽斜照赤嵌樓，攬古興懷到此遊。廢堞蟬鳴餘老樹，頹牆雀噪等荒邱。窗臨島外晴波影，門泊江邊晚渡舟。當日築城人已去，霸圖空付水東流。[52]

此詩為攬古興懷之作，詩題的赤嵌，乃赤嵌樓，而不是位於安平被陳輝稱為赤嵌城的熱蘭遮城。詩中寫出夕陽餘暉映照在臺江內海，海上有渡舟。赤嵌門邊即是水岸，但建城的荷蘭人已離去，詩末要感嘆霸圖付水流。值得注意的是，中國大陸的水才是「水東流」，臺灣府城的水都是向西流入海中。從這裡也可以看出，陳輝在詩作語境的營造上，有著想和中國傳統詩的脈絡相脗合的企圖。其餘的〈鹿耳門夜泊〉、〈渡安平〉、〈春日遊

51—— 《全臺詩・貳》，頁193。
52—— 《全臺詩・貳》，頁199-200。

海會寺〉、〈寧靜王祠〉、〈登赤嵌城遠眺〉、〈海會寺次壁間韻〉、〈五妃墓〉等詩作，大概也都是這種寫法。

陳輝的〈臺海賦〉，寫臺灣海域景色及漁人生活樣貌，為臺灣賦中重要的作品。〈臺海賦〉如上所言，被收錄在三本方志中，得以廣泛流傳。但〈老古石山記〉及〈勸學箴〉則不見於臺灣方志之中，僅存於六十七編纂的《使署閒情》中，而此書反而不收陳輝的〈臺海賦〉。六十七相當重視陳輝的作品，不僅收其二文，也錄有相當多詩作，可算是陳輝作品保存的重要功臣。

四、陳廷瑜、章甫

陳廷瑜，生卒年不詳，字握卿，號和齋，臺灣縣人。嘉慶年間臺灣縣學增生。陳廷瑜現在僅存三首詩，這三首詩均收錄在陳廷瑜的《選贈和齋詩集》中，而〈竹溪寺〉和〈紅毛城〉二詩也收錄在《續修臺灣縣志》的〈藝文志〉之中。陳廷瑜在文學史上的地位並不是大量的詩文創作，而是他在乾隆、嘉慶年間於府城文壇中的貢獻。當時陳家家境富裕，陳廷瑜與其長兄陳廷珪、陳廷璧、陳廷瑚等兄弟數人，在乾隆、嘉慶期間於府城文壇士林，均負盛名且具影響力。雖然陳家兄弟均只是生員（秀才）出身，無人功名至舉人以上。但是身為清代臺灣社會的基層仕紳，陳家兄弟依然在文化文教事業上作出貢獻，成為府城文壇的有力人士。《全臺詩》中施懿琳所寫的陳廷瑜作者簡介中，扼要地列出陳廷瑜於鄉里所做的文教事蹟：

乾隆五十四年（1789）曾平息府城古更路遭莊人侵占事宜，莊中老幼皆感其賢。嘉慶二年（1797）改建南社文昌閣敬聖樓，嘉慶七年（1802）曾邀眾呈〈禁南北義塚積弊勒石示文〉於府城前。嘉慶十二年（1807）

參與《臺灣縣志》之增修。嘉慶十三年（1808）倡議重興準提寺、呂祖廟；嘉慶十五年（1810），與拔貢張青峰、優貢陳震曜等議定引心書院課期，生童月考二次，束脩費出自監生黃拔萃之手。嘉慶十九年（1814）董建中社奎樓；嘉慶二十年（1815）倡議捐資勸解侵占鳳山縣福德祠基地之莊民，著有《與善錄》。[53]

陳廷瑜活躍於乾隆末期和嘉慶時期，從上面簡介的事蹟，從調解官民糾紛、改建文昌閣建聖樓及奎樓、解決府城南北義塚的積弊、倡議興建準提寺及呂祖廟、與文人創建引心書院等，均可見其文學成就在於文學活動的主導及倡議，而非在文學創作上。

臺南市文獻委員會在1953年11月主編的《臺南文化》第3卷第3期，頁63-77，刊有〈史料叢輯之一：選贈和齋詩集〉一文，將臺南市文獻委員會委員石暘睢先生所藏全書二十三葉的《選贈和齋詩集》打字刊出，成15頁的期刊文章。由此書前的序文可知，《選贈和齋詩集》乃乾嘉間臺灣縣貢生章甫所訂之文本。此詩選前有章甫及游廷元二人序文，其餘均為贈送給陳廷瑜及陳氏昆仲所寫之詩，集名為《選贈和齋詩集》，而集中收陳廷瑜之詩作僅三首。編校此集的作者，於文末跋中，大致將集中內容作一番分類：

> 集錄序二；詩六十九首，內贈詩四十有七，殿其後者二十二首為和齋昆季所作。贈詩四十七首中；賀和齋婚喜生子，祝頌和祥者二十有六；贊其興修古蹟，襄助教育者十三；嘉其闡揚古風，裁抑陋俗，倡行善舉者十；有關著述者三。和齋昆季之作，除古風一首，抒情（月詩）二首外，概為古蹟詩。[54]

53—— 《全臺詩·參》，頁244。

首先，從序文中章甫自稱「吾黨贈歌，老夫編次」，親自從事為陳廷瑜編集這本歌功頌德的選集，便可看出陳廷瑜執當時府城文壇牛耳的地位。此外，在乾隆、嘉慶年間臺灣文壇文獻不足的限制下，我們對於當時府城的文壇及文人交遊來往狀況認識不多。但藉由《選贈和齋詩集》其中對陳廷瑜贈詩作者，大致可以勾勒出當時府城的文人團體，及其文人間的人際脈絡出來。例如擅長寫詩的章甫，以優美的駢文為自己編次的這個集子作序。另一個作序的人為游廷元，從其序中，可知陳廷瑜特好讀書而敬聖尊賢，克修儒行且急公好義的性格。游廷元於《續修臺灣縣志》的〈藝文志〉之中錄詩三首，大致可以推測是陳廷瑜修志時，亦將友人的詩作收錄其中。

乾隆晚年至嘉慶年間，章甫因留有一部詩集《半崧集》，因此其生平事跡與文學風格，可資參酌的資料就比同時代的文人還要來得豐富了，而他也是清代中期臺灣本土文人中重要的代表人物。章甫（1760～1816），字文明，號半崧，臺灣縣人。以下為《全臺詩》中的章甫小傳：

> 嘉慶四年（1799）歲貢，三次渡海赴試，皆不中，遂設教里中。重修府學文廟時曾捐銀贊助，其後擔任董事。甫性嗜古，天分甚高。讀書博采經子百家之菁華，究心詩學之源流正變。其後絕意仕途，課兒孫自娛，時人目為高士。詩文俱工。章甫著有《半崧集》六卷。連橫《臺灣通史》著錄作四卷、《臺灣詩乘》作八卷。集中或贈答酬酢，或山水記遊。作者屐痕所至，除臺灣本土風光外，三次渡海赴試，於澎湖、福建所見，亦留載文字之中。全書依體裁大致分為六卷，前五卷為詩歌，第六卷為散文。[55]

54—— 臺南市文獻委員會，〈史料叢輯之一：選贈和齋詩集〉，《臺南文化》第3卷第3期，1953年11月，頁77。

章甫出生於 1760 年（乾隆 25 年），經歷過林爽文事件，活躍於乾隆晚期及嘉慶時期，有《半崧集》傳世，收有詩四卷、文兩卷，詩計 442 首，而文計 32 篇。

　　章甫隱身鄉里，終生不仕，設帳授徒，因此培育了諸多學生。這群生徒，知名的有施鈺、郭紹芳、陳青藜等人，俱為府城仕紳。也因此，在嘉慶 21 年章甫晚年時，由章甫門下同人醵資，合力為老師的詩文著作刊刻印成《半崧集》六卷，使得章甫的詩文集，能較完整地保存下來，成為清代本土文人將作品集結刊刻流傳的第一人。現存《半崧集》，乃藏於臺灣圖書館（舊中央圖書館臺灣分館）的抄本。此抄本乃日治時期 1917 年據嘉慶 21 年原刻本謄錄的抄本，至今為《半崧集》的海內孤本。1964 年臺灣銀行經濟研究室據此抄本編校打字，並刪節其半，出版為《臺灣文獻叢刊》第 201 種：《半崧集簡編》，這使得日後章甫詩文得以廣布流傳。不過臺銀本的《半崧集簡編》書本雖有附錄〈《半崧集》目錄〉，將《半崧集》的詩文篇目詳列，但此本畢竟不是全本《半崧集》，研究者無法一窺《半崧集》一書全貌。不過經過學者整理出版後，目前章甫的全部詩作，均收錄於《全臺詩》第參冊；而其文，也全收錄於《全臺文》第九冊。《全臺詩》與《全臺文》所收錄之章甫詩文，均經重新打字排版，適合閱讀。

　　《半崧集》的編法，乃前詩後文。章甫的科考功名乃是歲貢出身，具備任官資格，與生員／秀才之基層仕紳地位不同。章甫雖然不赴遠地任官，選擇於鄉里設帳授徒，但也因為他具有較高階的仕紳身分，還有量多質精的詩文創作，使得他成為乾隆晚期至嘉慶期間的府城文人群體的代表人物，執文壇牛耳。在《半崧集》二卷文集中，分駢文及雜文二類，共收

55── 《全臺詩・參》，頁304。

32 篇文章。駢文大多是應用或應酬文章，如〈重修臺郡文廟序〉、〈建敬聖亭疏〉、〈重修水仙宮序〉、〈重修義民祠序〉等記載公共建物的文章，均以駢文撰寫，來呈現典重文雅的莊嚴氣氛，以及展現章甫結文綴句的文學長才；此外，亦有〈送耘廬薛司馬入觀序〉、〈送崇文書院山長熙臺梁廣文歸榕城序〉、〈門人施鈺入泮詩序〉、〈選定同人贈和齋詩序〉等贈序，還有祝壽文及輓文，如〈南清邑侯七十壽序〉、〈蔡母許孺人七十五壽序〉、〈吳貞荊五十二壽序〉、〈楊涵菴輓文〉、〈楊母林孺人輓文〉等，這類均是唱頌祝禱的應酬文章，亦以駢文書寫。在章甫的駢文中，大概僅有〈臺陽形勝賦〉這篇駢文較具文學性而無應用文意味。不過此文構撰方式，亦是堆疊辭藻，用以描繪鋪陳臺灣風土山川及各地形勝，本身較無獨創性。

以文而言，章甫的雜文似乎更勝其駢文，能呈現其個性及想法，尤其遊記及友朋人物的小傳，寫得較為真摯動人，亦可見章甫之性情。遊記的部分有〈遊青源洞記〉、〈遊火山記〉、〈遊鯽魚潭記〉、〈郡守蔣金竹太史遊龍潭記〉等，大多是府城附近名勝景點的遊記；在個人小傳部分，有〈吳桐亭先生小傳〉、〈題陳文川十八友照〉、〈希敏小照〉、〈先考妣行略〉，也有自敘小傳，如〈自題琴棋書小照引〉及〈曉鏡四吟引〉。這些雜文，深具章甫平易近人的特色，敘事抒情，均有可觀之處，如以下〈遊鯽魚潭記〉一文：

> 臺，古赤嵌城也。背山面海，形勝不一，而搢紳先生、騷人墨客登臨嘯咏，則距城東北五里許之鯽魚潭為最。日者春風扇和，有鼓俗意。主人陳君偕友往遊時掌潭務者，陳姓也，小奚肩琴、棋、詩、酒為臨流觴咏。具行數里，流水潺潺。陳君曰：「此潭水分流界也。」沿流造館，先邑侯章公士鳳「青山不老，綠水長流」壁書在焉。少憩，破煙蘿，穿屋舍，過虹橋，將四

圍繞遍，見夫雲煙之亂也，林木之古也。零星錯出者，山閣水亭也；望之清漣而無極，不時點綴於天空海闊之中者，鷗鷺忘機也。未幾，晚雲歸洞，萬峰露頂。漁翁告予以薄暮，將有事於釣月。離岸登舫，隨流上下，水月天光，一色萬頃。呼夜杯，發棹歌，遙望岸東一帶，間有燈光點點，半明不滅者，約幾十戶。漁翁曰：「若者蟹舍，若者漁莊，是我釣人居也。」因詳及潭中景興廢巔末。且云：「春遊最佳，月夜尤勝。」今夕得時之遊，不可不記。今夕何夕？乾隆甲辰三月既望也。偕遊者誰？王君禪如、蘇君希提、林君芳亭，暨主人陳君植華，合予五焉。[56]

此篇寫章甫與四位友人於暮春之際，共遊府城城外的鯽魚潭。遊玩時間自白天至夜間，將潭中月光照湖美景，及潭邊周遭相關自然與人文美景，細膩寫出來。文筆自然平易，美景之形容，真實不過分。將遊潭興致寫出，實為一篇恬美自然的遊記。鯽魚潭位於清代府城的東北方五里許，在現在臺南市永康區的大灣地帶。物換星移，清治時期鯽魚潭水廣大遼闊，在康熙年間為長三十餘里的大湖泊，又稱「東湖」或「龍潭」。鄭轄、清治時，此潭可捕撈大量鯽魚，且政府有徵稅，故將此湖命名為鯽魚潭。但由於主要注水河流改道，在道光年間潭水逐漸消退，迄今潭水已不復存在。章甫這篇寫於乾隆 49 年（1784）的〈遊鯽魚潭記〉，記載了府城東北鯽魚潭的湖光山色，是一篇重要的地景文獻。

　　至於章甫的詩作，現存 442 首，詩作不重雕琢，與其雜文風格相同，側重自然平易的情感抒發和言志敘事。章甫曾三至省城福州參與秋闈，雖然屢試不中第，無法取得舉人功名，但也因渡海科考，詩中有許多在福建及江南的紀遊寫景詩作，如〈入閩省口占〉、〈出仙霞嶺〉、〈渡錢塘江〉、

56—— 章甫，〈遊鯽魚潭記〉，收入黃哲永、吳福助主編，《全臺文·九》，臺中：文听閣圖書，2007年，頁37。

〈蘇州小除夕詠懷〉、〈高郵舟次〉、〈清江浦除夕書懷〉、〈宿五通亭〉、〈彌陀巖〉、〈過萬安橋〉、〈瀨溪夜渡〉等。這些因赴秋闈而至福建的紀遊詩作,將遠遊離家為客及個人生平感慨化為詩作吟詠,情景交融,值得一讀。例如此首詩〈宿五通亭〉:

> 賣拙行裝去路賒,西風匹馬走天涯。晚村野店濃煙鎖,古渡橫舟落日斜。遊慣不知身是客,心虛且暫寺為家。功名枕上華胥境,漫唱雞聲徹曉霞。[57]

此詩描寫為赴科考作客他鄉的寂寥無奈。雖然路程慣經,已數度為了考試往來,不過以寺為家、匹馬西風的客中生活,還是令趕赴秋闈的章甫不勝唏噓。一再考試落榜,使得三年來往臺南、福州兩地的考生章甫,有著無限感嘆。

　　若縱觀章甫詩作,身為本土文人,與陳輝一般,詩集中幾乎沒有描寫臺灣原住民主題詩作,亦無將臺灣相對於中國大陸的殊異性詩作。換言之,章甫作詩,與其他宦臺文人不同,並不強調外來人士眼中屬於臺灣的「異域性」。雖然其詩亦有〈臺郡八景〉的組詩,但也僅聊備一格。此外,連臺灣漢人的風土民情及社會狀況,亦不在章甫詩中呈現。以詩的寫作來看,章甫詩作主題更多是在抒發個人心志,例如七律組詩〈雜詩平韻〉共20 首;此外還有大量的贈答應酬詩,甚至將詩作為論學的載體,因此有〈論詩〉九首,也有論評古人的〈論古〉12 首,評述了張良、嚴光、蘇武、諸葛亮、張巡、許遠、岳飛、文天祥及林逋等人。不過章甫卻是對林爽文事件及海盜蔡牽攻打府城兩件事,有詩記載。林爽文事件部分有〈甦齋抵

57—《全臺詩‧參》,頁359。

任臺郡因憶丙午臺變保城有感〉二首及〈丙午林逆之變予募義堵禦戊申中堂福公奉命平臺誌慶〉，而蔡牽攻府城詩有〈乙丑洋匪勾引山賊圍臺城平後誌慶〉及〈疊乙丑洋匪勾引山賊圍臺城平後誌慶韻〉二首。章甫的詩，還是多以抒情言志及應酬贈答為主，如此詩寫的是他平常工作的心情，靠的是舌耕教學維生：

> 花村夜雨讀書燈，曉起茶煎午飯蒸。得氣先知春鴨水，篤時難語夏蟲冰。移山畢竟非無濟，超海從來是不能。千里要窮樓上目，端應踏上最高層。[58]

此詩描寫章甫身為塾師的日常生活，平淡卻貼切，情感亦真摯自然，語句流利清新，且頷聯、腹聯及末聯，充滿老師對學生的期待及教誨，令人感動。首聯則寫出塾師安貧樂道的日常生活，高雅脫俗，亦令人心嚮往之，是首佳作。

值得一提的是，章甫有一首〈井亭夜市〉的詩，此詩是記錄全臺灣第一處夜市的詩作，詩如下：

> 井亭夜景鬧如何，交易然燈幾度過。不是日中違古制，海關口市晚來多。[59]

所謂的「井」，是清代府城知名的「大井頭」；而「亭」，則是「接官亭」。大井頭位於現今臺南市中西區民權路和永福路的交叉口附近，本來是大井靠著臺江內海的碼頭，故稱為大井頭。當時城內淡水井不多，而此井雖近臺江內海，卻能提供清洌淡水，備城中居民使用，故上大井便稱為大井頭。後來臺江內海逐漸淤積，渡頭就移到了風神廟附近的接官亭。在

58—— 章甫，〈塾課即事〉，《全臺詩‧參》，頁378-379。
59—— 章甫，〈井亭夜市〉，《全臺詩‧參》，頁391。

乾隆年間，碼頭附近工人聚集，工作至傍晚，有用餐需求，因此從大井頭到接官亭一帶，便成攤販聚集之處，提供碼頭工人餐飲，成了臺灣第一處夜市。井亭夜市，後來也成為府城重要地域特色，而且是唯一的人文景觀。章甫此詩，應該是第一首歌詠井亭夜市之詩，值得一提。

第三節　道咸時期的臺南文學

一、周凱及周周文士

　　道光年間在臺南文壇最具影響力的人士，非兩度來臺任臺灣兵備道的周凱莫屬。周凱（1779～1837），字仲禮，號芸皋，浙江富陽人，1811年（嘉慶16年）登辛未科進士，來臺任兵備道臺前曾任襄陽府知府、福建興泉永道臺，分別於1833年（道光13年）及1836年（道光16年）兩次擔任按察使銜分巡臺灣兵備道，並於道光17年因疾卒於任上。

　　清代臺灣自1769年（乾隆34年）裁撤巡臺御史之後，學政的職權便又歸回臺灣兵備道台手中。周凱來臺任臺灣兵備道前，任興泉永道臺。興泉永道臺主要負責的是專管廈門防務及港口通關事務：也就是清代兩岸對渡正口，臺運入廈門港時，負責驗照查緝走私的業務，便是由駐紮在廈門的興泉永道臺負責，而在臺灣的鹿耳門便是由海防同知執行入臺查緝業務。周凱在廈門任職時，曾編纂《廈門志》，在當時及現在被視為優秀的地方志。《廈門志》中的〈防海略〉、〈船政略〉及〈臺運略〉，都與臺南、廈門兩地航運有密切關係，為重要的文獻紀錄，因此臺灣銀行經濟研究室便將其收入為《臺灣文藝叢刊》第95種。

　　周凱編《廈門志》時，便與當地仕紳文人有密切關係，甚至形成廈門文人群體，並以周凱為當時文壇宗主。這群人包括後來修纂《金門志》的林焜熿、林樹梅父子，當時金門知名文人呂世宜，還有當時福建知名詩人

高澍然。其中林樹梅曾來臺襄佐鳳山知縣曹謹修治曹公圳，而呂世宜也因周凱介紹推薦，至板橋林家擔任私人教席，長達 14 年之久。呂世宜的書法在當時臺灣蔚為風尚，他也被稱為臺灣金石學宗師。

　　周凱首次與臺灣有密切連結，是在 1832 年（道光 12 年）澎湖發生饑荒，周凱以興泉永道臺身分奉檄赴臺撫卹賑饑。在前往賑災期間，當時的澎湖生員（秀才）蔡廷蘭作〈請急賑歌〉上呈周凱，而周凱亦作〈撫卹六首答蔡生廷蘭〉、〈再答蔡生〉，往復贈答，建立起友誼。之後蔡廷蘭得到周凱青睞，薦介至府城崇文書院、引心書院主講。周凱擔任臺灣兵備道主掌學政時，亦取蔡廷蘭赴福州秋闈，因此蔡廷蘭鄉試中舉後對周凱執弟子禮，尊周凱為師。關於周凱和蔡廷蘭師生情誼最初淵源，林豪修纂的《澎湖廳志》中有清楚扼要的敘述：

> 道光十二年，澎湖飢，興泉永道周凱奉檄勘賑，廷蘭賦詩以進，備陳災黎窮困狀。凱大加稱賞，瀕行贈以詩，有「海外英才今見之，如君始可與言詩」之句。因手錄讀書作文要訣一卷授之，題曰「香祖筆談」。時凱方以詩古文詞倡導閩南學者，廷蘭以海島諸生，為所器重；於是臺郡當道名流，如熊介臣、周潤東、姚石甫、劉次白諸公，莫不知澎湖有蔡生矣。[60]

蔡廷蘭日後陸續在科考中考取了舉人、進士，成為澎湖的唯一一位進士登第的文人，除了自身天資聰穎和勤奮努力外，在年輕時受到臺灣主掌最高文教長官，臺灣兵備道周凱的到處說項，也是蔡廷蘭登科前便孚眾望、得文名的主要原因。在周凱從興泉永道轉任臺灣兵備道時，蔡廷蘭便作〈賀

60—— 林豪，《澎湖廳志》，臺北：大通書局影臺灣文獻叢刊第164種，1963 年，卷7，頁 237-238。

周芸皋夫子調任臺灣八首〉恭賀。之後蔡廷蘭在道光 12 年來臺準備進行歲考時，周凱便作〈送蔡生臺灣小試〉二首，鼓勵並預祝蔡廷蘭歲考順利。蔡廷蘭亦作和詩〈省試內渡抵廈門謁周芸皋夫子恭次見送小試原韻二首〉回贈周凱，表示自己通過歲考後，已獲得參加鄉試資格，可以省試。因此經廈門時拜謁又回任興泉永道的周凱，並和詩呈贈。在廈門期間，蔡廷蘭亦有〈陪周芸皋夫子遊虎溪〉詩作，可見其師生關係密切。

除了蔡廷蘭外，道光 13 年周凱來臺任臺灣兵備道，亦提拔臺灣當地才俊。據廖凱蘋研究，與周凱密切來住的與臺灣相關的文人名士，除林琨璜、林樹梅父子、呂世宜、蔡廷蘭外，尚有吳敦仁、吳敦德、吳春祿三人，他們分別是臺南吳園創建者吳尚新（1795～1848）的兒子與堂叔，此外還有施瓊芳、林鶚騰等人。[61] 周凱對臺灣最重要的文學、文教貢獻，乃是將臺灣府城的文壇與金廈兩島的文壇彼此聯繫，在兩地文人的往來過程中，以文宗的地位，結合臺廈文人，形成共同的文學群體。日後呂世宜、林樹梅等人來臺擔任教席或幕賓，亦與周凱來臺發揚文教事業有關。

周凱學養俱佳，兼擅詩文，除文學造詣高外，周凱的畫亦頗負盛名。除了著有《內自訟齋詩鈔》八卷、《內自訟齋文集》十卷、《內自訟齋雜刻》11 卷之外，亦有《武當紀游二十四圖》、《閩南紀勝十二景》等書作行世。《閩南紀勝十二景》繪於道光 16 年，乃周凱將由興泉永道再度調署臺灣兵備道時，將自己在閩南八年所經歷之事件繪成圖以紀念。此 12 幅圖分別是「漁谿題壁」、「僑園寄興」、「榕林秋眺」、「快園詩餞」、「澎島賑災」、「雲頂奇觀」、「官閣脩書」、「廈門籌警」、「蠻鄉捕盜」、「臺海揚帆」、「義田築埭」、「玉屏夜讌」。繪完後，周凱將圖贈予長

61—— 廖凱蘋，〈周凱生平事蹟及其與臺灣文人交遊之研究〉，臺南大學臺灣文化研究所碩士論文，2016年，頁83-88。

期於廈門輔佐周凱公務的下屬侯文英。此組閩南紀勝圖十二景，雖然名為紀勝之景，但多周凱宦廈之政績，不論是緝捕盜賊、澎湖賑災、興建義田、來臺任兵備道從事文教事業，以及提振金廈文風，都可見周凱於自身宦績得意自許。此 12 幅圖於今尚存於世。

當然除了畫藝之外，周凱還是以古文家及詩人的身分，引領當時金廈及臺灣的文壇。周凱在 1837 年（道光 17 年），因疾卒於臺灣兵備道任上之後，他的學生及友人便醵資，於道光 20 年將他的文集《內自訟齋文集》十卷本刊刻，雕板印行。目前最通行可見的周凱文集，則是 1960 年，由臺灣銀行經濟研究室，選擇《內自訟齋文集》中涉及臺灣部分的文章整理印行為《內自訟齋文選》，列為《臺灣文獻叢刊》第 82 種，但此選不收錄其詩作。《內自訟齋文選》中除周凱涉及臺灣文章外，亦收錄有高澍然的序文、周凱自編的〈芸皋先生自纂年譜〉，還有〈內自訟齋文集目錄〉及文集參訂及校刊者姓氏。

周凱在當時以古文聞名，師事陽湖派古文學者惲敬（1757 ～ 1817）與張惠言（1761 ～ 1806）。在吳德旋（1767 ～ 1840）為周凱寫的墓誌銘中，提到其弱冠求學於惲敬之事：

> 初，公年近弱冠時，陽湖惲君子居宰富陽，甚器公，導之執經武進張君皋文之門。二公皆以文章名世者。公承其指授，已有端緒，後在詞館，與房師三韓佟公鏡堂及同志數輩，講程朱之學，於文未究其業。及守襄陽，始以治事之暇，兼治文。至為監司閩中，值武進劉君五山、仁和陳君扶雅並在閩，且喜為文，公時以文商榷。而光澤高君雨農，方以其鄉先輩梅　朱氏（按：朱仕琇）之學，倡導後進。公延至廈門書院，與群士之茂異者相切劘，學日進自視歉然若不足也。[62]

從這段記載可以看到，因為惲敬至周凱家鄉富陽任官，讓周凱有親炙大師之機會。據〈芸皋先生自纂年譜〉記載，周凱17歲時入惲敬門下。惲敬再將周凱引荐給武進（江蘇常州）出身的張惠言，因此周凱年輕時，便得到兩位名師教導。日後又至福建任官，能夠與劉五山、陳扶雅、高雨農等人的切磋討論，且宗程朱之學，周凱之古文遂成名家。

　　縱觀《內自訟齋文集》，大致以廈門為中心，多述及金廈及閩中政務相關人事交際事宜，十卷文集，涉及臺灣的部分並不多。在臺銀所選編的《內自訟齋文選》選錄諸文，亦多是金廈及澎湖相關文章。其中與臺灣最為相關的，莫過於〈記臺灣張丙之亂〉，此文將發生於道光12年初冬的嘉義張丙事件源由，及自己身任興泉永道臺支援平靖張丙始末，鋪陳敘述，詳細記載了第一手的史料。之後蔡廷蘭因赴科考而遇海難，乘船漂流至越南，再陸行北返福建後作《海南雜著》一書，周凱亦為之作序，為〈海南雜著序〉一文，詳述蔡廷蘭海上漂流的經過。此序之末段，評述蔡廷蘭因遭海上風而漂流至越南，歷險卻能有所得，而寫下這段文字：

> 顧念生生長窮島寂寞之鄉，縱能力學，見聞寡尠，天豈以是跌蕩其胸臆、開豁其心思耳目，以益其為文耶？太史公曰：余嘗西至崆峒，北過涿鹿，東漸於海，南浮江淮矣，故其文淹博踔屬而詭奇，後世莫能及。士君子遊歷所至，何地不當究心。山川人物，有關經濟，凡可以供憑眺、資考證者，皆學也。生既至絕域矣，其有所記載，固宜。[63]

在這段評論中，對於蔡廷蘭遇難漂流至異域，卻能增廣見聞，且有所記載

62── 吳德旋，〈皇清誥授通議大夫加按察使銜福建臺灣道周公墓誌銘〉，收入《內自訟齋文選》，臺北：臺灣銀行經濟研究室，1960年，頁17。

63── 周凱，〈海南雜著序〉，《內自訟齋文選》，頁55。

當地的山川人物，不僅對作文有益，還可以培養自己經世濟民的能力。周凱行文樸素質直，不重文采，卻能敘事妥貼。除有文集流傳後世外，纂輯《廈門志》及《金門志》的兩島方志，亦有功於閩南文獻流傳。

　　至於周凱之詩，值得注意的是，雖然周凱有刊刻出版《內自訟齋詩鈔》八卷，但這部詩集又名為《襄陽集》，大多是收錄周凱在道光2年任職湖北襄陽知府後的詩，裡面完全沒有日後在閩南金廈及臺灣的相關詩作。之後，《全臺詩》編輯小組從臺灣各方志及臺灣相關詩選中輯錄周凱所作與臺灣相關之詩，並全數收入《全臺詩》第肆冊之中，共收詩93首，亦即《全臺詩》所收詩，等於是輯佚周凱沒有單獨刊刻面世的作品。在這些詩作中，有許多作品錄自蔣鏞編輯的《澎湖續編》及林豪編輯的《澎湖廳志》，大部分都是周凱自廈渡海至澎湖的航海紀行詩，及道光12年至澎湖賑災時與當地文人唱和的詩作，還有歌誦澎湖當地勝蹟作品，存詩中幾乎沒有來臺任官後的詩作。由廈門到澎湖海上紀行詩有〈十八日抵澎湖潮退風作不能進口收泊嶼裏〉、〈十九日自嶼裏至媽宮灣〉、〈三月初七日祭海候風〉、〈乞風行〉、〈初十日發澎湖〉等詩；賑災相關的有〈答蔡生〉、〈再答蔡生〉、〈留別八首和徐幼眉大令必觀見贈韻〉八首、〈勘災〉四首、〈撫卹六首答蔡生廷蘭〉六首等；關於澎湖相關的詩作則更多，如〈西嶼塔燈〉、〈虎井沉城〉、〈施將軍井歌〉、〈紅毛城〉、〈新城〉、〈澎湖雜詠二十首和陳別駕廷憲〉20首等詩，連〈詠物〉24首，依所詠之物，也是澎湖的名產、魚及動植物。雖然周凱抵澎湖，乃是為了賑災，但也因為這次抵澎的契機，令他留下許多澎湖相關詩作，這些詩都被收入當時在澎湖擔任通判的蔣鏞所編的《澎湖續編》之中（蔣志之序文由周凱撰寫）。

不過他最後來臺任臺灣兵備道時期的詩，卻付諸闕如，並未收在臺灣縣志或府志之中。不知他來臺後是否因公務繁忙或身體不適沒有作詩，或是其在臺的詩作遺失，使後人編志書時無法收錄，理由均無法得知。

不過周凱這些澎湖相關詩作，不論是論及當時賑饑事件、與蔡廷蘭和蔣鏞等人詩作往返，或是書寫澎湖名勝古蹟、懷古興嘆，都相當呈度展現出澎湖特色。例如這四首〈勘災〉七律組詩，展現了周凱縝密的觀察及寫詩功力：

大澳澎湖一十三，海山斷續海東南。牆堆老古石猶白，石多海沫結成，有鹽鹼，年久者堅，呼老古石。菜煮糊塗粥亦藍。以海藻魚蝦雜薯米為糜，呼糊塗粥。牛糞燒殘炊榾柮，魚糧乏絕摸螺蚶。劇憐人與鮫人似，可惜冰絲不育蠶。（〈勘災〉其一）

白浪掀天萬丈飛，夕陽閃閃動漁磯。有錢家始煨紅芋，薯一呼紅芋。無罪人多著赭衣，漁人以柿漆染衣，色紅。但聽狂風連日吼，難逢零露見朝晞。澎無露。臺陽咫尺偏殊俗，三熟猶聞稼穡肥。臺灣露盛如雨。（〈勘災〉其二）

一片平蕪滿目荒，雨餘及早種高粱。村無榕樹連陰碧，澎地並少榕。路見蒲英幾朵黃。花嶼前頭難寄椗，竹篙灣裏好歸航。北埼渺渺尤橫絕，鐵皮沙遮吉貝鄉。（〈勘災〉其三）

剺面風吹兩鬢蕭，此行敢憚涉嶕嶢。山多砢磳。有懷欲抵將軍澳，何處重尋菩薩寮。明盧若騰官浙江，多善政，民呼盧菩薩。鼎革後結寮澎湖，著作甚富，見《臺灣志》。颶母秋濤曾作譴，海翁春日要來朝。海翁大魚重數千觔，三月天后誕日來潮，必三躍而去，風浪大作，見《澎湖紀略》。嗟嗟且共安耕釣，定卜堯天雨露饒。（〈勘災〉其四）[64]

64── 《全臺詩・肆》，頁342-343。

這四首詩扼要地寫出澎湖一地的特色：土壤貧瘠、人民以捕魚維生、食物以魚蝦為主、無法吃到穀物，最多只能吃到番薯。無露少雨，島上缺乏大樹等植被，因此容易發生饑荒。最後的一首詩寫出盧若騰曾來此地，為澎湖一地少數可堪提及的名人。海翁（鯨魚）於媽祖生日期間三躍而去，導致風雨大作，亦憑添澎湖些許傳說。像這類寫作，依然是宦遊文人將澎湖的特色當成異域特殊書寫題材加以書寫，雖然能令讀者增廣見聞，但書寫的動機還是以獵奇為主，而非心志情感的抒發。

周凱的詩文雖然涉及臺南的部分不多，但因其為清中期重要名宦，且長期於福建廈門任官，亦曾二度來臺任兵備道。他在廈門聚集的許多金廈名士，如呂世宜、林樹梅等人，還有他在澎湖賑災期間賞識的蔡廷蘭，在府城提拔的施瓊芳等人，在他身後，都對臺灣的政治文教及文學發生了一定的影響。所以他乃是道光期間，結合臺灣和福建文壇的重要關鍵人物。

二、施瓊芳

施瓊芳（1815～1868），臺灣府臺灣縣人。初名龍文，字見田，又字昭德，號珠垣。1837年（道光17年）拔貢，並在同年中舉，且於1845年（道光25年）進士登第。進士登第後，便改名為瓊芳，是臺南第一位本土出身的進士。施瓊芳與次子施士洁都是進士出身，為臺灣首組進士父子檔。施瓊芳進士登第後，雖候補為江蘇知縣，但未赴任即回臺海東書院任教，擔任山長。施瓊芳一生恬退不爭，好讀書而無心仕宦，進士登第後便回家鄉府城臺南專心著述，並教育鄉里子弟。一生著作雖豐，但在乙未割臺之際，兵馬倥傯，其子施士洁攜往大陸僅有《春秋節要》及《石蘭山

館遺稿》二部手稿，其餘皆湮滅不存。但□治後，《春秋節要》亦亡佚消失，僅留存《石蘭山館遺稿》傳世。

周凱來臺灣任臺灣兵備道期間，施瓊芳亦曾求學於周凱，為周凱之門生。此外，周凱引薦澎湖蔡廷蘭講學於府城引心書院時，施瓊芳亦曾於引心書院就學。施瓊芳與蔡廷蘭亦有師生情誼。嗣後，施瓊芳與蔡廷蘭同時於道光 17 年中舉，並於道光 25 年二人同時進士登第，師生同榜，亦成一段佳話。施瓊芳進士登第後，終身未仕，於道光 28 年（1848）至咸豐 3 年（1853）間，與當時的臺灣兵備道徐宗幹合作，對海東書院教學的教材及側重教學面向進行了改革。首先，除了科考必考的制藝時文的教授外，亦重視試帖詩的寫作。在山長施瓊芳的協助下，徐宗幹將府城學子制藝時文優秀的作品，編集成《東瀛試牘》，還有學子優秀的經史相關文章及古近體詩作，編次成《瀛洲校士錄》。對於保存道光、咸豐年間臺灣本土青年學子的詩文，貢獻極大。

施瓊芳且前可以看到傳世的詩文選集《石蘭山館遺稿》，共有二十二卷暨附錄。目前所能見通行的版本，乃是龍文出版社於 1992 年，將黃典權點校的清抄本，並於 1965 年在臺南文化季刊所刊印的排印本重印出版。龍文出版社將之收錄為《臺灣先賢詩文集彙刊》第一輯的第一部。曾編纂《澎湖廳志》的林豪也曾編校施瓊芳之詩文遺稿，惜未刊刻。龍文版覆印的《石蘭山館遺稿》，卷一、卷二為「文鈔」；卷三到卷六為「駢體文」；卷七到卷十六為「詩鈔」；卷十八為「補餘詩鈔」；卷十九到卷二十二為「試帖」，加上附錄。

《石蘭山館遺稿》中的兩卷文鈔，大多是應用文，用以記述祝禱用途，或是祭文、墓誌銘等古文。全部四卷的駢體文雖然也大多是應用類性質的文章如有壽文、序文、引文、祭文、公文等，但形式上是以

駢體文寫成，且這四卷駢體文中的第四卷，專以賦作為主。至於全部十卷的詩鈔及四卷的試帖詩，共收詩412首及111首試帖詩，全部詩作共有523首。在施瓊芳的文集中，大量收錄駢體文及試帖詩，可以反映出他身為書院山長的教學職務，因為熟悉駢文書寫，乃是培養未來官員的基本能力。中國歷來官僚公文書往來，較典重正式的文章，均以駢文書寫。試帖詩則是生員、舉人及進士等科舉考試中，必考科目。其重要性雖然沒有時文（八股文）來得重要，但卻是考生必備的基本能力。施瓊芳在自己的文集中，為他的學生展現了基本語文素養的能力：有寫作駢文及試帖詩的能力，未來的科考及仕途，才能較為順遂通達。因此長年身為海東書院山長的施瓊芳，也以自己的詩文寫作，作為學生學習效法的範本。

明清時期擔任地方官，有本省迴避政策，乾隆後更有不得擔任離家鄉五百里內的地方官員。對於遠在海外的臺灣士人而言，若想任官，那麼，就會像澎湖人蔡廷蘭到江西任官、宜蘭人李望洋遠到甘肅任官等現象。因此大部分臺灣人中舉或進士登科後，雖然有任官資格，但卻大多找藉口回鄉，不因宦途而離鄉背井，在鄉里以仕紳的身分，從事相關的文教事業，例如書院的山長或擔任幕僚等。宜蘭的開蘭進士楊士芳便為宜蘭仰山書院山長、開臺黃甲鄭用錫任明志書院山長、府城進士施瓊芳為府城海東書院山長等。這些進士、舉人科考出身的地方仕紳，擔任鄉里的文教事業，也成為地方上文學創作的主要中堅分子，形成一群不同於來臺宦遊文人官員的本土群體。

施瓊芳以進士的身分主持海東書院，教育鄉里子弟，在詩文中所呈現的風格，展現出敦厚純樸的長者風範。語句不尖新，也不求奇險，中規中矩的寫作，質量俱佳，學者余育婷稱其詩文具有「雅正美學」的特質。[65]據

65—— 余育婷選注，《施瓊芳集》，臺南：國立臺灣文學館，2013年，頁18-19。

余育婷的分析，施瓊芳作品會傾向雅正美學的原因，首先為施瓊芳身為臺灣道轄下海東書院山長，自然必須依官方美學品味展現其儒學／官學的風格，寫作詩文時恪守用字、用韻及用典的典雅莊重；其次則是在受到詩歌典律的影響，重視制藝及試帖，讓施瓊芳的創作典雅規矩，往雅正美學的方向靠攏。像這類的雅正美學詩文，如這首〈雞聲〉所表現出來的格調：

> 百鳥逡巡未敢呼，先聲破曉振寰區。齊邦風雨思君子，晉代河山舞壯夫。喚醒古今難覺夢，分開善利兩邊途。鳳凰希世纔鳴盛，此物奚容一旦無。[66]

傳統中國文學中，雞鳴當與文士以作品發聲相連結。雞鳴聲也當被視為文人作品的喻依。從《詩經·鄭風》的〈風雨〉中「風雨如晦，雞鳴不已」以來，雞鳴也成為君子在像在風雨中堅持以文學創作聲表達意見的一種象徵。此詩並非記錄實見實聞的寫實詩，乃是施瓊芳此詩，依傳統詩經雞鳴意象，來寫這首意念先行的物我兩詠詩。施瓊芳以雞鳴來自喻，在這首詩中表現地很明顯。此詩頷聯用《詩經》及祖逖聞雞起舞的典故，不是僻典，也雅正地呈現喻意。腹聯則雞啼時令人夢醒，以及《孟子·盡心》中的：「雞鳴而起，孳孳為善者，舜之徒也；雞鳴而起，孳孳為利者，蹠之徒也。欲知舜與蹠之分，無他，利與善之間也。」也算用典貼切。最後則在末聯指出像鳳凰的聖君賢相並非經常出現，但文士發聲如雞鳴，則是平日中不可或缺的存在。

當然，用辭雅正、用典妥貼，造語不求奇險獨特，雖然少了文學上的創新意味，卻也端正清方，芳醇厚道。身為書院山長的施瓊芳，也有相當

66—— 《全臺詩·伍》，頁395。

大量的言志之作，如這首輕巧的七絕，抒發了他身為老師對學生的期待及
熱情：

> 破甓終朝墻搆來，倏疑彈指現樓臺。場中瓦礫猶如此，肯信人間有棄材。
> （〈小瓦塔〉）[67]

詩中首句的「墻」乃「塔」的異體字。此詩寫原被廢棄破甓磁塊被重新塑
造成小小的瓦塔，原來被忽視的瓦礫在一番巧手的重構後，也能成為小瓦
塔。因此施瓊芳也在詩末感嘆，所有的瓦礫經匠人巧手重新組合後，都能
在適當的位置發揮其效用。老師的存在也和匠人一樣，不輕易放棄教育學
生的機會。因為世間無棄材，在老師的教育下，人人的才能都能適才適所
地發揮。

　　若以生平事蹟而言，施瓊芳除了科考成績亮眼，還有長期待在鄉里作
育英才外，一生平順平凡，並無特別的起伏。不過，施瓊芳所處的年代，
在經歷蔡牽擾臺到鴉片戰爭中有一段漫長的平和時期，臺灣鮮少動盪不安。
在這段較為無事的承平時期，施瓊芳集子中有許多為了地方公益而勸募集
資的宣告應用性文章，例如〈育嬰堂給示呈詞〉、〈募建育嬰堂啟〉、〈募
修臺嘉孔道小引〉、〈代募官修郡北開元寺序〉、〈代臺郡新建普陀佛剎
募緣小引〉、〈為三郊募官修葺義民祠疏〉等，此外也有許多壽序及祝賀文，
如〈谿西社文昌祠修竣祝文〉、〈封翁邱履坦六秩壽序〉、〈莊牧亭駕部
令慈壽序〉、〈劉鶴山訓導六十壽序〉、〈誥授資政大夫吳桐雲觀察暨德
配孫夫人雙壽序〉等，也是祝賀頌禱應用性極高的文章。以上所列的勸募
文及祝賀文，都是收在駢體文中，以典雅華麗的駢文寫成，這也形塑其文

67── 《全臺詩‧伍》，頁411。

雅正典重的風格。除此之外，文學傳統中重視的詠物賦，也是施瓊芳創作用以炫才的主題文章，如〈蔗車賦〉、〈海旁蜃氣象樓臺賦〉、〈燕窩賦〉、〈香珠賦〉、〈山澤通氣賦〉、〈華蟲賦〉、〈餞春賦〉等，亦可見其古典傳統的賦物筆力。施瓊芳身為鄉里名人，當然也大量寫作應酬性的祭文、墓誌銘，如〈祭吳汝崇上舍文〉、〈韋母蕭太安人誄〉、〈祭黃瑞卿文〉、〈承德郎砥柱施公墓誌銘〉、〈宣德郎修亭陳君墓誌銘〉、〈中議大夫刑部員外郎吳公誌銘〉、〈祭洪潤堂觀察文〉、〈祭黃瑞卿文〉。這些祭文墓銘，有以古文寫成，也有以駢文寫就。施瓊芳乃是以一位地方有名望的仕紳，以文筆應允其他仕紳的應酬文章。在這些應酬性文章中，施瓊芳亦全力為之，毫不懈怠，如這篇〈募修臺嘉孔道小引〉，為駢體文寫成的勸募修路之公共基礎建設的文章，便展現其地方教育儒生駢文的書寫特色：

娲皇煉石，星辰無滲漏之天。軒帝畫疆，川岳有峻淳之地。庾公灔澦，襖賴誠通。王守邛郲，輪因險止。仙乎太白，猶歌行路之難。達哉嗣宗，不免窮途之感。始覺坤維無極，長留缺陷於大千。惟期人事有權，或可彌縫其萬一。郡垣之距嘉治也，時盤兩隔，里鼓百撾。中間積以德刑，安得平如砥矢。加以采虹不屬，保無定州之覆租。銀鵲交紛，詎免澠池之墜甕。居人射利，過客貽憂。效防水之白圭，積潦翻成黿窟。學開阡之衛鞅，康莊頓變羊腸。當夫重繭而來，劇驂以騁，屬蜃雨魚風之沓至，盼烏亭鷺堠而尚遙。呼將滑滑之泥，禽言怅耳。蹋徧泠泠之迹，牛鐸警心。望穿眼於相見坡前，戒右肩於左擔道上。是則沈約愍途，同驚曲木。潘尼惡路，宜廑徹桑者矣。然而願海雖殷，化城難遇。欲廓庚郵之軌，須購辛田。擬通亥步之經，大煩丁力。昔葛鏡橋功，年踰二紀。李宏陂役，財溢萬緡。仙霞之嶺廿八盤，史帥募貲以甃道。洛陽之渡三千尺，蔡公集費以成梁。凡利千萬人之行，非資一手足之烈。……[68]

以上引文乃〈募修臺嘉孔道小引〉前半部分。本文主旨乃是募修臺灣縣到嘉義縣間往來交通的官道。此文一開始便引用女媧補天及軒轅畫疆之神話典故，接下來「庾公灩澦，樸賴誠通」，便寫庾子輿扶父柩過瞿塘，水勢大而無法航行，子輿禱而遂平，既過泛溢如故，人歌之曰：「灩澦如牛本不通，瞿塘水退為庾公」，典故出自《蜀中廣記》卷21。王守邛郲，則是漢代益州太守王陽過邛郲縣九阪坡時，山路險峻。王陽自認為孝子，不應涉險，故停駐不前。接著寫李太白〈行路難〉之詩，與阮籍哭途窮之典，來表明艱險路途，各地皆有。以下不斷地使用路途來往交通不便的典故，一路堆砌，炫燿豐富學識。若以駢文書寫而言，本文是標準的美文，典雅厚實，排比對仗，用典華麗，令人嘆服。但若是以募款修路的寫作目的來看，那麼本就華美而不切實際，真不知當時有幾人能真正欣賞此文，能夠在判讀典實後，理解其募款的寫作意圖。

像這類典雅且能大量巧妙運用典故的文章，並不是所有的文人都能撰寫。沒有高超的學識及筆力，根本難以純熟駕馭駢體文這種形式唯美的文體。從施瓊芳大量書寫駢體文，便可見他想要以困難的文類寫作，來誇耀學識，並向當時府城文壇宣示自己文學實力的企圖。當然，以駢文寫作的並不僅有這類勸募應用文，在《石蘭山館遺稿》卷六中八篇的駢賦，亦收有〈蔗車賦〉這種專門書寫臺灣特有物事的駢文。〈蔗車賦〉文分四段，分別寫蔗車的運轉狀況，接著寫收成甘蔗的製糖過程，第三段則是將蔗車以推挽方式榨取蔗汁的方式，以華美的駢文表現，最後一段則是以各種文字堆疊雕砌出蔗糖的美味。以下錄取最末段文字以觀其風格：

68—— 施瓊芳，〈募修臺嘉孔道小引〉，《石蘭山館遺稿》，臺北：龍文出版社影黃典權點校排印本，1992年，卷4，頁123-125。

既而釀成蘭醴，傾出桂漿。麴道士釀醁待和，酪蒼頭意味難方。美在其中，何妨出之從庶。磨非不磷，偏覺引而彌長。因想漸入為佳，顧將軍最耽蠟蔗；卻緣知味者鮮，鄒和尚初製猊糖。[69]

此段寫出甘蔗壓榨成蔗汁，再經由調理，雖混合成同一鍋，但滋味依然甜美如蘭醴桂漿。最後則以顧愷之食蠟蔗之尾而漸入佳境之典，及鄒和尚製糖霜之法作結。全文亦大量用典及排比對仗來書寫臺灣特有品物蔗車，用以炫耀文學才華。

施瓊芳為臺南第一位本土出身的進士，死後亦葬在現在臺南市南邊近郊的南山公墓。考取科考功名後，並未到外地任官，一生都在府城生活，教育鄉里子弟。雖無顯赫的事功，卻以恬退的性格，受到臺南當地仕紳及官員的景仰，社會地位崇高。加上其次子施士洁亦進士登第，詩文兼擅。施家父子二人，在清代臺南文學史上占有重要的地位。

三、徐宗幹及《瀛洲校士錄》文人群

徐宗幹（1796～1866），字伯楨，又字樹人，江蘇通州人。1820年（嘉慶25年）進士，歷知曲阜、泰安兩縣，1848年（道光28年）擔任按察使銜分巡臺灣兵備道，期間其治理臺灣時，廣建書院，興辦義學，整頓綠營班兵，變通船政，頗有治績。1857年（咸豐7年）授浙江按察使，遷布政使。1862年（同治元年）升任福建巡撫，戴潮春起事時，命前署臺灣鎮曾玉明渡臺，又奏簡丁曰健為臺灣道，平定民變，於1866年（同治5年）卒於任內，謚「清惠」，入祀福建名宦祠。

69── 施瓊芳，〈蔗車賦〉，《石蘭山館遺稿》，卷6，頁193。

徐宗幹為晚清治臺名宦，著有《斯未信齋文集》，且編有《濟州金石錄》、《兵鑑》、《測海錄》、《瀛洲校士錄》等，並輯錄治臺相關文獻成《治臺必告錄》一書五卷授與臺灣道臺丁曰健。《斯未信齋文集》及《治臺必告錄》，大部分所收的文章都是涉及治理臺灣的政治方案，以及反映臺灣當時社會狀況的篇章。臺灣銀行經濟研究室將藏於省立臺北圖書館的同治年間刊印的《斯未信齋文集》重新點校出版，採入與臺灣相關文章，剪輯為《斯未信齋文編》，收作《臺灣文獻叢刊》第87種。《斯未信齋文編》書末附有原書目錄，可知原書分成三大類，分別是：「軍書」四卷、「官牘」七卷及「藝文」四卷。軍書及官牘的部分，均是徐宗幹在各地任官的施政措施文獻。而藝文四卷，則與他在各地任官時的文藝教育相關的作品。由於徐宗幹於道光晚期來臺任官，屬晚清鴉片戰爭之後多事之秋，尤其是太平天國十餘年的動盪，各地民變不斷，臺灣亦民心浮動。徐宗幹宦臺期間，戮力治臺，其治臺之政策及改革軍政、吏治的辦法，都存在此書之中。除了治本清源，疏理臺灣軍吏弊端的政治性文章，在藝文類的文章中，亦可見徐宗幹獎掖文藝之事。如〈虹玉樓賦選序〉中，便提及徐宗幹來臺後，重新刊刻自己的賦作分贈臺灣書院讓學生參考之事：

　　自垂髫侍庭訓，習律賦，積百餘篇。及官泰山下，出篋中示童子。齊魯諸生請梓行，鞅掌無暇，草草授剞劂氏，並編入課士錄，行世二十餘年矣。丁未，復出山，板藏於家，旋渡臺，視學書院。生徒有肄業及之者，而不能徧觀為憾。吾鄉亦瀕海，乃寄書附商艘載之來。出狼山港，遇颶風漂沒。詞章小技抑末也，宜海若怒而沈之。然無以應諸生徒也，節取若

干首，復災棗梨，刊印散布。仍望諸生敦崇實學，為雅頌之才以黼黻昇平，無徒以雕蟲為也。於是乎書。道光己酉小春十日。[70]

虹玉樓是徐宗幹的書齋名號，這本《虹玉樓賦選》刊於道光 29 年，乃重刊本，與《虹玉樓詩賦選》、《虹玉樓制藝》皆是同書異名。[71]在詩選部分，分為「虹玉樓試帖選」及「古今體試草附」兩部分，可見詩選亦收試帖詩。書在封面有「道光庚戌鐫，獎賞生童，不取工價。」可見徐宗幹將自己制藝及試帖作品刊印，作為考試範本，給準備科考的童生參考，而且是免費分贈以作為獎賞。徐宗幹當時來臺擔任臺灣兵備道兼掌學政，所以等於是當時臺灣督導軍務及推廣文教最高的行政官員。因督掌學政，也是負責童生考試的最後一關「院試」，院試通過後，童生取得「生員／秀才」資料後，便有資格再度參加鄉試科考，也就是舉人考試。徐宗幹以考過進士功名的經驗，將自己的舊作《虹玉樓詩賦選》重刊。如他在序中所言，乃是因為「視學書院」後，為學生能在科考中能高中為目的，重新「復災棗梨，刊印散步」，刊刻重印自己科舉科目的習作。讓臺灣書院中的學生，有範本可以傚效，期望他們能在科考中，容易登第登科。

作為臺灣道，兼有學政的職責任務，因此鼓勵童生參與科考，並希望他們能在考場中取得好成績，便成為身任臺灣道臺兼學政的徐宗幹重要的工作。除了重刊自己的《虹玉樓詩賦選》免費贈予書院生童作為科考範本外，他還在 1849 年（道光 29 年）刊刻《瀛洲校士錄》初集和二集，在 1851 年（咸豐元年）刊第三集。他在初集中作〈瀛洲校士錄序〉提到他當時輯刊這些文章的用意：

70—— 徐宗幹，〈虹玉樓賦選序〉，《斯未信齋文編》，南投：臺灣省文獻會影臺灣文獻叢刊第87種，1994年，頁134。

71—— 楊永智，《明清時期臺南出版史》，臺北：臺灣學生書局，2007年，頁179-180。

憶自道光紀元，服官東魯二十餘年，所至蒐采鄉先生遺文及書院子弟課卷，合分校所薦取為《課士錄》梓行。越甲辰，奉命由蜀中移巡閩漳，適監試棘闈，都人士多循中規矩，海濱鄒魯，信不誣也。方欲輯課士續編，奉諱未果。丁未秋里居，即拜恩綸，簡任茲土。今東渡視事未久，歲試屆期，自夏五望至六月朔，竭十餘日之力，次第扃試，糾察防閑，爬羅剔抉，得優等及新補弟子員如額，仍惴惴於積弊之未盡除，而真才之未盡獲也。[72]

從這段自述可見，徐宗幹從在山東任縣令時，便有蒐集保存當地士人優秀的文章及書院弟子的課卷佳作進行刊刻的舉措。因此，在他來臺任臺灣道臺時，花了半個月左右的時間，將臺灣生員的「歲試」中優秀的試卷作品集結起來，刊刻印行。從上述的序文看來，這些優秀試卷作品，反映了主考官徐宗幹品評等第的標準。因此，在上述序文之後，徐宗幹繼續寫他編輯此試卷作品集的目的：

試竣，集諸生徒於海東書院，旬鍛而月鍊之。解經為根柢實學，能賦乃著作通才，故考錄制藝雅馴者，已編為《東瀛試牘》；而說經論史及古近襍體詩文並肄業及之者，裒輯二卷，曰《校士錄》，俾庠塾子弟有所觀感，而則傚焉為誘掖獎勸之助，藉以鼓舞而振厲之。[73]

在歲試後，徐宗幹甚至考試表現優異的士子，聚集在海東書院，集中鍛鍊，並將這些集合訓練的士人作品中「制藝雅馴者」，集結成《東瀛試牘》，可見《東瀛試牘》一書乃當時優異士人的八股文作品集結。《東瀛校士錄》則收錄了「說經論史」及「古近襍體詩文」的策論詩文作品。徐宗幹編輯《東

72—— 徐宗幹，〈瀛洲校士錄序〉，《斯未信齋文編》，頁121。
73—— 徐宗幹，〈瀛洲校士錄序〉，《斯未信齋文編》，頁121。

瀛試牘》及二卷《東瀛校士錄》的目的,乃是讓臺灣士子能仿傚本地先賢的作品後,能在日後科考中旗開得勝,獲取良好的考試成績。因此徐宗幹將這些經過編次的本土時人作品,免費分贈莘莘學子,希望能達到誘掖獎勸及鼓舞振厲,讓準備科考的士子能有範本能夠加以學習效傚。

在這篇序文中,徐宗幹很明確地表達編集這些選集,乃是為了臺灣士人科考資料以備參考,完全是實用性而非文學性的動作。這種編書以利臺灣學子科考的熱心行為,徐宗幹在《東瀛校士錄》的序文最後,有引幾位先賢同道所做過同樣的事自我期許:

> 昔高郵夏筠莊侍御巡臺主試,刊《海天玉尺》二編,序云:「為海隅人士作其氣,而道之先路也。」錢塘張鷺洲侍御亦選有《珊枝集》,嘗曰:「今不取,吾懼其失時也。」茲編亦猶行前人之志云爾。《玉尺編》始於雍正戊申歲試,越今戊申適百二十年,並誌之。[74]

徐宗幹引述前賢夏之芳及張湄所編輯的兩冊臺灣士人歲試的作品集:《海天玉尺》共二編及《珊枝集》,認為自己乃接踵來臺的兩位巡臺御史的作為,保存本地士人的歲考作品,以供後來學子參考。夏之芳所編的《海天玉尺》二編目前尚存,而張湄編的《珊枝集》已亡佚。從徐宗幹序文的最後,也可以看出這些來臺宦遊的文人們,對保存當時本地士人作品的用心。

在《斯未信齋文集》可以看出徐宗幹對治理臺灣的政治能力,而《虹玉樓賦選》,徐宗幹亦向臺灣學子展示自己的作賦能力,《東瀛校士錄》則呈現徐宗幹對士子的教育能力及選文眼光。《東瀛校士錄》與《東瀛試牘》的編輯刊刻分贈給臺灣學士,最直接可見的效果,便是在徐宗幹任學

74—— 徐宗幹,〈瀛洲校士錄序〉,《斯未信齋文編》,頁122。

政的時間中，臺灣學子的科考成績大幅進步。如林占梅在〈呈台澎道徐樹人廉訪〉四首詩中的第一首，提到徐宗幹對於臺灣文教的推廣，用「培才不惜金針度，選士頻操玉尺量」來稱讚。並在此詩最後的詩註提到：「邇年公所選士，中式最多」[75]，可見徐宗幹於臺灣培育人才上，當時臺人有目共睹。不過徐宗幹雖然擅長詩賦的寫作，科考的制藝文章也能成為學子效法的範本，但是他在臺任臺灣道時期，卻鮮少有詩賦記錄書寫臺灣相關事物。今遍查臺灣各方志的藝文志，徐宗幹的詩作一首未收。在《全臺詩》徐宗幹詩作的部分，幾乎都是從《虹玉樓詩選》中的詩作，而且收錄的大多是跟科考相關的試帖詩。這些詩大多不帶作者個人感慨，純粹以辭藻華麗及堆砌典故來展示遣詞造句之才華為主，乃應付考試強調形式美感、押韻平仄合格、對仗工穩嚴整的有韻作品，不是用來抒發個人情感的詩作。例如在這些收錄徐宗幹的大量試帖詩中，有一首名為〈玉水記方流〉，便是典形的科考試帖詩：

> 同是溪中水，方流色倍鮮。只因多玉韞，故爾異珠圓。圭角皆稜露，鼃紋妙折旋。空明開寶鏡，區畫認藍田。偏作晶盂貯，翻疑翠簡傳。波平應似矩，浪小不如錢。溫潤留丹浦，精英隱紫淵。懷人思比德，染翰溯延年。[76]

這首詩為八韻五言排律，而詩題乃是出自《昭明文選》顏延之詩〈贈王太常〉中的兩句「玉水記方流，璇源載圓折」，李善注「圓折」，引《尸子》：「凡水，其方折者有玉，其圓折者有珠。」因此水流轉折處，可能會產出珠玉。因此若不熟《文選》中詩作，單看此詩題，可能會不明所以、不知

75── 林占梅，〈呈台澎道徐樹人廉訪〉四首之一，《全臺詩·柒》，頁192-193。
76── 徐宗幹，〈玉水記方流〉，《全臺詩·肆》，頁257。

所云。〈玉水記方流〉也是白居易考進士時的「省試詩」詩題。在徐宗幹所存的詩作中，幾乎都是試帖詩題，如〈聽德惟聰〉、〈遜志時敏〉、〈砥礪廉隅〉、〈閏年春近梅差早〉、〈惠澤成豐歲庚辰會闈試帖〉、〈臨民思惠養庚辰覆試〉、〈分秧及初夏庚辰朝考〉等，有的直接剪裁經書中的片斷句子作為詩題，有的直接將古人詩中名句作為詩題，或直接在詩題上標明某年某考試之詩題，都是科考的試帖詩。

徐宗幹雖然沒有留存在臺的詩作，不過當他 70 歲時擔任福建巡撫時所寫的〈七十述懷〉七律五首，卻在臺灣得到相當大的迴響。當時的臺灣兵備道丁曰健有〈和徐樹人中丞述懷詩〉五首，而北臺大儒陳維英亦有〈步徐宗幹觀察七十述懷瑤韻〉五首。足見徐宗幹雖然離臺在福建省會福州擔任巡撫，在臺灣政界及文教界亦有相當的影響力。在這五首述懷詩中，第二首便是寫他任福建巡撫時，舉薦丁日昌為臺灣道，來臺平定戴潮春事件時的得意之事：

> 軸轤千里火輪飛，牙纛遙臨八陣威。臺鳳煙氛銷赤嵌，潭龍露布颭紅旂。人和可望天心合，官瘦方能國計肥。戎馬風濤經歷慣，餘生贏得古來稀。[77]

此詩雖然沒有明寫是平定戴潮春之事，但就詩意來看，應是寫他身在福建，隔海遙遙指揮臺灣軍事行動。而且派兵來臺的軍艦乃當時先進的蒸汽船，所派將領丁曰健亦能建功，將臺灣赤嵌的戰亂煙氛清除，終於得到露布捷報傳回福州。接下來寫他為官信念，並將自己一生的官宦事業作無愧於心的自評。徐宗幹在寫完這組組詩的隔年，便於福建巡撫任上逝世了。

77—— 徐宗幹，〈七十述懷〉五首之二，《全臺詩・肆》，頁283。

徐宗幹是江蘇人，可是近半生都在福建任官。他在〈七十自述〉五首詩的第一首一開始便寫：「一官四十有餘年，游宦萍蹤近海邊」。在四十餘年的仕宦生涯中，在福建任官的時間超過一半，而且又來臺任兵備道，對臺灣的政治文學教育，都有極大的貢獻。在臺期間除了整頓軍營、肅清吏治之外，於臺灣士人的科考鼓勵，無不盡心勉勵，這從他刊刻許多書籍以求學生科考成績進步之舉，便可得知。在咸、同時期的臺灣文人，不論南北學子，都受他的沾溉，提振臺灣文教有功。因此府城施瓊芳、彰化文人陳肇興、北臺文人陳維英、林占梅、李望洋等人，均在詩中提及對徐宗幹的感恩。雖然徐宗幹獎掖文風乃著重在科考成績的提振，具入世實務性，但他以臺灣道兼學政的地位，鼓勵學子向上考取功名，堪稱為當時全臺的文學宗主。

《瀛洲校士錄》於海東書院刊刻，原本有三輯，其中二輯已佚，今僅存第一輯。第一輯有二卷，上卷為文，下卷為文、賦及詩歌。吳福助等人所編的《全臺文》第六冊，收有《瀛洲校士錄》海東書院的原刊本，但僅收其文及賦部分。施懿琳等人所編的《全臺詩》第伍冊，則收有本書的詩作。若將《全臺文》、《全臺詩》加以參看，則可見《瀛洲校士錄》第一輯全貌。

《瀛洲校士錄》所收文章及詩賦，其作者均是道光年間臺灣本土文人，其中收有吳敦仁、吳敦禮、吳敦常兄弟、許廷崙、許廷璧兄弟及韋國琛等人的詩文收錄最多。以吳敦仁為例，《瀛洲校士錄》收有其〈厥包橘柚錫貢〉、〈滕侯薛侯來朝〉、〈播五行於四時和而后月生也是以三五而盈〉、〈六宗解〉、〈延廄解〉、〈邱甲田賦作軍舍軍解〉、〈擬天監三年任彥升策秀才文〉、〈擬陸士衡演連珠〉、〈投壺賦〉、〈香珠賦〉、〈燕窩賦〉等文及賦11篇，此外收詩13首。許廷崙則收文、賦如下：〈敬摹聖像立石臺郡學宮記〉、〈禮義為干櫓賦〉、〈團扇賦〉三篇，並收詩九首。《瀛洲校士錄》收錄詩文的作者，身分都是生員（秀才），功名及官職不

高，在當時都是臺南的基層仕紳，生平均不詳。如許廷崙，經施懿琳考據，字景山、鏡珊，曾設帳臺南北門一帶，吳萱草曾從之學習漢詩，大約卒於1917 年之前，其餘生平一無所悉。其餘作者生平，更是無法考據清楚。但這些基層文士，除科考文章被收入《瀛洲校士錄》作為應試範本外，其詩作亦有關懷地方之主題，有可觀者焉。如許廷崙的〈保生帝〉、〈鯤身王〉、〈羅漢腳〉、〈昭忠祠〉、〈戒鴉片歌〉、〈伽藍頭〉等；毛士釗的〈魚皮〉、〈魚翅〉；施士升〈地瓜行〉；許青麟的〈安平望海歌〉；許建勳的〈聽濤歌〉、〈紙扇〉、〈羽扇〉等詩作，都有助於我們瞭解道光年間基層文人的關懷主題及詩歌趣味所在。如許廷崙寫臺南神祀的詩，便充滿府城信仰的特色：

> 保生帝，不醫國，當醫民。功德在民宜為神。喧騰五月龍舟開，海上王拜帝君來。帝顏微笑送王歸，五色香花夾路飛。霓旌風馬不得見，袂雲汗雨空霏霏。歸來傾篋坐歎息，斗儲忽罄虛朝食。已拋綾錦勞歌喉，又典衣衫換旗色。清時樂事人所為，澆風靡俗神不知。神不知，降祥降殃天無私。（〈保生帝〉）
>
> 落花如塵香不歇，紫簫吹急夕陽沒。靈旐似復小徘徊，解纜風微訖不發。碧波涵鏡逼人清，照見輕妝水底月。龍宮百寶縱光怪，洛水明璫漢皋佩。淫佚民心有識傷，昇平餘事無人續。神來漠漠雲無心，神去滔滔空水深。士女雜沓舉國狂，年年迎送鯤身王。（〈鯤身王〉）[78]

〈保生帝〉、〈鯤身王〉二詩都寫出神祀出巡遊街的華麗奢侈臺南風俗，雖然微藏諷喻譏刺，不過還是以溫柔敦厚為主調，批判性並不強。在此二詩中，也可以看出府城從清代以降，士人庶民熱衷神明遊街出巡的宗教信仰民俗活動。

78—— 《全臺詩・伍》，頁84。

四、劉家謀

劉家謀（1814～1853），字仲為，一字芑川，福建侯官人。1832年（道光12年）中舉，道光26年初任寧德訓導，1849年（道光29年）任臺灣府儒學訓導，1853年（咸豐3年）夏天病卒於臺灣府學訓導任內，年僅四十。劉家謀在臺灣任學官期間，關心民瘼，蒐集文獻，記錄風土，在臺灣著有《觀海集》四卷，四卷按年分卷，收詩185首。另外又著《海音集》二卷，以七絕形式記錄在臺四年所觀察到的臺灣風物民情，共100首。各詩詩末著有詩註，記載當時臺灣各種事蹟典故，著眼於當代民俗風氣，堪稱第一手社會寫詩記錄詩作，其詩及詩註作為當代文獻，頗受後人重視。

《觀海集》及《海音詩》這兩部詩集，因為出版的時間在劉家謀逝世後，因此可能在劉家謀身後才對臺灣文教、政治造成影響。劉家謀卒於1853年（咸豐3），而他在《海音詩》百首的第一首詩註中，寫出其詩集完成的時間：

> 壬子夏秋之間，臥病連月，不出戶庭。海吼時來，助以颱颶，鬱勃號怒，壹似有不得已者。伏枕狂吟，尋聲響答韻之，曰「海音」。[79]

壬子年為1852年，也就是劉家謀逝世前一年。《海音詩》百首雖然完成於咸豐2年，但要遲至咸豐5年才由劉家謀的學生韋廷芳付梓刊刻，始公諸於世。[80]臺灣銀行經濟研究室亦依吳守禮所藏的咸豐刻本，重校點校，收錄為《臺灣雜詠合刻》之一，列入《臺灣文獻叢刊》第28種。自此《海音詩》方廣布流傳，為研究者所採用。至於《觀海集》，則是咸豐8年方付梓刊刻，但臺銀經濟研究室主持人周憲文先生當時並未看到這部詩集，

79—— 劉家謀，〈海音詩〉百首之一，《全臺詩·伍》，頁279。

80—— 楊永智，《明清時期臺南出版史》，頁186-187。

直至 1997 年臺灣省文獻會方據福建省圖書館藏本標點，收入《臺灣歷史文獻叢刊》。前最齊全的劉家謀詩作，則是由黃憲作整理，收錄於《全臺詩》中的劉家謀詩。[81]

　　百首《海音詩》是劉家謀有計畫的寫作，協助此集刊刻的韋廷芳在序中提到《海音詩》的創作主旨：

> 先生為人慷慨豪俠，絕少頭巾氣，故其為詩，風流跌宕，而嬉笑怒罵，欲歌欲泣，亦復激昂悲壯。一切地方因革利弊，撫時感事，咸歸月旦，往往言人所不敢言、所不能言，此誠黃鐘、大呂之音，不作錚錚細響者，其以「海音」名篇也固宜。[82]

劉家謀在生前未能將這些詩作刊行，因為這些在臺灣擔任學官時期有計畫以竹枝詞形式真實記載的百首七言絕句詩作，大多涉及地方的因革利弊，劉家謀以詩註合一的詩文形式如實地記載下來。這些作品，乃當時人所不敢言及不能言，因為若披露，可能會以詩得罪權貴及地方豪族，以及他最嚴厲批評的臺灣班兵將士。以控訴來臺班兵魚肉鄉民，大量從事不法活動的詩作，就有以下諸首，如：

> 五虎長牙舞爪來，秋風避債竟無臺。驚心昨夜西鄰哭，掌上明珠去不回。[83]

此詩的詩註為：「每百錢，按日繳息五文；停繳一日，即前繳抹銷，謂之五虎利；亦營卒所為。窮民不得已，貸之；無力償者，或擄其妻女而去。」乃是記述當時「營卒」對窮人放高利貸，借錢的利息如虎般將食人。若付不出債款利息，則擄其妻女以抵債。如此，本來應保鄉衛民的軍人，放起高利貸，其行徑無異賊。這些班兵營卒除了放高利貸外，還開設鴉片館：

81—— 同上註，頁188-189。

82—— 韋廷芳，〈海音詩序〉，收入《臺灣雜詠合刻》，臺北：臺灣銀行經濟研究室，1958年，頁1-2。

83—— 劉家謀，〈海音詩〉第54首，《全臺詩‧伍》，頁295。

舐罷餘丹尚共爭，淮南雞犬可憐生。漫將上下床分別，如豆燈光數不清。[84]

此詩的詩註為：「煙渣館，多營卒所開；收鴉片煙灰，熬而賣之。地狹不足庋床，每隔為兩、三層以待來者。無賴之輩囊無一錢，至為小偷，覓數十文以求度癮。」所以這些不夠高級的煙渣館，亦是營卒所開。這些外來的班兵來臺，所做所為所展露的醜態，都在劉家謀的詩作中如實被記錄下來。更有趣的是，從劉家謀的詩及註中，我們竟然可以找到當時府城內從中國內陸各地來班兵的勢力範圍，看這些班兵如何在府城據地稱王，像黑道角頭一樣魚肉鄉民：

分疆畫界立公廳，盤踞居然特角形。傳首已教心膽落，古來兵法本兼刑。[85]

這首詩的詩註如下：

班兵各據一隅，私立媽宮曰：「公廳」，為聚議之所。提標兵據寧南坊，漳鎮、詔安、雲霄兵據鎮北坊，同安兵據東安坊，本土募兵則分據西定坊之開仙宮、轅門街諸處，賭場、煙館、娼窩、私典皆其所為。白晝劫奪財物、擄掠婦女，守土官不敢治，將弁亦隱忍聽之，懼其變也。不知臺兵多住家內地，一有叛亂，戮及妻孥，敢為變乎？聞乾隆末年奎總鎮林知兵之強悍難制也，嚴治之。兵脅眾繳刀銃，公許之，示以期；至期，令五人為一牌，以次入繳。公升堂，先召五人入，不見出；次召五人入，不見出；次又召五人入，不見出；其在外候繳者，久之不聞消息；須臾，內持五頭出，又召第四牌入；諸兵在外見者，咸鳥獸散。其在內十人，甫入見五頭，懼而求免；各予以責革。一軍肅然，孰謂兵之不可治乎？

84── 劉家謀，〈海音詩〉第70首，《全臺詩・伍》，頁299。
85── 劉家謀，〈海音詩〉第82首，《全臺詩・伍》，頁302。

府城城內分四坊：寧南坊、鎮北坊、東安坊及西定坊。這四坊為各班兵勢力範圍，而大家劃分勢力商議之地為大天后宮，被稱為「公廳」。在各自的勢力範圍內，「賭場、煙館、娼窩、私典皆其所為」，根本無惡不作！詩註中提到乾隆年間臺灣鎮總兵奎林曾經整頓，但到了道光年間，舊態復萌。班兵積弊一直要等到徐宗幹任臺灣道時，才稍有解決整頓。從劉家謀的此詩來看，難怪當時臺灣民變不斷，外來的班兵素質之差，臺灣人焉有不輕視之，接著輕易作亂之心？

　　大概劉家謀的《海音詩》太過尖銳寫實，所以歷來臺灣各方志中的藝文志中，均不載錄《海音詩》。不過除了批判時政外，劉家謀亦籍《海音詩》的詩及註，為道光年間的臺灣民情風俗，留下不少真實的紀錄。例如記錄澎湖百姓因貧困而常將子女鬻賣到府城為奴婢之詩：

　　真教澎女作臺牛，百里飢驅不自由。三十六村歸未得，望鄉齊上赤嵌樓。[86]

此詩的詩註：「諺云：『澎湖女人、臺灣牛』，言勞苦過甚也。咸豐元、二年冬春之交，澎地大飢，澎女載至郡城鬻為婢者，不下數十口。徐樹人廉訪宗幹諭富紳出貲贖之，予亟商諸二、三好善之士勸捐贖回，各為收養。稻熟後，按名給路費，載還其家。澎湖五十五島，著名者三十六島。」澎女勞苦，除了在這首詩表露無遺外，劉家謀在〈臺海竹枝詞〉中亦有記載：

　　臺牛澎女總勞躬，八罩何須羨媽宮。至竟好公誰嫁得，年年元夜學偷蔥。[87]

此詩的詩註：「澎地一切種植俱男女並力，然女更勞於男，諺云：『澎湖女人臺灣牛』，言勞苦過甚也。八罩、媽宮，並澎湖地名，八罩人極貧，

86—— 劉家謀，〈海音詩〉第15首，《全臺詩·伍》，頁284。
87—— 劉家謀，〈臺海竹枝詞〉10首之一，《全臺詩·伍》，貞320。

媽宮稍豪富，諺云：『命低嫁八罩，命好嫁媽宮』。元宵未字之女必偷人蔥菜，諺云：『偷得蔥，嫁好公，偷得菜，嫁好婿』。」從劉家謀對澎湖女性辛苦大力描寫，便可知其來臺雖然是擔任學官，但其悲憫的胸襟，以詩歌記錄了當時最真實的臺灣狀況。

　　劉家謀是一個典型的社會寫實詩人。他將自己在臺灣四年的見聞，以詩合註的方式如實記錄下來，其中帶有悲天憫人的觀點。不過劉家謀終究是詩人及學官，他在詩中鮮少對當時社會狀況提出改善的方法或政策。不過其詩對於其所刻畫描寫的當代實況，就能令當時及後代讀者閱讀時感受到強大的震撼。他的百首〈海音詩〉，亦為道光、咸豐時期的臺灣民間實錄。且這些翔實的詩歌及詩註，很難出現在官方文書中。就算是文人的吟詠或筆記文章，亦鮮少像劉家謀般，以真實的寫作態度，不計美醜，將當時所見所聞記錄下來。以學官的身分，使用如實詩作呈現當時臺灣社會風氣弊端，甚至以詩歌描述班兵來臺的劣行，還有澎湖子女因貧困被賣到府城，這些作品在在都凸顯臺灣人民困苦窘礙難以維生的實際生活狀況。這種露骨的寫實詩作，令讀者在閱讀後，容易與執政者施政不力產生聯想。劉家謀創作並留下這些詩作，亦展現了他身為詩人、學官的風骨。

　　除了寫實詩作為批判當時社會不公外，對於當時的民情風俗，劉家謀亦關心而寫成詩歌吟詠。例如這首詩記錄了當時原漢男女戀愛的詩作：

　　愛戀曾無出里閭，同行更喜賦同車。手牽何事輕相放，黑齒雕題恐不如。[88]

此詩若不看詩註，大概不理解劉家謀詩作內容所指為何。此詩的詩註幾乎可作當時平埔族的風俗紀錄：

88—— 劉家謀，〈海音詩〉第31首，《全臺詩·伍》，頁288。

《諸羅志》番俗考：「夫婦自相親暱，雖富無婢妾、僮僕。終身不出里閈，行攜手、坐同車，不知有生人離別之苦」。臺俗：夫婦雖相得極歡，鮮不廣置妾媵，甚且出為冶遊；反目，輒輕棄之。婦被棄於夫，亦無顧戀；馬頭覆水，視為故常。何乃少結髮情耶？內地來臺者，每娶臺婦，久亦忘歸；及歸，則未作飛蓬之嗟，已違就木之誓！地氣之薄也，抑人心之澆歟？番俗可以風矣。俗娶妻，曰「牽手」；去妻，曰「放手」。[89]

劉家謀在這裡將漢人及原住民的婚姻關係相對比，與原住民重視伴侶夫婦情誼相比，漢人夫婦關係則顯得淡薄。甚至男性情感不專一，納妾置媵，比比皆是。而原住民則大多能從一而終，因此劉家謀感嘆「番俗可以風矣」。

此外，亦有詩記原漢通婚之事：

何必明珠十斛償，一家八口託檀郎。唐山縱有西歸日，不肯雙飛過墨洋。[90]

此詩的詩註：「內地人多娶臺女，以索聘廉也。然娶後，而父母兄弟咸仰食焉。久羈海外，欲挈以歸，不可；或舍之自歸，隔數年則琵琶別抱矣。謂內地人曰唐山客。墨洋，即黑水洋。」此詩及詩註將當時原漢通婚的情形描寫出來。當時中國大陸有許多單身男性偷渡來臺，俗稱「羅漢腳」者。唐山客來臺灣娶原住民女性，雖然聘金低廉，不過卻必須負擔女方家一家八口的生計。而且如果來臺的這些漢人日後要回歸唐山，那麼原民女性也不會跟著唐山客回去中國，而是選擇分手留在臺灣。

89── 同上。
90── 劉家謀，〈海音詩〉第38首，《全臺詩・伍》，頁290。

除了風俗民情的具體真實的記錄實作外，劉家謀亦在〈海音詩〉中記載傳聞，例如吳鳳調解漢原之間衝突而喪生的故事最初出現的原型記載，便是從〈海音詩〉中而來。此外，有詩亦提到鳳山曹公圳水利之功：

> 誰興水利濟瀛東，旱潦應資蓄洩功。溉遍陂田三萬畝，至今遺圳說曹公。[91]

此詩的詩註：「曹懷樸謹令鳳山時，始開九曲塘引淡水溪。壘石為五門，以時啟閉，自東而西，入於海。計鑿圳道四萬三百六十丈，分築十四壩，灌田三萬一千五百餘畝，歲可加收早稻十五萬六千六百餘石。踰一歲而功成，熊介臣觀察一本名以曹公圳。今則修築不時，故道漸塞。而臺、嘉二邑旱田居多，無隄防溝渠之利，為政者宜亟籌之。」亦略記曹謹引下淡水溪（今高屏溪）灌溉九曲堂附近三萬畝沃野後，曹公圳這項水利工程使得鳳山稻田收成大幅增加。不過劉家謀也在詩註中提到，修築於道光年間的曹公圳，到了咸豐年間沒能好好維護整修，水道逐漸淤塞。此外，臺灣南部亦靠水利工程的修築，才能讓旱田成為水田，以利種植水稻。

〈海音詩〉百首，幾乎全面記錄了劉家謀四年間在臺灣的見聞。美醜並陳，直書不諱的書寫特質，成為道、咸年間最重要的臺灣寫實作品，不論在文學上或歷史文獻上，都有相當重要的地位。不過，〈海音詩〉詩的詩註固然有其文獻價值，劉家謀卻不像是鄭兼才、謝金鑾等學官前輩，有志於臺灣方志的修纂。劉家謀在當時的成就，還是在詩藝上。觀其《觀海集》中詩作，情景交融，敘事練達，而論理曉暢明白，佳作連連，亦使讀者印象深刻。如〈鄭延平郡王祠〉書寫的鄭成功事跡，簡當扼要卻精確無比，堪稱是諸多國姓爺書寫的代表作之一：

91── 劉家謀，〈海音詩〉第89首，《全臺詩‧伍》，頁304。

冠帶騎鯨入，遺祠尚海濱。一家無父子，異代自君臣。塵幔緣饑鼠，荒庭長舊筠。偏隅霑聖化，艾殺獨艱辛。[92]

此詩乃劉家謀參訪鄭延平郡王祠所寫的五律。不過這座鄭延平郡王祠不是現今的延平郡王祠，因為目前的延平郡王祠乃是光緒元年由沈葆楨奏准興建，劉家謀詩中的祠，應是府城東安坊裡的開山王廟。[93]不過此詩一開始點出鄭成功騎鯨入臺的民間傳說，頷聯兩句準確地寫出鄭成功移孝作忠的事蹟；腹聯接著寫此地荒蕪人跡罕至的廟況，最後再寫出鄭氏開臺的辛苦功業。短短的詩中，概括了鄭成功的生平功過，是篇佳作。

歷來宦臺文人，能詩者眾。劉家謀在道光末年、咸豐初年來臺任學官，以精湛的詩藝，悲天憫人的胸襟，敏銳富洞見的觀察能力，留下了有計畫寫作的〈海音詩〉百首，及四卷《觀海集》的詩作。這些作品，不論以詩作藝術而言，或是詩註所記載的當時臺灣社會狀況，都是認識當時臺灣重要的著作文獻。劉家謀的詩藝精粹，所作之詩有極高的可讀性，與同時期的徐宗幹相比，劉家謀詩作的藝術技巧及內容取材，高於徐宗幹一等。劉家謀最後以40歲的英年卒於臺灣學官任內，沒能創作更多的文學作品，實是可惜。這與35歲便往生的彰化詩人陳肇興相同，英年早逝，使得其文學成就無法更上一層。但其遺留的詩及詩註，在道光、咸豐期間，亦展現出耀眼的一頁文學史。

92—— 劉家謀，〈鄭延平郡王祠〉，《全臺詩・伍》，頁319。

93—— 陳麗華，〈傳統的重塑與再現：延平郡王祠與臺南地方社會〉，《歷史臺灣：國立臺灣歷史博物館館刊》第5卷，2013年5月，頁7-9。

第四節　同光時期的臺南文學

一、唐景崧

　　唐景崧（1842～1903），字維卿，廣西灌陽人。1865年（同治4年）進士，在中法戰爭之前，成功招撫劉永福為黑旗軍，並於中法戰爭時在越南北部山區打擊法軍，立有戰功。中法戰後，在1887年（光緒13年）被拔擢為臺灣道臺而赴任臺灣，1891年（光緒17年）遷臺灣布政使，1894年（光緒20年）署理臺灣巡撫，光緒21年臺灣割讓日本後，臺灣仕紳人民成立臺灣民主國，推舉唐景崧為首任民主國總統。不過唐景崧擔任八日總統，在日軍攻下基隆後，便自淡水乘德籍商船逃回中國。

　　在擔任臺灣道臺期間，在道臺官署內的「斐亭」，成立了斐亭吟社，在公務之餘，邀請府城仕紳及幕僚進行聯句、唱和等詩社的詩鐘活動。嗣後，赴臺北任布政使時，又於當地組牡丹詩社，並在光緒19年時，取臺南、臺北歷來詩社唱和稿，選編成《詩畸》十卷，集中收錄施士洁、丘逢甲、汪春源等當代臺灣文人作品，為第一部臺灣詩鐘選集。唐景崧允文允武，在臺灣的時間相當長，且在臺南、臺北兩地各組斐亭吟社及牡丹詩社，在任期間獎掖臺灣名士，幾乎是光緒年間臺灣文壇的宗主，引領文風，影響廣大深遠。連雅棠在《臺灣通史》中的傳記便稱讚他在臺灣獎掖文風的事蹟：

> 臺為海中奧區，人材蔚起。景崧雅好文學，聘進士施士洁主講海東書院。庠序之士，禮之甚優。道署舊有斐亭，葺而新之，暇輒邀僚屬為文酒之會。十七年，陞布政使，駐臺北。臺北新建省會，游宦寓公，簪纓畢至。景崧又以時最久，建牡丹詩社，飭纂通志，自為監督，未成而遭割臺之役。[94]

94—— 連橫，《臺灣通史》，頁1042。

自光緒 13 年始，至光緒 21 年乙未割臺為止，唐景崧分別於臺南、臺北任最高行政長官。甚至繼邵友濂陞任臺灣省巡撫，在政界及文壇中，引領風騷。除了組詩社外，唐景崧還負責總纂臺灣省通志，為茲土留下文獻紀錄。若不是乙未割臺，使得唐景崧落寞地回到故鄉桂林，那麼依當時的文教施政，唐景崧當可對臺灣文教發揮更大的影響力。

唐景崧在臺南擔任臺灣道臺時，於官署內斐亭聚文士進行詩社活動，關於當時詩社盛會，此外連橫在《臺灣詩乘》中亦對唐景崧任臺灣道期間，提倡臺南詩文風氣有相關的記載：

> 唐維卿觀察既耽風雅，獎藉藝林，一時宦遊之士，若閩縣王貢南毓青、侯官郭賓實名昌、丹徒陳壽伯鳳藻、德化羅穀臣大佑、順德梁挺生維嵩及吾鄉施澐舫士洁、邱仙根逢甲等皆能詩。時開吟會，積稿頗多。唐韓之太守輯而刊之，名曰「澄懷園唱和集」，版藏臺南松雲軒。余有一卷，亂後遺失，遍搜不得，僅記「萬花扶客上澄臺」一句，不知何人所作。韓之名贊袞，江蘇善化人，光緒十七年調署臺澎道，旋補臺南府，二十一年正月去任。澄懷園在道署內。[95]

連橫在此列出了斐亭吟社的主要成員，為宦臺士人唐景崧、王毓青、郭名昌、陳鳳藻、羅大佑、梁維嵩，此外本土文人則有施士洁及丘逢甲兩人。這些成員乃是唐景崧及其幕客，還有與唐景崧交好的二位本土進士。這些文人以唐景崧為中心所舉辦的詩會宴席，的確在當時的文壇造成相當大的鼓舞力量。此外，之後的臺灣府知府唐贊袞也在他的《臺陽見聞錄》中有如下的記載：

95—— 連橫，《臺灣詩乘》，臺北：大通書局影臺灣文獻叢刊第64種，1987年，頁210。

唐薇卿方伯在道任時，於斐亭判牘、觀書、見賓、課子，三載有餘。公暇，招客賦詩，如閩所謂詩鐘故事者。蓋仿古人「日辦公事、夜接詞人」之意。一時賓朋文字之盛，為海外二百年來所未有。[96]

從唐贊袞這段記載看來，唐景崧在公務閒暇之餘，藉由「詩鐘」宴會形式，聚集文士，從事即興的文學競賽活動。唐景崧在斐亭吟社舉辦所謂的「詩鐘」，連雅堂有解釋：

詩鐘雖小道，而造句鍊字、運典搆思，非讀書十年者不能知其三昧。詩鐘之源起於閩中，所謂「折枝」者也。每作一題，以鐘鳴為限，故曰詩鐘。臺灣之有詩鐘始於斐亭，曾刻一集名曰「詩畸」。[97]

連橫指出詩鐘的文學競賽，源於閩中，本是文人間詩社間對於造句鍊字、運典搆思能力精進，而創作「一聯」且限時完成的比賽。在上段文字之後，連橫詳述詩鏡之文學形式，如：「顧其詩所作，不過嵌字、分詠、籠紗數格。今則愈出愈奇，以余所知者凡有十四」，[98]這十四格，全部都是寫詩的技巧方法。只是連橫認為詩鐘始於唐景崧主持斐亭吟社文學活動，應該過晚。例如黃典權及向麗頻便認為臺灣流行詩鐘之詩社競技活動，應在同治時期便已開始於臺南盛行。[99]例如黃典權於〈斐亭詩鐘原件的學術價值〉一文中，引施士洁的《詩畸補遺》手冊的自序便提到：

（同治）四年先大夫見背，受業於李崧臣師。（中有缺略）師固閩人，雅善詩鐘之伎。傳經餘暇，輒具雞黍，設□□□□□□□相角。余時壁上觀戰，不禁美極。（下多缺殘）

96—— 唐贊袞，《臺陽見聞錄》，臺北：大通書局影臺灣文獻叢刊第30種，1987年，頁128。

97—— 連橫，《雅言》，臺北：大通書局影臺灣文獻叢刊第166種，1987年，頁42。

98—— 同上，頁42-43。

99—— 黃典權，〈斐亭詩鐘原件的學術價值〉，《歷史學報》第8號，1981年9月，頁113-114；向麗頻，〈唐景崧《詩畸》研究〉，《東海大學文學院學報》第47卷，2006年7月，頁122-124。

廣文沈桐士先生……郡齋鐘局，強來邀余，不得已隨師往。

歲甲戌（同治十三年，1874），海上事起，沈文肅公□□命渡臺，幕府十餘人，皆詩鐘健者。暇輒作局。臺地二百年□□□□制義試帖以外，不知何者為詩鐘，至是乃萬目共睹，有□□□□雲，詫為異瑞，余時已弱冠，隨師謁文肅。自是無役不與。□□□□□得於師者十之四，得於文肅者十之六也。[100]

由於黃典權所蒐藏的施士洁《詩畸補遺》手冊原件，目前無法得見，僅能從黃氏此文中窺見一斑。從轉引的這段施士洁自敘文字看來，同治4年施瓊芳亡故後，施士洁師事李崧臣，習得閩中盛行的詩鐘之伎。接下來，廣文（臺灣府儒學訓導）沈桐士，亦在郡齋（臺灣知府宅邸）中屢次舉行詩鐘之會（鐘局），施士洁亦受邀參與。直到沈葆楨因牡丹社事件來臺後，大興詩鐘詩會，且傳授施士洁詩鐘技巧，詩鐘才在府城流行，不侷限於官方的郡齋舉辦。施士洁這段文字重要之處，便是將連橫《雅言》以來，大家一直認為臺灣詩社的詩鐘活動始於唐景崧光緒年間斐亭詩會，再往前推20年左右，到同治時期。同時也將當時學官及沈葆楨對詩鐘的推廣功績，添上一筆。

詩鐘這種以詩會友的雅事，雖是小眾文人的集體即興創作競賽，但在主事者的推波助瀾下，府城的詩社附庸風雅，使得詩鐘發展成擊鉢吟的形式，在日治時期及戰後，甚至到目前，都是傳統古典詩社的主要活動之一。

值得注意的是，自1874年（同治13年）沈葆楨建議臺北建府築城，經歷過1884年（光緒10年）中法戰爭的洗禮後，臺灣建省，劉銘傳為首

100── 施士洁，《詩畸補遺‧自序》，轉引自黃典權，〈斐亭詩鐘原件的學術價值〉，頁113-114。

任臺灣巡撫駐紮臺北府。自此，臺北府逐漸取代臺南府，成為臺灣的政治經濟中心。唐景崧於1891年（光緒17年），自臺南北上至臺北，赴任臺灣省布政使，不久後更接任臺灣巡撫。唐景崧至臺北後，承斐亭詩會餘緒，在臺北組成牡丹吟社。唐景崧於1892年（光緒18年）至北京述職，返臺後便開始整理在臺詩社所錄的詩鐘稿件，並於光緒19年（1893）2月編成十卷《詩畸》。分成正編八卷，外編二卷，外編注明：「凡南注生（景崧）未與會者是為外編」。書按詩鐘格例編排，共有684題4906聯，每一題少則三、四聯，多則十餘聯。[101]目前，唐景崧編的《詩畸》尚存，收於1971年臺灣中華書局出版的《臺灣先賢集》第五冊，與唐景崧之父唐懋功的《得一山房詩集》及唐景崧的《請纓日記》、《詩畸》合編為一冊。

若我們看《詩畸》一書，則可更清楚瞭解所謂的「詩鐘」這種遊戲競技性的文學活動。唐景崧在此書的序言中提到，《詩畸》編成於「光緒癸巳花朝日」，也就是1893年（光緒19年）、甲午戰爭的前一年，擔任臺灣布政使時。《詩畸》除了收納當時詩社集會詩鐘作品的記載外，卷首的〈詩鐘凡例〉，完全清楚標示了詩鐘活動仿刻燭擊缽故事的種種規範。還有詩鐘活動進行的程序，諸如限時創作的時限長短、謄繕分寫規定、正副閱卷品評標準、嚴防舞弊、納費投卷規則、獎罰標準等種種規定。凡例明白標明詩鐘活動：「事雖遊戲，規矩宜嚴，否則懶散，甚至爭詈，或公推一人，竟日直壇，另於每唱以二人為校對，免有漏寫誤寫之卷。」[102]可見詩鐘雖是文人遊戲之作，但事關筆力高下勝負之爭，所以規定極嚴，絲毫不遜科舉考試的規定。觀其詩鐘形式，乃取七律頷聯或腹聯一聯，視其聲律對仗是否合格，進而以寫作技巧評比高下。如

101—— 向麗頻，〈唐景崧《詩畸》研究〉，頁121。
102—— 唐景崧，〈詩鐘凡例〉，《詩畸》，臺北：臺灣中華書局，1971年，頁2757。

開卷第一詩鐘例乃丘逢甲的作品，兩句句首必嵌「封」及「內」二字，邱作為：「封豕食餘吳國霸，內蛇鬬後鄭君傷」，對仗工整，平仄合諧，則用典高妙，宜被選入。因取七律中一聯為對句比試，所以唐景崧在序中也解釋其書命名的緣由：「《正字通》曰：零田不可井為畸，茲刻七律外，皆零句無片段，亦詩之畸而已矣。」[103]可見唐景崧以詩鐘取七律中對仗一聯形式作為詩會比試，為七律之畸，如不成井字形的完整之田地，故以《詩畸》作為收錄詩鐘之書名。

《詩畸》附錄的作者名單共 55 人，有近半是福建省人，共 22 人，而臺灣人僅有五位：丘逢甲、施士洁、汪春源、林啟東、黃宗鼎，其中前三位都是進士出身。換言之，《詩畸》所收的作品的作者，絕大部分都不是臺灣本土文人，這些人應該都是來臺的宦遊文人或公家官署中的幕僚。但我們若觀其內容，其所收之詩鐘，施士洁及丘逢甲的作品出現的頻率相當高。至於有人認為唐景崧於臺南斐亭時期的詩鐘作品，被繼任的兵備道唐贊袞輯為《澄懷園唱和集》，而臺北牡丹吟社時期的吟稿則收錄於唐景崧自編的《詩畸》。但因《詩畸》中收有臺南知府羅大佑的作品可證明，羅大佑於 1888 年（光緒 14 年）8 月至臺南府履任至 1889 年（光緒 15 年）4 月卒於任上，當時唐景崧仍駐在臺南，所以《詩畸》內收錄的應兼有斐亭及牡丹詩社的詩作。[104]不論如何，《澄懷園唱和集》已失傳遺佚，目前能看到的《詩畸》，兼有斐亭吟社及牡丹詩社文人聚會進行詩鐘活動的作品記載，當是珍貴的文獻。雖然上文引黃典權的研究，從施士洁的自述中看得出來臺灣詩鐘活動肇始於同治年間，但應該僅在外來的官僚幕賓交際圈流傳，並未真正在臺灣詩壇落地生根。不過在唐景崧

103—— 唐景崧，〈詩畸序〉，《詩畸》，頁2755。
104—— 向麗頻，〈唐景崧《詩畸》研究〉，頁122-124。

於臺南任官期間的推波助瀾，並邀請當時臺灣的進士如施士洁、丘逢甲及汪春源等人，大概也因為唐景崧於臺南、臺北兩地文壇鼓吹詩鐘活動，帶動臺灣文人仿效。在臺灣割讓給日本之後，日治時期，詩鐘及擊缽吟等這種本來流行於閩地的寫詩競技活動，反而成為傳統詩社活動的主流。這也使得古典漢詩的寫作，在日治時更平民化及普及化。

施士洁在唐景崧離開臺南北上臺北赴職後共作了七絕組詩〈臺北唐維卿方伯幕中補和臺南淨翠園韻〉12 首。其中三首回憶當時的詩社集會情況，頗能看出當時唐景崧引領文壇的風雅盛況：

> 年年鐘社與燈猜，小史飛牋召客來。一自北園新闢後，斐亭閒煞又澄臺。
> （十二首之三）
> 相隨鞭鐙入詩場，一粟如何望太倉。況有門生兼幕客，兩行旍鼓更堂堂。
> （十二首之八）
> 消寒坐上小鑪紅，滿院吟朋集海東。怒罵笑嬉無不可，騷壇公是滑稽雄。
> （十二首之十）[105]

在第三首中，施士洁提到了唐景崧開闢了淨翠園後，頻頻邀文人進行詩社詩鐘與猜燈謎的文學活動。最後兩句則寫出當時文人聚會的三個主要地點，都在臺灣道署的北園／淨翠園、斐亭和澄臺。從此詩看來，唐景崧頻繁在三處聚會進行文藝活動，的確讓施士洁印象深刻。第八首則讚美唐景崧任臺灣道時，門生及幕僚之中，人才濟濟，讓進士出身的施士洁自謙如一粟望太倉，才能有所不及。最後則寫詩社聚會賓主盡歡的景況。唐景崧並未以臺灣道臺的官位自尊，而是放下身段，與詩友同樂。在眾人怒罵笑

105——《全臺詩‧拾貳》，頁73-74。

嬉中，唐景崧平等地對待所有詩友，而且刻意滑稽來取悅大家，讓詩會氣氛更加熱鬧。在這三首詩中，大概具體而微地描寫出當時唐景崧在臺南主持斐亭吟社時的樣貌，生動有趣。

二、羅大佑、唐贊袞

羅大佑（1846～1889），號榖臣，清代江西省九江府德化縣人，1867 年（同治 6 年）鄉試中舉，同治 10 年中進士。登進士後分發福建以知縣即用，歷任建安、惠安、永安、晉江、閩縣等知縣。1888 年（光緒 14 年）署理臺南府知府，並於隔年 4 月積勞成疾，卒於任所。平生喜好吟詠，著有《栗園詩鈔》，由弟子將其遺稿於福州刊刻出版，共收詩 158 首。《全臺詩》第拾冊，收其在臺詩作共 34 首。

羅大佑在臺時間不長，但其任臺南府知府期間，適逢唐景崧任臺灣道臺，因此羅大佑便成為斐亭吟社文人群體中重要一員。連橫在《臺灣詩乘》中曾評及羅大佑其人及詩作：

> 羅榖臣太守大佑，江西德化人，以進士宰閩中。光緒十四年，調署臺南府篆，未幾卒於任。其門人閩縣林仲良茂才有賡輯其遺稿，乞唐維卿觀察刪定，計存古近體詩一百五十有八首，名曰《栗園詩鈔》。翌年，刻於福州。其詩出入唐、宋諸賢，而古體尤渾厚醇正，一洗空疏囂張之氣。惜少在臺之作，唯有一二可入《詩乘》。[106]

羅大佑因在臺南知府任上亡故，所以遺集請其長官臺灣道臺唐景崧刪定作序，乃情理中之事。羅大佑雖然在臺時間不長，且公務繁重，但是在唐景崧所編的《詩畸》第六卷中，依然收有署名「榖臣」的羅大

106—— 連橫，《臺灣詩乘》，頁206。

臺南文學史——154

佑參與詩社的詩鐘作品，共有十七聯。從這些詩鐘作品中，可以揣想羅大佑公務之餘，還是會參加臺灣道臺唐景崧舉辦的詩會活動，共襄盛舉。

　　羅大佑在臺詩作雖然不多，在臺任官期間也不長，但由於他在臺有能吏聲名，甚至積勞而病逝於臺灣知府任內，其詩作也因此得到較多的重視及肯定。例如連橫在上引的《臺灣詩乘》文字之後，除引〈寄史香九之臺陽〉及〈寄懷呂幼漁參軍〉二首七律後，接下來引〈追憶詞〉四首七律組詩，並給予相當高的評價：

> 穀臣有追憶詞四律，用漁洋「秋柳」韻。遙情逸致，旖旎風流，足與阮亭抗手。[107]

連橫所稱讚的這四首〈追憶詞〉，《全臺詩》以〈和張藕田大令鴻書追憶詞用漁洋山人秋柳韻〉為詩題收入其中，而四首七律詩作如下：

> 飄泊東風黯醉魂，才人新怨賦長門。花移別館鶯無力，泥落空梁燕有痕。
> 芳草已迷柳楊渡，扁舟何處苧蘿村。梨雲庭院深如海，悵絕蕭郎莫更論。
> 芙蕖散亂不禁霜，菱葉荷花空滿塘。舊譜怕翻金縷曲，贈衣猶壓綠羅箱。
> 癡心私誓酬妃子，稱意行雲負楚王。重過海棠花下路，深情還問碧雞坊。
> 落絮游絲惹舞衣，回頭萬恨事全非。琴彈怨調絃聲澀，鶯喚殘春花影稀。
> 千點黃金和淚鑄，幾年碧海變塵飛。人間多少閒牛女，銀漢迢遙一例違。
> 銅駝清淚共君憐，綺歲風懷漸化煙。犀角有靈心的的，繭絲無緒意綿綿。
> 口脂香戀如花夢，髀肉心傷似水年。哀樂紛紜須懺悔，閒愁拋付白鷗邊。[108]

107── 連橫，《臺灣詩乘》，頁207。
108──《全臺詩‧拾》，頁211-212。

此四詩被連橫認為不減于十禛秋柳詩的七律，雖然可能作於臺灣，詩中內容卻完全與臺灣無關。詩中多敘及與張鴻書兩人交遊情誼，文字隱約含蓄卻充滿感情，用典喻意，雅正醇厚，正如同連橫所評價的：「遙情逸致，旖旎風流」，相當符合中國傳統詩學的審美標準。

羅大佑雖然在臺任官並留有 34 首詩作，且卒於臺灣知府任內，時間不長。但他身為臺灣守土地方官，亦有關懷民瘼的寫實詩作，如這首〈山茶謠〉：

> 前山後山茶蔥蘢，廠東廠西棲猓玀。茶人披揀出細乳，千村萬落走邨女。番錢到手不復留，窨者揮斤樸者偷。盡盡務閑無所食，相將嘯聚事剽賊。噫嘻，茶山崱屴高巖頭，下有錯繡良田疇。滛霖漂沒斷塍圳，崖崩岸咩成高邱。茶人買茶何處市，換取罌粟博人醉。[109]

此詩在《全臺詩》的編次中，置於〈上坪〉四首之後，而坪林位於現今新竹縣竹東鎮內，依附著上坪溪的丘陵山坡地。此詩大概也是寫於產茶的上坪區域，記錄竹東當時產茶人家的狀況。此詩寫茶山中的人民雖然以種茶、採茶維生，但是山中容易成為 匪聚嘯藏垢處所，賣茶所得的番銀，經費被強盜揮斤（斧頭）搶奪或是被偷走，導致大家也不想種茶採茶，轉而從事剽賊的強盜生涯。也因為山上盜匪眾多，種茶人留不住賣茶所得的番銀（西班牙銀元），所以大多數的人將販茶所得，都拿去買罌粟鴉片，吸食毒品以求一時的歡娛沉醉。此詩最主要的詩旨是提出山區僻遠，易成為不法之徒藏匿的淵藪，形成治安死角。雖然丘陵山谷提供產茶的良好環境，不過採茶賣茶後的收入若易被盜賊搶偷，那麼茶農等於白白做工。因

109—— 《全臺詩‧拾》，頁209。

此讓本來種茶維生的茶農，一則拋棄茶業而「事剽賊」，成為盜賊的一員；一則將販茶所得拿去購買鴉片。此詩如實寫出清代臺灣地方政府在山區緝賊不易的治安窘況。

不過身為臺灣知府的羅大佑，亦有親近臺灣居民的溫馨詩作，如上述的〈上坪〉四首五古組詩的最後一首所寫的情景：

> 寓庭不盈丈，而能遠歊塵。山農暗窺壁，似防使君瞋。山農勿復爾，使君亦耕民。采菱溢浦曉，種藥庭山春。舊憶感夢碎，暫歡託鄰新。女實解作苦，吾亦能食貧。墟日市村酒，期汝同酌斟。[110]

此詩寫出了羅大佑訪查山區時居民的情態樣貌。〈上坪〉的前三首亦是將上坪寫成山區中與世無爭的美好地方，山谷澗水交錯，人民安居樂業，有遺世古風。這首組詩的最末首，則將自己到訪引起山農居民戒慎小心怕引起官員不悅的樣貌，傳神地表達出來。詩中段後的夫子自道，從「使君亦耕民」到最後想和村民共飲，亦呈現羅大佑敦厚地方官的愛民良吏心態，使人動容。可惜羅大佑在臺任官時程過短，無法留下大量吟詠當時臺灣風土人情的寫實詩作，使讀者多認識割臺前光緒年間的臺民風貌。

唐贊袞，生卒年不詳，字韡之，湖南善化人，為1873年（同治12年）舉人。早年仕宦歷程不詳，於光緒14年（1888），任福建邵武府知府。1891年（光緒17年）秋，奉旨擔任按察使銜分巡臺灣兵備道，兼任臺南府知府。甲午戰爭時，澎湖失守，唐贊袞因守土不力，於戰爭隔年的正月被革職。在臺四年期間，對臺灣山川地理風土人情詳加探訪記錄，集結成《臺陽見聞錄》一書，為光緒年間記錄臺灣物事的重要筆記史料。除《臺

110── 《全臺詩・拾》，頁208。

陽見聞錄外》，在臺期間亦擅吟詠，其在臺詩作集結成《臺陽集》，共收詩 200 餘首，現已全數校勘謄錄於《全臺詩》第拾貳冊。連橫在《臺灣詩乘》評價唐贊袞的詩作如下：

> 韡之宦臺之時，著《臺陽集》一卷，計二百十餘首，大都平泛之作。[111]

連橫以詩家角度評論，視唐贊袞詩作多為平泛之作，大概是從傳統古典詩的雅正藝術標準來判定。但若觀其二百餘首在臺詩作，內容豐富，呈現乙未割臺前的臺灣諸多樣貌，寫實風格強烈，令人讀來趣味盎然。平心而論，唐贊袞詩不以典雅精工的雕琢藝術技巧見長，不過其詩作內容，亦足以反映清末臺灣風貌。例如，這首〈詠電氣鐙〉，記錄了臺南府城現代化的開始：

> 鮫冰一片動寒芒，珠箔高懸澈滿堂。數月籠輝簾影薄，長鯨掣海耀晶光。[112]

這首詩寫的是電氣化後的電燈，而電燈是當時漢人社會現代化的具體指標。詩中運用了很多古典詩常用的典故來比喻電燈，如明亮、珍貴、清冷不熱、持續發光等異於燭火的特色。電燈在光緒年間的府城當然是新鮮事物，值得歌詠。不過身為臺灣道臺兼任知府的唐贊袞，也仔細地用詩歌記載臺灣物事，例如他歌詠的這幾首臺灣特有物：

> 鱗鱗刺襪巧，組織皆女工。芊綿勝龍鬚，縮納襟裾中。（〈詠臺草蓆〉）[113]
> 毛竹粗於臂，勻裁四五竿。刮膜經漾水，編眼任翻瀾。渡比深杯穩，天疑坐井看。鸕鷀浮鹿耳，同此一篙安。（〈詠鹿耳門竹筏〉）[114]
> 具體青螺小，咀含得味中。藏身雖有術，一吸笑俱空。（〈詠海螺〉）[115]

111—— 連橫，《臺灣詩乘》，頁210。
112—— 《全臺詩·拾貳》，頁635。
113—— 《全臺詩·拾貳》，頁634。
114—— 《全臺詩·拾貳》，頁635。
115—— 《全臺詩·拾貳》，頁635。

上引第一首，是詠中臺灣大甲、苑裡產的藺草草蓆，也是大家熟知的臺灣名產：大甲草蓆。〈詠臺草蓆〉一詩將重點放在女工嫻熟的編織技巧上，因是五絕，較難寫出草蓆特色。第二首〈詠鹿耳門竹筏〉為五律，篇幅較長，則比較能寫出臺灣鹿耳門水域特有竹筏的樣貌。此詩寫出竹筏材料、大小、製法及乘坐感受，相當精準地寫出府城附近鹿耳門水域庶民使用的簡便水上交通工具。最後一首〈詠海螺〉則寫臺灣食材，可愛有趣，吸著海螺滿足口腹之欲，唐贊袞將吸食海螺的姿態，幽默地寫出來。

在《臺陽集》中，除往返酬唱及彼此與友人的贈答詩作、詩社擊缽及上述描寫臺灣特有風土品物外，還有大量的任官時心境的書寫作品，這些歷官詩作，除了呈現出晚清宦遊官員在臺灣的個人境況及心情，還相當程度地記錄了光緒年間乙未割臺前道臺、知府的工作點滴。這類政治職務相關詩作的大量書寫，在清代治理臺灣的 213 年間，比較少見。唐贊袞慣常將職務上所遇到的事件，直接於詩題中述明，再於詩中發抒感慨，這類的詩題如：〈臺俗富而悍，僿而不文，余葺橫舍，召生徒，月必以試，巾卷盈廷，儲金錢若干為母，入其子為書院費，復選刻海東課藝，藉開文教風氣，由是荒陬僻陋，多文學之士矣〉、〈臺南鹽政歸臺道督辦，而積弊甚深，皆由委員少廉潔者，殊可慨也〉、〈臺俗元旦，地方官出門拜客，必以鼓樂導前，舊例如此，固亦未禁革也，戲紀以詩〉、〈臺道總理臺南營務，處防營、陸營時須校閱，別旗色以立號，齊金鼓以施令，余於軍旅之事，固未嘗學也，靦顏登壇，亦猶持布鼓過雷門耳〉、〈秋審後回轅，舟泊鹿耳門，得詩一首〉、〈臺南洋藥充斥，奸商漏私，動與海關相相齟齬，判牘後，慨然賦此〉、〈冬日親赴砲臺，再校廿八尊鋼砲〉、〈臺地盜風甚熾，袞飭各屬懸賞購線弋獲，駢誅無慮數十人，其株連者，概予自新，不忍悉置諸法也〉、〈余兼權臬事，將及一載，而各屬擬罪招解之犯，無

慮百數十起，牘案叢集，逐月研訊時虞枉，縱凡有牽連濫禁之犯，無不立飭省釋，冀清圄圄而免淹滯耳，因作恤刑詩〉、〈有鄭尚者，臺南巨盜也，橫行十餘年，積案百數起而不得弋獲，余懸重賞〉、〈偕澎湖鎮吳軍門宏洛，周覽澎湖各島嶼，時奉詔整頓海防，固作未雨綢繆之計也〉、〈道署前一日火起，余率屬徒步馳救，傳令本標兵弁，昇署置水龍灌撲，幸得大雨時行，火焰浸熄〉、〈衷於辛卯奉檄權臺臬道，下車伊始，即以清理庶獄為務，時生番滋事，勢將用兵，判牘之暇，慨然賦此〉、〈余於壬辰三月赴臺北秋審，道經澎湖，颶風大作，硑訇淙涌，釜鬲皆毀，顛頓之苦，為平生航海所未曾經歷者，喘息方定，賦此以誌之〉等等。

從這些詩題來看，唐贊袞於任上，每遇一事，生發感慨，則賦詩言志，書寫心情。但也因為這些實務情事作為詩料，難以典雅清空。因此連橫以詩人本位作為批評判準，給予「大都平泛之作」的過低評價。平心而論，若不以藝術至上的觀點來看唐贊袞《臺陽集》中的詩，其書寫官宦日常生活悲歡苦樂，記錄當時任官處境，實有可讀之處。例如這首〈甲午除日，余遊臺北，乘飛捷輪艘，開赴臺南，夜行海中，機房大火，幾罹於厄，幸蒙天佑，轉危為安，因紀以詩〉：

捧檄駕飛輪，豈為釣鼇客。陡驚狂飆翻，翕赫海波赤。須臾烈焰起，旋轉若電激。既虞焚其身，尤慮胥及溺。死將瀕於九，生詎贖以百。人聲喧轟來，束手苦無策。鳴鉦申號令，運水復絡繹。幸而風漸微，火亦勢將抑。如脫秦楚圍，如釋陳蔡厄。如香可返魂，如蟾載生魄。萬口齊籲天，舉手慶加額。免為捉月人，騎鯨尋李白。[116]

116——《全臺詩·拾貳》，頁636。

此詩寫除夕，唐贊袞還要從臺南到臺北鞫獄判案。回程坐蒸氣火輪船，沒想到船上失火，幸好火勢及時被撲滅。唐贊袞此詩生動鮮明地寫出遇到輪船著火時的火災過程、個人處境及心情變化，雖然奇險無比，但唐贊袞寫起來反而有點幽默喜感，令人莞爾。

唐贊袞的《臺陽集》記錄了1891年到1895年於臺南仕宦的處境及心情，收詩雖僅200餘首，但在其詩作中，讓我們較深入認識臺灣道的工作內容甘苦。並藉由其詩作，反映出當時宦遊官員視角下的臺灣。《臺陽見聞錄》是較有系統的資料蒐集性質的筆記史料，條列了制度沿革、風土民情及草木鳥禽等記錄，應當是唐贊袞為了工作而集結的資料整理。《臺陽集》的詩作，則是在臺仕宦生活點滴的紀錄，更具個性及感慨。因此也更值得細讀，用以瞭解乙未割臺前的臺南府城相關物事。

三、施士洁

施士洁（1853～1922），為臺南進士施瓊芳次子，父子兩人為清治時期臺灣唯一父子進士。原名應嘉，字澐舫，號芸況，又號喆園，晚號耐公、定慧老人。1853年（咸豐5年）農曆12月19日生於臺南府城米街，因生日與蘇東坡同日，所以施士洁常以東坡自比，並且日後將自己的詩文集名為《後蘇龕詩鈔》、《後蘇龕詞草》及《後蘇龕文稿》。施士洁於1871年（同治10年）經童生試而為生員（秀才）、1875年（光緒元年）鄉試中舉為舉人、隔年赴京春試，進士登第，年僅22歲。年少便於科考順利得意的施士洁進士登第後，先在北京任內閣中書，同年歲末因長兄辭世，以乞養老母為由，辭官歸鄉。1880年（光緒6年）起三年，擔任彰化白沙書院山長。1884年（光緒10年）主講海東書院。光緒13年，由時任臺灣兵備道唐景崧聘為海東書院山長。擔任海東書院山長期間，許南

英、丘逢甲、汪春源、鄭鵬雲等均於此就學，故施士洁與這批清末臺灣名士均有師生之誼。

　　唐景崧在臺南擔任臺灣兵備道臺時，賞識施士洁，除延攬他擔任海東書院山長外，亦力邀施士洁參與他主持的斐亭吟社。在唐景崧所編詩社詩鐘的結集《詩畸》中，可以頻繁地看到「澐舫」的作品。收錄於《詩畸》中的詩鐘對句，都是經過每次詩會評定後擇優選入。若以數量而言，施士洁及丘逢甲被收錄詩鐘的比例數量，比其他人來得高出許多。在1891年（光緒17年）唐景崧赴臺北升任布政使時，施士洁隨之北上，擔任唐景崧幕僚，主管鹽務事宜。光緒19年，唐景崧麾下幕客林鶴年，從廣東家鄉運來百盆牡丹，呈贈唐景崧。唐景崧便在官邸詩酒宴會，並組成牡丹詩社，定期聯吟，成為當時臺北文壇一大盛事。此刻，施士洁亦是牡丹詩社中與會的重要成員。關於在臺南斐亭吟社及臺北牡丹吟社中定期詩鐘聯吟的一切回憶，成為離臺後，施士洁不斷懷念並寫作詩中，成為重要的詩料主題。

　　中日甲午戰爭後所簽定的馬關條約中，1895年乙未年割臺成定局。施士洁在臺灣民主國潰敗後，選擇內渡至福建，從此一生未曾回過故鄉臺南。離臺後的施士洁，一開始居住在泉州擔任幕僚，在1904年（光緒30年）6月舉家遷移至廈門鼓浪嶼，也與當時移居鼓浪嶼的板橋林家交往密切。居住廈門期間，曾任職於廈門商務局，主掌「貢燕」業務。1911年（宣統3年）任福建泉州馬巷廳（今金門縣全境及部分廈門市同安區）通判（廳長），隔年離職返回廈門住家。晚年最後十年間，居住在廈門鼓浪嶼，與板橋林家家長林爾嘉於鼓浪嶼興建的「菽莊」人士，密切地來往互動。施士洁以其崇高的文壇聲望，幾乎成為菽莊文人詩酒聚會場合祭酒。除了當年海東書院門生許南英、汪春源、鄭鵬雲等人與會外，如林爾嘉之子林景仁（號小眉）、海天吟社詩友、臺灣其他內渡文人王少濤、鄭毓臣、魏潤

菴、李鵬程、呂一菴、李石鯨等人，都在菽莊中與施士洁詩酒唱和。割臺後的廈門鼓浪嶼林家菽莊，似乎成為海外臺灣文人聚集的樂土。民國6年，施士洁曾短暫到福州「閩省修志局」參與修志工作，旋歸廈門。施士洁晚年在鼓浪嶼與海外臺灣文人相濡以沫，生活安定，無欲無求，也留下許多詩酒唱和的許多應酬文章詩作。1922年（民國11年）施士洁卒於鼓浪嶼家中，享壽68歲。

施士洁成名早、才分高，且執教過白沙書院、崇文書院及海東書院，並擔任山長。受唐景崧賞識提拔，雖然在臺灣從未擔任官職，卻是光緒年間全臺文化界、教育界的領袖。加上本人有質精量多的詩文創作，在晚清臺灣文壇中，享有崇高的地位。施士洁晚年曾手編詩文，分別編次為《後蘇龕詩鈔》十二卷、《後蘇龕詞草》一卷、《後蘇龕文稿》二卷及補編，現存詩約1600餘首，文79篇，詞58闋。在這些大量的文學作品中，以詩詞而論，大致上以乙未割臺為界，可以分為前後兩期。前期詩作多記載準備應考的心情，以及與在臺灣人士往來交際情況；割臺後，則多以去國懷鄉、憶友念舊之詩文為主，兼之有福建異地風土民情的描寫，還有菽莊交游、詩酒唱和等為主要書寫內容。總而言之，離臺前的作品，有書寫應考時心境的苦樂窮愁，但因為施士洁落榜次數不多，連捷中舉及登進士第後，年少得志，其後雖然選擇回歸鄉里，但積極進取之志，溢乎紙上；離臺後，寄人籬下，隱退消沉之意漸長，詩文也逐漸趨向平和。連橫在其《臺灣詩乘》中曾提到：「光緒以來，臺灣詩界群推施澐舫、邱仙根二公，各成家數。」[117]施士洁和丘逢甲能在晚清詩壇執牛耳，當然除了進士科考功名得孚名望外，量多質精的文學作品，及唐景崧任道臺、省布政使到巡撫

117—— 連橫，《臺灣詩乘》，頁215。

的官方詩酒酬倡，形成文學團體彼此吹噓揚譽，也是讓施、邱二人，能在光緒期間，成為臺灣文壇的雙璧。

施士洁22歲便進士登第，因此對於一般士人苦於科考艱辛、於落榜後興怨抱恨的作品不多，反倒是謙遜認為自己僥倖登第，如這兩首〈禮闈聯捷〉七絕所寫的：

> 名場磨我總書癡，得失無端祇自知。今日官衫容易著，一衫苦憶未青時。莫嗤舞袖太郎當，還算春婆夢一場。絕倒曲江唐進士，不禁忍俊少年狂。[118]

這兩首七絕組詩應是施士洁進士登第時有感而發所作。第一首寫出在名場科考中準備多年，其間得失只有自己清楚：得到的是任官的資格，而失去的是年少的青春，這在此詩末兩句中，以換著青色官服，表示躍身仕宦階層，卻「苦憶」當年為追求任官資格而從事科考的心路歷程，感慨極深。第二首則寫出自己新中進士第，換著官服後卻不習慣，官服著身，卻像舞袖般讓自己渾身不自在。詩末則幽默地說自己忍笑不俊，就像唐代進士登第後，便集體赴曲江宴，雖然風光，卻也如在世人面前演戲一般。詩中的「春婆夢」則用了蘇東坡的典故，東坡貶官時曾遇一婦對他說：「內翰昔日富貴，一場春夢。」施士洁反用，今日登第及口後富貴，都將成春婆夢一樣，虛幻不定。

施士洁早期的詩作幽默風趣但不輕佻，如上引〈禮闈聯捷〉之詩，便呈現這種特色。人概才高且年少得志，挫折不多，便對人生路途樂觀開朗，少憂苦窮愁之聲。施士洁因為生日與東坡同天，且與東坡同樣年少登科，

118—— 《全臺詩‧拾貳》，頁23。

因此隱約以東坡自比，其詩亦有傚效東坡的傾向。如他在 20 歲生日隔天所寫的詩：〈二十初度，朧仙長兄招同劉拙菴、陳榕士兩司馬，楊西庚、朱樹吾兩明府，梁定甫拔萃、傅采若上舍、沈竹泉布衣於翠穎軒，禮東坡像，以洁與坡老同生日也。次日因題蘇詩，後成八十韻〉，在詩題的敘述中，可見臺南府城人士在東坡生日這天舉辦「壽蘇會」時，施士洁長兄特邀府城文士與會於翠穎軒，禮東坡像，也同時為同天生日的施士洁慶生。此詩的一開頭四韻，施士洁寫出了自己與東坡相似之處：

> 公生乙卯時，我生乙卯歲。十二月十九日，生日遙相對。初公字和仲，厥序實居次。而我亦復然，一類靡不類。……[119]

施士洁與東坡一樣，都出生在 12 月 19 日。東坡出生在此日的「乙卯」時，即北宋仁宗景佑三年歲次丙子，12 月 19 日為癸亥日，天干的戊、癸二日的卯時稱為「乙卯時」。而施士洁生於咸豐 5 年，歲次乙卯，所以東坡生日的乙卯時與自己生年的乙卯歲，乃是施士洁牽強與東坡生日相符的某點。第四句寫東坡為次子，而自己也為次子，因此從諸多巧合看來，施士洁認為自己與東坡「一類靡不類」，有許多相似。施士洁寫此詩時尚未登進士第，東坡 21 歲時中進士，施士洁 22 歲時進士登第，從這點看來，又更讓施士洁認為自己生命歷程類似東坡，日後以東坡自比，詩風類蘇，更是理所當然。

　　施士洁自進士登第後，擔任短暫的京官後，便以長兄離世為由而辭去官職，回到臺灣。擁有進士科考身分的施士洁在臺灣仕紳階層中擁有很高的聲望，因此不論是他擔任山長或是唐景崧幕僚，詩酒宴會場合及酬唱贈

119── 《全臺詩・拾貳》，頁8。

答往還詩文，成了他詩文集中主要內容。這些雖然是應酬作品，不過施士洁亦因事依人而寫出了當下的感慨及心志，也有可觀之處，如他寫給楊淑仁〈喜晤楊苹笙大令〉的二首七律，詩中便將這位曾隨沈葆楨來臺開山撫番的縣令今昔之情，及與自己的情誼化成詩作：

> 君從臺海入閩天，我住榕壇又幾年。吏隱雖分吾道合，窮通不轉此心堅。風塵牛馬依然走，身世蠻蚣各自憐。破涕笑看行篋集，半窗秋影鬢絲邊。重訪煙波理素琴，成連何處覓知音。鯤瀛絳帳靈光失（謂臥雲師），鳳嶺藍輿舊夢沈（君曾投效卓南軍次）。百首人傳懷葛詠（君紀番俗百絕句，曰《懷葛新詠》），一官老作恥匏吟（《恥匏草》君東渡後作）。拊膺愁說當時事，絕島妖氛黑水深。[120]

此詩應是寫於臺北，兩入均入唐景崧幕下之作品。詩題稱楊淑仁為大令（縣令），應是其候補官銜。第一首詩略述其福建一地因緣，山東新城人楊淑仁曾佐沈葆楨幕後，入閩任官，而施士洁曾為科考亦居住省會福州（又名榕城）數年，一吏一隱，卻能志同道合。第二首則寫楊淑仁在臺的撫番事蹟及詩文作品，亦作為兩人身世連結的重要脈絡。

施士洁雖然擅於場屋科考之藝，但似乎缺乏處理實際政務的吏才，因此他極少擔任重責大任的實務性工作，不擅長為官之道。所以施士洁進士登第後，大多擔任書院山長等教育工作。光緒17年入唐景崧幕僚，亦是以詩酒為伴的文士幕僚為主。在乙未割臺之際，唐景崧、丘逢甲等人成立臺灣民主國，值得注意的是身孚高名的施士洁，並未擔任重要職務，其名士風格，亦由此可見。不過在乙未易鼎之際，施士洁也留下很多當時軍務、

120—— 《全臺詩・拾貳》，頁71-72。

政務的吟詠，如〈感時示諸將和陳仲英廉訪韻〉四首、〈同許蘊白兵部募軍感疊感時示諸將和陳仲英廉訪韻〉四首、〈瀛南軍次再疊感時示諸將和陳仲英廉訪韻示同事諸子〉四首、〈和同年易哭菴觀察寓臺詠懷韻〉六首、〈和哭菴續寓臺詠懷韻〉六首、〈感事和哭菴韻〉、〈別臺作〉三首等，這些都是七律組詩，對於臺人官民抵抗日人來臺而奮戰，留下了無數辛酸悲憤的詩作。

施士洁在 1895 年離臺後，就再也沒回到臺灣。雖然他的詩作，在清廷割臺後，亦一直於臺灣流傳，文名不墜，不過其在文壇的實質影響力，也不如他在臺之時。離臺之後，除在福建仕宦生活、民情觀察及晚年在廈門鼓浪嶼菽莊詩酒聯吟外。詩中雖有對臺灣的懷念，去國懷鄉的作品，不過卻不是施士洁創作的主要主題。反而與臺灣、福建、菽莊詩友的酬唱，以及人情間的壽詩輓詩應酬詩，成了他離臺後最大宗的寫作主題，不過在這些酬唱往返詩中，也可以看出他客居他鄉、落拓心灰的境況，如〈簡菽莊鐘社主人並諸同志〉八首的第一首所寫的：

> 撚髭顧影夕陽天，朽拙聊隨擊缽緣。傅會風騷癡欲死，消磨博弈老猶賢。偶逢青眼慚知己，相對朱顏怕少年。鋏不能彈縱又蕭，鉛刀直得幾文錢。[121]

這八首七律組詩，是施士洁寫給菽莊主人、板橋林家林爾嘉的詩。當然，以施士洁的名望，在當時菽莊文人聚會，一定貴為祭酒的座上賓。但這組詩，施士洁呈現出客氣自謙的情態，遲暮消沉。詩作風格轉為平易恬淡，卻能如實敘述一己實況心境，老成之感，令人沉吟感傷不已。例如此詩，

121——《全臺詩・拾貳》，頁290。

首聯自謙，頷聯隱隱自詡詩藝，頸聯感念知己青眼有加，且深恐自己筆力消退，最後則寫出寄人籬下、賣文換名的無比感慨。施士洁離臺後，中年到晚年詩作大多類此，海外遺老暮年感傷，不過也在不斷書寫詩文下，以其精湛詩藝抒發感慨，並傳達給世人。

四、許南英

　　許南英（1855～1917），臺灣府臺灣縣人，出生於現在臺南市中西區。字子蘊，又字蘊白、允伯，號霽雲、窺園主人、留髮頭陀、龍馬書生等。1879 年（光緒 5 年），通過童子試為生員（秀才），1886 年（光緒 12 年）中舉，1890 年（光緒 16 年）進士登第。許南英未中舉前，曾入府城海東書院就學，拜施士洁為師，與當時同在海東書院讀書的丘逢甲為同學。許南英還未進士登第前，便以詩文聞名府城，與其師施士洁、同學丘逢甲、汪春源、陳望曾等人詩文酬唱，且在故鄉擔任塾師，以教學工作維生。進士登第後，曾短暫擔任兵部車駕司員外郎的京官，旋即請假返鄉後擔任管理「聖廟樂局」事務工作。在 1894 年（光緒 20 年）時，由臺灣省巡撫唐景崧聘入臺灣通志總局，協助纂修《臺灣省通志》。乙未割臺時，許南英募兵二營為統領。在臺灣民主國大總統唐景崧棄守臺灣後，許南英回臺南擔任行政事務，協助劉永福繼續抗日。在日軍進入臺南後，他便喬裝逃到中國福建。之後曾到南洋泰國、新加坡、馬來西亞等地發展。漫遊兩年後，因事業不順返回中國。曾於北京、廣東省的廣州、雷州、陽州等地任官或任職。武昌革命後，退居福建漳州海澄縣，將所居之地號為「借滄海居」，而生計益發困難，需向銀行借貸度日，也接受親友經濟援助。於 1912 年（民國元年）時，曾於 7 月、12 月短暫回臺。隔年，接任龍溪縣縣令，但因志趣不合去職，退居漳州。1915 年，接受廈門菽莊主人林爾嘉月給津貼援助，

隔年 4 月，再回故鄉臺南，9 月時經菽莊主人推介，啟航至印尼蘇門答臘的棉蘭，為當地華僑市長張鴻南編輯生平事略。1917 年農曆 11 月 11 日，因痢疾病逝於棉蘭，享壽 63 歲。身後有《窺園留草》傳世。

許南英中年離臺，在中國及海外流寓二十餘年。雖然擁有進士科考功名，但離臺回歸中國後，屢次擔任短暫的地方縣令，亦多不如意。最後為了糊口謀食，客死南洋，令人不勝唏噓。許南英亡故後，其四子許贊堃（1893 ～ 1941，字地山，筆名落花生，為燕京大學、北京大學、清華大學等校教授、知名宗教學者及小說家），於民國 22 年將其遺稿編輯整理，出版為《窺園留草》。在許地山編纂的《窺園留草》後有附錄二種：〈窺園先生自定年譜〉及許地山撰寫的〈窺園先生詩傳〉。這兩種附錄，對許南英的生平經歷及文學創作過程，有詳盡的記載及描述。尤其是〈窺園先生詩傳〉，許地山以子嗣近身觀察，及學者嚴謹考據的態度，將許南英所處時代的劇烈變動及身為遺民的苦痛感傷，細膩描寫，生動結合。此傳除了可以瞭解許南英創作緣由外，也感受到許南英以詩言志中的感慨悲傷。據許地山統計，目前存於《窺園留草》的作品，七律有 475 首、七絕 335 首、五律 132 首、五絕 38 首、五古 35 首、七古 23 首，其他 2 首，總計收詩 1039 首。詞的部分收 59 闋。詩的部分，因為是從許南英的「未定本」中編錄，多依年編次。乙未割臺前作品多半散佚，離臺前詩作收有 170 首左右，甚是可惜。但離臺後，南北流寓，故里愁思，兼之鼎革易代，社會動盪，海外遊歷，多入詩作，其詩興亦增，詩作亦夥。離臺後餘生 22 年之間，作詩 800 餘首，亦可見許南英歌哭感慨，多以詩歌表現，佳作亦多。《窺園留草》原刊於民國 22 年，許地山只印了五百份，分贈親友。臺灣銀行據許丙丁所藏本，重新標點排印收為《臺灣文獻叢

刊》第 147 種。臺灣文學館則將其詩詞全部收入《全臺詩》第拾壹冊之中。

關於許南英的詩中有大量詠梅之作，其子許地山於〈窺園先生詩傳〉有提及許南英對梅樹梅花的獨特愛好：

> 先生生平以梅自況，酷愛梅花，且能為它寫照。在他底題畫詩中，題自畫梅花底詩占五分之三。對人對己，並不裝道學模樣。在臺灣時發起「崇正社」，以「崇尚正義」為主旨，時時集會於竹溪寺，現在還有許多詩友。他底情感真摯，從無虛飾。在本集裏，到處可以看出他底深情。生平景仰蘇、黃，且用「山谷」二字字他底諸子。他對於新學追求甚力，凡當時報章雜誌，都用心去讀；凡關於政治和世界大勢底論文，先生尤有體會底能力。他不怕請教別人，對於外國字有時問到兒輩。他底詩中用了很多當時底新名詞，並且時時流露他對於國家前途底憂慮，足以知道他是個富於時代意識底詩人。[122]

許南英除詩文俱擅，且精書畫，其中最常作為畫作主題，便是畫梅。在臺灣進士未登第前後，已有許多送畫予人的詩作，如〈題梅花贈趙雄叔〉、〈題畫梅紈扇贈李麗川司馬〉、〈林佑軒同年索畫時在臺將有續絃之喜〉、〈邱仙根工部以詩索畫梅，用其原韻應之。時仙根掌教崇文書院，而余辭蓬壺書院之聘〉、〈王泳翔索題秋海棠畫扇〉、〈題畫梅贈陳煥耀〉等詩。從這裡也可以看出，許南英在臺灣時，便以擅長畫梅名揚文壇，如許地山所言，他亦以梅自況，常將自己畫梅及其他畫作贈人，其詩作雖然都是應酬作品，亦清新可誦，如〈邱仙根工部以詩索畫梅，用其原

122——許地山，〈窺園先生詩傳〉，收於《窺園留草·附錄二》，臺北：大通書局影臺銀臺灣文獻叢刊第147種，1987年，頁246。

韻應之。時仙根掌教崇文書院，而余辭蓬壺書院之聘〉這兩首七絕組詩
所呈現的：

> 講學輸君據上遊， 偷閒讓我占林邱。 一枝圈點淋漓筆， 寫作梅花澹
> 墨浮。
> 索梅想欲夢同遊， 不怕林逋錯老邱。 一首新詩名士聘， 分來半樹暗
> 香浮。[123]

詩題中的邱仙根即是丘逢甲（1864～1912）。丘逢甲比許南英小九歲，
卻比許南英早登進士第。詩中當然是稱許丘逢甲年輕，卻於事業發展上勝
過毫不熱中功名且有名士風範的自己。詩中第一首，寫出了自己與丘逢甲
出處有異，而自己的筆，最適宜以淡墨畫梅，不利於講學或經世濟民；第
二首更是將自己比喻成愛梅隱退的林和靖，將丘逢甲戲稱為「老邱」，亦
可見兩人深厚的同學情誼。

　　許南英在登進士第前後，已是府城知名文人，但也可能是他取得進士
的時間過晚，抑或是他不擅交際，不太參與當時以唐景崧為首文壇聚會，
使得他在乙未割臺前的詩作，幾乎沒有參與詩社的唱和作品，不像施士洁
及丘逢甲那樣活躍於當時府城文壇。雖然其子曾提到他倡組崇文社，不
過，在他的詩中，也鮮見與崇文社文人往返的酬唱作品。在臺灣40年期
間，就算進士登第後，亦是不慕榮利，清貧自守，格調自高，其志氣與生
活，於其七律組詩〈窺園漫興〉四首中，展露無遺：

> 就花缺處補茅廬，擬似衡門泌水居。幽徑半村還半郭，小窗宜晝亦宜書。
> 階前生意栽紅藥，籬外秋光種綠蔬。除卻搢紳官氣習，秀才風味憶當初。

123──《全臺詩·拾壹》，頁179。

秋風石徑長蒼苔，久與衙官謝往來。天上時時雲狗幻，人間處處火牛催。
豫章舊榻無徐稚，易水荒臺弔郭隗。笑爾樞曹閒散吏，不當官去愧無才。
天生傲骨自嶙峋，不合時宜只合貧。容我讀書皆造化，課人藝圃亦經綸。
雨雲翻覆一雙手，冰雪消磨七尺身。不信駑駘鞭不起，也曾馳騁九京塵。
相逢俱是濟時賢，愧我無能著祖鞭。厚祿故人無一字，措資散吏又三年。
杜陵老屋秋風破，庾亮高樓夜月圓。蘭秀菊芳長誤我，酒酣頻喚奈何天。[124]

此四首七律中，許南英直陳自己無任官的才能，不耐官場縉紳氣息，傲骨
嶙峋，不合時宜，因此「久與官衙謝往來」，不與唐景崧之流的官宦來往，
亦是意料中事。此四詩語言明白清切，言志抒情平淡真誠，腴而有味，實
乃許南英離臺前的重要代表作品。

　　在臺南出身的進士中，許南英在乙未割臺時留下幾組組詩，留下了當
時臺灣士人江山易主的悲愴心情，如〈和祁陽陳仲英觀察感時示諸將原
韻〉七律四首、〈奉和實甫觀察原韻〉七律六首并序、〈弔吳季籛參謀〉
七律二首并序、〈防匪〉七律六首、〈和哭盦道人易實甫觀察臺舟感懷原
韻〉七律四首、〈番社防匪偶成〉七絕六首、〈和王泳翔留別臺南諸友原
韻〉七絕二首。在這些厚實深沉的組詩中，可以展現許南英對於戰事不利，
故國家園逐漸淪入日人手中的無奈和感傷。其中，又可見他對於當時自願
來臺協防的名士易順鼎（1858～1920，字實甫）諸多詩作的同感及唱和。
以上這些組詩，都寫於1895乙未年。《窺園留著》詩作依年編次，在乙
未年時，離臺前後，許南英於此年存詩47首，離臺後，曾作〈寄臺南諸友〉
五律二首，寫出他去國懷鄉的無奈心情，還有在乙未抗日中的辛酸：

124——《全臺詩・拾壹》，頁182。

徒死亦何益，餘生實可哀。縱云時莫挽，終恨我無才。身世今萍梗，圖
書舊劫灰。家山洋海隔，鄉夢又歸來。

憶昔籌防局，鄉人義憤同。黔驢齊奏技，桀狗盡居功。含璧憐餘子，收
棋誤乃公。幽冤千載後，誰為表初衷。[125]

在這兩首五律中，第一首是感嘆乙未割臺後，離家無法歸鄉的遺憾；第二
首則寫明當時乙未戰爭，臺人英雄抵抗日人接受，最後無力回天的感慨。
「黔驢齊奏技」，寫出了臺灣兵民烏合兵聚卻奮力抵抗的情況；「桀狗盡
居功」，以「桀犬吠堯」的典故，表明日軍雖然像桀狗一樣效忠邪惡主人，
是無義之兵，但最後還是得到了勝利，無奈至極。

離臺後的許南英，雖於廣東、福建等地任官，但多任期不長，也無特
殊政績建樹。不過他還是在糊口謀生的過程中，不斷地懷念臺灣故土，所
寫的詩歌也更加感人，例如這六首七律組詩〈臺感〉的前三首：

小劫滄桑幻海田，不堪回首憶從前。某山某水還無恙，誰毀誰譽任自然。
我信仰天無愧怍，人譏避地轉顛連。浮沈薄宦珠江畔，已別鄉關十六年。
（其一）

居臺初祖溯前明，二百餘年隸聖清。九葉孫枝備族譜，三遷母教起儒聲
（祖居北門，次遷西門，後遷南門。）。鄭祠馬廟鄰親舍（祖居左有馬伏波廟、右有鄭延平郡王
祠），舊社（在東門外）新昌（在南門外）紀祖塋。無限秋霜春露感，耳邊況有
鷓鴣鳴。（其二）

風雨先人一敝廬，羈人何日歸賦與。世情似水分寒暖，宦跡如雲任捲舒。
酒後喜談高士傳，燈前時展故人書。里鄰鄉黨平安否，翹望東溟訊起居。
（其三）[126]

125——《全臺詩・拾壹》，頁192。
126——《全臺詩・拾壹》，頁247-248。

此組詩作於許南英離臺 16 年後，詩中清楚地寫出自己在中國經歷許多，
卻無一事可堪誇口。在廣東珠江畔浮沉掙扎，雖然問心無愧，但也落得人
譏，且困苦顛連。第二首則清楚地記起臺灣住處及祖塋，還有故鄉春日鷗
鴣的鳴叫聲。第三首則平淡親切地寫出自己想歸鄉的心情，也寫出了離臺
十餘載的境況感慨，是首悵觸人心的佳作。

　　許南英的作品，還有特別值得關注的特點，便是他將前往南洋工
作的生活經驗，寫入古典詩中，呈現出異域南洋情調。許南英自民國 5
年（1916）4 月短暫回臺，於同年重陽節啟程至棉蘭城，到隔年 12 月
24 日辭世為止，一年多的南洋生活，共存詩 130 餘首。短短一年多，
作如此多詩，可見許南英於南洋工作之餘，詩興大發。但也有可能隻
身南渡，以詩自遣。這百餘首詩（大多為七律），也成了當時民國初
年文人下南洋的重要文獻記錄。在棉蘭的詩作中，多為應酬唱和與當
地文人往來的贈答詩，而以詩往來最頻繁的，便是當時同在棉蘭的板
橋林家後嗣詩人林小眉（林景仁，1893 ～ 1940，字健人，號小眉，別
號蟬窟主人）。

　　除交際應酬贈答詩外，許南英南洋海外詩，也記錄當地景致，如〈遊
馬達山和貢覺原韻〉七律二首組詩：

> 翠滴層巒漸放晴，沿溪乘興恣遊行。春隨驛路生和靄，樹為山靈管送迎。
> 猿鳥空山都寂靜，風雲大陸忽縱橫。馬來馬達如懷葛，不識金戈鐵馬聲。
> 蠻荒別有小乾坤，作勢群山萬壑奔。古洞桃花紅滿逕，遠山嵐氣綠侵門。
> 地瓜有味蒸泥灶，天酒無香溢瓦樽。收入南洋風土記，馬來半島小崑崙。[127]

127——《全臺詩‧拾壹》，頁366-367。

此類南洋詩作，亦是許南英晚年詩的一大特點。在中年前未離開臺南故鄉，卻因清國外交政治失利割臺，從此被迫於異鄉輾轉流離的許南英而言，晚年漂泊至錫蘭，應是千愁萬感，無限慨嘆。

　　在清治 213 年期間，府城為全臺政治、經濟、文化、教育重心，也是匯集各級官員的城市。來臺宦遊的文人，對帝國新納領地，充滿了好奇之心，以大量的詩文記載他們當時所看到的臺灣，故多有獵奇的書寫。乾嘉後，臺灣本土文人興起，漸以平常眼光看待故鄉，詩文用以抒情言志，鮮少志怪。這反而使臺南文學的品味及內容題材，與傳統中國文學合流。不再視臺灣一島為異域，本土文人的創作，展現了與宦遊來臺的文人，有著顯著的差異。

第三章

臺南文學書寫主題

前兩章是以時間順序依次介紹鄭轄及清治時期的臺南文學家，本章則以分類主題來介紹這兩時期的文學環境及文學發展概況。在這章中，會先提到方志保存藝文作品的貢獻，接著，承續上一章探討的宦遊文人及本土文人的創作，用二小節來描述其身分性質及詩文特色。第四節、第五節則敘述當時不論外來的宦遊文人或是本土文人，在臺南進行文學創作時的共同取材主題，即臺灣賦、八景詩和竹枝詞。最後則敘述非臺南出身的本土文人，如何對臺南進行書寫。

第一節　臺南方志中保存的文學作品概說

有清一代，臺灣各地方志陸續修纂完成，從最早由康熙年間諸羅縣令周鍾瑄及陳夢林於 1717 年（康熙 56 年）完成的《諸羅縣志》，到歷代府志、縣志、廳志，在方志全書中，都會有〈藝文志〉，記錄與地方相關的詩文及相關的文獻書目。從這些藝文志的選錄的作品，可見方志纂編文人對地方文藝發展的取捨觀點。目前可見的《臺灣府志》有六種，分別是康熙 28 年蔣毓英修纂的《臺灣府志》、康熙 35 年高拱乾修纂的《臺灣府志》、康熙 57 年周元文修纂的《重修臺灣府志》、乾隆 6 年劉良璧修纂的《重修福建臺灣府志》、乾隆 12 年范咸修纂的《重修臺灣府志》、乾隆 28 年余文儀修纂的《續修臺灣府志》。以最晚成書的余文儀修纂的臺灣府志，其〈藝文志〉收錄有以下幾項：「奏疏」、「露布」、「文移」、「書」、「序」、「祭文」、「賦」、「駢體」、「詩」，其中以詩類占最多，占了三卷有餘。其餘臺灣方志所收的藝文志詩文，大都不出此範圍，而且多是轉相傳鈔，增補缺漏罷了。

在這幾種分類之中，我們可以發現，前面幾項都是與臺灣相關的公文書。真正吟詠個人性情及書寫臺灣景物的，大概僅有賦、駢文及詩，尤其

以詩為大宗。若說鄭氏以降至乙未割臺前，臺灣古典漢文學以古典詩為主體，一點也不為過。但是，荷治及鄭轄時期的臺灣古典文獻，在嘉慶年間，除了沈光文百餘首詩作尚存外，其餘皆已湮滅不見。謝金鑾在《續修臺灣縣志》中〈藝文志〉的「著述」類，便曾感嘆典籍消逝無存的狀況：

> 舊志云：右自「東番記」以下，作者二十一家，為書三十八種。邑無藏版，亦少懸簽。年代未遙，散軼過半。統列其目，庶使庋閣之遺，知所護惜耳。又載「瀛壖百詠」末章云：「福台新詠萃群英，調絕音希孰繼聲」？注云：「『東寧詩』一名『福台新詠』，四明沈光文、宛陵韓又琦、關中趙行可、會稽陳元圖、無錫華袞、鄭廷桂、榕城林奕丹、吳蕖、輪山楊宗城、螺陽王際慧前後唱和之作。吳有『桴園詩集』、楊有『碧浪園詩』，又諸羅令季麒光、台令沈朝聘『海外』、『郊行』等集，今皆湮滅，不可復見」。[128]

沈光文和首任諸羅縣令季麒光在清國平臺初期組成的東寧吟社，詩社成員作品《福臺新詠》，在清代早已失傳。其他荷治時期至清中葉，不傳的臺灣詩文著作亦夥，僅存目錄，徒令後人想像。

在這些方志藝文志中所收錄的詩文，站在官方修纂方志乃是以為統治者理解臺灣當地風土民情為目的，收錄「有用」的臺灣各地存留下來的相關文獻。因此在取擇上，便充滿了清帝國宣耀武功及海外拓展國力的政治宣示，如謝金鑾所定下的藝文詩文取擇標準：

> 理足於中而辭達者，謂之文。豈以海外異哉！二百年來，名流撰述不下數十家，而多湮沒不存，惜已！他有作者，上關乎治術政經，下裨乎人

128—— 謝金鑾，《續修臺灣縣志》，臺北：大通書局影臺銀文獻叢刊，1986年，卷6，頁395。

心風俗，斯其選也。昔司馬長卿作「子虛」、「上林」，詞雖工而意不足；然猶曰主乎諷諫，故足傳也。善不足勸、惡不足懲，大之無關乎政俗、小之不本乎性情，則不在論次之列。於是乎述「藝文」終焉。[129]

「上關乎治術政經，下裨乎人心風俗」是謝金鑾總纂臺灣縣志時，取選詩文入志的最高標準。此外則觀乎詩文是否「主乎諷諫」及「本乎性情」。大致上這些都是為統治者教化民心作服務，反過來說中國詩的諷諫也可以為人民服務，將人民生活意見反映給帝王，俾使政風可以獲得改善。本乎性情，才依歸到傳統詩言志，抒發個人情感的詩文書寫。以理解臺灣的相關歷史風土文獻，並「關乎治術政經」的取擇標準，嚴格上，難以呈現臺南一地的文學流變。不過，因為早期臺灣大部分著作，均未雕版付梓便已失傳，現存很多臺灣藝文文獻，還是靠著方志中的〈藝文志〉，才得以流傳後世。因此，在有限且有特定的選文標準下，存在於藝文志中的詩文文獻，如何在有限的詩文中去解讀或重現當時的文學活動及文學流變，便成為研究者重要的課題。

　　若以各種臺灣縣縣志中的最晚修成的《續修臺灣縣志》的藝文志為例，其藝文志占全書八卷中三卷約三分之一的篇幅，其大量保留清代中期前的臺南相關著述文獻，有莫大的功績。其藝文志卷六收有「著述」、「奏疏」、「檄文」、「書」、「議」、「序」、「跋」、「客問」；卷七收有「記」、「賦」；卷八收有「詩」、「詞」。這樣子的分類，適符合編纂者在藝文志前言中所訂下來的收錄標準。卷六所收文章，多為「關乎治術政經」的公文書，或是與臺灣有關的議論書序。與文藝較為相關的，是卷七和卷八所收詩文，剛好一卷文、一卷韻文。

129—— 謝金鑾，《續修臺灣縣志》，卷6，頁393。

在《續修臺灣縣志》卷七所收錄的「記」、「賦」的文章中，其「記」，多為建置廟臺宮宇之記載，從這些記中，大致可見臺南廟宇、公廨、書院、橋梁、亭臺等城市建設過程。這些記都銘刻於石碑，也有許多碑記於今尚存實體於臺南碑林中或其他各處。而賦，以晉江人周澎的〈平南賦〉為首，大多以鋪陳的長篇鉅製，書寫臺灣風物及歷史。以〈臺灣賦〉為名，便收有林謙光、高拱乾、王必昌三篇作品。此外，張湄的〈海吼賦〉描寫臺江內海浪湧聲如海吼、李欽文的〈赤嵌城賦〉書寫臺南府城自荷治迄清治的歷史及風貌、張從政的〈臺山賦〉描繪臺灣山脈始末、陳輝的〈臺海賦〉則與〈臺灣賦〉類似，也是以書寫臺灣歷史風物為主題。在《續修臺灣縣志》所收的這些賦之中，大多視臺地為清帝國新收版圖，按圖稽史，多書寫其異國風貌。值得注意的是，在歷來方志多收宦遊文人作品的傳統下，《續修臺灣縣志》這幾篇賦，李欽文、張從政、陳輝三人，都是本土文人。從這點也可以看出，嘉慶後，臺灣本土文人逐漸興起，雖然在科舉功名及仕宦官職，人數及比例依然不如外來文人，但是其創作質量，已獲得纂修方志者的重視及青睞。

至於詩的部分，眾所周知，沈光文被稱為海東文獻初祖，這當然與他在荷治時期遇風漂流來臺，早於鄭成功十年左右來臺，成為最早入臺的漢人知識分子有關。但是，他雖留有一百多首詩作，散見各方志的藝文志中，卻沒有集結成冊的詩集留傳後世。目前集結其詩最齊全的《全臺詩》中沈光文的詩作，也是從各種方志輯佚而來。不過，沈光文雖在臺三十餘年，但其百餘首詩作，描寫到臺灣相關的詩作，卻異常地少。其詩多懷念故里、贈友述情及即景詠物，卻鮮少以臺灣風物入詩，也少提及在臺活動。其生平狀況，僅能由他人所記述描寫的文字得知，由作品無法看出沈光文與臺灣密切的關聯性。但其收於《續修臺灣府志》中的〈東吟社序〉、〈平臺

灣序〉，收於《蓉洲詩文稿》的〈題梁溪季蓉洲先生海外詩文序〉，還有相傳為沈光文所作的〈臺灣輿圖考〉及〈臺灣賦〉，在這幾篇古文或駢文中，除〈臺灣賦〉被學者質疑為偽作外，其餘的幾篇，都以臺灣為主題，敘述臺灣的山川風物及施琅攻臺前後臺灣的局勢。〈東吟社序〉及〈題梁溪季蓉洲先生海外詩文序〉，更是存留沈光文與首任諸羅縣令季麒光的交誼，及當時臺南第一個詩社成立吟遊的過程，是臺南文學史上重要的文獻資料。[130]

再以《續修臺灣縣志》的〈藝文志〉中所收韻文來看，其卷六收有詩、詞二種韻文文類。第一首唐人施肩吾〈題澎湖嶼〉與臺灣不甚相關，錄詩超過五首以上有：沈光文收詩 5 首、海防同知齊體物 5 首、臺廈道臺高拱乾 14 首、海防同知孫元衡 34 首、海防同知王禮 7 首、郁永河 8 首、藍鼎元 12 首、巡臺御史楊二酉 5 首、巡臺御史張湄 10 首、拔貢生黃全 7 首、巡臺御史范咸 12 首、巡臺御史錢琦 15 首、臺灣舉人陳輝 12 首、孫霖 10 首、鄭大樞 12 首、鳳山教諭朱仕玠 14 首、嘉義教諭謝金鑾〈臺灣竹枝詞〉55 首餘 11 首、臺灣縣教諭鄭兼才 13 首、薛約〈臺灣竹枝詞〉20 首、韓必昌詞 6 首。其中，大部分以書寫府城古蹟及荷鄭歷史為主，但也有出訪名勝景點遊玩的詩，遊賞多為海會寺、五妃廟、斐亭、赤嵌樓、法華寺、彌陀寺、竹溪寺、鯽魚潭等。

《續修臺灣縣志》中藝文志所收之詩，值得注意的是編纂者開始大量收錄臺灣本土文人的作品，而這些本土詩人大多科舉功名不高，絕大部分都沒任官。還有，這些臺灣本土詩人，大多活躍於乾隆末期到嘉慶年間。而此志中所收錄超過十首以上的文人，除陳輝、鄭大樞為臺灣人外，大部

130—— 關於沈光文與季麒光的文學活動，可參閱王建國：〈論沈光文與季麒光之交遊——以東吟社為主要場域〉，《成大中文學報》第70期，2020年9月，頁109-156。

分是康、雍、乾、嘉四朝來臺宦遊的官員。這些宦遊文人或是來臺任幕賓的文人，大多有進士、舉人功名，這意味著這些人都經過古典漢文深厚教育的洗禮。以異鄉客觀察清帝國海外初闢疆土，且此地曾遭荷蘭異族及明朝餘緒統治，留下許多異國風物，理應使文人詩興大發。但是這些文人所寫詩作，大多如出一轍，對景抒懷、弔古傷今，基本上是站在他者的角度來看待臺灣，其遊玩賞景的詩作也表現出其暫為過客的意味。

但是臺灣出身的本土詩人，在面對家鄉本土景物歷史時，其角度則以自我的觀點出發，看待臺灣的觀點自有不同。如對荷蘭人、赤嵌樓、安平鎮、鄭氏、五妃、寧靖王、清人入臺，其態度便寬容同情許多。《續修臺灣縣志》所收詩之作者為臺灣本土文人的，有拔貢生黃佺、生員陳斗南、舉人陳輝、生員盧九圍、生員張英、鄭大樞、歲貢張方高、張士箱（張家開臺祖）、貢生陳文達、明經郭必捷、貢生李欽文、拔貢蔡開春、貢生李零、歲貢金鳴鳳、貢生曾源昌、監生方達義、茂才何借宜、廩生黃名臣、生員王名標、廩生王德元、郡庠生龔帝臣、廩生方達聖、庠生林麟昭、庠生傅汝霖、生員陳廷藩、生員黃廷璧、廩生陳廷珪、生員游廷元、舉人潘振甲、舉人洪禧、歲貢章甫、歲貢韓必昌、生員楊賓、增生陳廷瑜、生員林奎章、生員陳登科、祝道椿、僧蓮芳、洪坤、舉人郭紹芳、貢生游化、拔貢黃汝濟、拔貢黃纘、廩生黃化鯉、廩生張以仁。值得注意的是以上這些臺灣文人，大多僅有生員、歲貢、拔貢，最高僅到舉人，而且幾乎都沒任官。但是謝金鑾大量採錄他們詩作選入方志中，可見臺灣文風漸盛，雖然不及宦遊文士，但到嘉慶晚期，也可勉強與之抗衡。還有，這些選入的詩人，並非全都是臺南人，有鳳山縣人、諸羅縣人、彰化縣人，甚至淡水廳人，舉人黃纘，即是現在的宜蘭人。這些人之所以書寫臺南，主要是因為科舉考試，他們必須來府城參加府試及院試，所以留下許多臺南相關作品。

臺灣方志中藝文志收詞極少，《續修臺灣府志》僅收程師愷一首〈滿江紅〉，則程氏不知是否為臺灣人士。但是《續修臺灣縣志》卻收了本地人韓必昌六闋詞，關於這點相當特別。因為寫詩是傳統文人必備技能，乃科舉考試必考試帖詩。但詞則相對小眾，而與取得功名的科舉考試無關，純粹只是文藝創作。從韓必昌詞被收錄至方志中，可見，當時臺灣本土文學創作必有相當水準。

第二節　宦遊文人階層的形成

府城在乙未割臺之前，不僅是政治、經濟、軍事中心，而且是臺灣最重要的教育及文化中心。首先，以文學活動而言，其主要組成分子乃是讀書識字的文人。在明清時，中國漢人知識分子最重要的人生任務，便是在國家設定的三級科舉考試中登第，依次取得生員（秀才）、舉人、進士這三級學銜，成為社會中「仕紳」階層。荷治時期，臺灣文人尚少，漢文學亦不振，僅有渡海遇風漂流來臺的沈光文在臺灣有實際詩歌創作傳世。在1661 年鄭成功入臺，1662 年擊敗荷蘭人占領臺灣後，來不及建設臺灣便於當年夏天驟逝。不過其繼承人鄭經，在陳永華的輔佐下，建孔廟、興文教、移植科舉制度。在東寧王國的治理下，臺灣才成為以漢人文化為主體的社會環境，漢文學才得以發展。不過，鄭氏治理臺灣二十餘年，卻沒有保存遺留當時大多數的文學作品，僅有重要人士隻字片語的詩作或文章，供後人憑弔。

施琅在 1683 年澎湖海戰勝利後，鄭氏王朝投降，兵不血刃進入鹿耳門拿下臺灣。隔年，1684 年，清帝國在臺灣設立一府三縣，並將帝國的科舉制度在臺灣實行。臺灣一地，於清國領有之後，在鄭氏王朝的漢化基礎上，以臺南為中心，持續推行文化教育相關的統治政策，讓臺灣居民，

一方面與中國傳統文化接軌外，臺灣許多獨特的政治、教育措施，也讓移墾社會為主的臺灣，發展出獨特的文化。在文學上的發展亦是如此。

有清一代，臺灣被清帝國視為特殊地區而在某些統治政策上與大陸其他地區有所不同。首先，臺灣與當時的東北、西藏一樣，人民不得自由來往。大陸人士要來臺灣，必須有渡臺證照，在臺、中兩地對渡港口驗證後，才能往來兩地。這就是所謂的「渡臺禁令」。在清國統治臺灣213年期間，渡臺禁令於乾隆後雖然有短暫開放，不過開放期間，中國漢人也不能自由進出臺灣，依然有一定的限制。渡臺禁令對臺灣文學的主要影響，便是康熙到嘉慶年間，來臺灣而有文學創作能力的人，大部分是來臺官員或是其隨行的幕僚。這些外來的文學創作者，大致上有四類，一是各地政府的各級官員、二是來臺駐守且有文學創作才能的武官、三是學官，最後則是隨幕主來臺任官的幕賓文士。

在清代的康、雍、乾三朝一百餘年期間，臺灣先民尚孜孜不倦地移殖來臺、墾拓臺灣，對於文藝創作尚自顧不暇。漢人勢力以府城為中心，一路往北發展。在朱一貴事變後，雍正皇帝在臺灣原有的一府三縣外，增設彰化縣、淡水廳及澎湖廳。設官治民，正視漢人逐步移墾臺灣全島的事實，但是大甲溪以北全由一個非正式的地方編制「廳」來管轄，可見清帝國對臺灣治理的態度消極。大概在乾隆之前，甚少本土文人的詩文創作，因此所存當時的文獻，多是來臺「宦遊」的官員、幕賓、武將所作。關於這點，連橫在《臺灣通史》的藝文志開端，便有扼要的描寫：

> 臺灣三百年間，以文學鳴海上者，代不數睹。鄭氏之時，太僕寺卿沈光文始以詩鳴。一時避亂之士，眷懷故國，憑弔河山，抒寫唱酬，語多激楚，

君子傷焉！連橫曰：吾聞延平郡王入臺之後，頗事吟詠。中遭兵燹，稿失不傳。其傳者北征之檄、報父之書，激昂悲壯，熱血滿腔，讀之猶為之起舞，此則宇宙之文也。經立，清人來講，書移往來，曲稱其體，信乎幕府之多士也。……其實臺灣初啟，文運勃興，而清廷取士，仍用八比，士習講章，家傳制藝，菁塞聰明，汨沒天性，臺灣之文猶寥落也。

連橫曰：我先民非不能以文鳴也。我先民之拓斯土也，手耒耜、腰刀銃，以與生番猛獸相爭逐，篳路藍縷，以啟山林，用能宏大其族；艱難締造之功，亦良苦矣。我先民非不能以文鳴，且不忍以文鳴也。[131]

連橫在此文清楚地寫出，初期臺灣漢人先民拓墾，勉強求得溫飽及安全，對於文教事業及文藝活動無暇顧及，致使清代中期前文化不盛，不能以文鳴。加上鄭轄初期，以武功立國，雖有遺民流寓臺灣，但鮮以臺地為詩文描寫主題。清人取臺後，八股制藝之學僅能培養專門知識，對文藝的興發，助益亦不大，所以連橫感嘆「臺灣之文猶寥落也」。

在清代本土文人興起前，臺灣社會結構以大量漢人移民為主，就算漢文的藝文創作，當然也是以外來文人居多。所以連橫指出，先民非不能以文鳴，而是在文化底蘊尚未厚實前，臺灣這塊土地上還沒有足夠培育文學發展的條件和環境。臺灣在光緒年間建省之前，其教育制度大致上與清帝國同步，但是因滿清的消極治臺，讓臺灣的教育體制又有異於內地之處。連橫雖然在《臺灣通史》的藝文志抨擊科舉制度，不過，平心而論，科舉制度乃推廣漢文最重要的教育政策。士人為了取得功名，必須研讀熟記漢文傳統典籍，不論能否取得科舉功名，對於漢文的推廣及奠基，科舉制度功不可沒。

131—— 連橫，《臺灣通史》，臺北：眾文圖書，卷24，頁615。

荷治時期非以漢文教育臺灣居民，自可置之不論。在荷蘭東印度公司統治臺灣時期，漂流來臺的流寓文人沈光文，成了唯一漢文學的代表。鄭氏統治臺灣廿多年期間，曾由陳永華設孔廟、興教化、設科舉，但實際施行細則，則罕有文獻記載。滿清在康熙時領有臺灣後，雖然初始在臺設一府三縣，地方編制最高層級僅至府，成為福建省的其中一府。在科舉制度下，有三級功名：生員（秀才）、舉人、進士。舉人稱鄉試，三年考一次，逢子、午、卯、酉為正科，遇國家慶典加科則稱恩科，考試地點為各省省會「貢院」。進士考試在鄉試隔年春天，也是三年一次，考試地點在首都北京，舉人會試中試者稱貢士，經殿試始稱進士。舉人為各省精英，而進士則為全國精英，取得之功名在明清均有任官資格。不過，這在道光時期臺灣本土文人興起之前，臺灣人中舉的數量及比例非常稀少，也直到開臺黃甲鄭用錫於 1823 年（道光 3 年）考上進士後，臺灣日後才陸續有本土文人登進士第。

在臺灣培育文人並且形成文人聚集成文學團體、進行大量文學活動的主要人物，應屬臺灣兵備道的道臺（或稱道員）。臺灣兵備道，在臺灣是因特殊任務而編制的官署。所謂的「道」，並非正式的地方政府編制。清帝國的地方政府，大致分三級，最基層的是州縣、第二級為府、第三級為省。清廷設臺灣兵備道，四品官，與知府同級，但不屬於正印官，即無實質的行政權力。但清廷賦予臺灣兵備道三個特殊職務：兼提督學政、任省級刑審、監督臺灣鎮總兵。這三個任務中，與文學及文人活動最相關的是兼任提督學政。

提督學政，又稱學政，主要主持童生考生員的三級考試中的「院試」。明清科舉制度，在未考取生員（俗稱秀才）的考生稱為「童生」，經縣試、府試、院試合格後，得以取得入縣學、府學就學的資格，稱為生員。生員

又依成績分級，有廩膳生員、增廣生員，還有納貲就學的附生。縣學、府學入學名額均有定例，在經過縣令、知府主持的縣試、府試後，院試由朝廷委派至各地省會的學政主持，而院試便在省會舉辦。童生考試大約每三年舉行兩次，也就是舉辦舉人考試的鄉試那年，因學政必須協助中央派來的考官主持的考務，故鄉試年不辦院試。臺灣因為與中國內地懸隔一海，來往不易。為考量官員及考生的安全，便將原來派駐省會福州的學政主持院試之職責，分撥予臺灣兵備道，讓臺灣道臺在府城主持院試，還有學政須負責的日常生員的科考、歲考。乙未割臺前，臺灣均無專主臺灣考務的學政，所以臺灣兵備道兼督學政，成了臺灣最高層級的學官，也當然成為臺灣各時期的文壇宗主。

有清一代，除了雍正年間及乾隆初期十餘年，學政的職務移至巡臺御史外，其餘學政的工作，均由臺灣道執掌。在主持院試、歲考、科考的過程中，握有省級提督學政權責的臺灣道，便成了以府城為中心讀書人的領袖。再加上雍正年間增設彰化縣、淡水廳、澎湖廳，及嘉慶年間的噶瑪蘭廳，臺灣各地的生童，若要應生童試，除了縣試在本地應考外，府試（澎湖廳生童除外）還有院試這二級生員資格考，都必須要到府城應試。以臺灣道臺為中心，因科舉制度在府城串起了全臺讀書人的交誼活動。臺灣的藝文活動，在臺灣道臺的影響及獎掖下，逐年興盛。在臺南文學史中，對臺灣文藝創作饒有功績的，有楊廷理、胡承珙、周凱、姚瑩、徐宗幹、孔昭慈、劉璈、唐景崧等人。尤其是周凱，其文學影響力，不僅在臺南府城，更擴及金門、廈門、澎湖，成為道光年間福建、臺灣兩地之間，最具影響力的文壇領袖。

由於全臺讀書人，必須經常到臺南應府試、院試、歲考、科考，臺南也就成了清代有能力創作古典詩文的士人聚集場所。臺南古蹟名勝繁多，

這些上府城觀光應試的臺灣各地讀書人，經常會留下詩文抒發思古幽情。文人間交誼聚會，也形成重要的文學交流。這些流傳的詩文，都成為臺南文學史文獻的一部分。

此外，學官不受清代本省迴避的規範，因此來臺學官多為福建省泉州、漳州二府人士。大概因為都使用閩南語而語言相通，加上職務清簡，清代來臺各級學官大量參與臺灣的文教事業，許多學官參與地方方志的編修，因此留下許多跟臺灣相關的詩文。府城的學官，不論是府教授、縣教諭或是府、縣的訓導，他們的著作與其他宦遊的地方官或幕賓不同之處，便是他們的作品更貼近當時庶民的生活，而且留下許多關懷民瘼及描寫當時實際人民生活狀況的寫實作品。此外，他們對臺灣未來發展規畫的意見，也都貼切且具體可行。

此外，自施琅〈平臺灣疏〉以來，臺灣人不許當兵，軍備由班兵從各省軍隊輪調的制度，使得臺灣的軍隊，都是外來的兵將。這些將士們，不乏能詩能文的人才。在清代書寫臺南的人物，來臺的武弁中也有一流的作品。

最後，要提到臺南府城的書院文化。書院的設置，大概都屬半官方的性質。大多數書院，會由地方政府正印官出資及出地，並向民間仕紳募款，設立書院營運的章程，聘請山長主持。一般書院經費的來源，有官府固定供給、義田、學田收入、仕紳捐獻。臺南府城有臺灣第一所書院，在康熙 43 年由知府衛臺揆設立的府義學：崇文書院；此外在康熙 59 年由道臺梁文煊設立的海東書院，另外引心書院、正音書院及其餘社學，這些擔負著府城甚至是全臺學子中高級教育機構，其山長的選擇都是一時才俊，入讀的莘莘學子也表現優異。書院文化及其文人創作，也是本篇關注的重點之一。王必昌在《重修臺灣縣志》最後論述臺灣的書院意見，多可參考：

……其後州縣皆有學，則皆有孔子之廟。又有義學、社學、書院。其師生則有教授、學生、教諭、訓導、秀才、博士等弟子員、增廣生員、上舍、內舍、外舍、廩生、增生、附生之名。而所在學田，亦額置多寡不一。於古制不必盡合，要亦存其意焉。臺雖海外，庶政備舉，人才之興，當亦有漸也。顧府學兩廣文兼司掌教，責有尤專。倘司選者務期得人，身任者終志成物，則文物聲名，豈以地限哉！[132]

從此論大致可知學院的組成人員身分，大抵均為臺地讀書人為主。府學的學官（兩廣文，即府教授及府訓導），也在書院的運作上，占有相當重要的地位。

上文提到，荷治時期除沈光文外，臺灣幾乎沒有漢詩文寫作者；鄭轄時期，以武功立國，雖有陳永華建孔廟、設科舉，以及王忠孝、盧若騰等隨鄭氏軍隊流寓來臺文人，但留下的詩文均寡。康熙22年施琅取下臺灣後，隔年設官治民，在臺灣設一府三縣，正式將臺灣西南部及澎湖納入帝國版圖。首任的諸羅縣令季麒光，與荷鄭遺老沈光文交好，由季、沈兩人為首，集結大陸內地來臺的眾幕賓，共14人，結為「東吟社」。此為臺灣有史以來第一個詩社，而組成分子，無一是臺灣本地出身的文人，而且詩社聯吟詩集《福臺新詠》，也已散佚消失，不傳於世。東吟社實際運作狀況如何？於何地開辦詩社吟會、聚會的擊缽課題詩題各是何題，目前文獻都付諸闕如，僅能從沈光文的〈東吟社序〉及季麒光的〈東吟詩序〉、〈東寧倡和集敘〉此三文，大致揣想推測當時詩社風雅樣貌。

132—— 王必昌，《重修臺灣縣志》，臺北：大通書局影臺銀文獻叢刊，1984年，卷5，頁161。

在清國領有臺灣初期，文壇的主力依然是以宦遊文人為主。在臺灣這個初闢之地，社會上還是保有濃厚的移墾風氣，加上鄭氏王朝在臺灣，也是尚武的政權，在治理臺灣的二十餘年間，並無傑出的文人產生。在康熙時期的臺灣政府官員派任上，康熙幾乎是將帝國內表現優秀的地方官派任到臺灣，所以康熙年間，臺灣的官員素質齊一，也出現了許多能吏。例如臺灣縣首任知縣沈朝聘、諸羅縣首任縣令季麒光、臺灣縣令陳璸、臺灣知府蔣毓英、臺灣知府衛臺揆、海防同知孫元衡、臺灣知府周元文。雍正年間亦有許多名宦，如這幾位巡臺御史黃叔璥、夏之芳、楊二酉、張湄等。這些派駐臺灣的政府官員，不僅敏於政事，在治績上卓有成就，而且在獎掖文藝及個人創作上，大都有相當亮麗的表現。在康熙年間，臺灣文壇除了這些官員的詩文外，另外就是郁永河一系列相關的臺灣書寫作品了。郁永河在康熙 36 年（1697）因福州火藥庫爆炸而來臺灣採集硫磺，並將採硫的九個月過程，以翔實的筆觸寫成《裨海紀遊》一書。書中大部分是記實散文，不過也夾有 12 首〈台灣竹枝詞〉和 24 首〈土番竹枝詞〉描寫臺灣風土及原住民習俗。

大部分來臺官員，都對臺灣特殊的地理、風土、景色及民情，有著強烈的新鮮甚至新奇的感覺，所以對臺灣異於中國的特殊性，就容易成為詩料，成為吟詠書寫的主題。因此，方志中所收的各種八景詩、竹枝詞，都是將臺灣視為異域而加以書寫的詩作。所有的臺灣、海、山川、原住民還有荷鄭統治相關的史事遺跡，都是他們有興趣的書寫題材。此外，有些官員是特別來臺灣處理特別事件，其職務需求，有必要對臺灣整體局勢有所瞭解，因此就需要從知識層面來認識臺灣，而整理這些臺灣相關材料後，行有餘力，形成詩文，其作品便更具學理。例如黃叔璥，作為朱一貴事變後來臺首任巡臺御史，並沒有長時間任職臺灣，也鮮少實際接觸臺灣民

眾。但是他所書寫的《臺海使槎錄》及相關詩文，便帶有濃厚的文獻學術性質。同樣的，藍鼎元隨藍廷珍來臺平定朱一貴之變，其公文書還有詩作，便對如何治理臺灣提供許多值得參考的意見。這類因特殊任務而來臺官員的臺灣書寫，以知識統整、治理需要，成為臺南文獻中值得注意的材料。此外，來臺官員來臺任職，勢必乘船渡過黑水溝，其遠渡橫洋的經驗，及海上航行感受，也是這些宦遊文人書寫主題之一。

相較於康、雍其他來臺官員，詩中專就臺灣與中國內陸不同的特色的詩文書寫，孫元衡的詩集《赤嵌集》便呈現了他在府城居住四年的生活點滴。《赤嵌集》以地命集，共有 360 首詩，在有清一代來臺任官的官員詩集，幾乎無人能出其右。孫元衡來臺任職海防同知，任職四年期間，曾短暫兼攝臺灣知府、諸羅縣令，其足跡大抵在府城、安平間移動，在兼任諸羅縣令時，曾有半個月自府城北上巡境，北至八卦山南麓。這些巡視移動的過程心境，也都確實記錄在詩中。當然，在孫元衡初來臺灣的第一年，當然也書寫許多臺灣異於中國的各種樣貌詩作，例如，中國內地東面臨海，西接大陸，根本看不到夕陽入海。但是臺灣府城剛好相反，西面臨海，所以看不到海上生明月的風景，孫元衡因此有〈日入行〉一詩，寫在台灣常見而中國大陸看不到的夕陽入海景觀。〈海吼〉則寫臺江內海特殊的海嘯聲，就算無風浪，濤聲亦似巨吼。〈颶風歌〉寫臺灣夏秋特有的颱風氣象，這個也是出身安徽桐城的孫元衡所未遭遇過的經驗。〈裸人叢笑篇〉十餘首，更是極盡誇張之能事，將原住民的風俗穿著生活形態以怪奇的筆調加以描寫，以漢人本位角度，怪奇化原住民的一切，而且他筆下的原住民，有很多是聽說來的，並不是親身聞見原住民人物社會才下筆。〈巨蛇吞鹿歌〉更是無中生有，據傳聞為詩料，不具真實性。此外，在〈黑水溝並序〉中，將黑水溝與落漈結合，欲塑造黑水溝危險的形象，也是不實的

文學描寫。但是因為孫元衡詩藝卓絕，創作量大且質精，其作品影響後代甚鉅。其書寫臺灣的主題，後來也被後來來臺宦遊的文人一再沿襲書寫，形成刻板的臺灣書寫主題。關於這點，孫元衡所創造的特殊臺灣書寫主題的模式，值得加以注意。

以異地的眼光來看臺灣當然新鮮怪奇，處處都有驚奇，不過以過客的視角看待臺灣，寫詩當然都挑特別引人興趣的題材來書寫，加上文學技巧的運用，使得孫元衡初期詩作下的臺灣詭譎怪誕。不過孫元衡來臺灣過一年後，逐漸融入臺灣生活，所以也不太再以傳聞不實的材料入詩，反而書寫他在臺灣特殊的生活體驗。尤其他自諸羅縣訪視回府城後所作諸詩，大抵心安於臺灣後，書寫府城的風土人情更為平實，也就是在府城居住了一段時間後，有了感情，更能置身其中感受府城與中國內地的差異性，並將自身情志融入其中，言景抒懷，自然真摯。如〈詠懷〉卅首、〈雜謠〉十首、〈秋日雜詩〉廿首等鉅大組詩，都能顯示出其安於府城後細心觀察周遭一切來吟詠抒懷。因此，《赤嵌集》後半部的詩作，便與其他清代宦遊詩人獵奇詩作有所不同，成為府城文學史中別具風格的詩集。

相較於宦遊詩人，嘉慶、道光後興起的本土文人也不斷地以詩文書寫府城。如上文所述，因為科舉制度中府試及院試的考試地點都在府城，所以府城是為了考取生員的全臺士子必定會聚集之處。此外，在鹿港、八里坌尚未成為與泉州蚶州口和福州對渡正港前，要前往中國內陸，不論是參加鄉試或是經商，也必須由臺南鹿耳門啟航。乾隆前，府城鹿耳門與廈門是兩岸唯一的對渡港口。這些從全臺各地趕赴府城府試院試的士子，對於當時臺灣首府的繁華及古蹟，與從中國內陸來臺任職的官員一樣，充滿了興趣。加上士子間彼此結伴出遊，為逞才使能，同題吟詠的詩作也不少。在清代「臺灣八景」的主題吟詠中，「安平晚渡」、「沙鯤漁火」、「鹿

耳春潮」、「雞籠積雪」、「東溟曉日」、「西嶼落霞」、「澄臺觀海」
及「斐亭聽濤」，府城就占了五項：安平、沙鯤、鹿耳門、澄臺、斐亭，
這些地點都是遊子士人居住在府城中可一日來回之處。不過澄臺、斐亭為
官署樓亭，能寫這兩個地點的詩，在某種程度上也是在誇耀其任官身分。

此外，臺灣特有的原住民族群，也常是府城本地人及外來官員、士子
關注的對象。眾所皆知，臺南為平埔族西拉雅族的居住地，北從急水溪流
域到曾文溪、鹽水溪，有大量的西拉雅族人在此生活著。原住民的風俗習
慣，及漢人跟原住民如何互相交流或衝突，在在都使文人們興起動筆的衝
動。但是本土文人及外來文人如何切入原民生活，如何描寫原民社會，也
是值得探討的地方。

臺灣素稱難以治理，這當然是因為臺灣社會以移民為主，且原漢夾
雜，閩客交錯，加上鄭氏以臺灣為反清復明的基地，民眾一般對清帝國這
個非漢人政權反感。因此，若是來臺官員治理不當，臺灣民眾可能就會打
著反清或復明的旗幟，起義造反。臺灣的三大民變，鴨母王朱一貴起兵叛
清，有一個原因便是他姓朱。林爽文、戴潮春事變均與天地會有密切關係。
雖然這些民變全被清廷運用各種方法鎮壓成功，但是事變後，其實清帝國
都會對臺灣統治政策作大規模的調整。在 213 年的清國統治中，府城只有
在朱一貴事變時被攻克，城破失守。其餘的民變，甚至在嘉慶年間海賊蔡
牽傾全力圍府城，府城均固若金湯，沒有再被叛軍、海賊占領。臺灣民變，
在府城的臺灣最高地方統治者，常以詩文記述其經過。如藍鼎元及趙翼相
關的詩文資料。當然一方面是記實的文獻記載，但一方面，也是宣示守土
官守城有功。其餘府城的文人，也會寫詩作文對民變發表意見。有的探討
民變的原因，有的提出日後治理的建議，以防微杜漸（如鄭兼才、謝金鑾、
劉家謀等學官）。這些詩文一方面可當成史料來看，但這也是府城文人書

寫的主題。還有，道臺負有擇士責任，學官有教育的任務。莘莘學子與學官之間的往來交誼，在清代府城文學活動中，也相當活躍。

最後，因為清代施琅建議的渡臺禁令及班兵輪調政策，臺灣移民社會的形成，偷渡客造成「羅漢腳」而成為社會治安的隱憂，各省班兵則在府城占據地盤，為非作歹。還有，臺灣的賦稅與內地不同，不是收銀兩現金，而是採實物納賦。這就讓地方主事者有很大上下其手的機會。吏治不佳，若再遇上天災，民不聊生，則臺灣就會釀成民變。關於清代臺灣移民社會產生種種弊病，還有如何加強吏治，讓民安而亂不起，這個也是當時府城文人喜歡以描寫當時社會風氣（尤其是弊病）的原因，大量的文人寫作竹枝詞或雜詠之類的作品，或撰文寫作應對政策。其中的最傑出的作品，當然是劉家謀詩、注合一的百首〈海音詩〉，其餘佳作，不勝枚舉，成為清代臺灣府城書寫的一個特色。

第三節　府城的文人社群活動與社會寫實作品

府城有清一代的文學活動，大致在宦遊文人及本土文人彼此詩文互動中逐漸豐厚及茁壯，雖然在經濟文化上，清治下的臺灣均有長足的進步，不過，文學環境文學分子的組成及文人書寫的題材，卻鮮有大幅度的變化。宦遊文人眼中的臺灣異域書寫，以及本土文人對於自我家鄉眷愛歌詠，間以遊臺旅宦客愁和民生風物的關注，形成清代中晚期臺灣府城文學的大致樣貌。在嘉慶、道光之前，雖然有鄭兼才、謝金鑾、劉家謀等學官對當時臺灣民情投注記錄的熱情，但自朱一貴後來的臺灣民變，其戰火及規模均無波及府城，所以文學的創作，也大都止於文人階層的生活書寫。這種情況，到了鴉片戰爭後的晚清，帝國被迫開放鎖國自守後，在臺文人書寫的面向，才有較大幅度的轉變。

在 1858 年（咸豐 8 年）英法聯軍後所簽訂〈天津條約〉中，臺灣的安平港開港，允許英、法、美、俄等國船隻停泊通商。在受到外力衝擊下的臺灣士人，不論是宦遊文士或是本土文人，均於詩文中開始重視時事書寫。值得注意的是，清代自中葉之後，因移民漸往中、北部拓墾，臺灣的經濟重心也逐漸自清代中葉後往北部轉移，對外出口進口貨物的港口，也從安平、廈門一條唯一對渡港，變成鹿港對泉州蚶州口和淡水八里坌對福州五虎門的三口對渡。同樣地，鹿港、艋舺大稻埕，也自清代中葉起，成為臺灣重要的對外貿易港，臺南安平港的地位不再具有獨占性。

臺南安平港已不再獨占臺灣貨物出入口，足見其經濟力可能逐次被中部鹿港、北部淡水河港所趕上甚至超越。雖然府城依然是臺島一地的政治、文化及教育中心，但在面對清代中葉後，中臺灣及北臺灣強勁新興的新天地發展活力，以淡水廳領域為主的大甲溪以北諸地，成為在經濟、教育、文化、政治上逐漸挑戰南臺灣府城的首府地位。事實上，臺灣中北部因為經濟力增強、人口逐漸滋繁，其文人心力及文學創作力，似乎也漸漸凌駕府城之上。自道光年間後，臺灣知名的本土文人，有許多都是彰化縣及淡水廳出身，甚至連科考成績的表現上，舉人、進士，似乎也以臺灣中北部地區居多。例如開臺黃甲鄭用錫，便是北臺灣淡水廳人士。在有清一代，臺灣 30 多位進士中，臺南出身的，有 11 位，約為總數的三分之一。但是值得注意的是，臺南除在 1694 年（康熙 33 年）陳永華之子陳夢球考中進士後，一直要到 1845 年（道光 25 年），才由設籍臺灣縣的施瓊芳再度進士登第。接下來，在 1871 年（同治 10 年），同樣設籍臺灣縣的張維垣又再度登第，這中間隔了廿多年臺南地區才再度產生本土進士。

進士登第是一地文風的指標，對其地之教育、文化及文學發展也僅供參考。文學活動的主體仍是文人創作，不過帶動文藝思潮引領文人大量創作，則可能有賴於孚有聲望的重要文士倡導。在道光後，臺灣古典文壇的聲量，似乎都集中在北部，這大概跟鄭用錫建北郭園、林占梅建潛園於竹塹城，並以此為兩個重要據點形成文學沙龍有關。鄭用錫為開臺黃甲，林占梅為北臺地主富豪，一貴一富，勢成犄角，互別苗頭，彼此具有爭競之心。不過也因為北臺灣有這兩個文人集團，並有領導者，因此自咸豐、同治以後一直到光緒年間，北臺灣的文學活動及文學聲量，均大幅超越府城臺南，形成清代臺灣文學史注重書寫的場域。在歷來的臺灣文學史書寫中，似乎在咸豐之後，竹塹城的北郭園及潛園文人群體便足以代表當時的臺灣文學活動，對於府城當時文學活動及文人概況的描寫介紹，幾乎付諸闕如。但是，在牡丹社事件發生前，沈葆楨尚未來臺之際，全臺的政治經濟文化重心，依然是在府城臺南。當時府城的文學丰采不如淡水廳竹塹的主要原因，乃是府城一直缺乏像鄭、林兩家這種引領風騷且足以在文壇發聲的重要文士。

　　不過，在咸豐時期，臺南地區的文教及文學創作並非靜止不動。與北臺灣蓬勃的文學群體大量創作不同的是，府城的文學活動在缺乏代表性著名文人領導。雖然在當時的文壇鮮有出風頭的文人，不過，在文化紮根方面，也頗有進展。例如，在 1848 年（道光 28 年）來臺灣擔任臺澎兵備道的徐宗幹，於五年任內期間，不僅廣建書院，且興辦義學，也整頓了在臺灣的綠營班兵，最後也順利平定林恭民變。臺澎道臺最重要的兩個任務：主持生員科考的院試及制衡臺灣鎮總兵下轄的班兵，徐宗幹大概是晚清做的最好的臺澎道（當然後來的劉敖政績也不遑多讓）。在這五年的臺灣兵備道任期中，除了留下《斯未信齋文集》及《治臺必告錄》中有關治理臺

灣的重要史料外，徐宗幹亦曾編集《瀛洲校士錄》一書，收有當時府城海東書院師生 33 人的科舉相關作品，收錄詩文、賦及時文，讓我們得窺當時府城士子準備科考的用心。除此之外，徐宗幹在任臺澎道與其後任福建巡撫期間，亦與竹塹林占梅私交甚篤，兩人有過詩文及政治上的互動，林占梅尊之如師。

同治時期之後，文學的活力及勢力，雖然逐步向北臺灣移動，不過府城中的文學活動及詩文創作仍持續進行著。但值得注意的是，這時期，北臺灣及中臺灣大概因為戴潮春之亂，幾乎是全臺灣矚目的焦點，在政治、經濟、軍事及文化上，都受到特別的關注。南臺灣在無亂事的侵擾下，相對地平和無事，這種安靜，反而讓人忽視其活動及發展。加上咸、同後，府城並沒有特立的詩人或文士產生，也沒有特別的文學活動。在道光、咸豐及同治約半世紀之間，府城雖然沒有特出的騷人墨客能與淡水廳鄭用錫、林占梅、陳維英、彰化縣陳肇興、噶瑪蘭廳李望洋、李逢時等詩人爭勝。不過，府城畢竟是當時的政治中心及科考舉行地，道臺、知府及鎮總兵等最高文武行政官員均駐紮於此，其宦遊文士之作品，也撐起了一片異於各地本土文人興起的文學風貌。其中，尤以光緒元年來臺的福建巡撫王凱泰所作〈臺灣雜詠〉32 首、〈續詠〉12 首，及其幕友何澂〈臺灣雜詠〉24 首、府學學官馬清樞的〈臺陽雜興〉30 首最具代表性。此三人之臺灣風物書寫，王凱泰之作大多類似竹枝詞，以七絕為主，何、馬二人，則以七律為主，大量書寫晚清光緒初期前的臺灣府城風土民情，其寫作手法及精神，直承劉家謀海音詩而來。

到了光緒之後，北臺灣成了臺灣的政治、經濟、文化重心。尤其牡丹社事件後，因沈葆禎的建議，於 1875 年（光緒元年）增設臺北府，規定福建巡撫必須半年駐臺後，位於臺南的臺灣府，便不再是臺灣最高的政

治行政中心了。當然，臺灣最高的文官臺灣兵備道還是駐紮在臺南，但是閩撫半年巡臺駐地在臺北府，可見臺灣最高政治權力自南北移。中法戰爭時，臺北、基隆便是清、法兩軍的主戰場，臺南相對平安無事。中法戰爭後，臺灣於隔年，也就是 1885 年（光緒 11 年）建省，省會暫定於臺北府。而位於臺南的臺灣府，改名為臺南府，臺灣最高的政治權力核心最後落於臺北，歷晚清、日治、戰後到現在，從未改變。

臺南在光緒年間雖然逐漸失去其中心地位，但是，在文藝上卻反而有較重要的作家出現。例如，在 1878 年（光緒 4 年）由許南英發起的「崇正社」。其組成成員便有許南英、陳望曾、施士洁、汪春源、丘逢甲、陳日翔、陳卜五、蕭逢源、王詠裳、王藍石、曾雲峰、吳樵山等，這些人均是當時臺灣文壇一時俊彥。崇正社的社員，雖然有非臺南地區的文士，不過創社人許南英為臺南人，創社地點在臺南竹溪寺，主要活動範圍也都在府城。尤其陳望曾於同治 13 年、施士洁於光緒 2 年便進士登第，其餘的文士也有人陸續考上進士，如創社人許南英於光緒 16 年、丘逢甲光緒 15 年、蕭逢源光緒 20 年、汪春源光緒 29 年陸續進士登第。這群聲望極高且有潛力的詩人群體，形成了一組能和北臺灣文人相抗衡的文學創作者。加上，光緒年間，北臺灣的北郭園、潛園兩大文人群體，因主事者鄭用錫、林占梅等人辭世，林家家道中落，其文學活動逐漸衰微，導致光緒後的文學聲量及文壇中心，又一度回到了臺南。臺南文人，在光緒後，又逐漸取得了文學場域的發言權。

在光緒年間，許南英似乎是臺南一地的文壇領袖之一。觀其發起之崇正社，應許南英之邀而加入的文人便可知，許南英在臺南的號召力。值得注意的是，許南英倡崇正社時，年僅 24 歲，而且無任何功名在身，連秀才（生員）的資格也是隔年才取得。接下來在光緒 12 年中舉，1890 年（光

緒 16 年）登進士第。登第後，旋即請假回臺，並掌蓬壺書院擔任山長，帶領臺南後進詩人賡詠不斷，如蔡國琳、趙鍾麒、謝維巖、胡南溟、連橫、李少青、陳瘦痕、吳楓橋、張秋濃、蔡維潛、鄒少奇、曾福星、蘇雲梯、楊宜綠等人，儼然成為當時的詩壇領袖。這群受許南英沾溉之士人，於割臺後二年，1897 年成立浪吟詩社，更是日治初期臺南詩壇之盛事。

另一位臺南文壇領袖，則是光緒 2 年登第的施士洁。施士洁父施瓊芳亦是臺南府城出身的進士，父子俱進士登科，為臺灣文壇佳話。值得注意的是，施家兩父子，詩文俱擅，而且留有大量作品傳世，施瓊芳的《石蘭山館遺稿》及施士洁的《後蘇龕合集》，對於瞭解道光至光緒年間臺南府城的文人生活，及相關文學活動，均有相當大的助益。施士洁可能沒有參加許南英在進士登第後所倡導的浪吟詩社，不過他卻加入了當時臺灣兵備道唐景崧於 1889 年（光緒 15 年）所創倡的「斐亭吟社」。斐亭吟社在當時臺灣道臺唐景崧的號召下，加入的社員有羅大佑、唐贊袞、施士洁、林啟東、汪春源、蔡國琳、陳鳳藻、熊瑞卿、施幼笙、倪鴻、羅建祥、蔡金臺、鄧籛、周長庚、劉雍、譚嗣襄、許南英、丘逢甲、鄭鵬雲等人，主要創作以詩鐘為主。社員聚會作品，亦曾集結成《詩畸》傳世。

光緒年間臺南府城的崇文社及有半官方提倡的斐亭吟社，在近廿年的臺灣文壇中，占有重要地位。許南英、施士洁年齡相倣，功名俱高，成為光緒時府城重新取得文壇領袖地位的重要領導人物。不過在唐景崧任臺灣道期間，因為他的獎掖文藝，並禮聘施士洁任海東書院山長，雅好文藝，才使得府城藝文界重新活絡有生氣。

光緒年間，臺灣文壇的雖有南北互相爭競之勢，而府城文人在光緒時亦出現了幾位代表性文人，詩文兼擅。恰巧承北臺灣鄭用錫、林占梅、陳維英及中臺灣陳肇興、蘭陽李望洋、李逢時之後，續繼臺灣文學的光輝。

施士洁、許南英及府城諸多文人，在乙未割臺前，也適巧逢好文官員唐景崧在於府城任職兵備道。因此，一時文壇重心，似乎又從北臺灣回轉至府城。肆後，隨著唐景崧北上任臺灣巡撫，甲午中日戰啟、乙未割臺，臺灣民主國的短暫抗日，府城的文人，創作了許多臺灣易主時可歌可泣詩篇，也為清代臺灣文學史劃下句點。

第四節　〈臺灣賦〉及八景詩中臺南書寫

臺灣作為清帝國新納入的領土，不論是在荷蘭東印度公司時期或鄭轄時期，雖然有漢人陸續移入臺灣，不過對於大多數的清帝國人民來說，臺灣仍是一片充滿未知領域的神秘島嶼。在 1683 年（康熙 22 年）年夏天施琅於澎湖海戰大敗鄭氏軍隊，鄭克塽降清。隔年清國在臺灣設一府三縣，正式將臺灣納入帝國版圖後，來臺灣的官員，首要之務，便是調查臺灣整理此地相關的資訊，以提供帝國統治相關需求。因此，對臺灣土地民情風俗物產進行調查和整理研究，其具體實務成果，便展現在臺灣方志的編纂及書寫。方志是百科全書式的地方資料匯編，一冊簡編，方便提供來此地的守土官及其幕僚能夠對臺灣此地有深入瞭解及清楚掌握。因此，在臺灣設一府三縣的五年後，在康熙 28 年便由臺灣首任臺灣知府蔣毓英編纂完成並出版首部《臺灣府志》。不過在清國領有統治臺灣之前，便有沈光文撰〈臺灣賦〉，以賦體鋪陳的方式，來為漢人讀者介紹臺灣這片新開發的天地。

方志的編寫，具有實務性的具體資料匯整，主要是讓來臺灣的統治者能最快進入狀況，能對治理此地有基本的藍圖規劃概念。不過，像類似〈臺灣賦〉這類的書寫，本身即大量使用文學鋪陳排比技法，大量使用典故，意圖以賦體的文學體裁方式展現文人想像中的臺灣之美。這種美感建立在

客觀的事實描寫上，不過在描寫過的過程中，對於其奇特的部分，則花費較多筆墨加以渲染。

沈光文所撰的〈臺灣賦〉目前已亡佚，現存乃由盛成教授重新刪訂之〈臺灣賦〉，非沈作原貌。不過據季麒光所寫的〈沈光文傳〉中提到：「所著：〈臺灣賦〉、〈東海賦〉、〈檨賦〉、〈桐花賦〉、〈芳艸賦〉及花艸菓木褉記古近體詩，俱係存稿，未及梓行，今年七十有五，尚雄於詩詞，文武執事之人，皆敬禮之。」（《蓉洲文稿》卷三）可見在康熙年間，沈光文所著之〈臺灣賦〉尚存，而沈光文大量以賦體來介紹書寫臺灣這一新闢之地，也影響後來文人以賦這種體裁來書寫臺灣。

應該是受到沈光文的影響，以書寫臺灣為主題的賦作，在康熙年間便有林謙光的〈臺灣賦〉、高拱乾的〈臺灣賦〉、周澎的〈平南賦〉、李欽文的〈紅毛城賦〉；乾隆年間周于仁的〈臺山賦〉、張湄的〈海吼賦〉、陳輝的〈臺海賦〉、王必昌的〈臺灣賦〉、卓肇昌的〈臺灣形勝賦〉、林夢麟的〈臺灣形勝賦〉、章甫的〈臺灣形勝賦〉等。乾隆之後，這類概述臺灣主題的賦作書寫傳統，才逐漸退去熱潮。

除了沈光文的〈臺灣賦〉外，這系列最重要的臺灣主題賦作，便是首任臺灣府學教授林謙光的〈臺灣賦〉。這篇作品以「汗漫公子」與「廓宇先生」為虛擬人物進行對話，在問答間敘述了從來臺過程到臺灣山川形勝、民情風土及特殊物產。在敘述的過程中，除舖張的描寫，也摻雜了炫奇的想像，如在列序臺灣山勢時的寫法如下：

於是大岡，小岡，嶢屼嵬崔；半崩、半屏，嶄嶻嵓崿。鳳巒插漢以嶔，龜山負地而磅礴。翠織觀音之峰，丹銷赤崖之塹。聳打狗於平坡，峙買

豬於廣漠。木岡、凹底，形若聯翩；阿里、雞籠，勢相掎角。玉筍璀璨，則漾素影於波濤；金礦嶙峋，則仗雷聲為管籥。計自南而訖自北，繞以二十二重之溪；由此界而溯彼疆，隔以六千餘里之谷。[133]

文句中運用冷僻怪字，這當然是漢賦以來的傳統。只是這種概述性質的地理描述，將大岡山、小岡山、半崩山、半屏山、鳳山、龜山等等臺灣諸山以華麗險竣的辭彙來加以形容，幾乎僅是創作者在炫耀其文學技巧，對於認識臺灣各地諸山脈沒有多大的助益。

　　同樣地，在描寫原住民習俗方面，也是大量使用文學華麗藻飾的技巧來炫技，並不是像郁永河、孫元衡、黃叔璥等人，以文字書寫原住民生活風俗來加以記錄，讓漢人讀者更理解原住民。林謙光的〈臺灣賦〉中原民書寫，也是將原住民當成可以呈現作者文學技法的敘述客體，在書寫中，大量使用文學技巧來展現其美，而這種美感，則多屬於文學想像，如林謙光以下對當時臺灣原住民的描寫：

> 則有文身番族，黑齒裔蠻。爛滿頭之花草，拖塞耳之木環。披短衣而抽籐作帶，蒙鳥羽而編貝為繁。聞中國異人之戾止，乃跳石越澗以來觀。饋波羅之清冽，獻嘉檨之甘酸。蕉子剝來，幾等木桃之贈；王梨摘落，用將葵藿之歡。翹首瞻依，幸彼俗之未陋；跂足蠕動，知大化之可頌。[134]

林謙光在這段描寫臺灣原住民的段落中，將臺灣原住民形塑成天真浪漫的紋身黑齒番族，並對漢人禮貌客氣會贈送波羅、檨子、香蕉、王梨（鳳梨）等臺灣特產給漢人。這段文字的重點在最後，便是林謙光以漢人觀點，還

133—— 林謙光，〈臺灣賦〉，收於謝金鑾，《續修臺灣縣志》，卷8，頁528。

134—— 林謙光，〈臺灣賦〉，收於謝金鑾，《續修臺灣縣志》，卷8，頁528。

有他身為府儒學教授的職責意識，認為臺灣的原住民最後會因仰慕中華文化而被教化。

在清初康熙時期相關臺灣賦書寫主題，幾乎都是涵蓋整個臺灣來作概述，而這些賦也收錄在各時期的臺灣編修方志中的藝文志中。藉由方志的保存，才不致湮滅消失。但康熙末期，書寫臺灣的賦，便不是概述全臺灣而是偏於一地或一物的主題呈現了。例如1718年（康熙57年）底由當時的鳳山知縣李丕煜著手編纂《鳳山縣志》，於隔年完稿，並在康熙59年年刊刻。其中實際編纂的本土文人之一，當時的鳳山縣學廩膳生李欽文，便創作了一篇〈紅毛城賦〉，並將此賦收錄於《鳳山縣志》的〈藝文志〉中。此賦題的「紅毛城」，當然指的便是荷蘭人建的赤嵌城，又稱熱蘭遮城。此城位於一鯤身，是荷蘭人的政治軍事行政中心，鄭成功逐退荷人後，以故鄉安平之名命名此地。在我們的觀念中，安平當然是府城的一部分，但是在清代康熙設一府三縣時，一鯤身安平，其行政區域的劃分，卻是隸屬於鳳山縣，因此李欽文才會特意撰寫此賦以入該縣志的藝文志中。

〈紅毛城賦〉一開始寫臺灣的地理方位，乃「地屬東南之極，星分牛女之墟」，接著寫此城被荷蘭人、鄭氏及後來清國交替掌控，數次易主，最後成為清國的領地。清國朝廷在此地設「大師居中而彈壓，副戎統制於安平，維濱海之雄鎮，端有賴於茲城」，成為臺灣重要的軍事基地。接著描寫安平的自然景致及軍隊戍守狀況後，此賦於最後還是在歌功頌德中總結：

> 迺知天威遠屆，聖德汪洋，山岳兮永奠，海波兮不揚。民豐物阜兮，俗厚而康。安如磐石兮，固若金湯。熙熙皞皞兮，願頌億萬年於無疆。

在清代這些以臺灣為介紹書寫主題的賦作而言，〈紅毛城賦〉開始從概述性的臺灣整體的賦轉向單一主題的賦作。因此，自乾隆後，〈臺灣賦〉這

類賦作便消失不見，繼之而來文人熱中寫作的賦的主題，便是〈觀海賦〉、〈文石賦〉、〈臺山賦〉、〈海吼賦〉、〈臺海賦〉等單一主題式的書寫，甚至有〈夾竹桃賦〉、〈秋牡丹賦〉、〈龍目井泉賦〉、〈桐花賦〉等專詠臺灣風物的賦作出現。

　　〈臺灣賦〉主題寫作的殿軍，乃王必昌所撰之〈臺灣賦〉。王必昌（1704～1788），字喬嶽，號後山，為福建省德化縣人。1745年（乾隆10年）進士二甲登第，於1751年（乾隆16年）應舊識好友時任臺灣縣知縣魯鼎梅之邀，來臺任《重修臺灣縣志》總輯，並於隔年完稿刊刻。除了撰有〈臺灣賦〉之外，其〈澎湖賦〉則是最早專詠澎湖之賦作，其後多有繼作者。王必昌因負責總纂《臺灣縣志》，二年之間，對臺灣風土歷史人物史蹟山川形勢物產勝事均有瞭解，因此便「謹就見聞，按圖記，輯俚詞，資多識。愧研練之無才，兼採摭之未備，聚敷陳夫土風，用附登於邑志」（王必昌：〈臺灣賦〉最末），將自己對當時編志之後對臺灣的認識，以文學筆法書寫成〈臺灣賦〉。王必昌的〈臺灣賦〉與前賢最大的不同之處，在於他在此賦中，著重描寫對此地治績及文化有貢獻的前賢，重視在臺人物的描寫，這在前人的臺灣相關賦作是幾乎看不見的，如：

> 思易俗以移風，賴當途之經理。蔣集公績懋撫綏，陳清端澤流遐邇。茹冰蘗以率屬，則林荔山之操履。持玉尺以衡材，則夏筼莊之造士。又或留心風物，雅意典章。孫司馬揮毫珠玉，袁司訓積書宮墻，皆有造於斯土，稱盛世之循良。若乃僧衣作賦，沈文開萍踪坎坷。蝶夢名亭，李正青塵緣參破。景寓公之清標，足廉頑而立懦。

在這段敘述臺灣先賢文字中，王必昌舉出了循吏蔣集公（蔣毓英，字集公，臺灣首任知府）、陳清端（陳璸，曾任臺灣縣知縣、臺廈道臺，死後諡清

端，為臺灣著名廉吏）、林荔山（林天木，雍正時巡察臺灣兼理學政）、夏筠莊（夏之芳，雍正時巡察臺灣兼理學政，收有臺人士子試牘《海天玉尺集》共二編）、孫司馬（孫元衡，康熙時來臺任海防同知）、袁司訓（袁弘仁，雍正時來臺任府儒學訓導）、沈文開（沈光文）、李正青（鄭轄遺老李茂春）。

　　除了列舉以上的臺灣先賢外，王必昌又舉出寧靖王之五妃，還有陳永華之女、鄭克之妻，貞婦陳氏，作為臺灣女性貞節忠義之代表。這種重視人物的〈臺灣賦〉，在王必昌之前以臺灣為主題的賦作中均不見，因此，此乃王必昌〈臺灣賦〉之特點。

　　在這批以臺灣為書寫主題的傳統逐漸發展到了乾隆時，開始有本土文人，也以類似相同主題開始從事賦的寫作。其中，收錄於王必昌編纂的《重修臺灣縣志》〈藝文志〉中，便有恩貢生張從政的〈臺山賦〉及舉人陳輝的〈臺海賦〉。這兩篇本土文人的鉅作，可視為〈臺灣賦〉書寫主題傳統的延續。雖然是由本土文人以在地人之眼來看待故鄉風土，不過細讀其文，卻發現兩位本土文人的觀點及寫法，與之前的宦遊來臺文人的作品比起來，並沒有多大的差異。

　　〈臺灣賦〉的書寫傳統，自沈光文後，一直是清初來臺宦遊文人將臺灣視為他者的異地書寫主題。但是隨著清國統治時間的增長，到了乾隆年間，此類書寫無以為繼，在創作上呈現不出新意。因此這種書寫異域臺灣的書寫，到了王必昌、陳輝、張從政等人後，就難以延續了。反之，針對臺灣單一特殊地點、景致或風物的書寫代之而生。但這些文人，不論是宦遊來臺的文士或本土文人，大多以獵奇的心態，用誇張的文學筆法來堆疊典故及運用華麗辭藻進行炫技的賦體書寫，真正寓個人情思於文章之中的作品，相當少見，所以這些賦也難以打動讀者。但是賦的創作本來就是一

種文學炫技的宣示，基本上，能寫賦炫耀文才的人，自康熙至乾隆，大多是宦遊來臺文人。直到乾隆時期陳輝、李欽文等本土文人賦作出現後，也逐漸打破了文壇發聲場域被宦遊文人壟斷的局面，因此，從〈臺灣賦〉這種書寫主題的流變過程，也可見府城文壇的轉變。

中國傳統文學中的地景書寫，從北宋的宋迪「平遠山水畫」後，就開始出現了「八景」主題詩作，最早的八景詩為瀟湘八景。此後中國文人亦常將各地勝景，選出八處，賦予美名，並加以吟詠，成為各地重要的風景主題詩作。臺灣被納入清帝國版圖後，來臺的清國文士，為附庸風雅，亦在臺各地創造屬於各地的八景詩。最早為臺灣立八景詩，為知府高拱乾。在其編纂之《臺灣府志》中〈藝文志〉中，即收有高拱乾、齊體物、王璋、王善宗、林慶旺等五人的〈臺灣八景詩〉。《臺灣府志》所設八景之名目為：〈安平晚渡〉、〈沙鯤漁火〉、〈鹿耳春潮〉、〈雞籠積雪〉、〈東溟曉日〉、〈西嶼落霞〉、〈澄臺觀海〉及〈斐亭聽濤〉八首。

在高志所列的臺灣八景，位於府城的就占了五個。只有〈雞籠積雪〉、〈東溟曉日〉、〈西嶼落霞〉應該是在基隆與澎湖。而屬府城勝景的「澄臺」和「斐亭」，又都是位於臺廈道衙署後院的建物，大多為清時宦遊官員聚集飲酒聯吟的處所，屬人文景觀。至乾隆初期，斐亭已敗塌，但澄臺卻在歷任的道臺持續整修，至清末唐景崧任臺灣兵備道時尚留存。高拱乾所立八景名目為府八景，後修臺灣縣志時，亦有編纂者為府城專立八景名目。關於臺南八景，謝金鑾編纂的《續修臺灣縣志》之〈勝蹟〉中，將臺南府城八景的沿革扼要地寫出來：

大地之秀，蔚為山林泉石，得人力為亭臺池沼，一經品題，遂成勝蹟，而沉沒者多矣，蓋其中有幸不幸焉。舊志所稱邑治八景，曰鹿耳春帆、

曰鯤身集網、曰赤嵌夕照、曰金雞曉霞（此屬澎湖）、曰鯽潭霽月、曰雁門煙雨、曰香洋春耨，曰旗尾秋蒐（散見山水古蹟各志，自御史錢琦以下皆有題咏）。又郡八景，曰安平晚渡、沙鯤漁火、鹿耳春潮、雞籠積雪（此屬淡水）、東溟曉日（同上）、西嶼落霞（屬澎湖）、澄臺觀海、斐亭聽濤（俱在道署內，自巡道高拱乾以下皆有題咏）。[135]

在這段文字中，邑治八景和郡八景，分別指縣八景及府八景。府八景得名自高拱乾自無疑義，且方志中也多收有完整的高拱乾所分詠的八首詩。但是謝金鑾所認為的邑治八景，卻是由錢琦所撰的八景詩而來，另有一派邑八景系統，乃是劉良璧在《重修福建臺灣府志》所提的八景：木崗挺秀、蓮湖飄香、鹿耳聽潮、龍潭夜月、赤嵌觀海、金雞曉霞、安平晚渡、沙鯤漁火。沿此系統下來的有范咸編纂《重修臺灣府志》的八景：木岡挺秀、蓮湖飄香、北線迴瀾、赤崁遠眺、龍潭夜月、金雞曉霞、井亭夜市、郡圃榕梁。現錄巡臺御史錢琦的邑治八景詩如下：

何處聲聲布穀啼？岡山山北柳林西。杏花春雨紅千畝，蔗葉寒煙綠一犁；水引石頭開短甽，笛橫牛背過前溪。屢豐不待秋來卜，多稼如雲望早迷。（〈香洋春耨〉）

孤城百尺壓層波，一抹斜陽傍晚過。急浪聲中翻石壁，寒煙影裡照銅駝。珊瑚籬落迷紅霧，珠鬥欄桿出絳河。指點荷蘭遺跡在，月明芳草思誰多！（〈赤嵌夕照〉）

誰移古塞落蠻村，煙雨蕭蕭舊壘存。畫裏江山天潑墨，馬頭雲樹客銷魂。

135── 謝金鑾，《續修臺灣縣志》，卷1，頁26。

三峰積靄開仙掌（東坡詩：「試觀煙雨三峰外，都在仙靈一掌間」），百尺疏簾卷梵門（地接羅漢門）。料得詩懷觸發處，最無聊賴是黃昏（韋莊詩：「何處最添詩客興，黃昏煙雨亂蛙聲」）。（〈雁門煙雨〉）

沙礁屈曲海門通，幅幅蒲帆挂遠空。攣絮亂雲天上下，斷行飛鷺浪西東。風搏喜近鯤鵬路（門接鯤身島），星落剛臨牛女宮（台灣星分牛女。孟浩然詩：「暝帆何處宿，前指落星灣」）。畫意詩情何處最？桃花春漲夕陽紅。（〈鹿耳連帆〉）

歷歷沙鯤跨海隅，我知魚樂網平鋪。宏開三面恩波闊，細織千絲夕照孤。春水當門浮角抵，秋風滿地小江湖。殷勤為向漁師問，中有珊瑚採得無？（〈鯤身集網〉）

石立金雞唱曉聲，曙光紅泛早潮平。暖蒸春髓浮元氣，小結仙壺幻赤城。捧日天真瞻咫尺，應時海亦象文明。晴霞五色濤千丈，穩載長更十二程。（〈金雞曉霞〉）

宿雨初收夜氣妍，空靈色相妙難詮。澄來止水壺中月，洗淨浮雲水底天。鮫女靜開霜匣照，驪龍冷抱寶珠眠。冰心徹底誰憐取，留得清光在海邊。（〈鯽潭霽日〉）

秋登社社報年豐，閒向平原纘武功。兔窟草枯飛踏箐，鹿場風勁硬開弓。煙清紫塞關臨北（北為雁關門），旗卷青山尾轉東（地名東方木）。獵罷歸來回首望，蒼茫一片暮雲空。（〈旗尾秋搜〉）[136]

這類八景詩，在臺灣各地方志編纂時，文人附庸風雅，都會在當地立名題詠，以為文學風尚。這類型詩作多作七律，但也有五律及七絕的作品。雖

136── 謝金鑾，《續修臺灣縣志》，卷8，頁584-586。

屬應酬成分居多，少見詩人獨特情志抒發，但對地方景致的標榜揚揶，卻有推波助瀾之功。後人沿前人所擬景之題繼續吟詠，也成為另一種地方文壇的風雅文化活動。

第五節　記錄臺南風土民性的詩作及竹枝詞

自從唐代劉禹錫採用民歌竹枝詞來記錄他任職的夔州地區風土民情後，竹枝詞便成一項類似民歌的七絕形式詩歌，書寫主題也以異域風情為主。因為劉禹錫這種短小精準的七言四句詩歌形式，自由不拘且準確地寫出置身異地的觀察。所以竹枝詞這種七言四句詩，在歷代常被文人使用來記錄他鄉的風土民情。在清代早期來臺宦遊的外來文人，如郁永河、黃叔璥等人，都有七絕長篇竹枝詞組詩，來記錄描寫當時他們所觀察的臺灣。竹枝詞的形式及寫作精神，大多被後來宦遊來臺的文人所承繼，他們依然使用形式較自由且篇幅短小的七言四句詩的竹枝詞樣貌來書寫他們當時眼中的臺灣風情。只不過，當時的人寫這類詩，多冠以「雜詠」之類的詩題，但是明顯地，這類詩作都有竹枝詞的味道。

臺灣納入清帝國版圖，本來在清國人或漢人眼中，便是一塊新天地。首先，臺灣是新領地，不論是荷蘭時期或是鄭轄時期，都不是帝國一般百姓能自由進出的處所。就算在清國在臺設一府三縣置官治理後，也在此實施渡臺禁令，在內地的漢人不得自由出入臺灣。兼之有臺灣海峽黑水溝的隔絕，清代的臺灣對於大陸的漢人來說，具有相當程度的神秘性。這對從小接受經典教育並嫻熟詩歌創作的來臺文人而言，臺灣成為一個最好的書寫主體。其中新穎奇特的題材，源源不絕。原住民風俗、移民社會、獨特地理景觀、與中土迥異的物產、荷治鄭轄的統治餘緒，在在都成為來臺宦

遊文人歌詠的對象。而詩歌體裁的選擇，竹枝詞的臺灣雜詠形式，便成為許多人考慮優先採用的樣貌。

或許清初宦遊來臺文人一系列的「臺灣雜詠」主題詩作，我們幾乎可將之視為臺灣竹枝詞的延續。在取材及創作心態上，這些詩人莫不以獵奇嘗鮮的心態來看待臺灣的一切。這類臺灣雜詠先行之作，是1691年（康熙30年）來臺任海防捕盜同知的齊體物所撰的〈臺灣雜詠〉十首。這組詩，原收於高拱乾所編修的《臺灣府志》及周元文的《重修臺灣府志》中，謝金鑾編的《續修臺灣縣志》〈藝文志〉收錄其中兩首如下：

> 春盤綠玉薦西瓜，未臘先看柳長芽；地盡日南天氣早，梅花才放見荷花。
> 釀蜜波羅摘露香，傾來椰酒白於漿；相逢歧路無他贈，手捧檳榔勸客嘗。[137]

謝金鑾所選的這兩首詩，前一首是寫臺灣位於天南的特殊氣候，與中原迥異，讓來臺文人感到新奇。臺灣氣候早熱，寒冬短暫，所以物序移轉時間與中原內陸大不相同，在春天吃到西瓜、冬天看到柳芽、原本應在夏天盛開的荷花卻在春天開放，這一切都讓齊體物訝異。而下一首則是寫臺灣特殊的物產飲品及食物，尤其以檳榔待客的熱情民情。詩中會特別提到臺灣人以檳榔招待客人，是因為在中國，檳榔是難得且珍貴的零食，一般在富貴人家中才能吃到檳榔，但在臺灣卻是尋常可得用來招待客人的食物。

此外又有陳兆蕃所著〈臺灣雜咏〉二首七律：

> 茅簷竹壁半耕農，士女於今罷斥烽。山色千年森虎豹，潮聲萬里撼蛟龍。
> 朝裘午葛邊嵐異，撾鼓催航野渡衝。自是天開南極處，向來裸髮也雍容。

137—— 謝金鑾，《續修臺灣縣志》，卷8，頁547。

天空海闊任婆娑，極目岡陵譬似螺。草地桑苗遲作賦，鴻濛筆墨漸開科。
猙獰番女披衣少，勞苦車牛涉水多。五十年前兵甲事，猶餘父老為談麼。

陳兆蕃為康熙年間來臺的福建泉州晉江人，生平不詳，來臺灣大概是任職官員幕賓。在這兩首收錄在臺灣方志的詩中可看到，題為臺灣雜詠之詩作，若不採竹枝詞七言四句形式來寫作，寫成律詩，則更見詩作功力，更強調其詩藝。

此外，〈臺灣吟〉也可歸為臺灣雜詠這類詩題的譜系之一。如1719年（康熙58年）來臺任海防同知的王禮有六首七絕〈臺灣吟〉、康熙末年來臺的黃學明有三首七律〈臺灣吟〉，這也是外來文人由這類作品的寫作來呈現他們眼中的異域臺灣特色。如以王禮的〈臺灣吟〉六首，也頗有臺灣竹枝詞的韻味：

東土濃濃夜露泠，更寒短枕值初醒。全無雨意當空靄，曉起驚看濕滿庭。
相逢坐定問來航，禮意殷勤話一場。急喚侍兒街上去，捧盤款客買檳榔。
蔬園迫臘熟西瓜，剪蔕團團載滿車。恰好來春逢聖誕，急馳新果獻京華_{臺瓜熟於臘月}。
短靮方箱縛始成，車中捆載策牛行。輾來不盡鄰鄰響，夜靜如聞畫角聲_{臺多夜行車}。
唐人_{台呼內地為唐人}鼓楫涉風潮，坊裏雜居欣共招。雖是姓名編戶籍，算來土著正寥寥。
淺黃牛牯謾耕田，雙挽柔韁挂錦韀。騎者不知何處客，西郊踏遍過東阡_{臺俗尚騎牛}。[138]

138── 謝金鑾，《續修臺灣縣志》，卷8，頁559-560。

在這六首〈臺灣吟〉中，王禮與歷來康熙時期來臺的文人不同，就是他並不書寫原住民。第一首寫臺灣特別的夏夜濃厚露水的特殊氣候；第二首寫臺灣人以檳榔待客的特殊民情；第三首寫南國臺灣西瓜於春天便熟的溫暖節候；第四首寫牛車；第五首寫移民人多，漢人勢力已超過原住民，而最後一首寫臺灣騎牛的習見景農家景象。當然，時任海防同知的王禮，詩中所寫的漢人風情，乃是當時府城臺南習見的場景。

此外，康熙時來臺的廣東人黃學明所存的四首七律〈臺灣吟〉，後三首都是專寫當時臺灣的原住民，如以下所錄的〈臺灣吟〉第四首，便是描寫臺灣高山傀儡番的作品：

山深深處又深山，一種名為傀儡番。負險殺人誇任俠，終年煨芋飽兒孫。
煙霞鑄骨身能壽，薜荔為衣冬亦溫。鳥道倚天高不極，慣常奔走捷如猿。

在黃學明所寫的臺灣原住民，基本上並不見鄙夷貶斥的漢人獨尊的排他心態，反而在這首寫傀儡番中，我們可以看出，黃學明將高山族原住民出草獵人頭的風俗加以美化，變成漢人的任俠殺人。且在此詩中，高山原住民被形容成無欲無求物欲極低的樸質民族，「煙霞鑄骨身能壽，薜荔為衣冬亦溫」，更是用美麗的詩句，似乎神仙化當時臺灣的高山原住民。

在這類的臺灣雜詠及臺灣吟，康熙年間來臺任臺廈道臺的高拱乾也有〈東寧雜詠六首〉傳世。這些詩是七律，只是這六首詩並不是側重在介紹臺灣異於中土的氣候山川及民情，而是高拱乾將來臺任官的心情與臺灣景題詩作中，是比較特殊的詩，如以下所選之詩作：

春臺廣廈銜虛署，校藝監軍職濫分。無力椎牛頻饗士，有時倒屣細論文。
平生拙處勞難補，異域愁來酒易醺。筋力未衰官興淺，函關西隔萬重雲。
（其一）

有懷須學藺相如，每遇廉頗獨讓車。晚圃晴霞秋習射，半窗苦竹午臨書。
群公望隔三山杳，聖主明周萬里餘。素志漫言伸未得，忘機直欲混樵漁。
（其二）

尺檄如傳空谷聲，阻風經月少人行。關山已歷三千里，檣櫓猶遲十一更。
地暖臘殘無雪到，憂深鬢裡任霜橫。眼穿何處天邊雁，京雒難忘故舊情。
（其三）[139]

高拱乾這組〈東寧十詠〉，幾乎不以獵奇的角度來書寫臺灣，反而記錄了
自己來海外任官的心境及情緒。高拱乾這組七律，與其他將臺灣視為異域
加以書寫以強調其新鮮奇怪的寫法，更接近中國傳統「詩言志」的詩學傳
統。只是高拱乾的這種正統詩作書寫，置於臺南詩歌流變中，反而成為另
類不依循傳統臺灣雜詠書寫的傳統的反例了。

　　朱一貴事件後，除了巡臺御史黃叔璥來臺，留下了《臺海使槎錄》這
部重要的文獻外，另外一個重要來臺文人，其著作對臺灣有重要影響的
人，便是藍鼎元了。藍鼎元（1680～1733），字玉霖，別字任庵，號鹿洲，
福建漳浦人，畬族人，也是當時來臺平亂的南澳鎮總兵藍廷珍的族弟。藍
鼎元素抱經世濟民志向，在平定朱一貴之亂後，他詳察臺灣問題，並提出
解決的方針，更重要的是，他在當時亦提出擘畫臺灣發展及經理臺灣的計
畫，提出許多建設臺灣的藍圖供執政者參考。如主張開發臺灣中、北部，
在竹塹增設兵防設官治理、臺灣鎮總兵不可移澎湖、開發噶瑪蘭、允許移
民攜眷來臺等，這些政論性文章，目前皆存於其所著之《平臺紀略》、《東
征集》及《鹿洲初集》等著作中。其經營臺灣的意見，後來也直接造成雍

139—— 謝金鑾，《續修臺灣縣志》，卷8，頁547-548。

正時設彰化縣、淡水廳、澎湖廳，還有各地水陸師軍隊駐紮及後來的噶瑪蘭開發。

藍鼎元在來臺佐幕時，也曾寫過類似臺灣雜詠之類的詩作，將他所觀察的臺灣民情形諸吟詠，寫作組詩十首，題為〈臺灣近詠十首呈巡使黃玉圃先生〉，黃玉圃便是首任漢人巡臺御史黃叔璥。這十首「臺灣近詠」作於朱一貴亂事平安之後的康熙61年或雍正元年這兩年間，十首均為五古，大抵是藍鼎元來臺佐幕平亂後，對於臺灣亂象萌發緣由的觀察，還有提出其解決之道。這十首對臺灣亂源剴切詳明，寫作時設定的閱讀對象為首任巡臺御史黃叔璥，所以是當時重要的政治詩。例如敘述臺灣因渡臺禁令造成偷渡者眾，卻被船老大人蛇集團壓榨的渡臺悲歌，還有臺灣重賦的詩，令人讀來不禁惻惻生悲：

> 纍纍何為者，西來偷渡人。鋃鐺雜貫索，一隊一酸辛。嗟汝為饑驅，謂茲原隰畇。舟子任無咎，拮据買要津。寧知是偷渡，登岸禍及身。可恨在舟子，殛死不足云。汝道經鷺島，稽察司馬門。司馬有印照，一紙為良民。汝愚乃至斯，我欲淚沾巾。哀哉此厲禁，犯者仍頻頻。奸徒畏盤詰，持照竟莫嗔。茲法果息奸，雖冤亦宜勤。如其或未必，寧施法外仁。（藍鼎元，〈臺灣近詠十首呈巡使黃玉圃先生〉，之六）
>
> 臺邑最褊小，徵糧視鳳諸。土狹賦獨重，民困曷以紓。臺灣田一甲，內地十畝餘。甲租八九石，畝銀一錢輸。將銀來比粟，相去竟何如。納粟弊多端，斗斛交相瘉。折色比時價，加倍復何居。鳳諸雖厚斂，什百臺版圖。墾多或報少，以羨補不敷。臺土瘠無曠，衡壓且偏枯。安得相均勻，

140——《全臺詩・貳》，頁17-18。

丈輕三邑俱。徵收同內地，含哺樂只且。（藍鼎元，〈臺灣近詠十首呈巡使黃玉圃先生〉，之七）[140]

此組詩的第六首寫的是渡臺禁令引起偷渡移民的可憐處境。第七首則是寫出臺灣賦稅制度與中國大陸內地不同一。大陸一般的賦稅收的是錢，而臺灣收實物稅，在賦稅上一國兩制，使得臺灣人民賦稅過重，需繳納的田賦竟高過大陸一般州縣的十數倍之多。而且徵收實物，更容易讓收稅的地方官吏上下其手，造成臺灣人民沉重的負擔。藍鼎元並不是只指出當時的問題而已，他還向黃叔璥提出解決問題的建言。因此這組臺灣近詠十首，固然是文學作品，也是很重要的治臺相關史料文獻。

以上大多是早期來臺的大陸人士，以較長篇的律詩或古詩來記錄他們眼中的臺灣，以及許多對施政的意見。如上所引的〈臺灣吟〉或〈臺灣雜詠〉之類作品，的確也是宦遊來臺文人觀看臺灣的一種書寫方式。不過，最能夠將當時來臺文人官員眼中的臺灣殊異風土民情展現出來的文學形式，便是以「竹枝詞」命名的短小七絕形式的詩作了。目前能看到以竹枝詞來記錄臺灣風土民情的，為郁永河在其《裨海紀遊》卷上最末，概述臺灣狀況後，直接寫出「為賦竹枝詞，以紀其概」，接著就有 12 首七絕形式的詩，每首詩後都有詩註。雖然郁永河並無對這 12 首七絕訂定詩題，但文中明確提到「竹枝詞」，七絕形式記載風土，詩後加註，日後也成為歌詠臺灣特殊風土民情的竹枝詞主題詩作。郁永河的臺灣竹枝詞及土番竹枝詞相關書寫，第二章第一節中有討論。

七絕詩作後加註解釋詩作內容的臺灣竹枝詞的寫作，在清代從康熙一直到光緒，都有文人大量寫作。如乾隆年間來臺就讀於海東書院的李如員，便有四首〈臺城竹枝詞〉，不收於歷來方志，僅見於連橫《臺灣詩乘》，其四詩如下：

法華寺對竹溪庵，野色晴空一抹藍。多少踏風人去後，五妃墓道日三三。
客裏頻聞蟋蟀聲，海東氣候本先行。桐花未謝蓮花放，更異緣墻壁虎鳴。
夢蝶園荒野菊開，輕鞵踏遍碎蒼苔。登高都向南關去，帽插山花暮始回。
糯丸餉耗歲初添，謾道三時似夏炎。北路雪霜南路霧，新棉換卻舊
紈縑。 141

此四詩記載了李如員來臺遊學時對當時臺灣的印象。不論是氣候差異還是
民風習俗，簡短的七絕竹枝詞形式，小巧精緻呈現異鄉人對臺灣的觀感。

此外，乾隆年間的薛約，亦著有〈臺灣竹枝詞〉20 首。只是他的這
20 首詩，可能是參閱方志文獻後所創作的詩作，不是來臺親身體會觀察
得到的記錄，如他這組組詩前的序言所言：

乾隆丙午、丁未間，臺灣林逆滋事。雖閱邸報傳聞異詞，覆檢《臺灣縣
志》閱之，因得備稔其風土之異，遂作〈臺灣竹枝詞〉二十首。越二十
年，而家雲廬出宰斯邑，續修《縣志》。志成，郵歸付梓，余得預校讎
之役。因檢原稿，附入末卷。不揣固陋，用質纂輯諸公。 142

由此可見，薛約寫的〈臺灣竹枝詞〉，乃是薛約在林爽文事件之後，參
閱邸報及覆檢《臺灣縣志》後所寫出來想像中的臺灣狀況。因此這組〈臺
灣竹枝詞〉，僅能算是薛約的文獻整理，用竹枝詞的形式，表現內陸人
對臺灣的想像。從這裡也可以看出，在乾隆期間發生了林爽文事件後，
中國大陸的文人及百姓，其實對臺灣一地風土民情，也抱有相當濃厚的
興趣。

141—— 《全臺詩‧參》，頁114。
142—— 《全臺詩‧肆》，頁92。

大量有計畫以竹枝詞形式來記錄臺灣風土特色的宦遊文人,是嘉慶期間來臺擔任學官的謝金鑾。謝金鑾於 1804 年（嘉慶 9 年）來臺擔任嘉義縣教諭,適逢臺灣遭遇大海賊蔡牽的侵擾,謝金鑾以學官身分也領兵禦敵。在臺期間,除了與鄭兼才纂修地方方志,振興文教外,也寫作了卅一首〈臺灣竹枝詞〉,此組組詩前有詩序,由詩序看來,是一組有計畫性的寫作:

> 五、七言詩以典雅麗則為宗。惟〈竹枝〉雜道風土,雖方言里諺皆可以入則,猶〈國風〉之遺也。金鑾以甲子臘月司鐸武巒,乙丑供試事,僑居赤嵌,俯仰衍沃之邦,而感憤於人心風俗之所以弊,乃自《赤嵌筆談》、《東征記》諸書以外竊有論述焉。而其餘者,耳目所經,時亦形諸歌詠。偶有根觸,輒成小詩。紙墨既多,遂無倫次,聊復書之。俟有續得,當備錄焉。[143]

從這段序言可知,這組竹枝詞,乃是謝金鑾來臺任學官,僑居在臺南府城後,參酌文獻,還有親身經歷、耳目所經所記錄下來的實作。而這 31 首詩,也大多有詩註,讓人更能瞭解詩中所描寫的臺灣當時狀況,例如以下這幾首〈臺灣竹枝詞〉中的詩作:

> 妹家門倚綠珊瑚,毒汁沾人合爛膚。愁說郎來行徑熟,丫斜卷口月模糊
> 。（綠珊瑚有枝無葉,丫叉狀類珊瑚。其汁甚毒,沾人肌肉皆爛。臺人屋居前後遍,樹之以為樊蔽。）
> 腥紅苦李出林遲,釵朵盤兼小荔支。番蒜摘殘龍眼熟,滿街斜日賣黃㯱。
> （檨子,亦名番蒜,高樹多陰,實如豬腰,青皮黃肉,味甘如蜜。五、六月大盛。黃梨纍纍結實,皮多刺,如菠蘿,味甘可食。《廣韻》:「㯱,蘆果也。」當從㯱,俗謂梨者,非也。）

143── 《全臺詩‧參》,頁290。
144── 《全臺詩‧參》,頁291-292。

蕭蕭蔗尾起秋聲，萬竈甜漿煮作錫。枯槁莫嫌同嚼蠟，一春薪炭徹秋晴。

（蔗糖之利半於中土，其粕用以代薪，臺灣、鳳山人竟歲賴之。）**144**

這組〈臺灣竹枝詞〉，詩後大多有註，讓人更能在讀詩之後，碓地翔實地理解到詩人所記錄的實際民風及臺灣特有的物產。例如此三首，記錄綠珊瑚、檨子（芒果）及甘蔗，其中兩樣為中土所無，以殊異物產記錄下來。甘蔗則特重用壓榨完的甘蔗糟粕作為燃料物的臺灣特有做法，亦是記錄臺地特殊風物的作品。這組詩亦有記錄當時民情事件的部分如以下二詩：

頻年海上寇張弧，香老芝龍總未誅。辛苦東寧賢太守，自捐資斧伐崔符。

（甲子冬，蔡騫犯鳳山。時慶廉訪為臺灣守，親率士卒禦戰於東港，圍騫舟，幾獲之。砲石擊騫妻，中胸，乳迸裂，北竄，創發而死。）

呱呱赤子勃谿啼，求牧今難與古齊。何處紅燈書縣宰，春風弦管五條街。

（丙寅歲秋八月，臺灣邑令薛公誕辰，民爭慶之。薛聞，斂號燈衙仗塞署門辟，閽者不答客。邑民自相率奏樂歌舞，簫管之聲遍滿街巷。雖極貧者亦懸燈於戶，書曰：「邑主某公千壽」。薛令隸役禁撲之，民讙曰：「吾自頌吾父母耳，官何與焉。」謳歌者更數日夜，卒不能禁。）**145**

上一首寫蔡牽侵臺，最後敗死海上之事；下一首則寫當時民間為地方官慶生，臺灣縣令薛志亮雖禁止，但府城人民還是在府城最熱鬧的五條港街張燈結綵，大肆慶祝。

以竹枝詞形式作為臺灣實際耳目親見記錄且詩末加註的詩歌形式，到了道光年間，臺灣府儒學訓導劉家謀的百首〈海音詩〉，達到了最高的成就。雖然〈海音詩〉不以竹枝詞命名，但其寫法，明顯地承繼郁永河以來臺灣竹枝詞的寫作傳統。此外，劉家謀除百首〈海音詩〉的大型組詩外，

145——《全臺詩‧參》，頁294。

也有十首名為〈臺海竹枝詞〉的組詩。以七絕後附詩註翔實記錄當時臺灣的竹枝詞形式，在劉家謀手上，達到最高的成就。其〈海音詩〉及〈臺海竹枝詞〉，除了文學價值外，亦富含真實的歷史文獻史料價值。關於劉家謀的文學成就，在第二章第三節時，已有提及。

　　道光後，不僅是宦遊來臺的文人有寫作臺南府城相關的竹枝詞作品，連本土文人亦參與竹枝詞記錄臺南甚至臺灣民風物產的寫作。如施瓊芳有〈孟蘭盆會竹枝詞〉四首、李逢時有〈竹枝詞四首郡寓作〉、陳肇興有〈赤嵌竹枝詞〉15首、許南英有〈臺灣竹枝詞〉10首、丘逢甲有〈臺灣竹枝詞〉四首、蔡佩香有〈臺南嬉春竹枝詞〉12首。甚至到了日治時期，連橫也有〈臺南竹枝詞〉20首。這些本土文人在同治、光緒年間所書寫的竹枝詞，也可以看出本土文人亦以此種詩歌形式，來記錄書寫自己的家鄉，將竹枝詞的文學傳統，持續地發展下去。尤其非臺南本地的清代本土文人，如何以竹枝詞及其他詩歌文學形式來看待府城，將在下節有更多的敘述。

第六節　非臺南出身之本土文人關於臺南的書寫

　　臺南為臺灣府及臺灣縣政府機關的所在地，當時臺灣各地文人除了公務往來之外，若要參加初級科考的童試，也必須到府城來應試，因此，府城便成為非臺南出身之本土文人一生都會造訪之地。前文已提到相關科舉考試的制度。清代三級科考：童試、鄉試、會試。童試又分為三階段，縣試、府試及院試。臺灣在清清戰爭前、未設臺北府而僅有臺灣府時，府試及院試都需從全臺趕赴至臺灣府城臺南來應試。縣試在各縣縣學應考，噶瑪蘭廳因一直以來未設廳學，所以噶瑪蘭童生必須遠赴淡水廳學的所在地竹塹應考。但不論縣學在那邊應考，第二階段的府試及第三階段的院試，都必須在臺灣府的所在地府城應考。童試第三級的院試，主考官員為各省

的「學政」，而福建省的學政駐紮在省會福州，因此當時的福建省除了臺灣府外的其他八府通過縣試、府試的童生，都必需至省會福州參加學政主持的院試。但臺灣因為孤懸海外，因此清代在臺灣舉行科舉考試之前，便依海南島院試之例，將舉辦院試的權力交付「臺灣道」。因此我們在看歷來的臺灣道或臺灣兵備道或臺廈道，這個虛級地方層級的道臺官員，其官銜都會有「兼學政」，這便表示臺灣道除拑制臺灣鎮總兵的權力以外，最重要的工作，便是在臺灣舉辦童試中的院試，讓臺灣學子不用渡過臺灣海峽參加院試取得「生員」（秀才）的資格。當然，省學政的職務工作有很長的一段期間，是交付給巡臺御史執行，但不論是巡臺御史及臺灣道舉行院試，臺灣士人在清代大部分的時間，若要參加科舉考試，那麼最初階的童試，取得生員（秀才）的經歷中，府試及院試，必須前往府城應考。對於臺灣縣的士人，或者諸羅縣、鳳山縣的考生，府城或許不是個陌生之地。但若對中臺灣的彰化縣，及北臺灣的淡水廳、噶瑪蘭廳，還有海外的澎湖廳，因為應考而短暫來府城的印象，及相關府城的書寫，都可以被看成本土文人對當時政經文化薈萃的府城的另一種異地的觀察。

臺灣自 1684 年（康熙 23 年）設一府三縣，到了朱一貴事變後，1723年（雍正元年）增設彰化縣、淡水廳，正式將北臺灣納入版圖，雍正 5 年增設澎湖廳，再到 1812 年（嘉慶 17 年）增設噶瑪蘭廳，到 1875 年（光緒元年）因牡丹社事件後設臺北府為止，整個臺灣便僅有一個府級地方政府。臺灣府舉辦童試中的府試，以及巡臺御史或臺灣道「兼學政」舉辦的院試，迫使全臺學子若要經過初期科考，就一定要來臺南赴考。此外，通過童試取得生員資格的各地儒學生員，也必須定期來臺南參與科考與歲考，如此，才能取得赴福州參加鄉試考舉人的資格。光在科考的舉辦上，全臺士人可能就要前來府城數次了，更不論來臺南遊學、入幕、求職、經

商或是因公務出差。清代不斷來臺灣的本土非臺南文人，雖然都是臺灣島內的本地，在他們眼中，府城依然是異地，前往府城也有行役的辛苦之處，來府城亦是客居此地，如何看待臺南，似乎也值得探討。

徐慧鈺在《鯤島逐華波 —— 清領時期的本土文人與作品》一書中列舉清代重要的本土文人，其犖犖大者而非臺南（臺灣縣）人，大部分都是乾嘉以後的本土文人。其中有：乾嘉時期僅有嘉義卓肇昌，道咸同時期則有新竹的鄭用錫、鄭用鑑、林占梅、臺北的陳維英、曹敬、黃敬、宜蘭的李望洋、李逢時及彰化的陳肇興等人；光緒時期有彰化吳德功、洪棄生、臺中丘逢甲，還有新竹的王松等人。從這裡來看，臺灣本土文人，各地之中還是以臺南府城占多數，但北臺灣文風自道光年間之後，有迎頭趕上之勢。

這些臺南之外的本土文人，會對臺南特定地點加以吟詠。例如乾隆時期鳳山縣的舉人卓肇昌（乾隆 15 年舉人），其留傳的詩作提到臺南的，有〈鹿耳門泛舟〉、〈鹿耳門夜泊遭風〉、〈七鯤身行〉等三首詩。二詩題有鹿耳門，有可能是卓肇昌將赴福州參加鄉試時，由鹿耳門出海對渡至廈門，舟泊臺江內海時所作，如〈鹿耳門夜泊遭風〉所寫的：

> 滔滔天上湧，栖泊未遑安。獨夜江中夢，驚濤雨後看。長縆綿浦闊，孤島覺栖單。愁耐今宵永，膽深六月寒。陰熒疑遠近，怒激聽淒酸。晴曉梢移陌，潮痕尚未乾。[146]

當時的臺江內海雖然東西隔著安平王城及府城，但遇風時，暫泊於內海的船隻亦受風浪所驚嚇。描寫臺江內海因風起浪之詩作，自孫元衡以來為數不少。此詩除寫臺江內海海象不佳，讓準備出海赴廈門的卓肇昌心生畏懼。

146── 卓肇昌，〈鹿耳門夜泊遭風〉，《全臺詩·貳》，頁306。

北臺灣知名文人陳維英（1811～1869，淡水廳大龍峒人，咸豐9年舉人），在其詩集中將臺南稱為「郡城」，現存相關詩作有〈往郡旅況〉、〈和友人在郡城遇妓女偶感〉、〈清明旅館〉五首、〈郡城踏青〉等。當時文人除臺灣道兼領學政主持的童試中「院試」考試必須至府城應考外，臺灣道主持的12月前的歲考和春季的科考也必須到府城應試。尤其科考，乃是送鄉試資格的考試。[147]臺灣各種生員必須於春季於府城應考，通過後方有資格參與當年的鄉試，而科考時間大多在清明前後。所以陳維英於府城所作的上述詩作，時間點也都落在春末清明左右。以〈郡城踏青〉此詩來看，可見臺北人陳維英在府城試後郊遊踏青的心情：

　　翩翩步出綠楊城，一望紙錢風裡輕。紅酒半杯添血淚，荒魂千古剩啼聲。夕陽入樹無邊恨，青草迷人不易行。旅客那堪逢節令，況當節令是清明。[148]

因清明為暮春掃墓時節，所以城外尚留焚後楮錢殘跡。陳維英出城踏青見墓地，極有可能是步出大南門，經過城南的墳墓區。大南門接近孔廟，在鄭、清時屬鎮南坊，來府城應考的臺灣各地士子，很有可能會暫住在這附近。所以在許多士子在清明時踏青郊遊詩，都會寫到大南門外的五妃廟、法華寺，還有附近市中心的赤嵌樓。例如同是1859年（咸豐9年）中舉的彰化詩人陳肇興（1831～1866？），在府城中的詩作，便有〈登赤嵌城〉二首、〈法華寺〉、〈五妃祠〉、〈寧靖王墓〉、〈赤嵌懷古歌〉、〈赤嵌竹枝詞〉十五首、〈春日重遊法華寺〉二首、〈陳烈婦鄭氏輓詩〉二首等。對於士子而言，府城最重要遺留的荷、鄭古蹟，便是安平王城及赤嵌樓。不過在這些非府城士子的詩中看來，他們會造訪赤嵌樓，而鮮少到安

147——　商衍鎏，《清代科舉考試述錄》，頁33。
148——　《全臺詩・伍》，頁177。

平。因為身為旅客，不太會步行到安平那麼遠的遺址遊玩。但也有例外，例如陳肇興的二首〈登赤嵌城〉七律，也因登古蹟而抒發懷古的詠嘆：

> 嶒嶸山勢接蒼穹，俯瞰茫茫大海中。此日萬家登版籍，當年三度據梟雄。雲生蜃氣連城白，日照龍鱗滿郭紅。目極中原天萬里，乘槎我欲借長風。
>
> 混茫一氣轉鴻鈞，獨坐危樓迥出塵。帆影遠浮雙鹿耳，潮聲遙控七鯤身。包羅山海誇雄鎮，鎖鑰東南據要津。卻喜時清無暴客，重關雖設不防人。[149]

陳肇興寫的這兩首登赤嵌城的詩作，氣象萬千，從赤嵌城（即荷人建之熱蘭遮城，不是在市區中心的赤嵌樓）遙望遠方東邊的中央山脈，便能感受到「嶒嶸山勢」。這兩首詩將府城山海形勢、夕照海景、險要關防、歷史興衰還有與西邊中國內陸關係，扼要地點出府城西邊位於一鯤身赤嵌城在軍事上的重要性。還有清國統治時的清平安靖，使得安平不用大軍駐守，算是詠古寫景貼切的佳作。

　　不過陳肇興書寫的府城，除五妃廟、法華寺或寧靖王墓等詠懷古跡作品外，他的〈赤嵌竹枝詞〉倒是寫出當時他眼中的府城樣貌。不過這組竹枝詞卻較少強調臺灣府城的異域風情，而是著眼在府城繁華的城市樣態。例如從第一首即寫出從中臺灣往南經過諸羅縣的山之後，便能看到府城特有築於城際的「綠珊瑚」這種植物，以及「朱甍碧瓦」的建築物與茅屋相連，顯現較為繁華的府城氣象。接著寫府城東邊的鯽魚潭、沈光文及季麒光的福臺新詠、澄臺斐亭官員的詩誼、臺江內海消失的滄桑變化，第六首後，便用多首寫出府城煙花歡場中的情愛狀況：

149── 《全臺詩・玖》，頁202-203。

東溟西嶼海潮通，萬斛泉源一葉風。日暮數聲欸乃起，水船都泊水仙宮。

（其六）

新粧幾隊縮雙鴉，小蓋相攜半面遮。絕似芙蓉才出水，一枝葉護一枝花。

（其七）

一曲紅綃不論錢，青樓幾處鬥嬋娟。年來吃盡人間火，瘦骨輕鬆似劍仙。

（其八）

水仙宮外是儂家，來往估船慣吃茶。笑指郎身似錢樹，好風吹到便開花。

（其九）

銀絲鱠斫正頭烏，二八佳人捧玉壺。但乞郎如魚有信，一年一度到東都。

（其十）[150]

這五首大約是寫府城青樓之事，第六首寫水仙宮的五條港區域，為船舶裝卸貨物港口，貨物船員均聚集此處，為府城中最熱鬧之處，而青樓行業亦聚集於此。接下來七、八、九首則描寫青樓女子的風情樣貌，第七首寫雛妓如芙蓉出水，第八首寫妓女們多吃「火」，即抽鴉片，所以骨瘦如劍、體輕如仙。第九首則寫出了來往水仙宮附近碼頭港口的商人常進青樓「吃茶」，這些商賈便成了青樓女子的衣食父母。最後則寫青樓宴席上以烏魚作成魚片料理（鱠），青樓女子希望這些商客如烏魚一年迴遊一次，每年都能來到府城消費。陳肇興在 15 首〈赤嵌竹枝詞〉組詩中，以三分之一的篇幅寫水仙宮附近的青樓之事，可見對於彰化出身的士人，來到府城中印象最為深刻的，就是府城中燈紅酒綠的繁華感受。

150—— 《全臺詩‧玖》，頁237-238。

不止陳肇興對府城繁華經濟下造成青樓林立現象有所感慨，陳維英亦有〈和友人在郡城遇妓女有感〉，詩作末聯有著「等閒了卻風流債，撒手歸時莫認真」[151]的詩句。咸同時期的竹塹著名詩人林占梅（1821～1868）亦有〈與客談及嵌城妓家風氣偶成〉，對於曾親身到府城的林占梅來說，對府城的青樓風尚也是印象深刻：

> 臺郡盛秋娘，相欣馬隊裝。倩妝簪茉莉，款客捧檳榔。最尚巫家鬼，頻燒野廟香。儘觀花與柳，須待送迎王。[152]

林占梅於第二句下自註：「各境七月盂蘭會，夜放水燈，多以妓女裝成故事。年紀至二十餘者，尚辦馬隊，殊不雅觀。」而於詩末句下自註：「有神曰『南鯤身王爺』，廟在鹿耳口，每年五月初至郡，六月初始回。迎送之際，群妓盛服，肩輿列於衝道兩旁，任人玩憚。」從此詩來看，在晚清時，府城的青樓與宗教盛事結合，且以妓女於慶典時拋頭露臉的遊街來創造聲價，繁華熱鬧的景象，令府城外的臺灣士人印象深刻。如陳肇興〈赤嵌竹枝詞〉第12首詩末亦有「儂向南鯤賽神去，郎從北港進香來」的詩句，於此可見一斑。

竹塹文人鄭用錫、鄭用鑑兄弟，意外地並無府城相關詩文，而林占梅在咸豐4年（1854）夏天曾因公由新竹赴臺南，從其詩〈奉命辦理團練赴郡感作〉可知，其公事為奉命辦理團練事宜。在入府城後，林占梅即拜當時的臺灣道徐宗幹為師，前往及留滯府城期間相關詩作多首，計有：〈薄暮次羅山野望〉、〈過茅港尾莊〉、〈暮次蔴豆道中〉、〈赴郡苦熱得雨偶作〉、〈赤嵌城野望〉、〈過郡城北口號〉、〈開元寺弔古歌〉、〈過謝氏廢園〉、〈過鄭東平王墓〉、〈題五妃墓〉、〈偕諸

151—《全臺詩·伍》，頁176。
152—《全臺詩·柒》，頁285。

友郡城東園避暑紀興〉、〈雨後遊竹溪寺題壁〉、〈嵌城東園小住〉、〈過東村偶成〉、〈東城看花〉、〈書感〉、〈旅感〉、〈郡垣諸韻士雅集寓齋竟日吟詠即席賦贈〉等，值得注意的是，林占梅回程時，特意不走沿海原路北歸，而是走山線，因此留下現今白河附近名勝詩作，如〈遊大仙岩復題寺壁〉、〈重晤丁鳴皋道人於大仙寺作詩贈之〉、〈山岩古寺題壁〉、〈觀水火穴紀事〉等詩作，可知林占梅除造訪白河關子嶺山腰的大仙寺外，也觀覽水火同源，那麼〈山岩古寺題壁〉一詩的山岩古寺，極有可能便是現在的火山碧雲寺。從上引的詩題可知，林占梅因公造訪府城自夏徂秋，一季之間，大多借住於城東，因此也留下了吟詠城東之作。在府城期間，足跡應未達安平。此外雖然有至南邊的五妃墓及竹溪寺，卻不至法華寺，反而有遊府城東北邊的開元詩，並作一首七古長詩。這大概是因為林占梅前往府城，不是因科考而來，所以不會像其他文人居住在府城南方孔廟附近，其暫住地。因奉命團練的關係，較接近鎮總兵署的所在地：鎮北坊，較易洽公。

　　林占梅來府城洽公，公餘遊覽，發思古幽情，其詠懷古跡之作，情深意切，平易近人，均有可讀之處，如〈題五妃墓〉一詩乃其佳作：

> 薇蕨悲歌後，羅巾染血痕。五人同畢命，一死足酬恩。入地鴛鴦隊，生天杜宇魂。可憐環珮冷，荒塚易黃昏。[153]

此詩首句後作者自註：「寧靖王絕命詩，有『無復採薇蕨』之句。」所以此詩雖然題目以詠五妃為主，其實詠五妃對寧靖王的忠貞，亦襯托出朱術桂對明朝的忠貞，一題雙詠。五妃墓在大南門外的城南墳墓區中，目前的規模是

153—— 《全臺詩・柒》，頁199。

日治時期才修葺整建完成。在清治時，五妃墓乃在大南門城外，處於荒煙蔓草圍繞的眾多墳之中。所以此詩詩末的「荒塚」用辭，乃是實寫。此詩頷、腹兩聯，概括了五妃殉節的忠貞之情，亦令人聯想到寧靖王不降清而殉國壯舉。詩中的杜宇魂即喻指寧靖王殉國一事，貼切傳神，亦令人動容。

晚清宜蘭著名詩人有二位，即留有《西行吟草》的李望洋（1829～1901）及留有《泰階詩稿》的李逢時（1829～1876）。《西行吟草》全記李望洋赴甘肅任官歷程，詩集中並無提及府城之詩作。李逢時卻因赴府城科考，而留有在府城的相關詩作，如：〈題郡城舊館〉、〈竹枝詞四首郡寓作〉、〈郡寓雜作〉四首、〈別郡城〉等。如同陳肇興、林占梅及陳維英等人一樣，遠從宜蘭來的李逢時對於繁華府城中的青樓文化，印象深刻。例如〈竹枝詞四首郡寓作〉所描寫的：

> 客中多少是鄉紳，到郡通稱草地人。娃館接來大嫖客，打恭卻道相公親。
> 少婦新粧最豔穠，花間陌上恰相逢。手搴珠箔輕輕下，不肯偢人卻覷儂。
> 笙歌簇擁秀才行，少婦爭看遍郡城。兩鬢金花簪得好，舊生原不及新生。
> 賣菜街頭喝四紅，兒曹據地鬥烏龍。雄心不肯潰圍走，慧蟋算來還未慵。[154]

第一首一開始寫府城居民高人一等的優越感，不是出身於府城的人士，就算是鄉紳，在府城人眼中，都是「草地人」。但妓院中人則見錢眼開，反而無此歧視。第二首第三首則寫在府城寓居附近，大概都是全臺各地匯聚參加科考歲考的秀才（生員），所以特別得到府城仕女少婦的青睞。最後一首則寫寓居附近，有擲骰子喝四紅、據地鬥狗及鬥蟋蟀的聚賭，市井無賴在府城的作為也令李逢時印象深刻。同樣地，在〈郡寓雜作〉四首中，李逢時更是更深刻地寫出外地文人到府城應考的處境及心情：

154── 《全臺詩‧玖》，頁37。

薰風吹暖綠珊瑚，枕石籬邊客夢孤。酒友不來呼月至，照儂直到醉魂蘇。

梨花似雪柳如煙，又是羈人風雨天。盤壁守宮鳴唧唧，青燈夜半不能眠。

宜晴宜雨麥秋天，籬落珊瑚橫暮煙。正是酒樓風景好，囊中只少買山錢。

盡日詩魔與酒魔，促人痛飲且高歌。他鄉每恨無知己，孤負嵌城明月多。[155]

在第一首及第三首詩中提到「綠珊瑚」，這是一種汁液有毒的植物。在臺南禁止建城牆時，府城官民便在種此物稍作禦敵之用。如劉家謀在〈臺海竹枝詞〉的第十四首末聯「月影朦朧郎識得，綠珊瑚裏是儂家」下自註：「綠珊瑚有枝無葉，了又狀類珊瑚，其汁甚毒，沾人肌肉皆爛，臺人屋居前後遍樹之，以為樊蔽。」可見外地人來到府城，都會注意到府城種有綠珊瑚這種特別的植物。第二首的「梨花似雪」及第四首的「麥秋」，點明了時序是春末初夏時節，大約秀才應試科考的時間大概是春天到夏天的清明前後這個時期。第二首的守宮鳴叫，對北臺灣人士來說，異於北臺守宮不鳴，李逢時也察覺到這種南北差異。最後一首詩，還是寫出羈旅在外，孤單寂寞，只好寫詩喝酒來排遣無聊的客途時光。

　　大致上，從外地前來府城的文人們，不論是陳肇興、李逢時的應考，或是林占梅因公來他們口中的「郡城」，對於繁華熱鬧的府城及青樓林立的景象都頗有好感，因此將這些家鄉看不到的特色形諸吟詠。當然，在郊遊踏青巡禮古蹟，興思古之幽情，也是這些外來的文人們創作的主題。來府城參加院試或科考的士子們，大約都是春天抵達府城，大約在夏天時離開。對於離開屢次前來的府城，每回離別，都充滿了依依不捨的心情，如李逢時這首似詩似歌的〈別郡城〉所呈現的心情：

155—— 《全臺詩・玖》，頁37-38。
156—— 《全臺詩・玖》，頁43。

別郡城，別郡城，五月榴花照眼明。前亦有別情，後亦有別情，此別如何百感生。故人要我往，恨那車兒不暫停。家人要我歸，恨那車兒不快行。[156]

此詩點出了五月仲夏時離開府城，而在府城中，前後到處均有別情，故人挽留之情，還有自己留戀之情，都讓自己不忍匆匆離去。但家人催促歸家，又必須盡早啟程，因此產生了矛盾無奈的心情。不過對於非府城的臺灣本土文人對於府城還是有著相當程度的喜愛，最後公務及考試結束後必須離去，心中百感油然而生。

日治前臺灣二百餘年的古典漢文學發展，與臺灣由南到北的開拓歷史密切相關。在鄭轄及清治初期，臺南文學的創作者，清一色是外來的宦遊文人。他們以「他者」的角度看待臺灣這塊漢人新闢之地，漢化的範圍及速度，隨著漢人在島上逐漸拓墾，布達全境。在康、雍、乾三朝，在臺南的宦遊文人引領臺灣文壇，大陸官員來臺，在漢化文教未深的新闢領土，留下了許多當時自然地理、民情風俗的觀察記錄。這些宦遊來臺的文人著作，也成了當時臺灣重要的文學資產。乾隆期間，臺灣文化教育漸盛，出現了陳輝、章甫、陳廷瑜等臺灣本土文人，但其創作量，依然無法與宦遊來臺的文人相比。道光後，臺灣本土文人漸漸在文壇占有一席之地，尤其咸豐、同治年間，淡水廳竹塹潛園及北郭園兩大文學沙龍，聚集大量優秀文人吟詠創作，府城文學聲勢不如以往，文壇重心，自南北移。不過在光緒朝的廿年間，臺南陸續有施家父子、許南英、汪春源等人進士登第，且在時任臺灣兵備道的唐景崧主持下，臺南文學風氣鼎盛，又成臺灣文壇重心直至割臺。本章從臺南文學發展的主題略述臺南文學特色。從文學資料的蒐集、宦遊本土文人的差異、特色主題的書寫及非臺南出身的臺灣其他人士對臺南的印象，都有涉獵。文學史的寫作是一項後出轉精的事業，本篇不足之處，尚祈日後由大家努力補足，讓臺南文學更加明確清楚，讓更多人認識。

作為「府城」，臺南從荷治時期，歷經鄭氏時期、清治、日治一直到戰後，在政治、經濟、交通、軍事各方面的角色都有著極大的轉變。造成臺南地位由全臺首府墜落的原因，除了港道淤淺、商港功能漸失的自然現象外，最大的致命傷應是 1895 年的日本治臺。晚清臺灣建省後，逐漸形成臺北、臺南兩大城並峙的趨勢。日治後臺北快速地現代化，朝向「島都」的方向發展；臺南則退居其後，慢慢變化而為充滿歷史記憶的「古都」。雖然不再作為臺灣的首府，臺南依然必須面對日本殖民者對前朝記憶的消抹，比如代表清代權力中心的官府（道署、府署、鎮總兵營）、區隔城市邊界的城牆與城門（四大城門）、宣揚傳統儒學的文教場所（文廟、書院）、同鄉會（兩廣會館）逐步被拆毀或置換，而行政區域的重劃、街道與區域的重新命名，以及現代化建築的設置，都使得臺南和臺灣其他城市一樣，成為一個歷史記憶被擦拭得幾近透明的日本新領地。

治臺之初，總督府製圖部透過精密的測量方式，開始以科學的方式繪製臺灣地圖。1896 年 1 月，一幅描繪精準度極高的「臺南府迅速測圖」完成了，在地圖上清楚地標示了四大城門、四小城門、城垣所涵括的範圍、城內巷道街埕、聯境、河流、寺廟、政教機構……乃臺南舊城改變前，最後的一次歷史留影。值得注意的是，這個地圖有兩個地方已做了改變，其一是原先的「臺灣道署」已改為「臺南民政支部」，表徵新政權已然轉移；其二是短短半年間，日本當局已從小東門崁頂臺地興建一條經過城市北邊，穿透大西門和小北門城垣，向安平延伸的鐵道，表現出交通運輸的急切性。[157]

157—— 參考中研院近史所保存的「臺南府迅速測圖」，以及臺南赤崁文史工作室提供的文史資料；詹伯望，《半月沉江話府城》，臺南：臺灣建築與文化資產出版社，2006年6月，頁70。

區域的重劃，在 1895 年 6 月日本始政之後即進行。首先將臺灣分為三縣一廳七支廳，基本上仍沿襲晚清的制度。兩個月後，又改為一縣、二支部、一廳、四支廳、九出張所。其後，又於 1898 年改為「三縣三廳」、1901 年改為「二十廳」、1909 年改為「十二廳」，一直到 1920 年之後，五州二廳（臺北、新竹、臺中、臺南、高雄五州、臺東、花蓮兩廳）的模式才真正確認下來，這樣的變化，模糊了民眾對地方原有界限的認知，從現實中深切感知一個新的統治政權已然來臨。[158]

　　日治時期的「臺南州」，管轄的區域為現在的臺南市、嘉義市、嘉義縣、雲林縣。一直到 1945 年 8 月 15 日日本戰敗，由中華民國政府接收。1950 年 10 月 25 日，行政區域重新劃分，易大縣制為小縣制，今日臺南的範圍，縮為八掌溪以南、二仁溪以北之地，原臺南縣部分轄有新營、曾文、北門、新化、新豐等 5 區 31 鄉鎮市，其餘為臺南市範圍。2010 年 12 月 25 日，臺南縣、市合併稱「臺南市」，計轄 37 區，本文學史所討論的「臺南」，乃以目前的「大臺南市」為範圍。

158──參考蘇碩斌，《看不見與看得見的臺北：一個關於空間治理的兩種不同空間哲學》，臺北：左岸，2007年11月，頁313。

第一章

日治時期臺南古典
文學作家及其作品

◆施懿琳

1895 年 5 月馬關條約簽訂後，日本從清帝國手中接收臺灣。面對時代的變局，臺灣社會菁英階層受到空前未有的挑戰。這群以科舉考試作為進身之階的文人士子，猝然改變了生命的藍圖，往昔清晰的社會位階流動管道產生巨變；加上異民族的統治，過去擁有雄厚的社會、文化資本被迫消弭，生命的歷程也變得複雜而坎坷。

晚清唐景崧（1841～1903）擔任臺灣兵備道時，進士施士洁（1856～1922）、許南英（1855～1917）、汪春源（1869～1923）、舉人蔡國琳（1843～1909）等臺南地區社會菁英曾參與「斐亭吟社」的擊缽唱和，與當時中南部的官紳有著密切的互動。乙未割臺之際，多位具有資產與社會威望者前後西渡中國：施士洁、許南英、汪春源 3 位進士離臺後，皆留在閩粵，不再返鄉定居[159]；另外幾位文人：舉人蔡國琳、羅秀惠（1865～1942）、秀才胡殿鵬（1869～1933）、林馨蘭（1870～1924）、林人文（1857～1910）則於西渡後，又在 1897 年（明治 30 年）5 月 8 日臺灣「住民去就決定日」[160] 前後返回臺灣，成為日本統轄下的臣民。至於，更多數的文人如：舉人王藍石（1854～？）、秀才趙鍾麒（1863～1936）、陳鴻鳴（1876～1950）、葉芷生（？～？）、陳修五（1857～1912）等則都留在臺灣，並未遷徙。這些文人群面臨政權的轉移，不管選擇去、留或去而復返，其實都有不同的曲折心事與人生遭逢[161]，除非有足夠的財力與人脈才可能久居原鄉，大多數臺灣紳民囿於現實，「家累甚重，內渡維艱」[162]，在不得已的情況下，只能留在臺灣，以不同的方式面對時代的變局。透過古典詩文記錄他們的人生際遇、內心世界，甚至在殖民者以「同文」的優勢，透過傳統漢詩社建立官紳唱和的互動模式時，也在不同的心境與

159—— 許南英曾於1912年、1916年兩度返臺。

160—— 臺灣「住民去就決定日」指《馬關條約》在1895年5月8日生效後，以兩年為限，臺灣民眾可選擇離開或留在臺灣，法定期限為1897年5月8日。經過該日而未離開臺灣，即依「臺灣人民國籍處分辦法」，自動成為日本國民，因而其效果類似於由臺灣人自擇國籍。參考《臺灣歷史辭典》，「臺灣住民去就決定日」，臺北：遠流出版社，2004年5月。

161—— 嘉義賴世英（1849～1901）在日本統治後，選擇留臺。透過他1896年卜問先人去留與否的〈祭文〉，其掩抑不為人知的痛苦掙扎始得以揭露：「……此邦異類，悉可與處？安土重遷，殊難

現實考量下參與唱酬。尤其是當地的科舉士子、名望家族，更是日本當局積極拉攏的對象。年長有威望者（如蔡國琳、趙鍾麒）擔任基層公職，協助日人調查、安撫地方，參加揚文會，接受當局頒贈的紳章。稍年輕者（如謝汝銓）除傳統漢文教育外，也嘗試接受新式教育，開展更寬廣的視野。這樣的態勢，一直到日本統治前後出生的「衍生世代」[163]（第二世代），他們雖然也到私塾學習漢詩文，但是其正式接受的教育大多是現代化的公學校、國語學校、醫學校，乃至前往日本接受西方思潮的洗禮，其生命經驗、知識養成、觀察社會的視角、文學書寫都與前世代有著相當大的差異。尤其經歷過一九二〇～一九三〇年代新舊文學論戰與一九三〇年代臺灣話文運動衝擊，這一群跨越新舊文學一代的文學表現方式，與前世代有一定程度的差異。本章介紹府城及其周邊的臺南文人作家之生平及作品。首先探討府城文人群及其衍生世代的生平及作品；其次，依地緣關係，介紹「南瀛文人群」包括日治時期的新化郡（鹽水、柳營、新化、善化）、北門郡（北門、將軍、七股）、曾文郡（麻豆、佳里）等區域的詩人及其作品。最後則探討日本在臺南漢文人及其作品。

第一節　府城文人群及其衍生世代

一、前世代

（一）蔡國琳 附長女蔡碧吟

　　蔡國琳（1843～1909），字玉屏，號春巖、遺種叟。清臺灣縣仁厚境街（今臺南市開山路）人。出身書香家庭，祖父蔡福、父親蔡懋亭皆為秀才。蔡國琳於 1858 年（咸豐 8 年）考取秀才，1882 年（光緒 8 年）中舉。1874

決去……思舊恩以不忘，慮故土之難處。制有必改，期難再寬。關心五月八日，斷髮改裝，屈指明年今天，驚心動魄……度家之費，僅供數載之需。動既切於內地，接濟全賴乎臺灣。萬一港禁類分，誰呼將伯？莫助他山，求孔方於何處？逐青蚨於何來？未免窮途坐困，老死堪悲，不大傷厥考心乎？宜留乎？可去乎？心急技窮，莫知所之。哀懇先靈，啟瞶覺聾，擲筊求聖，顯示行藏。」顏尚文，《嘉義賴家發展史》，南投：臺灣省文獻會，2000年5月。

162—— 賴世英，〈祭文〉，同前註。

163—— 「衍生世代」一詞，參考柳書琴，〈傳統文人及其衍生世代：臺灣漢文通俗文藝的發展與衍異〉，《臺灣史研究》第14期第2卷，2007年6月，頁51。

年（同治 13 年）偕宜蘭進士楊士芳、臺南舉人王藍玉[164]等人稟請當局將原開山王廟改建為延平郡王祠。蔡氏於祠畔設帳授學，弟子賴文安、羅秀惠先後考取舉人，謝汝銓、林馨蘭則取中秀才，可謂成果斐然。1890 年（光緒 16 年）以鄉試第三名授國史館校尉，遇缺即用。歸籍返臺後，擔任澎湖文石書院山長，又經進士許南英推薦擔任臺南蓬壺書院山長，並擔任育嬰堂及恤嫠局主事。1893 年（光緒 19 年）受命纂修《臺灣通志》（臺南府採訪）。乙未（1895）之役，攜眷避亂居廈門，次年（1896）春，因時局稍定返臺。應臺南縣知事磯貝靜藏之聘，編纂《臺南縣志》，1900 年擔任「揚文會」臺南支會會長，由羅秀惠、王藍玉擔任幹事。蔡夢蘭、楊鵬搏擔任書記，委員有許廷光、蘇雲梯、盧得祥、張元榮、黃修甫等。會後並創設「新學會」，由蔡氏擔任會長，門生羅秀惠擔任副會長，許廷光、蔡夢蘭、趙鍾麒、楊鵬搏擔任幹事，「以素明漢學之英才，而力求新學之實濟」[165]。1905 年董修臺南孔子廟文昌閣，1907 年奉派前往宜蘭廳襄贊孔廟祀典，在在可見蔡氏在日治初期扮演了延續漢文化的重要角色。文學集團方面，1897 年（明治 30 年）蔡國琳偕連橫、陳渭川等臺南文人創立「浪吟詩社」，為日治初期最早創立的本島人詩社之一。1906 年（明治 39 年）又與連橫、趙鍾麒等人籌組「南社」，被推舉為首任社長。「南社」在其領導下，經常前往竹溪寺、開元寺、西華堂、三官堂小集，帶動當地蓬勃的詩風。蔡氏詩文清新，著有《叢桂齋詩鈔》四卷，未刊。連橫評：「〈秋日謁延平郡王祠〉一首，可謂集中傑作……又有〈秋荷四首用王漁洋秋柳韻〉，措辭宛轉，寄興遙深，足與阮亭抗手，誠集中之佳作也。」[166]詩作多見於日治時期報刊及王松《臺陽詩話》、吳德功《瑞桃齋詩話》、連橫《臺灣詩乘》、曾笑雲《東寧擊缽吟集》等。

164—— 王藍玉（1842- ？），字潤田，清臺南舉人。同治13年（1874）與進士楊士芳、舉人蔡國琳籌議，請建延平郡王祠，欽差大臣沈葆楨從其議，翌年奏准敕建專祠。光緒12年（1886）任臺灣府儒學教授。有《望海閣詩文集》，惜已佚。

165—— 〈新學會序〉，《臺灣日日新報》，1900年4月25日，第3版。

166—— 連橫，《臺灣詩乘》，臺灣文獻叢刊第64種，臺北：臺灣銀行經濟研究室，1960年，頁195。

長女蔡碧吟（1874～1939），閨名葉詩，號「赤崁女史」，詩書俱佳，尤擅柳體楷書、工算術。20歲許聘於父親高足舉人賴文安，乙未割臺，蔡家走避廈門，婚事因而延遲。不久，賴文安病逝，蔡碧吟自請奔喪守節，事奉舅姑歸臺。曾聘日本女師教授日語，朝夕誦習，其〈贈女友回梓〉詩云：「方言課讀雅情深，偏識焦桐爨後琴。一卷日臺新語集，幾回聽曲未知音」。1909年（明治42年），蔡國琳逝世，蔡碧吟與其弟蔡鷺生各分得一半資產。1911年（明治44年），招臺南舉人羅秀惠入贅。孰料，羅氏生性風流，不久即蕩盡蔡家資財，晚年夫婦以賣字為生。蔡碧吟曾於1930年接受府城女性同好邀請，共同組織臺灣島內第一個女子自主發起的傳統詩社「芸香吟社」，為該社社長，並多次擔任詞宗，指導府城女性吟詩。目前《全臺詩》輯有蔡國琳漢詩20餘首、蔡碧吟詩近40首。[167]

（二）林人文

林人文（1857～1910），字萃廷，日治時期以字申報戶口。清臺灣縣樣子林街（今臺南市忠義路一帶）人。幼穎悟，11歲喪父，13歲入樣仔林街私塾，15歲入五帝廟私塾學習四書五經。1875年（光緒元年）入崇文書院研習詩文律賦，學成後於樣仔林街設帳授徒。1877年（光緒3年）取中秀才，先後在樣子林街、竹仔街、老古石街、安海街設帳。乙未（1895）割臺，與兄攜眷內渡，返祖籍福建龍溪避難，並在廈門西邊社設帳授學。1898年（明治31年），時局稍定，兄弟相偕返回臺南。旋應善化鄉紳陳式文之聘，講學灣裡街（今善化區北關里）。1899年6月改任灣裡公學校漢文教員，是年11月5日臺灣總督兒玉源太郎在臺南兩廣會

167── 黃植亭，〈拾碎錦囊（三百十三）〉，《漢文臺灣日日新報》，1907年1月5日，第3版；盧嘉興，〈記前清舉人蔡國琳與女蔡碧吟〉，收在呂興昌編，氏著《臺灣古典文學作家論集》，臺南：臺南市藝術中心，2000年11月，頁88-115；《全臺詩》第拾冊，臺南：國立臺灣文學館，2008年；《全臺詩》第貳拾陸冊，臺南：國立臺灣文學館，2012年。

館召開「饗老典」，柬邀當地 80 歲以上翁媼共 300 人與會。林人文有〈慶饗老典〉詩，不只讚其盛會，亦強調「省刑薄斂、興學教耕」的重要性，頗能切中時弊。1900 年到淡水參加「揚文會」，對當局提出保廟宇、旌節孝、救濟賑恤之建議。1903 年任鳳山楠梓坑公學校漢文教員；1907 年再任職灣裡公學校。後因日籍校長牟田袈裟一刁難歧視，並以校務困之，憤而辭職。1910 年（明治 43 年）病逝，得年 55。林人文身材高大，風度瀟灑，善詩文，工聯對，擅燈謎，偶作諧聲謎語，亦頗精妙。書法秀勁，甚有可觀。曾撰《新改良三字經》凡 1,161 字，以課童蒙，影響善化人士甚深，目前仍可見其弟子之抄本；至於林人文生平詩文並未結集出版，目前僅見 6 首詩收錄於《全臺詩》。[168]

（三）趙鍾麒 附長子趙雅福、次子趙雅祐[169]

　　趙鍾麒（1863～1936），字麟士，號雲石，別署畸雲，又號鍊仙、鴛鴦梅館主、雲石山人，晚號老雲、老云，清臺灣府治清水寺街（今臺南市中山路一帶）人。7 歲時由返家孀居的姑母趙留英（1846～1928）啟蒙，初受訓詁教育，後入富紳吳朝宗別墅「夢覺軒」（今新樓醫院、臺南神學院附近）與其長子吳天誠共讀詩書古籍，並習書法。1878（光緒 4 年）考取秀才，入臺南崇文及蓬壺兩書院就讀，同時為蒙館師。其後，四次赴福建參加鄉試，皆未能中舉。平日與郡城青年名流吳國華[170]、蘇哲如、王景、陳春木、張嵌等交遊。日本治臺後，與當局維持良好關係。1896 年（明治 29 年）受臺南縣磯貝知事之邀，與蔡國琳、陳修五、葉芷生、徐文泉、張與鼎等臺南仕紳在「四春園」與日人石川柳城、大野辛夷、北洲阿部貞等 30 餘人以詩酬唱，作品刊登於《臺灣日日新報》。[171] 1897 年獲贈紳章，

168── 參考兒玉源太郎，《慶饗老典錄》，臺北：臺灣總督府，1899 年發行；賴子清，《臺海詩珠》，臺北市：賴子清，1982 年；盧嘉興，〈任教南縣撰改良三字經的林人文〉，收在呂興昌編，氏著《臺灣古典文學作家論集》，臺南：臺南市藝術中心，2000 年 11 月，頁 148-165；《全臺詩》第拾壹冊，臺南：國立臺灣文學館，2008 年。

169── 案：從出生年來看，趙雅福與趙雅祐應屬於「衍生世代」，為方便故，暫繫於「前世代」趙鍾麒之後。

170── 即臺南詩人吳子宏的父親吳榮瑞。

1898 年 11 月擔任臺南地方法院通譯，1900 年受邀北上參加「揚文會」，在日治初期趙氏在臺南仕紳階層扮演了重要的角色。趙鍾麒極重視漢詩文的傳承，1897 年（明治 30 年）與府城文人蔡國琳、謝籟軒、胡殿鵬、楊宜綠、連橫等創立「浪吟詩社」。1906 年（明治 39 年）又與蔡國琳、連橫、胡殿鵬、羅秀惠、林馨蘭等十餘人號召同好共同創辦「南社」，並繼蔡國琳之後，於 1909 年（明治 42 年）擔任社長，直至 1936 年（昭和 11 年）過世，始由黃欣（1885～1947）接任。1930 年（昭和 5 年），趙氏與洪鐵濤、王開運等友人創辦休閒性質的雜誌《三六九小報》，由長子趙雅福（劍泉）任發行人兼主編。王國璠《臺灣先賢著作提要》謂趙氏有《畸雲小稿》詩集，由臺南銓文堂刊印，古、今體詩兼善，惜今尚未得見。除古典詩外，趙鍾麒也擅長古典漢文，參與「揚文會」時，有三篇擲地鏗鏘的策議；曾撰述〈東寧擊缽吟（前集）序〉、〈臺灣詩醇序〉、〈以成書院沿革概略〉、〈聖廟祀典樂志序〉等篇。此外，又以「老雲」、「畸雲」的筆名在《三六九小報》撰寫「史遺」專欄，致力於臺灣歷史典故之保存。

趙鍾麒長子趙雅福（1894～1962），號劍泉、少雲、亞雲、欠頑，因喜愛古榕，又號「榕庵」、「榕庵主人」。臺南市人。幼讀私塾，專攻漢學。一九二〇年代與楊宜綠、黃拱五、王芷香、蔡維潛同任職於《臺南新報》漢文編輯部，1923 年（大正 12 年）退社。1930 年（昭和 5 年）擔任《三六九小報》發行人兼主編，經常以「亞雲」、「頑」、「欠圓」的筆名撰寫小說雜文，為「南社」社員，1915 年（大正 4 年）與洪鐵濤、王芷香等青壯詩人，另創「春鶯吟社」。曾任「桐侶吟社」顧問，孔廟「以成社」副社長。趙雅福興趣廣泛，日治時期曾參加臺南榕樹同好會，亦嗜

171——《臺灣日日新報》，1896年12月15日、16日。

好圍棋、音樂。戰後任職於臺灣省糧食局臺南事務所，公暇之餘，自設私塾於夜間為糧食局人員及臺南高商學生講授漢文[172]，1959年退休。

趙鍾麒次子趙雅祐（1900～1974）[173]，號劍樵、宜齋主人、宜園主人。1920年（大正9年）畢業於臺北師範學校公學師範部乙科，與吳濁流同窗。歷任高雄州舊城公學校、高雄州左營公學校、臺南州臺南第二公學校、末廣公學校教師（1920～1939）。趙雅祐喜好文學、音樂與美術。1922年（大正11年）加入「南社」，在舊城公學校任職時，與高雄詩人王寶藏、李銀濤、洪金榜等籌組「屏山吟社」（1922），翌年（1923）又加入臺南「桐侶吟社」。1927年（昭和2年）12月與江海樹、陳圖南等人組織「綠榕會」，聘請廖繼春、陳澄波為顧問，引進西洋美術與東洋畫。趙雅祐擅油畫，作品構圖奇偉，筆力雄健，為「臺南美術研究會」創始人之一。戰後擔任臺南商業職業學校教員、嘉南藥專人事主任、孔廟「以成社」歌長等職，曾撰〈聖廟叢考〉。[174] 趙氏父子生平作品皆未結集出版，目前趙鍾麒、趙雅福漢詩皆已收錄於《全臺詩》。[175]

出身臺南的臺灣話研究專家、臺灣獨立運動重要領袖之一王育德（1924～1985）[176]在《臺灣話講話》一書中，曾提及早年受教於趙鍾麒（雲石）、趙雅祐兩位老師的經驗，為趙家父子作了生動而具體的素描：[177]

> 我們初上的書房類似家塾，眾多兄弟姊妹加上親戚的孩子，規模不小，聘請的是清末的秀才，名叫趙雲石。趙老師是臺南有名詩社「南社」的泰斗，清癯如鶴，目光炯炯，威嚴十足。書念不好，他就彎著手指頭用力敲學生的頭，我們稱之為敲黑橄仔，敬畏三分。父母對趙老師非常敬畏，經常準備熱呼呼的香茗和水煙，端出牛奶和蛋糕或麵當點心，送迎

172── 參考柯喬文，〈《三六九小報》古典小說研究〉，嘉義：南華大學文學研究所，2003年6月，頁95。

173── 生年1900年，據盧嘉興，〈記臺南府城詩壇領袖趙雲石喬梓〉，或謂1901年出生，見劉阿蘇，《臺南市志‧卷六學藝志藝術篇》，臺南：臺南市政府，1994年6月。

174── 參考《臺南新報》，1922年11月23日，第5版；盧嘉興，〈記臺南府城詩壇領袖趙雲石喬梓〉，《臺灣研究彙集》第15輯，1976年9月30日；劉阿蘇主修，《臺南市志‧卷六學藝志藝術篇》，臺南：臺南市政府，1994年6月。

用人力車，年節的紅包又大又厚……有趣的是上公學二年級時，趙老師的少爺擔任班導師。他跟父親一樣瘦瘦的，脾氣暴躁，綽號「雷公」，恰如其人。小趙老師拼命把教育敕語的精神貫注到我們腦裡。這是只有臺灣人才能體驗的奇妙無比的雙重生活、雙重精神教育。

（四）羅秀惠

羅秀惠（1866～1942），字蔚村，號蕉麓，又號蘸綠，別署花花世界生。清臺南府（今臺南市）人，師事宿儒蔡國琳，1888 年（光緒 14 年）取中舉人。乙未割臺前夕，與時任戶部主事的臺灣人葉題雁、翰林院庶吉士李清琦，以及安平縣汪春源、淡水縣黃宗鼎等三名舉人聯合上書表達反對，仍無法挽回頹勢，遂避居北京。不久，返臺定居安平，協助蔡國琳纂修《臺南縣志》，擔任「揚文會」臺南支會幹事，並擔任《臺澎新報》編輯。1897 年（明治 30 年）獲頒紳章。[178] 1899 年臺南師範學校成立後，應聘為教務囑託，教授漢文、習字，1902 年（明治 35 年）辭職，前往廈門辦報，未果。1905 年返臺，應聘擔任《臺灣日日新報》編輯，曾撰「蘸綠村詩話」刊於該報，與北臺官紳尾崎秀貞、館森鴻等互動密切。1906年與謝汝銓、洪以南、李漢如等創「新學研究會」，並於 1910 年發刊《新學叢誌》，內容包括文學、政治、經濟、法律、歷史、地理、哲學、衛生……可見傳統文人對新知識之追求。為臺南「南社」、「酉山吟社」，及臺北「瀛社」社員。擅行草書，亦能左書，曾多次參加臺灣書畫聯展。1915年（大正 4 年），與王香禪[179] 離異，入贅「赤嵌女史」蔡碧吟家。羅氏生性揮霍，致使家產蕩盡。1925 年（大正 14 年）1 月，因基隆顏國年捐助，創臺北《黎華新報》，擔任發行人，除刊載梨園藝文外，兼及小說、詩文、

175—— 參考盧嘉興，〈記臺南府城詩壇領袖趙雲石喬梓〉，《臺灣研究彙集》第15輯，1976年9月30日；石萬壽，〈趙雲石喬梓詩文初輯－詩〉，《南瀛文獻》第28卷，1983年6月；《全臺詩》第拾肆冊，臺南：國立臺灣文學館，2011年；《全臺詩》第陸拾冊，臺南：國立臺灣文學館，2020年。

176—— 王育德的父親為臺南富紳王汝禎，叔公王藍玉、王藍石皆為前清舉人，兄長王育霖。

177—— 王育德，《臺灣話講座》，臺北：前衛出版社，2000年4月，頁109。

178—— 後於1912年因「素行不良」遭收回。〈紳章的剝奪〉，《臺灣日日新報》，1912年11月23日。

179—— 王香禪（1886-？），本名罔市，藝名夢癡，臺北艋舺人，著名藝旦、詩人。為連橫女弟子，先嫁羅秀惠，離異後嫁謝介石。

隨筆。1928 至 1929 年間先後籌辦「蕉鹿千書會」於江山樓、臺北博物館、臺中紀念館、嘉義三山國王廟，任人求書，墨蹟流傳甚廣。1935 年（昭和10年）11 月，以「奎社書道會」名義於臺北永樂町舉辦全島書畫展覽會，後代譽為「清代臺南府城十大書家之一」。羅秀惠詩多信筆拈來，或口占而成，隨寫隨棄，故留存不多。詩不主一格，唯多豔體或擊缽之作，《全臺詩》收錄其詩 500 首。[180]

（五）蔡佩香 [181]

蔡佩香（1867～1925），又作珮香，字夢蘭，號南樵，又號南樵散人、南樵劫餘生、海外逋客、詩狂子、廣莫散人、荒唐生。書房稱「掬月樓」、「無聊山房」。清臺灣縣（今臺南市安平）人，光緒年間秀才。出身臺南望族，父執輩蔡向榮、蔡霞潭曾任職戶部主事，叔父蔡霞標則任職刑部主事，府城仕紳許廷光為其舅父，曾師事舉人蔡國琳。日治後，師徒二人於1900 年（明治33 年）聯袂赴日觀光。1903 年起參與臺灣總督府「臨時舊慣調查會」達 3 年之久，期間問俗採風、歷窮山水，對臺灣閩粵籍人士以及原住民慣習及各廟宇之沿革，莫不瞭然。1905 年（明治38 年）與連橫於廈門合辦《福建日日新聞》，共主筆政，不及一年即停刊返臺，次年（1906）加入「南社」之創設。1907 年（明治40 年）經友人推薦，北上任《臺灣日日新報》漢文記者[182]，主筆「掬月樓詩話」專欄，認為詩歌雖彫蟲末技，卻可觀國家興替、風俗盛衰，自有其功用。[183]在「瀛社」尚未成立前，更將臺南「南社」與臺中「櫟社」，以及臺北「淡社」[184]視為臺灣詩界勃興、鼎足而三的詩人社群。1908 年 5 月，因病南下臺南醫院療養，8 月辭退「臺灣日日新報社」編務，此後久居臺南。1912 年（大正元年）

180—— 參考黃拱五，〈輓羅蕉麓孝廉〉，《興南新聞》，1942年6月24日，第2版；《全臺詩》第拾伍冊，臺南：國立臺灣文學館，2011年出版；劉庭彰，〈跨時代的府城文人──羅秀惠研究〉，成大臺文所碩論，2018年5月。

181—— 生年據氏撰〈三十八年初度自誌〉及〈客邸除夕〉：「卅九星霜鬢欲皤」推估，卒年據三屋清陰〈哭蔡南樵〉。見《漢文臺灣日日新報》，1907年12月31日、《臺灣日日新報》，1906年9月27日、《臺南新報》，1925年8月7日。

182—— 蔡佩香，〈入社詞〉，《漢文臺灣日日新報》，1907年5月8日。

183—— 從1907年8月2日起至1908年8月9日止，刊載於《漢文臺灣日日新報》。

曾旅遊日本神戶、中國京滬及廈門。1921 年（大正 10 年）6 月任《聖心會會報》漢文記者，1924 年 10 月入《臺南新報》擔任記者。王松《臺陽詩話》謂蔡氏：「為人慷爽，不立崖岸，能文工詩」。黃植亭謂其家資巨萬，而個性豪邁，不孜孜於財富：「最深於情，耽溺聲妓，煙花叢裡，露膽披肝。生平吟詠，多藉此以抒懷。筆極艷麗，詞極真摯。」[185]胡南溟稱其「夙有山水癖，愛花癖，興之所至，舉筆直書。花木山水，無不寫景入妙。」[186]老年貧病益甚，惟吟詠自如。生平詩作未結集，多見於《臺灣日日新報》、《臺南新報》、《聖心會會報》，《全臺詩》收錄其詩 1,100餘首。[187]

（六）林逢春

林逢春（1868 ～ 1936），幼名大松，字珠浦，又字嚴若，另字杏仁，號蘭芳、養晦齋主人，晚年號西河逸老、珠叟。清臺灣府東軒門街（今臺南市永福路）人。17 歲取中秀才，其後屢次參加鄉試未第。割臺後，赴阿公店街（今高雄縣岡山）設帳授徒。歷任關帝廟公學校、歸仁公學校、橋仔頭公學校教師。1918 年（大正 7 年）應臺南長老教神學校（今臺南神學院）之聘，擔任漢文教師，講授四書、幼學瓊林、昔時賢文等，當時同在該校任教的有林燕臣秀才（林茂生之父）、黃俟命牧師、林茂生博士等……任教神學院時，兼任臺南長老教女中（今長榮女中）漢文教師，一直到 1926 年離職止。1930 年（昭和 5 年）應善化蘇東岳之聘，前往設塾教學，長達十餘年，高足有蘇銀河、劉育奇、蘇炳嵩、王鼎勳等。與王滄海、蘇建琳創立「浣溪吟社」、「淡如吟社」，對善化地區文教發展影響頗大。林氏精於詩學，熱心童蒙教育，為「南社」、「酉山吟社」社員，

184── 蔡佩香謂：「淡社則內地人居多，然吟詠雖多，雅不欲刊行報紙，故島人亦鮮有知者。至《竹風蘭雨》出版，而聲價益復高昂。」參考南樵，〈掬月樓詩話〉，《漢文臺灣日日新報》第2927號，1908年2月5日，第3版。

185── 植亭，〈拾碎錦囊〉（19號），《漢文臺灣日日新報》，1905年7月28日，第3版。

186── 胡南溟，〈拾碎錦囊〉（42號），《漢文臺灣日日新報》，1905年5月25日，第3版。

187── 參考《全臺詩》第貳拾貳冊，臺南：國立臺灣文學館，2012年；林德政，〈連雅堂在大陸的活動〉，《傳記文學》第78卷第5期，2005年11月。

與臺南秀才林馨蘭、謝紹楷、嘉義陳景初有交誼。著有《仄韻聲律啟蒙》（嘉義：蘭記書局，1930），凡 6,000 餘言；又著〈新聲律啟蒙〉十三韻、〈臺南舊街名對〉。詩歌《珠浦吟草》、《灣溪詩草》未刊，《全臺詩》錄其詩 320 餘首。[188]

（七）胡殿鵬

　　胡殿鵬（1869～1933），乳名巖松，官章殿鵬，字子程，號南溟，清臺灣縣人。光緒年間秀才。少負奇氣，疏狂奔放。其父胡玉峰，曾任廈門比國領事館幕賓。乙未（1895）割臺，胡殿鵬偕妻渡廈，與父同寓。當時比利時領事延之為漢文教習，次年局勢稍定後返臺。歷任《臺灣日日新報》、《臺南新報》記者。連橫在廈門創辦《福建日日新聞》，邀其相助，乃又西渡。返臺後任職《全臺報》記者，與黃拱五共筆硯。與「浪吟詩社」日人成員安江五溪（1866～1934）、臺南廳長山形脩人（1856～1908）相友善。曾於固園為黃欣、韓浩川、王鵬程講《易經》；府城詩壇健將洪鐵濤曾從之學詩。1906年（明治39年）與趙鍾麒、連橫、謝維巖等創立「南社」。生性豪曠不羈，詩風奇偉，尤擅長作古體歌行。1914年（大正3年）妻李梅仙去世，胡殿鵬一度發狂。後半生落魄潦倒，衣食困頓。友人臺南謝籟軒、新竹鄭肇基，前《臺南新報》社長富地近思，皆曾周其急。著有《浩氣集》，岳父（繼室劉金娘之父）曾出資助印，惜未正式刊行。1909年1月22日起，在《臺灣日日新報》發表「大冶一爐」詩話長達205期，連雅堂謂其「收羅極廣，議論尤新」，遠自虞舜時代，近至臺灣當代，皆有評論。力主詩經六義之說，推崇樂府。胡殿鵬自云：「夫南溟自六十年來，長篇不可刪，短篇不可增，散文渾而灝，駢文沉而麗。窮古之英，貫

188── 盧嘉興，〈著《仄韻聲律啟蒙》的林珠浦〉、〈林珠浦先生之節序雜詠及臺南舊街名對〉，《臺灣古典文學作家論集》（中），臺南：臺南市立藝術中心，2000年11月；《全臺詩》第貳拾參冊，臺南：國立臺灣文學館，2012年。

古之識，其思想最高、最奇、最雄、最健」；連橫《臺灣詩乘》評曰：「為文有奇氣，詩亦汪洋浩蕩，有海立雲垂之概」。盧嘉興謂其文「千奇百變」、「雄大而光明」、「筆鋒渾灝而圓轉」，足以擺脫古人窠臼。又評其詩：「汪洋浩蕩，收羅極廣，議論尤新。構想瑰瑋，用詞綺麗，洋洋大觀」乃臺灣詩壇怪傑。著名的作品有七古長詩〈五江曲〉，其中以〈長江曲〉及〈黃河曲〉氣勢澎湃，瑰偉雄奇，尤具特色。《全臺詩》錄其詩380 餘首。[189]

（八）林馨蘭

林馨蘭（1870 ～ 1924），字湘沅、湘遠、湘畹，號壽星、六四居士、勞勞生。臺南東安坊辜婦媽街（今臺南市青年路一帶）人。前清秀才。與劉申甫[190]、羅秀惠、謝汝銓、謝濟若皆為府城舉人蔡國琳門生。日治初期，曾舉家內渡，局勢稍定始返臺南設帳授徒。先後擔任《全臺日報》、《臺南新報》記者，1908 年（明治 41 年）9 月北上，擔任《臺灣日日新報》漢文部記者，以「勞勞生」 筆名撰寫「意園詩話」專欄，從 1908 年 9 月至 1910 年 2 月，共發表 8 號。該詩話蒐集名人佳作或當代友人新作，尤以第 8 號介紹臺南許廷崙（景山）新樂府 4 首〈保生帝〉、〈鯤鯓王〉、〈羅漢腳〉、〈伽藍頭〉最具特色。林氏酷愛詩歌，人號為「詩癡」。1906 年（明治 39 年）加入「南社」，1909 年（明治 42 年）北上後，與魏清德、謝汝銓等人共組「瀛社」，1915（大正 4 年）與張純甫、林述三、駱香林等創設「研社」（後改組為「星社」），1923 年（大正12 年）與門生倡設臺北「萃英吟社」，在詩壇活動力頗強。曾先後於稻江義塾、大稻埕公學校擔任漢文教師。林氏詩工近體，對律齊整。謝汝銓

189—— 參考「拾碎錦囊」（153號），《漢文臺灣日日新報》，1906年01月23日，第3版；楊雲萍，〈胡南溟的詩及其詩稿〉，《文獻專刊》第5卷第1、2期，1954年6月；盧嘉興，〈清末臺灣的詩文大家胡南溟〉，《臺灣古典文學作家論集》（上），臺南：臺南市立藝術中心，2000年11月；連景初，〈奇士胡南溟〉，《臺南文化》第8卷第3期，1968年9月30日；《全臺詩》第拾捌冊，臺南：國立臺灣文學館，2011年。

190—— 林馨蘭，〈傷三知己竝引 申甫芸兄〉：「三十年前筆硯同，君逾弱冠我猶童（原註：甲申同肄業玉屏夫子門下，余年方十四）」，《臺灣日日新報》，1921年12月22日，第5版。

謂「所學不只一家，所作遂不鳴一家。其抑鬱牢騷之氣，胥洩之於詩，故多慷慨悲歌之作。其措詞命義，時或與古人相類。」門人蔡敦輝輯其遺詩為《湘沅吟草》，先後擬於 1925、1935 年付梓，惜因故未刊。詩作多見於《臺灣日日新報》、《臺南新報》等日治時期報刊，《全臺詩》錄其詩近 500 首。[191]

（九）謝汝銓

　　謝汝銓（1871～1953），字雪漁，號奎府樓主，晚署奎府樓老人。臺灣縣東安坊人（今臺南市）。12 歲學八股、試帖之文，15 歲從臺南舉人蔡國琳學律、絕，22 歲（1892）考取秀才。乙未之際，曾協助表兄許南英辦理團練對抗日本軍隊，謝氏有〈憶窺園〉：「窺園昔所遊，高會時與偕。不重管絃樂，詠歌伸雅懷。……蕭牆起禍變，劫幻紅羊灰。踉蹌俱出走，盡棄其所有。閩粵歸故鄉，茫茫喪家狗。表兄為眾推，其事不容辭。暫負保民責，非云興義師。孤城失其固，出險如脫兔。名園委荒塵，花木不如故。今讀留草篇，不禁涕潸然（以下略）」[192]，對於抗日兵敗、名園荒蕪有很深的感慨。日治後，謝氏努力學習日文，以甲科生資格北上，就讀國語傳習所，1897 年（明治 30 年）透過臺南縣知事磯貝靜藏推薦，以首位秀才身分入臺灣總督府國語學校研習。1901 年自國語學校國語部畢業，任職臺灣總督府學務課，參與編輯《日臺會話辭典》，不久，轉任警官練習所臺語教師。1905 年入《臺灣日日新報》擔任漢文記者，有筆記叢談〈綴錦篇〉刊載於該報[193]，其後又任馬尼拉《公理報》、《昭和新報》、《風月報》等報刊主編。1909 年與洪以南等倡設臺北「瀛社」，並於洪氏去世後繼任第二任社長。戰後曾擔任臺灣省通志館顧問。生平所作詩文

191── 參考謝汝銓，〈湘沅遺草序〉，《臺灣日日新報》，文壇，1935年8月7日，夕刊第4版；盧嘉興，〈日據時期為臺灣倡設詩社的林湘沅〉，《臺灣研究彙集》第7輯，1969年1月；吳東晟，〈《漢文臺灣日日新報》所載詩話研究〉，成大中文所博士論文，2015年7月，頁39-40。

192── 本文所引詩，皆出自《全臺詩》，以下不逐一標示。

193── 《漢文臺灣日日新報》1906年8月22日至24日連載，參考吳東晟，〈《漢文臺灣日日新報》所載詩話研究〉，成大中文所博士論文，2015年7月，頁93。

有《奎府樓吟草》三卷、《詩海慈航》二卷、《周易略說》等，多發表於報章雜誌。近人王國璠謂其詩：「詞尚淺白，且多寫實；尤以感舊、寄懷之作，更存臺灣近代關係人物之事蹟，以人存史，頗具文獻價值」。至於其漢文，則能表現出現代新聞記者的眼光與視野，以〈說文明〉、〈自立須合義利論〉、〈記者論〉、〈南歸誌感〉等篇為代表；小說則有〈陣中奇緣〉、〈櫻花夢〉、〈新蕩寇誌〉、〈日華英雌傳〉等多篇發表於《臺灣日日新報》、《風月報》。《奎府樓詩草》及《蓬萊角樓詩存》兩詩集曾於日治時期刊行，1992 年龍文出版社合印，總名為《雪漁詩集》。另有〈蓬萊角樓詩話〉、〈奎府樓詩話〉曾刊載於《風月報》，未見刊行本。《全臺詩》錄其詩 2,000 餘首。[194]

（十）陳筱竹 [195]

陳筱竹（1871～1939），名日光，字煥耀，號筱竹、寄齋。晚清秀才。出身高雄陳家，父親陳福謙（1834～1884）經營順和棧，為南臺首富，長兄陳日翔（1860～1913）前清舉人，曾任內閣中書、清廷駐菲律賓總領事。陳筱竹排行第三，人稱「三老爹」。改隸之際曾避居廈門，於1900 年（明治 33 年）9 月回臺，旋即返廈，約在 1909 年左右返臺定居。為「南社」社員，亦經常參與「酉山吟社」、「桐侶吟社」、「羅山吟社」詩會，與胡殿鵬、楊宜綠、城西謝家（謝友我、謝維巖、謝國文）、固園黃氏兄弟（黃欣、黃溪泉）相友善。1913 年（大正 2 年）受楊宜綠之邀，擔任其子嗣楊熾昌之漢學教師。曾寓居開元寺，與該寺住持釋慎淨（1882～1923）有交誼。1922 年（大正 11 年）往遊廈門，與釋慎淨書信往來頻繁，多有唱和。1929 年（昭和 4 年）順和陳家因掌櫃霸占財產事，

194—— 參考《臺灣日日新報》，1901 年 4 月 5 日，第 3 版；劉篁村，〈稻江見聞錄〉，《臺北文物》第 2 卷第 3 期，1953 年 11 月；蔡佩玲，〈「同文」的想像與實踐：日治時期傳統文人謝雪漁的漢文書寫〉，政大中文所碩論，2009 年 7 月。

195—— 生年據「臺南市內前清秀才尚十有九人健在」推估，是年陳筱竹 66 歲。卒年據吳紉秋，〈輓陳筱竹茂才〉推估。見《臺灣日日新報》，1936 年 4 月 16 日，第 8 版；《臺灣日報》，1939 年 4 月 9 日，夕刊第 4 版。

與陳中和對簿公堂，後因陳中和遽逝，侵占之事遂成懸案。陳筱竹在家道中落、潦倒無依之際，應黃欣之邀，寄居固園達 13 年之久。晚年始返高雄，居住於五弟陳日暄養子陳文欽處。[196]詩作未結集，多見於《臺南新報》、《臺灣日日新報》、《詩報》等報刊。《全臺詩》收錄其詩近百首。

（十一）許子文 [197]

　　許子文（1876 ～ 1957），號紫雯。臺南西定坊米街（今臺南市新美街）人。1902 年（明治 35 年）7 月臺南師範學校畢業，1904 至 1925 年（明治 37 年至大正 14 年）歷任阿猴廳萬丹公學校、鳳山廳大湖公學校、鳳山公學校、臺南第一公學校、臺南女子公學校訓導。為「南社」、「酉山吟社」、「留青吟社」、「桐城吟會」社員，1943 年（昭和 18 年）繼黃廷禎之後，任「酉山吟社」社長。許氏頗富文才，經常投稿彰化「崇正社」徵文，有〈戒奢侈說〉、〈破除迷信議〉、〈維持漢學策〉、〈臺灣大學建設議〉、〈文明說〉、〈農民保護論〉……等 30 餘篇，曾多次奪魁。戰後加入「延平詩社」，與許丙丁、顏興、莊松林等人同受聘為臺南市文獻委員會委員。次子許仲璣繼承衣缽，1945 年（民國 34 年）接管臺灣商業學院，並改制為私立南英商業職業學校，出任首任校長至 1977 年退休，主持校務達三十餘年。[198]詩作未結集，《全臺詩》收錄其詩 190 餘首。

196—— 參考陳淑慧，〈南社詩人陳筱竹生平及其文學活動初探〉，《臺灣文學評論》第 7 卷第 3 期，2007 年 7 月；曾玉昆，《高雄市各區發展淵源》下冊，高雄：高雄市文獻委員會，2007 年。
197—— 卒年 1957 年，據《臺南市志・卷七人物志》：「民國四十六年六月病逝」。生年 1876 年，據王榮達，〈弔許子文先生〉：「八二遐齡易簣時」推估。見黃典權主修，《臺南市志・卷七人物志》，臺南：臺南市政府，1969 年、《臺灣詩壇》第 13 卷第 2 期，1957 年 8 月。或謂年 80，生於 1878 年，據黃少卿，〈弔許府子文翁〉：「享年八秩德譽并」、楊乃胡〈輓子文社長〉：「八秩空餘擬設弧」推估。見《中華詩苑》第 33 號，1957 年 9 月。
198—— 參考黃典權等纂修，《臺南市志・卷七人物志》，臺南：臺南市政府，1979 年 2 月；中央研究院臺灣史研究所「臺灣總督府職員錄系統」。

（十二）楊宜綠

　　楊宜綠（1877～1934），字天健，號癡玉、癡綠、蓬萊客，臺南府總爺街人。為府城郊商楊伯淇長子。楊宜綠少即入塾，漢學根基深厚，尤好吟詠。1897年（明治30年）與謝維巖、趙鍾麒、連橫等同創「浪吟詩社」。1900年（明治33年）成立家室後，西渡廈門供職《全閩日報》，不久返臺。1906年參與「南社」之創立，1915年（大正4年）偕臺南文人謝國文赴日深造，與中國國民黨元老胡漢民有交誼。返臺後，又應黃欣之請，前往日本主持證券業務駐神戶聯絡員。曾任《臺灣日日新報》、《臺南新報》漢文記者，為「南社」成員。其人耿介豪爽，所撰詩文多諷刺時政、反映社會問題。1927年（昭和2年）發生「臺南運河殉情奇案」，曾作詞詠之。1928年（昭和3年），針對臺南大南門外公共墓地改建綜合運動場政策，撰文反映民意予以抗議，遭繫獄10個月。後因怨憤成疾，得獄醫酒井氏協助，始獲保釋出獄。後棄職，在家「旭齋」設帳授學，培植青年學習漢詩文，府城韓浩川（1897～1952）[199]、林秋梧（1903～1934）、黃仲甫（？～1956）[200]為其高足。楊宜綠授課之餘，常與友人討論時事，或作詩文，抒發情懷。所作大率自出胸臆，渾樸古茂，絕無俗韻。工豔詩，尤擅香奩體，盧嘉興評曰：「烘雲托月，穠豔清華，其傳神處纏綿悱惻……大有美人薄倖，才子多情之慨。」[201]生平與黃欣、黃溪泉昆仲交情最深厚。哲嗣楊熾昌（1908～1994）為府城超現實主義「風車詩社」領航者。詩作未曾結集，《全臺詩》錄其詩共233首。

199——　韓浩川，號寒生、醉餘生。臺南人。「南社」成員。大正四年（1915）左右起，擔任黃欣「煙草賣捌所」書記，十四年（1925）轉調到麻豆「煙草賣捌所」，寄居麻豆頂街上帝廟前及頂街酒店頭。在麻豆期間，常參與當地「綠社」擊缽吟會。昭和六年（1931）遷籍回臺南，居於大正町三丁目。昭和十一年（1936）辭退任職21年的書記職務，遷居至清水町一丁目。曾任廈門《全閩日報》記者、《臺灣日日新報》臺南通信員，戰後（1946）擔任第一屆臺南市東區副區長。參考黃典權等纂修，《臺南市志‧卷七人物志》，臺南：臺南市政府，1979年2月；詹評仁編，《柚城詩錄》，臺南：麻豆鎮公所，2003年11月。

200——　黃仲甫，臺南人。日治時期曾至廈門行醫，戰後擔任第二屆臺南市議會議員、第三屆副議長，卒於任內。參考臺南市議政史料館，http://www.tncchistory.com.tw/history/tncc_c-2.html，2021年2月6日檢索。

201——　參考盧嘉興，〈民初臺南抗日詩人楊宜綠〉，《臺灣研究彙集》第6輯，1968年8月25日。

（十三）黃得眾

　　黃得眾（1877～1949），字拱五，號瘦菊、多事老人、紅谿等。臺灣縣王堤塘（今臺南市永福路一帶）人。父黃字吉（字子及）為前清秀才，曾擔任臺南磚雅橋吳家[202]塾師，1882 年（光緒 8 年）受聘為臺灣縣「引心書院」監院。1892 年（光緒 18 年）黃得眾以 16 歲之齡受聘為清水寺街吳厝塾師。1906 年（明治 39 年）參與「南社」的創設。曾擔任「臺南每日新聞社」社員，後入《臺南新報》操筆政，達 30 年之久。詩文清新俊逸，詼諧幽默，經常發表於《三六九小報》、《孔教報》。1941 年（昭和 16 年）夏，寄居於外甥王開運之寓所「杏庵」，著手整理生平詩、文，合編為《拾零集》，自云：「詩、文共二百餘件，中以遊戲之文，香奩之體為尤多，是皆悅性怡情之作，故工拙不計也……思以稿件多拾自舊篋中者，即以『拾零』名之」。翌年（1942）元月，友人施梅樵為作序云：「先生素長香奩豔體，又熟讀《香草箋》、稻香村人諸集，故下筆時恍見莘田、薌亭之大著焉。」1944 年（昭和 19 年）秋，將寄居「杏庵」三年之作編為《寄廬集》，由哲嗣黃振煌珍藏。[203]《全臺詩》錄其詩 300 餘首。

（十四）連橫

　　連橫（1878～1936），字雅堂、雅棠，又字武公，號慕陶、劍花。及長，改名橫，字天縱。臺南府安平縣寧南坊人。改隸之際，甫遭父喪，家居抄杜少陵詩，以述亡國失親之悲。18 歲負笈上海，入聖約翰大學習俄文，後奉母命返臺完婚，遂棄學歸鄉。1897 年（明治 30 年）與蔡國琳、謝維巖等創「浪吟詩社」，1899 年（明治 32 年）擔任《臺澎日報》漢文記者，1902 年、1904 年曾先後主廈門《鷺江報》、《福建日日新聞》筆政。

202—— 《臺南市志・人物志》：「吳尚霑，字潤江，號秋農，居磚仔（莊雅）橋，咸豐己未（八年）舉人。書畫篆刻俱佳，詔安謝琯樵嘗寓其家，師事之，習梅蘭竹菊，以蘭最精……」吳尚霑曾仿堂兄吳尚新建吳園，在磚雅橋福安坑主流、支流匯流處東側建「宜秋山館」。參考《重修臺灣省通志》卷九〈人物志〉，臺灣省文獻會，1998年6月，頁523。

203—— 參考黃典權等纂修，《臺南市志・卷七人物志》，臺南：臺南市政府，1979年2月；盧嘉興，〈臺灣日據末期著刊《拾零集》的黃拱五〉，收在《臺灣古典文學作家論集》（中），臺南：臺南市立藝術中心，2000年11月，頁692-744。

1906年（明治39年）結束《福建日日新聞》業務，回臺任職《臺南新報》，與府城詩友共創「南社」。1907年曾發表〈臺灣詩界革命論〉一文，與中部《臺灣新聞》記者陳瑚「筆戰旬日，騷動詩壇」，當時參與筆戰者有中部詩人陳瑚、林癡仙，南部詩人連橫、胡南溟、陳渭川，乃一九二〇年代臺灣「新舊文學論戰」前，臺灣詩界的自我省思。[204] 1908年移居臺中，加入「櫟社」。1912年借道日本，前往中國，歷經十餘省，清史館長趙爾巽延之共事，因此得見館中有關臺灣建省檔案。其後，至遼寧、瀋陽漫遊，先後入《吉林報》、《邊聲報》任職。1914年返臺，潛心著作。1918年（大正7年）完成《臺灣通史》。1924年（大正13年）創刊《臺灣詩薈》，1926年移居杭州西湖，1927年（昭和2年）春返臺，與友人於大稻埕太平町經營「雅堂書局」，經常參與「瀛社」詩會。1930年回到故里，參與同鄉趙鍾麒、洪鐵濤、王開運、許丙丁等創刊之《三六九小報》，並致力整理編撰《臺灣語典》。1933年再度攜眷移居上海，不復返臺。連雅堂少而能詩，受龔定庵影響，其詩「忽而壯士說劍，慷慨激昂；忽而美女簪花，溫柔細膩」。南樵〈掬月樓詩話〉謂連橫：「盛名早著少年橫，唱出維新革命盟。自有臺南天縱子，詩中早下史公評。」[205]畢生致力保存臺灣文獻，著作豐富，有《臺灣通史》、《臺灣詩乘》、《臺灣語典》、《雅言》、《大陸吟草》、《劍花室詩集》、《劍花室文集》等作品。[206]《全臺詩》錄其詩1,100餘首。

（十五）陳渭川

陳渭川（1879～1912），又名昂，字瘦痕、瘦雲，號小葦、菜畦、搏笑子。臺南寧南坊人，為秀才陳子耿長子。7歲失怙，賴母氏撫養成人。

204—— 參考筆者〈日治時期新舊文學論戰的再觀察〉，《從沈光文到賴和——臺灣古典文學的發展與特色》，高雄：春暉出版社，2000年，頁256。

205—— 《臺灣日日新報》，1907年10月5日，第3版。

206—— 參考〈拾碎錦囊〉，《漢文臺灣日日新報》，詩話，1905年11月11日，第3版；賴建銘纂修《臺南市志·卷六學藝志文學篇》，臺南：臺南市政府，1985年6月；鄭喜夫《連雅堂先生年譜》，南投：臺灣省文獻會，1992年。

幼從府城秀才林在鎔學，文思大進。日治後與蔡國琳、謝維巖等創「浪吟詩社」（1897）。1900 年（明治 33 年）擔任《臺南新報》漢文記者。1906 年（明治 39 年）與臺南文人共同創設「南社」，擔任幹事長，經常往來南北兩地參與詩會活動。1910 年《臺灣日日新報》報導陳氏北上商議北中南三大詩社聯盟事誼，備見其推動全臺詩風之用心：

> 臺南新報社記者陳渭川，氏者番偕其仲弟來北。氏係南社詞宗，究心聲韻之學，得詩家三昧。「瀛社」詩友雅重其名，為開雅會於平樂遊旗亭，赴會者十餘人。綠酒浮香，紅燈照耀，賓主各盡其歡。席間，氏起道謝，竝謂現時詩界振興，北有「瀛社」、中有「櫟社」、南有「南社」，此三社皆有報社諸友為之提倡，甚得好機。然若歷年各開大會，諸友赴會往來，未免過於煩勞。不若輪年作主，較為簡便。且各社有兩年準備，可免倉卒無措。其課詩則仿「淡社」之法，互為品評，以求實益。諸友皆大贊成。氏者番歸去。將作成草案。由南報發表。視贊成人數多寡，然後擇期。大雅扶輪，藉振一代風騷，可拭目以俟也。

陳渭川不只重視三臺詩社串連，也注意與日本漢詩人的互動。1912 年（大正元年）2 月，參與日人原田春境創設之「采詩會」，並與臺日漢詩人共同創刊《采詩集》。陳氏生性倜儻不羈，才華洋溢，性嗜酒，喜詼諧。酷愛京劇，曾於 1911 年（明治 44 年）7 月與刑事王岳、王水等合組「小羅天童伶京班」，邀請上海名角前來教授本島子弟，乃目前可考的日治時期第一個本土職業京班。臺南市各街佛誕皆延聘「小羅天」演出，亦曾受邀至嘉義廳下開臺，極受歡迎。陳氏詩文藻麗香豔，語句圓妙。許

天奎《鐵峰詩話》評其詩：「少時已博覽群書，尤耐苦吟，每一字之推敲，雖眉毫脫盡，腸胃欲流，弗顧也。」1912 年 6 月不幸因肺病過世，年僅 34。「南社」自渭川逝後，一度詩壇零落、缽聲消歇；一直要到是年 9 月，許南英回臺省親，借詩遣興、佳章迭出，詩風始為之一振，可見陳渭川在臺南詩壇極具影響力。著有《瘦雲詩存》，未刊。[207]《全臺詩》錄其詩 240 餘首。

（十六）謝維巖 附弟謝溪秋、姪謝國文 [208]

謝維巖（1879～1921），官章瑞琳，字璆我，號籟軒、攝津市隱，戶籍登記為謝石秋。臺南大西門外頂南河街人。其父謝四圍（1836～1896）以煙業（鴉片）起家，屬於「芙蓉郊」之一，商號「英泰行」。兄弟四人，長兄謝友我（1869～1926）光緒年間文秀才，次兄謝群我（1871～1932）光緒年間武秀才，排行第三的謝維巖在 1891 年（光緒 17 年）以 13 歲之齡取中秀才，有「神童」之譽。割臺之際，父親謝四圍追隨劉永福抗日，以家產簽保臺灣民主國官銀流通，今猶可見其遺。[209]日治後，謝維巖與蔡國琳、趙鍾麒等人共組「浪吟詩社」（1897）。此外，為研習日文，曾就讀於曹洞宗臺南國語學校，1898 年 11 月畢業。1903 年（明治 36 年）與陳鴻鳴、王雪農、吳筱霞等府城仕紳成立「南部天然足會」。1906 年（明治 39 年）應連橫之邀，擔任《臺南新報》漢文部主筆，廣開「詩壇」一欄，日登投稿詩作，親加圈點，諄諄鼓勵後進。與臺南漢詩人組「南社」（1906），並擔任幹事，為該社重要成員。試舉一則 1912 年 4 月報導謝氏邀約社友雅集的消息，可略見其才華與行動力：

208—— 案：從出生年來看，謝溪秋與謝國文應屬於「衍生世代」，為方便故，暫繫於「前世代」謝維巖之後。

207—— 參考《臺灣日日新報》，1912年7月2日、8月31日、9月4日，第6版；王國璠，《臺灣先賢著作提要》，新竹：臺灣省立新竹社會教育館，1974年6月；賴建銘纂修，《臺南市志・卷六學藝志文學篇》，臺南：臺南市政府，1985年6月。

209—— 2019年9月19日，筆者訪問謝維巖之孫謝南強先生時，猶可看到謝家保存的「臺灣民主國官銀票」。

南社詞人謝石秋氏於風雅一途最為熱心，日前遍約社友乘博物館休閒日，借該館後樓為會場。是日赴會者原田、鈴村、雲石、石秋、溪秋、省廬、韞山、筱竹、坤益、翔遠等計十人，於午後三時齊集。題為〈暮春郊行〉，拈虞韻，以雲石為左詞宗，原田為右詞宗。左右元為石秋、溪秋兩昆仲所得。既而原田屠青龍白虎為下酒物，石秋命庖攜酒及麵來，相與暢飲盡歡，至午後七時始散。該樓接連御遺跡，憑眺風景絕佳，來月曜日，當有提倡重開雅會也。[210]

1914 年（大正 3 年）謝維巖與黃欣相偕前往中國旅遊，歷上海、杭州、蘇州、南京、福州等地，飽覽故國風光，頗多佳作。1918 年辭去報社職務，前往神戶經商，設立凱南公司。1919 年全家遷往東京市石川區。1921 年（大正 10 年）卒於神戶，得年 43。[211]謝氏風流倜儻、才氣俊逸，每一吟詠，信手成篇。生平作品約近千首，曾錄舊作託侄輩謝國文收藏，可惜終究散佚無存。哲嗣謝國城於 1965 年（民國 54 年）蒐集遺作，題為《謝籟軒詩集》，僅 38 首。1970 年（民國 59 年）盧嘉興因謝國文之子謝汝川協助，又增補了 34 首。《全臺詩》又參考當時的報刊雜誌，錄其詩 285 首。[212]

謝維巖弟謝溪秋（1892～1959），謝四圍第四子，名鯉魚，字溪秋，號竹軒，以字行。晚年使用南吼、易暢等筆名。6 歲時從當地宿儒蔡國琳讀漢文，14 歲已有優秀的漢詩作品。1908 年加入「南社」，與三兄謝維巖、侄子謝國文並稱「南社三健將」，許南英亦稱許之為「謝家三寶樹」。1915 年（大正 4 年）與謝國文相偕往日本神戶留學，先與蔡培火同住，後寄居本鄉區柯秋潔家。抵日之初，先就讀於豐山中學，1918 年結識前往日本的中國革命者胡漢民、馬君武、何香凝，常有詩作往來唱和。1919

210—— 《臺灣日日新報》，1912年4月26日，第5版。
211—— 參考《謝籟軒詩集・謝石秋公大事年表》、《臺灣日日新報》，1921年12月8日，第4版；盧嘉興，〈清末遺儒臺南謝氏昆仲文武秀才〉，《臺灣研究彙集》第12輯，1972年8月30日。
212—— 參考《謝籟軒詩集・謝石秋公大事年表》、《臺灣日日新報》，1921年12月8日，第4版；盧嘉興，〈清末遺儒臺南謝氏昆仲文武秀才〉，《臺灣研究彙集》第12輯，1972年8月30日。陳逢源，〈籟軒詩集序〉，賴建銘纂修，《臺南市志・卷六學藝志文學篇》，臺南：臺南市政府，1985年6月；王怡蓴，〈臺南謝家及其文學研究〉，成大中文所碩論，2016年7月。

年加入林獻堂、蔡惠如在東京創設的「啟發會」。1920 年入日本中央大學預科，1925 年經濟學部卒業。在學期間積極研究漢方醫學，對針灸之術尤有心得，並自行研讀中國諸子百家。所作漢詩風格豪邁，發表於《臺南新報》、《臺灣青年》、《臺灣民報》。1941 年（昭和 16 年）加入「留東詩友會」，與林獻堂、甘文芳、高天成等，經常以詩互動。戰後，因「二二八事件」（1947），對國民政府至感失望，曾組織「僑日臺灣省民和平促進會」，希望爭取臺人的權益和尊嚴，可惜未能成功。1959 年病逝於日本。生平作品經哲嗣謝國雄蒐集整理，編為《謝溪秋その詩とおもげ》，於 1961 年刊印，其中錄有漢詩 51 首。[213] 詩作多見於《臺灣日日新報》、《臺南新報》、《臺灣新民報》、《興南新聞》等報刊。

謝國文（1887～1938），字星樓，號省廬、醒廬、醒如、稻門老漢、謝耶華、赤崁暢仙、空庵、小阮、江戶野灰、新羿、小暢仙。臺南外新街（今臺南市民生路一段）人。為府城秀才謝友我之長子，頭角崢嶸，聰慧過人。幼承父親及三叔父謝維巖之教導，漢學根基深厚。讀書過目成誦，喜聞歷史與古人掌故。1906 年（明治 39 年）加入「南社」。1910 年（明治 43 年）應楠梓公學校之聘擔任漢文教師，「南社」為開送別會，趙鍾麒、陳渭川、黃欣、許子文皆有詩贈之。1911 年（明治 44 年）自楠梓坑回臺南重整庭園，號「蕉園」。1912 年 2 月，與謝維巖、趙鍾麒等人加入臺、日漢詩人共組的「采詩會」[214]。1915 年（大正 4 年）10 月，偕四叔溪秋與詩友楊宜綠赴日本東京留學，「南社」詩友在法華寺為其餞行。1916 年先入早稻田預科，1921 年（大正 10 年）再入早稻田大學政治經濟學部就讀，暑假期間經朝鮮，遊歷中國東北、京津、魯齊、京滬、蘇杭等地，

213—— 參考巫永福，〈談謝溪秋的詩〉、盧嘉興，〈清末遺儒臺南謝氏昆仲文武秀才〉，《臺灣研究彙集》第12輯，1972年8月30日；王怡苹，〈臺南謝家及其文學研究〉，成大中文所碩論，2016年7月。

214—— 1912 年日人原田春境創設「采詩會」於臺南，並創刊漢詩刊物《采詩會》。組成會員涵蓋臺日詩人，其內容主要為日治時期漢詩文。

1925 年（大正 14 年）畢業。曾加入「臺灣文化協會」（1921），參與由林獻堂、林呈祿等所創設之「臺灣議會設置請願運動」，並撰寫〈臺灣議會設置請願歌〉，同時擔任《臺灣青年》改為《臺灣》雜誌後（1922）的組織幹部，負責漢詩欄編輯。1923 年（大正 12 年）以「柳裳君」筆名發表白話小說〈犬羊禍〉諷刺臺灣御用仕紳，刊載於《臺灣》。1932 年（昭和 7 年）任《臺灣新民報》學藝部客員，為臺灣新文化啟蒙運動的有力人士。學成返臺後，除社會運動外，亦致力於詩古文辭之寫作，創「醒廬文虎社」，鼓倡燈謎，俾青年學子深研漢學掌故。廣邀全臺同好，共同推動燈謎，以是謎學之風甚熾。此外，謝國文對書道、棋藝亦頗具興趣，曾在霧峰林家擔任象棋爭霸戰之裁判，其書法作品曾得過日本書法大賽優勝。[215]詩友王開運謂其「詩文不拘一格，匠心獨運。恆於酒酣耳熱時，發為慷慨悲歌之論；而蒔花煮茶時，作冷眼旁視之語」。南社第四任社長吳家顯（子宏）謂其詩「激昂慷慨，冠冕堂皇」[216]。詩文作品經哲嗣謝汝川蒐集，共得詩約 300 首、雜文 5 篇、燈謎數百條，總輯為《省廬遺稿》。詩作並多見於《臺灣日日新報》、《采詩集》、《臺灣》、《臺灣民報》、《臺南新報》等報刊。《全臺詩》錄其詩 320 餘首。

二、衍生世代

（一）黃欣 附弟黃溪泉

黃欣（1885～1947），字茂笙，別署固園主人、四梅主人、西圃。臺南府安平縣人（今臺南市）。書齋名為「青藤白石畫室」。父親黃江經營「錦祥記」糖間，割臺之際，攜眷西渡，次年（1896）時局稍靖始返臺。黃欣 1898 年入臺南第一公學校就讀，1902 年公學校畢業後任職臺南病院

215—— 今臺南市法華寺所見謝星樓墓碑，其後鐫刻謝氏親筆寫的龔定庵詩：「二王只合為奴僕，何況唐碑八百通。欲與此銘分浩逸，北朝差許鄭文公。」乃其參加日本書法大賽優勝之作。參考 http://blog.udn.com/ki999mo/11507862，2021年2月7日檢索。
216—— 參考謝汝川，《省廬遺稿》，臺北：龍文出版社，1992年6月；盧嘉興，〈熱愛祖國提倡燈謎保存國粹的謝國文〉，《臺灣研究彙集》第15輯，1976年9月30日；吳家顯（子宏），〈《省廬詩及其謎遺稿》序〉；王開運，〈題《省廬遺稿》〉，收於賴建銘纂修，《臺南市志·卷六學藝志文學篇》，臺南：臺南市政府，1985年6月；王怡尊，〈臺南謝家及其文學研究〉，成大中文所碩論，2016年7月。

（1903～1908）。1908年赴東京就讀中學，1910年（明治43年）畢業。1912年（大正元年）擔任臺南監獄教務所，同年再次東渡求學，翌年（1913）自明治大學法科專門部正科畢業。返臺後創辦實業，最初在竹圍庄經營農場和魚塭，並擔任學甲漁業信用組合監事（1915）、擔任臺灣大舞臺股份有限公司監事（1916）、臺南協會理事、臺南公會理事、東京電具製造株式會社董事、臺灣製紙株式會社常務董事（以上1917）、臺南集義公司監事、臺南自動車株式會社監事、嘉義銀行董事（1918）等職務。公職方面，曾擔任臺南廳西區區長、臺南廳地方稅調查委員（1919）、臺南州教育委員、臺南州調解委員（1920）、臺灣總督府評議會評議會員（1921～1935）、內政部委託特殊財產評定委員、臺灣總督府評議會會員（1936～1939）、臺南州所得稅調查委員（1926）、臺灣米穀移出管理委員會（1939～1940）等職。1923～1924年間，曾受總督府委託出差越南、印尼、新加坡、泰國及中國廣東、雲南等地考察。1932年受總督府委託，前往滿州、朝鮮進行商業調查，臺灣總督府稅務局官員栗山新造曾譽之為「南臺灣首屈一指的本島有力人士」[217]。太平洋戰爭爆發，黃欣知勢不可挽，遂積極轉向中國天津、上海、汕頭、廈門等地發展，直至戰後初期始返臺，不久即病逝，享壽63。黃欣喜好攝影、繪畫、騎馬、高爾夫球、看戲，生平致力於教育文化與藝術文學之推展。1927年（昭和2年）創設「臺南共勵會」，設有講演、體育、教育、演藝四部，後擴充為「共勵義塾」，為失學民眾免費夜間授課，兼收失學的華僑子弟。此外，又曾組織共勵會演劇部，巡迴公演話劇以啟迪民智。1929年（昭和4年），曾演出黃氏劇作《誰之錯》；1932年，又演出另一部劇作《破滅

217—— 參考黃天驥（靈芝），〈父親的軼事〉，《固園文存‧其二》，臺南：固園，1984年。

的危機》於臺南市宮古座，頗受民眾歡迎。黃欣精於漢學，曾與胞弟黃溪泉從府城文人胡殿鵬學習漢詩，為「南社」成員。1912 年和趙鍾麒、楊鵬搏、謝維巖等臺南詩人，與在臺日人共創「采詩會」。1914 年與胞弟黃溪泉在今臺南市東門路闢建超過 4000 坪的庭園，名為「固園」，此處成為南臺灣文人墨客交遊往來、吟詠雅集的重要據點。1936 年（昭和 11 年），繼趙鍾麒之後擔任第三任「南社」社長，推行漢詩吟詠不遺餘力。生平著有《西圃吟草》、《固園詩草》、《固園吟草》等，今已散佚，唯存《固園文存・其二》收錄其部分詩文與劇本（《破滅的危機》）。《全臺詩》從報章雜誌收錄其漢詩，共 650 餘首。[218]

　　黃欣之弟黃溪泉（1891～1960），號谿荃。1908 年黃家柱仔行的住宅被日本當局徵收，遂與其兄移居祝三多街。1913 年兄弟兩人在舊式糖廍「錦祥記」前院西側臺灣厝前，加蓋日式榻榻米三間，並在屋前建造日式庭園，號「固園」。1919 年黃溪泉赴日學習齒科（1920）。1927 年與胞兄黃欣共同組成「臺南共勵會」，致力於社會教育、文化事業之推展。1928 年 10 月，黃氏兄弟各捐款 5 萬圓擬創立「臺陽中學」，並於是年同往日本東京遊說文部省，可惜功敗垂成。1935 年黃溪泉將固園東側的臺灣式舊厝拆除，繼黃欣洋樓之後，興建溪泉洋樓，1937 年竣工。昆仲兩人各住一棟洋樓，占地約 4000 坪，成為臺南文人雅士、政商名流聚集之地，更是引領風騷，舉行騷壇集會的中心。昆仲兩人均曾從臺南名士胡殿鵬學習漢詩，加入「南社」，並經常參與「酉山吟社」、「桐侶吟社」等詩會活動。胡殿鵬稱之為「固園二雅」。生平所作詩文未結集出版，今有《全臺詩》收錄其漢詩共 120 餘首。[219]

218—— 參考黃天橫，《固園黃家—黃天橫先生訪談錄》，2008年5月。莊健隆，〈固園的人和物〉，收在莊健隆編《固園黃溪泉家族2010》、黃美月，〈臺灣仕紳黃欣之研究〉，臺灣師大史研所碩士論文，2006年。

219—— 參考黃天橫，《固園黃家——黃天橫先生訪談錄》，2008年5月。莊健隆，〈固園的人和物〉，收在莊健隆編，《固園黃溪泉家族2010》、黃美月，〈臺灣仕紳黃欣之研究〉，臺灣師大史研所碩士論文，2006年。

（二）王開運

　　王開運（1889～1969），字笑岩，號杏庵，筆名有幸盦、笑岩、王
棄人等。[220]生於高雄州岡山郡路竹庄，其父王棟為前清貢生，自幼受到深
厚的漢學陶養。日治時期就讀於臺北國語學校，畢業後（1910）擔任路竹
公學校訓導，1914（大正3年）年離職，轉向政商以及藝文界發展。先後
擔任臺南市西區役場首席書記（1915）、臺灣銀行臺南支店書記（1917～
1927）、大東信託公司臺南支店長（1927～1930）、臺南商工協會長
（1928）、路竹庄庄長（1930～1934）、臺南市議員及州評議員（1932）
等職，此外又籌組成立南郡運送株式會社（1932）與永森記木材株式會
社（1933），在臺南工商業界及政界十分活躍。除積極拓展商工業務外，
王開運也關心社會民生，曾代表臺南商工協會赴日爭取臺南安平改為商
港、爭取降低臺民的稅金，並將這些意見發表在《臺灣新民報》。[221]積極
推展慈善事業，募集友人成立專門收容乞丐的「愛護會」，並於1929年（昭
和4年）擔任副會長。在文化事業方面，除了平日寫漢詩並參加詩會活動
外，又在1930年（昭和5年）與府城文人共同創立《三六九小報》，擔
任理事兼編輯（1930～1935）。1933年，與臺南商工協會成員張江攀、
蘇錦墩等至日本考查，有〈東遊日記〉連載於《三六九小報》。太平洋戰
爭期末期（1944），被派往海南島擔任海口市瓊崖銀行總經理，戰後協助
當地3萬名臺灣人返鄉。1947年（民國36年）在臺南創玉豐行，經營進
口布料。二二八事件發生不久，王開運無故被捕，直至3月25日始在鹽
務局長帥雲風的保釋下出獄。1950年（民國39年）應黃朝琴之邀，擔任
臺灣第一商業銀行常務董事兼協理。1951年膺選臺灣省臨時省議會第一

220—— 王開運在《三六九小報》上的筆名另有：花仙、花道人、花外仙、花哥哥、花探偵、花曼倩、
　　　花散仙、花債生、棄人王、棄人大王、變態偉人。

221——〈就安平港築港問題而言〉，發表於《臺灣新民報》，1930年7月16日；〈減稅問題與消費經濟
　　　的改善〉，發表於《臺灣新民報》，1930年9月13日。

屆議員，對普及教育與發展臺南都會皆提出積極建言。1957年組織「臺灣詩會」，擔任副社長；1961年被選為「中華民國詩會」副會長，與中國來臺人士于右任、賈景德，以及臺灣本地詩人陳逢源、陳皆興、陳文石諸先生時相唱和。1969年因腦溢血去世，享壽81。哲嗣王神嶽於1988年委託王紹齋輯其漢詩300餘首，編為《杏庵詩集》。其後家屬將王氏生平手稿文物捐贈國立臺灣文學館，遂有《王開運全集》（2009）的編輯出版。王開運是日治至戰後臺南地區重要仕紳，少時除接受日本新式教育，也受到父親王棟的漢學薰陶，是一位跨越新、舊世代的臺灣知識分子。一生在政商兩界表現亮眼，卻未曾中斷對文藝的喜好，尤其是漢詩書寫，其中不少屬於感憤諷刺、憂時憫己，或托情寓物之作。一九三〇年代擔任《三六九小報》編輯期間，為小報撰寫專欄文章，更發表了小說、短劇、滑稽短文等創作，文學表現豐富而多元。《全臺詩》收錄其漢詩共670餘首。[222]

（三）石中英

石中英（1889～1980），字儷玉，號如玉。臺南市人，出身臺南商號「石鼎美」。自幼受家庭教育影響，熟讀經書典籍，工於詩詞，名其讀書處為「韞睿軒」，曾設「芸香閣」書房教導學生。1924年（大正13年）與鹿港十宜樓主人陳祈的長孫陳子敏（1887～1948）結婚，曾經有過夫唱婦隨、詩壇眷侶的美好歲月。1928年夫妻感情生變，次年（1929）石中英隻身前往中國謀求發展。[223] 1930年因母病返臺，在臺期間，活動力頗強，和「赤崁女史」蔡碧吟共組「香芸吟社」[224]，召集女性同好切磋詩藝。她不只實質帶領「香芸吟社」，自己也積極主動地參與各地詩會活動。[225] 1931年12月，石中英在《藻香文藝》發表〈離緣有感率成〉四絕[226]，

222—— 參考施懿琳、陳曉怡主編，《王開運全集》，臺南：國立臺灣文學館，2009年7月。林建廷，〈臺南仕紳王開運社會活動與文學作品研究〉，臺南：成功大學臺文所碩論，2012年7月。

223—— 當時有〈欲之華夏有感〉、〈將之吳越書懷〉，收於《芸香閣儷玉吟草》卷二。

224—— 「香芸吟社」或作「秀英吟社」、「芸香吟社」。

225—— 1931年5月，石中英到新竹參加「全島詩人大會」後，又偕同吳燕生、傅錫祺、林仲衡、吳子瑜、王了庵、蔡子昭等遊獅頭山，並有詩及聯句。同年8月，南下屏東，當地「礪社」以〈歡迎香芸吟社石儷玉女士聲鈸錄　簾影〉為題，舉行擊鈸詩會，一位女詩人，單獨往訪以男性為主的漢詩社，並受到盛大的歡迎，這在臺灣詩壇裡實屬罕見。參考《詩報》，第11、13號。1931年5月1日、6月1日。

披露自己婚姻已然破裂，並指責丈夫的薄倖無情，這樣的題材在一九三〇年代的臺灣應屬罕見。這一年年底，她再次渡海西去，期間曾因母喪返臺（1934），其餘時間大多在中國，並結識另一位人生伴侶呂伯雄（1900～1988），展開他們在中國的抗日運動，一直到戰後始返回臺灣。在華期間曾奔走於閩贛等地，閒餘時則拈筆吟詠，與各地名士以詩歌相互酬唱。戰後返臺，與傳統詩社仍保持密切互動，臺北「瀛社」、臺南「延平詩社」，以及全國詩人大會，猶可見其身影。石中英早期多詠物抒情之作，旅華後輒有感時憂國之思，戰後依然心繫時事，豪氣不減中年。寓居臺南的安徽女詩人程芝儇在〈芸香閣儷玉吟草序〉云：「夫人生於光緒十五年（1889），其時吾輩女子，大都足不出閨閣，耳不聞國事。能事吟詠，有清新俊逸之詩者固不少，若夫人之愛國憂時，耿耿於懷者，實不可多得。」此適足以為石中英詩詞之最佳註腳。1975 年（民國 64 年）夫婿呂伯雄輯其所撰作品，題為《芸香閣儷玉吟草》，1992 年龍文出版社據以影印重刊。《全臺詩》收錄其漢詩共 860 餘首。[227]

（四）吳子宏

吳子宏（1890 ～ 1960），名家顯，字子宏，號乃俠，以字行。[228]臺南府安平縣（今臺南市）人，為臺南詩人高懷清之胞兄。[229]日治時期曾任新高新報社記者，大正、昭和年間擔任「同裕」質屋（當鋪）掌櫃。為「南社」社員，1915 年與洪坤益、王芷香、陳逢源等青壯派社友，創「春鶯吟社」；1923 年（大正 12 年）又與洪坤益、趙雅福等創「桐侶吟社」，並任社長。1930 年（昭和 5 年）《三六九小報》創刊後，吳氏經常於該刊發表漢詩，同時以「冷猿」的筆名在「花叢小記」、「紫紅閣塵談」[230]

226—— 此詩收於《藻香文藝》第3號，「閨媛」欄，1931年12月19日。

227—— 參考施懿琳，〈南都女詩人石中英《芸香閣儷玉吟草》作品初探〉，《臺灣史料研究》第15期，臺北：吳三連史料基金會，2000年6月、顏育潔，〈石中英、呂伯雄其人其詩探究〉，高雄：中山大學中文所碩士論文，2005年、施懿琳，〈音琴蘊蓄琴書力——補述府城女詩人石中英二三事〉，《鹽分地帶文學》第85期，2020年3月。

228—— 別署浪兒、耐庵、紫虹、蓬歌樵子、冷猿、吳耐叟。

229—— 高懷清本姓吳，後過繼給高家。

230—— 又名「紫紅室塵談」。

專欄撰寫雜文。1937年（昭和12年）與洪鐵濤、李步雲等人於臺南市組織「聽濤吟社」。1941年與韓子明、潘春源等人成立「集芸詩學研究會」。1943年因時局動盪，臺南各詩社：南社、桐侶吟社、酉山吟社、春鶯吟社等，整合為「桐城吟會」，推舉吳子宏為社長。戰後，於黃欣過世後（1947），繼任為「南社」第四任社長。此外，亦曾擔任「延平詩社」社長，與社友高懷清、王鵬程、王榮達等相友善。生平作品並未結集，多發表於《臺南新報》、《臺灣日日新報》、《臺灣文藝叢誌》、《三六九小報》、《臺灣詩報》、《臺灣詩壇》、《中華詩苑》、《詩文之友》等。《全臺詩》錄其詩370餘首。[231]

（五）王鵬程

王鵬程（1891～1962），字銘新，號礪鋒，又號臥蕉、臥蕉居士、諏訪山房主人、大園鵬程。臺南市人。少從宿儒王則修習漢文，前後達15年之久。1909年（明治42年），擔任謝群我所主持的「三郊組合」書記（～1923），又兼任郭松桔「和美行」及康再成「展南行」文書、帳務工作。1926年（大正15年）入《臺南新報》漢文部擔任編輯，為維持家計，仍繼續兼任「和美行」、「展南行」工作。1925年曾擔任黃欣所主持的「共勵義塾」委員兼漢文講師。1928年與王汝禎、王開運共同發起成立全臺王姓宗親會，並倡導創立宗祠，獲得各地宗親大老響應支援。王氏宗親會成立後，由王開運擔任會長，王鵬程任理事。1930年任實業補習學校夜學部漢文教師，1933年重入《臺南新報》，次年（1934）離職，其後於東門町經營「養和園」菸酒雜貨。1935年（昭和10年）「展南行」發生「黃金非法交易嫌疑案件」，王鵬程遭訴訟之災，經臺灣總都督府評

231— 1936年臺南州下詩人聯吟會磋商進行事宜：臺南州下詩人聯吟會，本屆輪值臺南市承辦，昨六晚七時，市各社幹部，集張榜氏宅，磋商進行事宜，遂決本月十七日下午一時開，是日神嘗祭，越日星期，遠地吟朋，得會有餘裕時間，故望多數出席，會費依例二圓，當日持交事務擔任人員，部署如下：接待係、謝紹楷、黃南鳴、黃庭楨外二十名；庶務係，洪鐵濤外十二名；會計係，王贊堯外三名；宴飲係，許鏡汀外十一名；贈品係，沈森其外十一名。磋商後，黃南社長聲明寄附三十圓。諒市主持風雅者不少，踵黃氏後者，定多其人，聞不日發柬與各地吟朋，倘未接值東信者，乞直接向港町一丁目五九（今安平路），慈生堂吳子宏氏處聲明云。

議員黃欣、陳炘及府城人士極力奔走，終獲無罪開釋。1937 年（昭和 12 年）春，應蔡炳煌之邀，東渡日本，任職於神戶怡利貿易公司。1940 年自怡利退職，在神戶自組「三元貿易行」，1943 年返臺。戰後，1946 至 1950 年曾任臺南市中區副區長、臺灣省中國佛教會支會會長。1950 年當選臺南市議員，1954 年應市長楊請之邀，接任市政府秘書，1960 年擔任臺南市文獻委員會委員。王氏好吟詠，為「南社」成員，亦時常參與「桐侶吟社」活動，與吳子宏、高懷清、王開運、王寶藏等相友善，戰後加入「延平詩社」。早年曾參與崇正社徵文，多篇文章獲刊於《臺灣文藝叢誌》；詩作多發表在《臺南新報》、《臺灣日日新報》、《臺灣新民報》與戰後的《臺灣詩壇》、《中華詩苑》、《詩文之友》等報刊。《全臺詩》錄其漢詩 400 餘首。[232]

（五）高懷清

　　高懷清（1892 ～ 1975），字槐青、花村，號了塵、恨人，別署蘊玉、蘊玉山人、渤海生、嘯猿。臺南府安平縣（今臺南市）人。本姓吳，乙未割臺，隨祖父母及雙親西渡原鄉福建石碼。與胞兄吳子宏跟隨父親吳國華秀才學漢詩文。7 歲祖父母及父親相繼過世，家散人亡，於是過繼給高家。[233] 1904 年（明治 37 年）返臺，入臺南市國民小學就讀，並在邱學海私塾研習漢文。1915 年入臺南新報社擔任記者，1917 年擔任臺灣新聞社臺南支局漢文部主任，直至 1943 年（昭和 18 年）辭職。1913 年與王芷香同入「南社」，1915 年與洪坤益、王芷香、陳逢源、趙雅福等創立「春鶯吟社」。1921 年 9 月前往中國大陸，旅途同步撰寫〈大陸遊記〉，連載於《臺南新報》，頗受好評。同年 11 月，與洪坤益、陳逢源、趙雅福、楊宜綠同任南社幹事，

232—— 參考《臺灣實業名鑑》，臺中：臺灣新聞社，1934年9月。黃洪炎編，《瀛海詩集》，臺北：龍文出版社，2006年。王德鍾編撰，《歷代先祖傳記》，未刊，2000年。
233—— 參考高懷清，〈大陸旅行日記〉，1921年11月9日，高鼎堯收藏之剪報，報刊名稱不詳。

時常參與「桐侶吟社」、「酉山吟社」、「桐城吟會」等詩會活動。1931
年《三六九小報》創刊一周年，高懷清出席紀念會，席上與連橫、趙鍾麒、
黃拱五、蔡培楚、趙雅福、洪坤益、李兆塘等人共作柏梁體，一時傳為佳
話。與北門嶼（今臺南市北門區）漢詩人吳萱草時相往來，為「無憂洞天
十二猴孫」之一的「嘯猿」。戰後，於 1946 年（民國 35 年）3 月申請創
刊《鯤聲報》，擔任發行人兼主筆，發行持續達 9 年始休刊。[234] 為孔孟
學會會員，「延平詩社」監事。[235] 生平作品多發表於《臺灣日日新報》、
《臺南新報》、《詩報》、《詩文之友》等報刊，未曾結集，《全臺詩》
錄其漢詩 450 餘首。

（六）洪坤益

　　洪坤益（1892～1947），字鐵濤，號舲笛，以字行。筆名有：黑潮、
濤、懺紅、刀。[236] 其先人在光緒年間自廣東渡海來臺，居住於鳳山，後
始遷徙至臺南草花街（今臺南市民權路）。父親洪采惠於 1905 年（明治
38 年）被推薦為保正，1921 年為臺南州臺南市協議會員，並於 1924 年（大
正 13 年）獲臺灣總督府頒贈勳章[237]，曾經營輕軌鐵道、藥房、戲院以及
煙酒配銷，頗富資產。[238] 洪坤益自幼接受傳統教育，12 歲入臺南第一公
學校就讀（1904～1910），開始接受新式教育，其後隨胡殿鵬學習漢詩，
並加入「南社」。1912 年（大正元年）加入「采詩會」，1915 年與南社
少壯派社員王芷香、陳逢源、趙劍泉等組「春鶯吟社」並擔任社長，1923
年擔任臺南「桐侶吟社」顧問。1929 年於臺南市西門町創「漢詩函授研
究會」，以「鼓吹精神，涵養趣味」。1930 年 9 月 9 日，與趙鍾麒、趙

234—— 《鯤聲報》原申請時為五日刊，後改為三日刊。每次出刊有兩個版面，內有漢詩專欄。民國41
　　　年（1952）10月，《鯤聲報》因為一則「青年反共救國團，總統華誕日成立」之新聞，誤植
　　　「華」字為「葬」字，自請停刊二月餘。

235—— 參考〈高懷清履歷書〉，國史館臺灣文獻館「臺灣省行政長官公署檔案」（典藏號
　　　00313710013003）。〈謝家系圖〉，《謝溪秋その詩とおもかげ》，謝鶯鶯發行，1961年。
　　　《臺南新報》，「開懷祖餞」，1921年9月12日，第6版。王芷香，〈懷玉軒吟草〉（一），
　　　《臺南文化》3：3，1953年11月。

236—— 又有剃刀先生、鉛、鉛刀、鉛淚、霜、霜華、霜猿、鴛囚、花禪盦、野狐禪室主、缺陷天尊等筆名。

雅福父子、王開運、蔡培楚等人發起創設《三六九小報》，擔任編輯員，負責實際的編務工作。此為洪坤益一生中創作類型最多元、創作力最豐沛的階段。他以不同筆名發表各類雜文、小說，乃至報刊的補白短文。1937年復與吳子宏、李步雲等人組「聽濤吟社」，積極參與全島詩社聯吟活動，為擊缽吟健將，曾多次奪元。陳逢源曾稱讚他：「善於鎔化運用，尤長詠物，下筆成章莫不敲金戛玉……當時臺灣各地詩社常輪開詩人大會，每次鐵濤先得驪珠，席次非元即眼，咸視為詩壇一朵奇葩。」[239] 1939年（昭和14年）應日本軍方之召，至廣東汕頭辦理《大同報》，負責編務兼翻譯。戰後任職臺南市政府（1945年12月）及臺灣省糧食局（1946），二二八事件遭誣陷被捕，不久獲釋。1947年病逝，享年56。洪坤益不只漢詩表現優秀，亦擅長小說、筆記雜文、民歌採集、寸劇（短劇）……等多樣文類。今有《洪鐵濤文集》（陳曉怡編，2017）、《洪鐵濤小說集》（王雅儀編，2018）之編輯出版，《全臺詩》收錄其漢詩400首。[240]

（七）陳逢源

　　陳逢源（1893～1982），字芳園，號南都，筆名南都生。臺南人。7歲從前清秀才工鍾山習漢文，同學有王秀才之子王受祿，8歲入臺南第一公學就讀。1907年（明治40年）考取臺灣總督府國語學校國語部，修習各種現代知識，並養成大量閱讀文學、思想、經濟書籍的習慣。1911年（明治44年）畢業後任職於三井會社，長達9年，期間培養他對工商經濟專業知識與智能的成長，也體會到殖民統治下的經濟剝削與社會不平等。[241] 1918年（大正7年），與李路加、曾右章、黃朝琴、高在得共組「臺南信用組合」，為第一家臺灣人自組的信用合作社。1920

237—— 參考遠藤克己編，《人文薈萃》，1921年7月，頁296。

238—— 參考《臺灣日日新報》有關洪采惠的報導。

239—— 參考陳逢源，〈詠物詩豪洪鐵濤與春鶯吟社〉，收於《南都詩存》，作者自印本，1972年，頁11。

240—— 參考鷹取田一郎，《臺灣列紳傳》，臺北：臺灣總督府，1916年4月。陳逢源，〈詠物詩豪洪鐵濤與春鶯吟社〉，《南都詩存》，作者自印本，1972年。陳曉怡，〈府城文人洪鐵濤及其文學作品〉，《洪鐵濤文集》，臺南：臺南市政府文化局，2017年，頁6-12。

241—— 謝國興，《亦儒亦商亦風流：陳逢源（1893-1982）》，臺北：允晨出版社，2002年，頁60-61。

年（大正9年）3月，辭去三井雇員職務，4月與友人赴日本，1922年前往中國大陸游歷，同時尋找投資創業的機會。返臺後，應蔣渭水之邀參加臺灣文化協會，並積極投入臺灣議會設置請願運動，期間曾擔任《臺灣民報》監察人兼記者，1923年12月因「治警事件」遭逮捕，繫獄達3個月，在獄中有多首漢詩，頗能鼓動人心。1927年臺灣文化協會分裂，陳逢源與蔣渭水、林獻堂、蔡培火等宣佈退出文協，另組「臺灣民眾黨」。1932年（昭和7年）擔任《臺灣新民報》整理部經濟部長，對臺灣金融政策屢提出批判性的文章。1941年（昭和16年）被聘為《興南新聞》經濟部長。曾多次前往中國考察，著有《新支那素描》（1939）、《雨窗墨滴》（1942）等。1944年4月擔任合併諸報後的《臺灣新報》新聞部長，因日方對新聞言論管制覺得無意義，任職4個月後，遂結束12年的記者生涯，轉任「臺灣信託支配人」經理。[242]戰後曾兩次擔任省議員，後轉入金融、工商事業，如華南商業銀行之改組、臺北區合會儲蓄改制為臺北區中小企銀以及臺灣煉鐵、新臺灣農機等公司之創立，皆由其協助擘劃。

　　陳逢源自幼研習漢文，性好吟詠，1913年（大正2年）加入「南社」，受到多位前輩詩人如：連雅堂、胡南溟、謝籟軒、趙鍾麒等提攜。1918年與南社少壯派洪鐵濤、王芷香、趙劍泉另組「春鶯吟社」，時相切磋詩藝。其間亦多與臺北「瀛社」魏潤庵、張純甫，臺中「櫟社」林獻堂、林幼春等詩人往來酬唱。戰後初期，與黃純青、林熊祥、黃得時等本土文人創立「薇閣詩社」（1949），其後又與于右任、賈景德、王開運、林熊祥、吳夢周等籌組「臺灣詩壇」（1950），並擔任副社長。卜居陽明山溪山煙雨樓後，經常與詩友在此酬唱雅集，晚年所做詩歌數量較諸日治時期為

242── 謝國興，《亦儒亦商亦風流：陳逢源（1893-1982）》，臺北：允晨出版社，2002年，頁206。

243── 此詩集有三版本：黃景南編，1980年作者排印本；陳逢源文教基金會印行，1982年出版；龍文出版社印行《臺灣先賢詩文集彙刊‧第一輯》，1992年出版。

244── 生年1896年，據「王芷香迨客臘患痢，纏綿不瘳，至去十九晚，竟爾撒手人寰。僅三十有四」推估，見《臺灣日日新報》人事，1929年3月24日，夕刊第4版。

多，生平 1,600 餘首漢詩彙編為《溪山煙雨樓詩存》[243]，《全臺詩》收錄於第 61 冊。

（八）王芷香 [244]

王芷香（1896～1929），名淞，幼名阿湘，字芷香，號懺儂、嘯庵，以字行。臺南上橫街（今臺南市中西區永福路）人。性聰穎，美丰儀，無書不讀，好為笑謔。家道富有，父親王雲從為阿片商，曾投資南投炭礦株式會社，為同裕當鋪股主。王芷香於 1913 年（大正 2 年）加入「南社」，蔡佩香譽之為「南社員第一健將詩人」，亦為臺南「春鶯吟社」、「桐侶吟社」社員，與高懷清、陳逢源、趙雅福、許丙丁、王榮達等社友多往來唱和。1919 年《開元寺徵詩錄》刊行，由王氏負責校正。一九二〇年代與楊宜綠、黃拱五、蔡維潛同任職於《臺南新報》漢文編輯部，1923 年（大正 12 年）退社。由於家庭屢有風波，王芷香積憤成疾，遂致精神恍惚，終日遊走市衢。1925 年父妾藉管教之名，將之幽囚於室，是以發狂益屬，後賴詩友許丙丁及其岳父曾右章營救，始脫困。嗣後，益以風月酒詩自娛。著有〈懷玉軒詩鈔〉，未刊。許丙丁謂其詩「構思富麗，情意濃厚飽滿」、「清新哀豔」、「益狂而詩益工」。1929 年因痢疾過世，得年 34。詩作多見於《臺灣日日新報》、《臺南新報》、《臺灣文藝叢誌》、《臺灣詩薈》等報刊。[245]

（九）韓浩川

韓浩川（1897～1952），字寒生，號海客、醉餘生。臺南人。曾從臺南詩人楊宜綠學漢文，為「南社」成員。曾任廈門《全閩日報》記

245── 參考許丙丁，〈薄命詩人王芷香〉、〈五十年來南社的社員與詩〉、〈臺南教坊記〉等篇，收於呂興昌編，《許丙丁作品集》，臺南：臺南立文化中心，1996年5月。王國璠，《臺灣先賢著作提要》，新竹：省立新竹社會教育館，1974年。

者、《臺灣日日新報》臺南通信員。1915年（大正4年）起，擔任黃欣「煙草賣捌所」書記，1925年轉調到麻豆「煙草賣捌所」，寄居麻豆頂街上帝廟前及頂街酒店頭。在麻豆期間，常參與當地「綠社」擊缽吟會。1931年（昭和6年）遷籍回臺南，居於大正町三丁目。1936年辭退任職21年的書記職務，遷居至清水町一丁目。戰後於1946年擔任第一屆臺南市東區副區長。詩文俱佳，藏書亦豐。1952年因患消渴症病歿，生平詩文未曾結集，多見於《臺南新報》、《臺灣日日新報》、《三六九小報》等報刊。[246]

（十）許丙丁

　　許丙丁（1900～1977），字鏡汀，號綠珊盦、錄善庵主。臺南市大銑街（今臺南市自強街）人。幼從朱定理、石偉雲學習漢文，漢學根基深厚。因自幼生長在府城之故，天后宮、關帝廟前的說書以及宣講聖諭這些前清遺留下來的文化元素，積澱在民眾的意識底層，也對少年許丙丁產生相當程度的影響。父親許賽為臺南油商、鴉片零售商，不幸早逝。為貼補家計，許丙丁13歲到辯護士（律師）事務所擔任工友，而後又擔任保甲書記。1920年（大正9年）通過本島人巡查練習生試驗，同年9月受訓結束後，任職於臺南州新豐郡。1928年（昭和3年）昇任巡查部長，直至1944年始辭去巡查工作。戰後歷任臺南市議員、臺南市文獻委員會委員、臺南救濟院董事長等職務。

　　許丙丁多才多藝，擅長攝影、漫畫、南管、京戲、口技，他「東方曼倩」般的風趣幽默、說書人般生動的小說書寫，經常為人津津樂道。然而，在尚未以多種文學面貌浮現前，唯一用來書寫生活實況與內心感受的管

246── 參考賴建銘等纂修，《臺南市志・卷六學藝志文學篇》，臺南：臺南市政府，1979年2月。詹評仁編，《柚城詩錄》，臺南：麻豆鎮公所，2003年11月。

247── 參考王開運，〈靜室小言〉，收在呂興昌，《許丙丁作品集》（下），頁581。

248── 參考呂興昌，《許丙丁作品集》，臺南：臺南市立文化中心，1996年5月。施懿琳，〈一位臺灣巡查的文學書寫與內心世界──試析1920年代許丙丁的漢詩〉，《臺江臺語文學》創刊號，2015年。

道只有「漢詩」。許氏為「南社」社員，1923 年（大正 12 年）與吳子宏、洪鐵濤等另組「桐侶吟社」，亦多參與「春鶯吟社」、「酉山吟社」、嘉義「鷗社」之詩會活動，一直到一九三〇年代，才開始與府城友人以小報的形式結盟。他們避開了《臺灣日日新報》、《臺南新報》等以宏大敘述、堂皇議論為主的「大報」型態，改以嘻笑怒罵、幽默諷刺的風格，記錄南臺灣庶民大眾的生活圖像。在《三六九小報》裡，許丙丁發表漫畫、詩話、寸劇、小說、雜文、歌謠……等多樣性的文類，充分展現他詼諧風趣的特質，而成為府城文人群中最具「玩世猖狂，豪邁不羈」特質，「能令憂者為喜，哭者破顏」[247]的典型代表。1931 年（昭和 6 年）起在《三六九小報》連載小說〈小封神〉，亦撰寫「詩話拾錦」、「綠珊盦雜綴」、「寸劇」、「和漢小辭源」等單元。1944 年（昭和 19）以「本山泰若」之名，將歷年刑案故事編纂成《實話探偵秘帖》印行。1951 年（民國 40 年）與詩友倡組「延平詩社」。1960 年在《中華日報》連載小說《廖添丁再世》。生平漢詩作未曾結集，多見於《臺南新報》、《臺灣日日新報》、《臺灣警察協會雜誌》、《詩報》、《鷗盟》等報刊。[248]

（十一）林秋梧

　　林秋梧（1903 ～ 1934），法號證峰，別署閒吾、羞吾、林中僧。臺南市花園町（今臺南市公園路）人。父親林成武為販賣水果的行商，家境清寒。1911 年（明治 44 年）就讀於臺南第一公學校，9 至 15 歲間，至七娘媽廟裡的私塾隨漢學先生學習，奠定優秀的漢文基礎。1918 年（大正 7 年）考入臺灣總督府國語學校師範部，1921 年（大正 10 年）加入「臺灣文化協會」，1922 年因臺北師範學潮事件[249]遭退學。是年秋，

249—— 1922年2月臺北師範學生因為靠右側行走，遭日警制止不聽，又與警方爭辯。稍後日本警方到校要求校方訓誡，學生緊閉校門，拒絕警察進入，遂發生嚴重衝突。警方旋即逮捕40多名學生，偵訊兩天，後經臺籍有力人士奔走，始全部予以釋放。但學校仍給予懲處，令15人退學，35人停學。兩周後，校方又發布第二批退學名單，共計30名，林秋梧名列首位，以其為經常出入文化協會，「思想惡劣」的學生領袖之故。參考李筱峰，《臺灣革命僧林秋梧》，臺北：自立晚報，1991年，頁37-45。

由盧姓友人引介，受聘往日本神戶旅日臺南富紳莊櫻癡之「玉坡貿易商會」服務，工作年餘，因與個性不符，辭職返臺。1924 年（大正 13 年）春，赴廈門大學哲學系就讀，並任教於集美中學。隔年（1925）因母喪返臺，居家潛心研究佛理與西洋文化，始與開元寺結緣，並皈依三寶；是年開始參與「臺灣文化協會」的文化演講。1926 年出任文化協會「美臺團」電影巡迴隊之辯士，以其親切鄉音、活潑言辭、生動敘述，頗受好評。1927 年（昭和 2 年）臺灣文化協會左右分裂，「美臺團」活動中止，林秋梧再次將心力轉移到佛學，拜開元寺得圓和尚為師，並在得圓的大力推薦下，赴日本東京駒澤大學留學。在日期間，發表多篇有關宗教與臺灣佛教改革的文章，1930 年（昭和 5 年）畢業返臺，受命為南部臨濟宗佛教講習會講師兼南瀛佛教會教師。在開元寺內大力推行佛學研究會與講習會，課程包括：佛學、老子、四書、作詩、演講實習等，所有學務皆由林秋梧擔當。同年（1930）10 月與莊松林、林占鰲、盧丙丁等創刊左翼刊物《赤道報》，擔任發行人兼總編輯。1934 年因肺結核逝世。著有《真心直說白話註解》、《佛說堅固女經講話》。另有近百篇論述宗教、政治、社會、文化面向的評論及創作，表現了前衛的宗教觀與融合唯物思想的禪學理論，散見於《赤道報》、《南瀛佛教》、《中道》、《臺灣民報》等。其弟子鄭普淨〈故證峰大師追悼錄〉謂：「師的才學博通中西，精深內典，不但和漢兼通，而詩書圖書都有可取」，林秋梧曾從楊宜綠學詩，為「桐侶吟社」成員，擅長以淺白文字表達其抗爭與批判精神，漢詩作品多見於《臺南新報》、《臺灣教育》、《南瀛佛教》等。[250]

250── 參考鄭普淨，〈故證峰大師追悼錄〉，《南瀛佛教》12卷12號，1934年12月、李筱峰，《臺灣革命僧林秋梧》，臺北：自立晚報，1991年。

（十二）顏興

顏興（1903～1961），字寶藏，號補莊、鳴雨廬主人，臺南市人。年幼喪母，18歲父親顏達過世，顏興只好從公學校輟學（1920），為人幫傭。19歲（1921）到旗津依兄顏邦，並前往左營舊城從老秀才學習漢文。1926年因參加「臺灣文化協會」高雄支部活動遭檢舉，於是改從高雄張錫祺（1898～1960）學眼科醫術。是年，娶張錫祺堂妹張翠娛（1902～1995）。1929年（昭和4年）應張錫祺要求，隻身到福建深滬開業。其妻攜子顏世鴻於次年籌措旅費到福建相聚，並遷徙至泉州行醫。1932年參加中華民國內政部衛生署甄考全國醫師考試及格。1933年與張邦傑（原名張錫鈴，乃張錫祺堂弟）、呂伯雄、張振生、黃印堂等在福建晉江組織「華僑義勇報國團」及「臺灣反日革命同盟會」，並發刊《大聲報》以鼓吹思想。是年，經林醒我介紹，加入溫陵（泉州）「弢社」，從該社領導人物蘇大山（1869～1957）學詩。中日戰爭爆發（1937），顏興應張邦傑要求返臺，全家住在臺南米街三坪不到的「香蕉寮」。12月21日被特高拘留，12月31日獲釋，後至慈聖街莊孟侯（1901～1949）「大東醫院」以醫院助手名義擔任眼科密醫。1938年7月，二度被拘留兩個多月，獲釋後佛頭港住處仍時有日本特務監視。戰後，加入中國國民黨，積極推動黨務。曾擔任臺南市北區區長（1946～1948）。1951年起，連續獲選二、三屆臺南市委員會委員；二、三屆臺南市議員。擔任第三屆議會黨團書記。曾擔任「臺南市文獻委員會」首屆理事長（1951），倡辦《臺南文化》，發揚古都文化，不遺餘力。又擔任臺南佛教會理事長，與貢噶老人有交誼。[251] 為「延平詩社」社員，1952年自費出版《鄭成功復明

251——貢噶老人，俗名申書文，年少皈依太虛大師和虛雲和尚精研佛學。後至西康依止噶舉派上師貢噶佛爺，亦至貢噶山之貢噶寺閉關修行，1958年來臺弘揚密法，先後建立了臺北貢噶精舍、臺南重慶寺、貢噶寺等多處道場。廣度眾生。1997年示寂，為藏密首位常住臺灣弘法之先驅，亦為第一位藏密女性肉身菩薩。https://www.konga.com.tw/a-2.html，2021年7月1日檢索。

始末記》。1980 年 10 月，顏興詩文遺稿經林申生審訂，由家族自費出版《鳴雨廬詩稿》。1950 年 1 月，長子顏世鴻因「臺灣省工作委員會學委會李水井等人案」入獄，在綠島、小琉球監禁達 13 年之久，2012 年出版自傳《青島東路三號》。[252]

（十三）吳紉秋

吳紉秋（1904～1973），原名永遠，字寄蘭，又字紉秋，以字行。[253]本籍臺南廳頂茄萣庄（今高雄市茄萣區），出生於臺南市港町（今臺南市中西區）。1919 年（大正 8 年）隨母親鄭氏進寄留於澎湖廳鎮海澳（今澎湖縣白沙鄉鎮海村）[254]，1920 年左右返臺，因家鄉瘟疫流行，遂北上謀生到印刷廠擔任排字工人，並從萬華塾師施瘦鶴學漢文。1929 年（昭和 4 年）遷居臺北大龍峒[255]，再隨「礪心齋」林述三習漢文。1931 年（昭和 6 年）11 月，林述三創刊「天籟吟社」刊物《藻香文藝》時，由吳紉秋擔任編輯兼發行人。[256] 1932 年返回臺南，設帳授學，其後又先後到頭圍（1935）、嘉義（1938）、臺南（1939）、東港（1940）、高雄（1942）等地講授漢學。期間，曾於 1937 年短期應聘擔任《風月報》助理編輯。吳氏在日治詩壇頗為活躍，參與「瀛社」、「天籟吟社」、「讀我書社」、「仰山吟社」、「酉山吟社」、「潮聲吟社」、「興亞吟社」、「東林吟社」等活動，又擔任臺南「雞林詩社」、林邊「興亞吟社」顧問，創立左營「屏嵐吟社」（1932）、臺南「賴桐吟社」（1939）、高雄「鵬社」（1942）。戰後，歷任左營國小及高雄商業職校教師，因不滿校方作風，辭去教職，1951 年至臺南七娘境設漢塾。1953 年遷居高雄鹽埕區，將居處命名為「蠔樓」，在此講授漢文，並成立「蠔樓吟社」。晚年多病，家庭經濟皆賴其妻吳周豫支撐。吳氏詩才敏捷，剛直耿介，自云：「生平惟傲骨，未能趁時勢」[257]、「平時抱負

252——參考顏興，〈自傳〉，《文史薈刊》復刊第3輯，臺南：臺南文史協會，1998年8月。顏世鴻，《青島路三號》，臺北：啟動文化，2012年7月。陳梅卿，《政治受難者「顏世鴻」調查研究案結案報告書》，臺南：財團法人成大研究發展基金會，2013年4月。

253——別署幽遐生、一梅、瀛南淚生、寧南淚生、淚生、寧南生、懺梅、詠元、啄元、幸齋、杏齋、南僧、南部和尚、鯤僧、臺灣和尚、柘顛、綠湖吟叟、乃儂、吳儂、高雄吳叟。參考吳紉秋〈自傳〉，〈吳紉秋手稿〉（四十九）：「永遠吳姓，鯤島桐城人也，字寄蘭。少客稻江，師事怪星，易字紉秋。滯北數年，感嗟萍梗，賦歸桑梓。設帳雞林，自號杏齋。鴻印舊城，又號柘顛。雪留埔里，獲號綠湖吟叟。逮光復後變號臺灣和尚。」

無他技，烈熱詩腸可對天」[257]。著有《鐵道全線行吟集》（1946）、《東寧鐘韻》（1956）、《註音千字鑑》（約1961），長子吳子京收藏有手稿49冊，內容除漢詩外，亦有部分詩鐘，多為戰後之作。[259]

（十四）楊乃胡

　　楊乃胡（1913～1980），本名楊萬祥，又名文祥，字元胡、乃胡，號古月山人，筆名多達30餘種。[260]出生於臺南新化那拔林，生父胡振，後過繼給新市大營村的楊鵲，送承楊姓。3歲隨養母施梅遷居府城，遂設籍臺南市。畢業於寶公學校（今臺南市立人國小），曾從吳子宏習漢文、詩學及書法，尤工於隸書。早年擔任「永隆發百貨行」從業員，因業務之故，足跡遍臺灣，與各地詩人、書友相互切磋，詩藝與書藝日進；尤與臺南詩友林草香為金蘭之交。後自營「今井」、「祥益」百貨行，以及「錦和布行」，然皆不順遂。多次遷徙後，於臺南市西門路以裱褙字畫、撰聯題詩、揮毫為業，長達30年。為「南社」、「桐城吟會」社員，1935年（昭和10年）與友人合辦「崁南吟社」，戰後為臺南「延平詩社」社員，經常於詩會比賽中奪元。曾在《三六九小報》、《鯤聲報》為「聲律啟蒙」專欄撰文，詩作多發表在《臺南新報》、《臺灣新民報》、《臺灣日報》、《鯤聲報》。晚年受兒孫影響，改信基督教。其著作除報紙刊登者外，目前留存有：〈詩學存稿〉、〈古月吟草〉、〈古月山房撰聯拾零〉、〈崁城詩人名聲律啟蒙〉、〈古月山人詩抄〉、〈存聯〉等未刊稿，2006年由次男楊智雄編為《楊乃胡先生詩集》。[261]

254── 據哲嗣吳子京提供之戶籍資料，鄭氏進於1919年10月21日過世。

255── 據哲嗣吳子京提供之戶籍資料。

256── 因經濟拮据，該刊只發行4期。

257── 〈元旦書感〉，《臺南新報》，「新年詩壇」欄，1933年1月1日，第28版。

258── 〈和夢酣窗兄自題韻〉，吳紉秋手稿（十九），《錄詩小冊》，1955年11月。

259── 參考胡巨川，〈詩酒奇人吳永遠〉，《高市文獻》15卷3期，2002年9月。黃文虎，〈花蓮鱗爪記〉（上），《南方》第168期，1943年2月1日。

260── 胡仙、上大人、阿九舍、清道人、溶接司阜、鹿角仙、被棄兒……等，參考楊森富，〈楊乃胡先生事略及詩文選輯〉，《臺南文化》新46期，1998年12月。

261── 參考楊森富，〈楊乃胡先生事略及詩文選輯〉，《臺南文化》新46期，1998年12月。楊智雄編，《楊乃胡先生詩集》，臺南：臺南市立圖書館，2006年12月。

第二節 「南瀛」地區文人群

「南瀛地區」指 2010 年縣市合併為「臺南市」之前的「臺南縣」。轄區為八掌溪以南、二仁溪以北之間的臺灣西部山嶺和平原。日治時期 1920 年在臺南州設 1 市 10 郡，其中新化、曾文、新營、北門 5 郡屬於改制前的臺南縣，所轄行政區域如下：

一、新化郡管轄新化街、善化街、新市庄、安定庄、山上庄、玉井庄、楠西庄、南化庄、左鎮庄。轄域即今臺南市新化區、善化區、新市區、安定區、山上區、玉井區、楠西區、南化區、左鎮區等地。

二、曾文郡管轄麻豆街、下營庄、六甲庄、官田庄、大內庄。轄域即今臺南市麻豆區、下營區、六甲區、官田區、大內區等地。

三、北門郡管轄佳里街、西港庄、七股庄、將軍庄、北門庄、學甲庄。轄域即今臺南市佳里區、學甲區、西港區、七股區、將軍區、北門區等地。

四、新營郡管轄新營街、鹽水街、白河街、柳營庄、後壁庄、番社庄。轄域即今臺南市新營區、鹽水區、白河區、柳營區、後壁區、東山區等地。

五、新豐郡管轄仁德庄、歸仁庄、關廟庄、龍崎庄、永康庄、安順庄。轄域即今臺南市安南區、仁德區、歸仁區、關廟區、龍崎區、永康區等地。

日治時期南瀛地區文學發展，主要從「鹽分地帶」發端。所謂「鹽分地帶」指的是日治時期北門郡所管的五個街庄：佳里街、西港庄、七股庄、將軍庄、北門庄、學甲庄，約今臺南市之佳里、西港、七股、將軍、北門、學甲六區。除佳里外，其餘地區大多濱海，土壤中含鹽成分濃，故名。[262]

262—— 郭水潭，〈從「鹽分地帶」追悼吳新榮〉，收在羊子喬編《郭水潭集》，新營：臺南縣立文化中心，1994年12月，頁250-251。

佳里詩人林泮之子，同時也是鹽分地帶新世代詩人林芳年（精鏐，1914～1989），在〈鹽分地帶作家論〉一文中說到[263]：

當臺灣新文學還沒萌芽開花以前，鹽分地帶曾有少數人偎在上一代遺下來的倫理道德傳統堡壘上，樹立了愛好傳統文學的旗幟。他們雖少有系統性的治學過程，但其行徑是反映著人類求美的本性，頗為同時的社會所矚目。這一傳統文學以王炳南、吳萱草、洪權、王大俊等為領導中心。

在另一篇〈鹽窩裡的靈魂〉[264]裡，林芳年寫道：

鹽分地帶的傳統詩人們雖沒有人願意投身於新文學陣營，但，他們年年舉辦傳統詩的聯吟擊缽會，那顆愛好傳統文學的心，曾經影響到新文學同仁的每一位，那份意境將能為我們對新文學做更有力的衝刺……我們對傳統學人是持著這種看法，他們的世界觀與價值觀與新文學派人們有所不同，但，當鹽分地帶文學尚未確立以前，傳統文學無疑的是鹽分地帶一枝獨秀的文化傳播單位。

親身接觸過傳統文學父執輩的林芳年，相當中肯的指出鹽分地帶傳統文人群的特色—結集志同道合的夥伴，凝聚強烈的向心力，繼承上一代的倫理道德傳統，積極參與擊缽聯吟，那種愛好文學的心，展現人類追求「美」的本性，深深地影響了新世代文藝青年，使他們能夠為新文學的未來做更有力的衝刺。「當鹽分地帶文學尚未確立以前，傳統文學無疑的是鹽分地帶一枝獨秀的文化傳播單位。」這句話很中肯地把鹽分地帶新舊文學的關係做了銜接。

263—— 《林芳年選集》，臺南：中華日報，1983年，頁384。
264—— 《林芳年選集》，臺南：中華日報，1983年，頁362-363。

南瀛地區當然不只有北門郡的「鹽分地帶詩人群」，其他地區：新化郡、曾文郡、新營郡甚至新豐郡還是有值得注意的詩人。以下先介紹北門郡詩人，而後及於其他。

一、北門郡（北門、將軍、七股、佳里、學甲、西港）

（一）王炳南

　　王炳南（1883～1952），名清閩，字炳南，號北嶼釣客，以字行。[265] 嘉義縣北門嶼（今臺南市北門區）人[266]，與王大俊、王克明並稱「北門三王」。1910年（明治43年）擔任臺南廳北門嶼書記，曾在北門、七股、將軍、白河等地講授漢學。為人淡泊，重義氣，善書法，耽吟詠，精於歧黃之術，為「南社」成員。1912年偕吳溪（百川）、王大俊、吳萱草等詩友創立「嶼江吟社」，為北門地區詩社之始。其後又參加「蘆溪吟社」、「白鷗吟社」、「將軍吟社」，帶動鹽分地帶詩歌風氣。曾參與《三六九小報》編輯。其詩以王孟為宗，工於五絕，日人三屋清陰（1857～1945）謂其詩「性靈自然，風格秀絕」、「妙趣自然，平淡得絕句之神」[267]。詩歌創作常以南臺灣，尤其是嶼江一帶為主。1922年（大正11年）自編生平作品《北嶼釣客吟草》，並編有《南瀛詩選》、《潛園寓錄》、《蕉窗隨筆》、《窗下唾餘編》、《燃燈寶塔》等，均未刊行。2007年吳榮富編輯《北嶼釣客吟草》，由財團法人臺南縣文化基金會出版。[268]

（二）王大俊

　　王大俊（1886～1942），號愁儂、釣翁，晚號一軒。[269]嘉義縣北門嶼人（今臺南市北門區）。自幼學習漢學，於漢詩文造詣頗深，曾設帳

265—— 別署王秉藍、江南生、嶼江釣客、嶼南釣客、散人、北嶼散人、一散人、一山人、北嶼生、北嶼吟癡、北嶼吟卒、北嶼永巖、北嶼漁隱、嶼江漁隱、嶼南漁隱、漁隱、蘆灣隱士、蘆溪隱士、蘆溪釣客、三灣漁父、翠竹居氏。

266—— 吳榮富，〈漁村詩人王炳南先生詩初探〉王炳南從中國來，應在35歲（1908年）渡臺，此說恐誤。王氏1904年2月於《臺灣教育會雜誌》發表詩作，即已署名「北門嶼王炳南」，可見當時已經居住在北門。此處採王氏家屬說法，王炳南為北門嶼井仔腳（臺南市北門區永華村）人的說法。

267—— 《臺南新報》，「詩壇」欄，1922年8月16日，第5版、《臺南新報》，「詩壇」欄，1922年11月8日，第5版。

授徒。歷任北門嶼區、漚汪區書記（約 1910～1920）、佳里庄役場書記（1920～1924）、北門信組會計（1924 以後）。1912 年（大正元年）偕王炳南、吳溪、吳萱草共組「嶼江吟社」，乃北門詩社之始。此外，又加入「南社」、「蘆溪吟社」、「白鷗吟社」，且為「將軍吟社」、「琅環詩社」等成員。1937 年中日戰爭爆發，王氏前往上海、南京。1942 年（昭和 17 年）9 月病逝於上海，享年 57。王氏性豪爽、富俠義、善文章，與吳萱草、吳本立兄弟相善，經常唱和往來。擅長七言絕句，工於寫景，對漁民、漁村生活刻畫生動，尤擅擊缽詩。有多首詩寫北門風物季節，極具特色。府城詩人洪鐵濤曾評其詩云：「北門王大俊先生，耽苦吟，所為詩清峭拔俗，深入宋人堂奧。為余誦其得句云：『家庭圓滿貧何厭，妻室賢能醜不妨』，頗自喜切實，不墜理學，余亦深允為見道之言。」[270]王氏詩稿因數度遷徙已佚失，生平詩作散見《臺灣日日新報》、《臺南新報》、《三六九小報》、《詩報》。國立臺灣文學館藏《南瀛詩選》手稿、《心聲集》手稿。[271]

（三）吳萱草　附弟吳本立

吳萱草（1889～1960），生於嘉義縣北門嶼（今臺南市北門區），後居將軍庄，晚年移住佳里街。號牧童，晚號穆堂。[272]原名謝財壽，為北門漁民謝新之子，7 歲過繼給吳玉瓚收養。8 歲入澎湖陳九如「日新軒」接受啟蒙，後受教於臺南糖廍賬房許景山。[273] 1909 年（明治 42 年）養

268── 參考吳榮富，〈漁村詩人王炳南先生詩初探〉，《北嶼釣客吟草》，臺南：國家臺灣文學館籌備處、臺南縣文化基金會，2007 年 7 月。吳登神，《鯤瀛詩社──百年史》，臺南：南縣鯤瀛詩社，2011 年 11 月。中央研究院臺灣史研究所「臺灣總督府職員錄系統」http://who.ith.sinica.edu.tw。

269── 又號：愁儂、釣翁、甘霖、嶼江釣翁、嶼江漁夫、小漁夫、洲北軒主人、臥山逸民、江南客、江南釣翁。

270── 洪鐵濤「餐霞小紀」，以筆名「潮」刊於《三六九小報》第 229 號，1932 年 10 月 26 日。

271── 參考吳登神，〈臺南縣詩文社沿革志〉，《鯤瀛文獻》第 4 期，2004 年 11 月、吳永梱，〈北門詩人王大俊詩叢初集〉，《南瀛文獻》第 4 輯，2005 年 9 月、龔顯宗編，《臺南縣文學史》，臺南：臺南縣政府，2006 年 12 月，頁 138-142。

272── 別署茂春、莫同、雅園、忘憂洞天主人、一洞天主。

273── 許廷崙（？～？約 1916），字景山、鏡珊。臺南人。曾設帳於北門一帶，吳萱草從之習漢詩。工詩善飲，有李白之稱。所為詩獨抒己見，不屑依人門戶。1916 年 6 月許南英回臺南時，許景山、黃欣、謝維巖等人曾邀許南英同遊臺南公園，約於 1917 年過世。其子許獻圖（幼山）為秀才，亦能詩，與林馨蘭為知己。

父吳玉瓚擔任漚汪區長，網羅了許多優秀的人才前來擔任書記，學甲吳乃占[274]、西港王克明[275]、學甲吳克讀[276]、北門王大俊[277]時稱「四大金剛」，吳萱草與他們情同手足，時相切磋，詩藝因而大進。吳氏原本擔任父親「協吉號」經理，1917年分家後，商號改為「新協吉」，經營木材、五穀、雜貨。1919年加入丁瑤池主辦的「永義芳糖店」，又與吳乃占及日人清德合設布商丸及吳服店，因為受到世界經濟大恐慌影響，加上經營不得其法，均告倒閉，家道一度中落，於是前往屏東糖廠包辦採蔗工作，這是吳萱草一生中最困頓的時期，直到弟弟吳本立醫學校畢業返回佳里開業後，經濟狀況始得抒解。吳氏善拳法，又以詩、酒聞名。1912年與王炳南、王大俊創辦北門最早的傳統詩社「嶼江吟社」；後於1914年（大正3年）改名「蘆溪吟社」，1921年（大正10年）改為「白鷗詩社」，被推舉為社長，戰後於1947年再擴編，易名為「琅環詩社」。吳氏擅作七律，內容以記遊、寫景與應酬為主，並工豔體詩。其將軍庄的居處名為「雅園」，並自號「忘憂洞天主人」，1930年（昭和5年）〈庚午題將軍庄雅園別墅〉：「移家來此住，整整欲經年。最喜三弓地，忘憂一洞天。凌雲登閣上，賞月坐亭前。點綴風光好，隨時韻事傳。」忘憂洞天經常有詩人往來酬唱，遂有所謂「忘憂洞天十二猿」之詩人群體。[278] 1947年，二二八事件爆發後，吳萱草被誣入獄，有〈鐵窗風景〉兩百首，乃「獄中詩」之力作。1950年膺選臺南縣參議員，次年（1951）膺選第一屆臺南縣縣議員，並擔任臺南縣「南瀛詩社」副社長。1960年病逝佳里，歸葬將軍庄。生前曾先後出版《忘憂洞天詩集》上卷（1956）、下卷（1958）及續集（1960）。龔顯宗歸納其漢詩有三特色：一、鄉土色彩濃厚；二、多旅

274—— 吳乃占（1879～？）將軍庄人。公學校畢業後，專攻漢學7年，曾任臺南州區書記、佳里漁業組合主事同專務理事、永義芳株式會社相談役、監察役、佳里莊長、臺南州協議會員、臺灣竹材會社社長、《臺灣新聞》佳里出張所長、騰雲自動車商會會長，曾遊歷中國、南洋、香港、呂宋各地。戰後曾任南鯤鯓代天府主事。參考國立臺灣文學館研究典藏組，《鹽分地帶作家名錄》，頁58。

275—— 王克明，號靜園，北門莊人，白鷗吟社社員，曾任西港庄長，後來到中國參加臺灣義勇軍。參考吳新榮，《震瀛回憶錄》手稿本，吳三連史料基金會典藏，頁29-30。國立臺灣文學館研究典藏組，《鹽分地帶作家名錄》，頁92。

遊紀行之作，達數百首；三、融入方言、俚語、現代語，使其作品具有鄉土味，又具現代感。讀來親切自然，毫無違和之感。《全臺詩》收錄其詩 2,000 餘首。 [279]其弟吳本立（丙丁，1904～1950），臺北醫學校畢業後，在佳里行醫。姪子吳新榮自東京醫校學成返臺後，將自己經營的佳里醫院交給吳新榮經營，自己改往臺南開業。戰後曾任臺南縣議員，在任期間，以急性腦中風猝逝，遂由其兄吳萱草遞補。為「白鷗吟社」社員。1935 年（昭和 10 年），與施獻忠等人創立「將軍吟社」，並擔任社長。社員有 15 人，聘王炳南、王大俊為顧問。 [280]

（四）林泮

林泮（1891～1946），字芹香，號惕園，晚號陸沉散人。佳里鎮子龍廟[281]人。出身巨富之家，田園之廣甲於鄉。父林波，號碧池，因製糖致富。割臺之初，偕臺南將軍鄉林崑岡（1832～1895）率鄉勇數百，與日軍激戰於北門嶼竹篙山，後失敗引歸，蟄居子龍廟，過著孤獨隱遁的生活。在故鄉創立書院，延聘塾師教育子弟及地方青年，堅決反對子弟接受日本教育。林泮為林波次子，自幼聰慧好學，日夕讀書，接受完整的漢學教育，包括諸子百家、詩詞歌賦，對《易經》尤有深究，精通岐黃之術。1915 年（大正 4 年）曾在麻豆庄下街，開設「濬亨商行」，專營雜穀糖粉業務。期間與麻豆庄宿儒黃文楷（珠園）、高山輝（暢園）共創地方義

276—— 吳克讀，出身臺南新頭港吳家，後來成為全臺一流布商。為吳尊賢的父親。參考吳新榮《震瀛回憶錄》手稿本，吳三連史料基金會典藏，頁29-30。

277—— 王大俊為著名的漁村詩人，詳正文。

278—— 青猿廖望渠、冷猿吳子宏、嘯猿高懷清、軟猿葉占梅、楚猿王榮達、仙猿程芝仙、山猿陳玉榮、好猿沈毓祥，吳萱草則是老猿。參考《忘憂洞天詩集‧續卷》。

279—— 參考吳中撰，〈臺南縣詩文社沿革志〉，《鯤瀛文獻》第4期，2004年11月；龔顯宗，《臺南縣文學史》，臺南縣：臺南縣政府，2006年12月，頁131-135。施懿琳，《吳新榮傳》，南投：臺灣省文獻委員會，1999年6月。

280—— 國立臺灣文學館研究典藏組，《鹽分地帶作家名錄》，頁59。

281—— 佳里子龍廟拜的是三國蜀漢的趙子龍，乃臺灣社會奉祀趙子龍的原始村落。據聞當時有一位林姓軍人攜眷落腳於此，拾獲一刻有趙子龍的木頭，故將之雕刻為趙子龍神像，並建立一座廟宇稱為「永昌宮」。因時代推移，該廟奉祀的神明一天天顯赫起來，加上周邊的土地肥沃，大部分地居民從事農耕，遂形成一個以子龍廟為中心，安土重遷，具保守性的群體。後有訛音為子良廟者。參考林芳年，〈子龍廟〉，《林芳年選集》，臺南：中華日報，1983年，頁294。

學「蔴豆書院」（亦稱「芹香書院」），此書院成為後來麻豆「綠社」（1928）創社骨幹。林泮與下營的黃清淵（1881～1953）為莫逆之交，據其子嗣林金莖〈黃清淵先生與先父林芹香〉云：「清淵先生與家父，平生交遊至篤。如有詩文，必相互遞閱，在兩人之往來信札中，常見和睦如親。贈茶送物，四季寒暄，互相慰勉，君子之交也。」[282]林泮受父親影響，是一位堅定的民族主義者，也是一位純粹的傳統漢文人。他不上日本學校學習日文，也反對中國的白話文運動，對於長子林芳年（精鏐）與吳新榮、郭水潭等鹽分地帶青年參加臺灣新文學運動並不認同。多次旅遊中國，曾受林祖密之子林正熊之邀，成為林家座上客。林芳年認為父親林泮長於作文，而不擅於作詩，但是偶而參加擊缽吟會所寫的作品，仍為詩壇人士所激賞，與鄭國湞同為鹽分地區傳統文學派中，舉足輕重的人物。[283]

（五）鄭國湞

鄭國湞（1895～1983），號靜夫，北門郡佳里街（今臺南市佳里區）人。1919年從臺北醫學校畢業後回鄉開設「宏仁醫院」，為佳里鎮第二位西醫師。日治時期曾擔任地方上諸多職務，如佳里庄協議會員（1929）、佳里製冰合資會社代表社員（1933）、帝國在鄉軍人會北門分會後援會長（1936）、佳里街上水道組合會議員（1937）、北門郡土地改良組合理事（1938）、佳里信用販賣購買利用組合長（1940）、臺灣都市計畫調查委員等。對詩饒富興趣，青年時期與吳萱草同樣在私塾跟宿儒吳溪（百川）學漢詩文，盡得其真傳。除了醫師身分外，亦擅長詩文創作，認為「醫是職業，詩是趣味，涇渭分流，方式兩不混合」。為「白鷗吟社」（1921）、

282── 林金莖，〈黃清淵先生與先父林芹香〉，《南瀛文獻》1：3，1953年，頁41。

283── 參考詹評仁，《柚城詩錄》，臺南：麻豆鎮公所，2003年，頁151。馮勝雄，〈茅港尾的開發與聚落發展〉，臺南大學臺灣文化研究所碩論，2011年，頁132。林芳年，〈父親追想片斷〉、〈鹽分地帶作家論〉，《林芳年選集》，臺南：中華日報，1983年，頁294-297、384。

284── 參考中研院臺史所檔案館「吳新榮日記」，1952年6月11日，https://taco.ith.sinica.edu.tw/tdk/%E5%90%B3%E6%96%B0%E6%A6%AE%E6%97%A5%E8%A8%98/1952-06-11，2021年7月14日檢索。

「琅環詩社」（1947）社員，曾受聘為「鯤瀛詩社」顧問與「臺南縣文獻委員會委員」，精通新舊文學，對兩者採兼容並蓄的態度。與吳新榮父子交誼甚深，曾推薦《增訂詩法入門》給吳新榮，希望他能在古詩寫作上有所進益，可見兩人之間有著密切的文學交流。[284]鄭國禎是吳新榮在日治時期一起打麻將、赴酒館、下棋的友人；戰後又曾共事於臺南縣委員會。早期作品大多發表於日治時期的報章雜誌，戰後詩作則多發表於吳濁流創辦的《臺灣文藝》。著有《鄭靜夫詩集》，收錄漢詩作品 300 多首，由吳新榮編印出版，並寫跋文。林芳年認為鄭國禎不僅擅長傳統舊詩文，現代文學涵養也有相當水準，是一位傳統學派詩人中，最能了解現代文學的進步分子。 [285]

（六）陳嘯

陳嘯（1895～1959），字峻聲，北門郡七股庄（今臺南市七股區）人。幼穎悟，讀書過目不忘。1920 年（大正 9 年）參加教諭考試合格，獻身教育。其後因地方父老推舉，出任七股庄長、協議會會員、嘉南大郡組合議員。1922 年（大正 11 年）與陳昌言、陳先致於七股庄創立「竹橋吟社」，並任社長。戰後初期，曾參與吳新榮籌備的「三民主義青年團」臺南分團，擔任七股區隊長[286]，其後擔任北門區署總務課長、華南銀行佳里分行經理、臺南縣漁會理事長、第二屆臺南縣縣議員、臺南縣文獻委員。陳氏做事嚴謹，處世忠誠，任職漁會相關職務 15 年，改善魚販、增進魚產，諮謀擘畫，其功匪淺。生平淡薄名利，性好詩酒，公餘之暇，每吟詠不輟。陳昌言謂其詩「一字一句，敦厚崇實，清真有味，皆能發聾振聵，廉頑立懦。」著有《心聲詩集》。 [287]

285—— 參考《臺灣人士鑑》，臺北：興南新聞社，1943年6月，頁43。林芳年，〈鹽分地帶作家論〉，《林芳年選集》，臺南：中華日報，1983年，頁384。佳里鎮志編纂委員會，《佳里鎮志》〈人物志〉，臺南：臺南縣佳里鎮公所，1998年，頁440。國立臺灣文學館研究典藏組，《鹽分地帶作家名錄》，頁19。
286—— 施懿琳，《吳新榮傳》，南投：臺灣省文獻委員會，1999年6月。
287—— 胡寶龍，〈序〉、陳昌言，〈跋〉，《心聲詩集》，自印本，1960年。國立臺灣文學館研究典藏組，《鹽分地帶作家名錄》，頁6。

（七）邱水

邱水（1896～1935），字潘川，號小衙門給仕。原籍北門郡佳里街，日治中期遷居麻豆街東角里（今臺南市麻豆區）。大正初期，曾經擔任林泮經營的「潘亨商行」掌櫃。為麻豆「綠社」（1928）創社會員，亦為佳里興「登雲吟社」（1934）塾師。曾在《三六九小報》連載「綠波山房摭談」專欄、或介紹當地詩人（如女詩人黃金川、施蓮舫、「綠社」社友陳麗山、林泮、李步雲、郭小川、陳鵲、洪子衡、陳紉香、許獻圖、王則修）、或報導當時詩會活動（如「曾北聯吟會」、「綠社」社課、「竹橋吟社」、「竹社」徵詩、「登雲詩社」創設）、或以輕鬆筆觸寫地方趣聞（如「開錢自有開錢福」、「科場笑話」）、或改寫歷史掌故（如「新三國」、「新論語」）、或細數臺灣滑稽詩人雅號（如候補甲長、誤勞書記、鐵齒大王、變態偉人、公門走狗、古意童生伍色人、大頭仙、十二洞天十二猿等）、或寫各漢學書館的紛爭、或批評社會風氣……內容相當豐富。其中「綠社吟壇日誌」雖只四則，卻能生動地記錄麻豆地區詩人互動之實況，頗具趣味。1934年（昭和9年）佳里「登雲詩社」創立時，曾撰〈登雲吟社序〉謂「錦繡山川，藉清詞以潤色；風流藝苑，得麗句而蚩聲。」希望得以與三臺詩社爭逐於騷壇之間。可惜邱氏於次年（1935）即以40歲之英年過世，該社男女弟子有多篇〈哭潘川老夫子〉詩追悼之。[288]

（八）洪權

洪權（1898～？），號子衡，北門郡北門庄蚵寮里（今臺南市北門區）人，後遷居到臺南市。詩文並茂，尤以漢詩更為清新可誦。為「嶼江吟社」、「蘆溪吟社」、「白鷗吟社」社員，著有《子衡詩鈔》。[289]與吳

288—— 參考邱潘川，〈綠波山房遺稿〉（1930～1935），原刊《三六九小報》，後收錄於詹評仁，《柚城詩錄》，臺南：麻豆鎮公所，2003年，頁297-336。

289—— 龔顯宗，《臺南縣文學史》，臺南縣：臺南縣政府，2006年12月，頁148。國立臺灣文學館研究典藏組，《鹽分地帶作家名錄》，頁93。

290—— 參考中研院臺史所檔案館「吳新榮日記」，https://taco.ith.sinica.edu.tw/tdk/%E5%90%B3%E6%96%B0%E6%A6%AE%E6%97%A5%E8%A8%98/1944-04-11，2021年7月14日檢索。

萱草頗多互動，在吳新榮日記裡可見數則記錄，1944 年 4 月 11 日的日記頗有意思：[290]

> 時間已不早，即到日產生命[291]訪洪氏，今日要件總算處理完畢。和洪權氏話說不完，就被留下來過夜。洪權氏是父親的詩友，和府城的文化人多有接觸，因此話題特多。令人驚訝的是，他聽了上述事件的謠傳，便以詩人的心情說得興高采烈。與這前輩夜談，從家庭談到社會，真是難得。他以一冊《自由的先驅》相贈。

此外，洪權也跟林茂生有互動。日治末期日本當局要求林茂生擔任「皇民奉公會部長」時，因家人都在日本，林茂生曾暫住在洪子衡位於臺南市中山路的家。臺南高等工業學校同事潘貫在臺南車站送林茂生北上時，洪權附耳口誦一絕以壯其行：「百萬同胞共枕戈，江山可改志難磨。此行願為生民計，靜聽先生正氣歌。」林茂生要求再吟誦一次後，始黯然北行。知識分子以詩相互期許、激勵彼此，可見一斑。[292]

（九）黃標

黃標（1900～1968），字秋錦，北門郡佳里庄龍安里人（今臺南市佳里區）。幼年時期至塭子內[293]「步雲書院」及「高級萃英書院」學習[294]，喜好書法，善寫多種書體，論者贊其筆勢「飄然如法雲，矯如遊龍」。青年時期曾至府城關帝廟（今臺南市永福路）附近開辦私塾，講授漢文達三年之久。1920 年（大正 9 年）與出身七股庄樹林村望族的王瑞香結婚；不久，任職七股庄漁業組合書記。1938 年（昭和 13 年）於塭子內經營中藥業，兼擅篆刻。這階段積極參加詩社徵詩，獲獎頗多。1941 年（昭和

291—— 原為太平生命保險株式會社，後被日產生命合併改稱「日產生命」，直到戰爭結束，洪子衡跟林茂生都曾經住在這裡。

292—— 李筱峰，《林茂生、陳炘和他們的時代》，臺北：玉山社，1996年，頁80。

293—— 塭子內，是臺南市佳里區南部的舊地名。廣義的塭子內範圍包括龍安、蚵寮、通興三個里；狹義的塭子內則僅指龍安里內最大的一個聚落。維基百科，https://zh.wikipedia.org/wiki/%E5%A1%AD%E5%AD%90%E5%85%A7，2021年7月18日檢索。

294—— 《佳里鎮志》謂幼年在龍安里黃泰私塾學習漢詩文，與此說有出入。

16年）遷至佳里大街經商，專營茶業、篆刻、代人書寫賀聯匾額等。為七股「竹橋吟社」、佳里「白鷗吟社」、「琅環詩社」社員。戰後初期，應地方人士之邀，前往鄰村蚵里寮開辦私塾，教授青少年漢文，直至塭子內國小復校上課為止；其後又應七股竹橋國校、雲林虎尾女中之聘，擔任國文科代課教師，同時教授現職教師學習漢文、漢音。因非師範學校畢業，遂以所著詩文向臺灣省行政長官公署提出申請，1949年（民國38年）獲得正式中等教師資格。黃標才華深受北門初級農校校長陳雨水欣賞，同年（1949）8月受聘前往該校擔任教職，直至1965年年滿65歲退休止。北門農校教學16年為黃標一生中最安穩的階段，生平重要詩文作品大多在此時完成。曾撰〈北農十二景〉標示該校具特色的十二個景點；又曾以〈秋痕〉一詩，在全國詩會奪元。1968年因高血壓及糖尿病逝世，享壽69，著有《秋錦吟草》。 [295]

（十）陳昌言

　　陳昌言（1901～1980），名志光，以字行。北門郡七股庄（今臺南市北門區）人。為七股「竹橋吟社」、臺南「延平詩社」社員。戰後曾於佳里金唐殿設帳授學，教導地方子弟研修漢詩文。1962年（民國51年）參與創立「鯤瀛詩社」。著有《昌言詩聯選集》，多寫南瀛地區風物，如七股、關子嶺、南鯤鯓、麻豆等景致。 [296]

（十一）施獻忠

　　施獻忠（1907～1983），號大目道人，北門郡將軍庄（今臺南市將軍區）人。8歲入漚汪公學校就讀，14歲畢業後，除自修漢學外，又從吳

295——黃玉珮編，《秋錦公吟草詩集》，臺北：佳音出版社，2012年5月，頁9-10。佳里鎮志編纂委員會，《佳里鎮志》，臺南縣：佳里鎮公所，1998年，頁439-440。
296——許獻平，《七股鄉志》〈文學篇〉，臺南縣：七股鄉公所，2010年11月，頁433。

溪、王炳南學習詩文，且長於歧黃之術。為「白鷗吟社」社員，1935年（昭和10年），與吳本立、吳國卿等人創立「將軍吟社」。戰後受聘執教於將軍國校，1949年（民國38年）辭去教職，開設仁安藥堂；同時設立私塾，教授漢文。1947年加入「琅環詩社」，1952年應臺南縣長高文瑞之邀，與全縣詩人聯誼，並創立「南瀛詩社」，為該社健將，其後，並擔任「鯤瀛詩社」顧問。1984年女弟子吳素娥在其過世一周年，為編纂《大目道人詩集》。[297]

（十二）黃生宜

　　黃生宜（1910～1985），字得時，號渡濱居士，北門郡佳里鎮龍安里人（今臺南市佳里區）。7歲接受漢學啟蒙，畢業於日治時期高等科，其後參加特種考試及格。曾隨佳里林泮、將軍王炳南、麻豆吳紉萱、嘉義黃傳心、朴子楊爾材學詩文，漢學造詣頗深。青年時代曾任職保甲書記，積極為民服務，博得好評，其後轉入警界，致力為民眾排難解紛。戰後自警界退休，過著耕讀生活，並於夜間設帳授徒，講授漢詩文。學生服務於各界，皆卓然有成。延平詩社社長陳進雄、鯤瀛詩社社長吳登神皆為其門生。黃生宜在青年時代即活躍詩壇，致力於詩文創作。每參加徵詩、徵聯、詩人大會，屢占鰲頭，曾參加國際徵詩奪魁。在1960年（民國49年）任臺南縣「佳里詩社」副社長以前，即經常舉辦徵詩、詩人大會等活動。1967年任「鯤瀛詩社」社長以後，更積極推展社務，提拔後生晚輩。生平與吳萱草、鄭國禎、施獻忠、陳龍吟、李登源相交甚篤。著有《生宜吟草》，收錄漢詩3,000餘首。[298]

297── 施鐘响，〈序〉、吳素娥，〈跋〉，《大目道人詩集》，自印本，1984年。國立臺灣文學館研究典藏組，《鹽分地帶作家名錄》，頁63。
298── 黃文慧，〈百年鯤瀛詩社之研究〉，嘉義大學中文所碩士論文，2013年，頁129-130。

二、新營郡（新營、柳營、鹽水）

（一）劉獻池

劉獻池（1862～1944），字瑤函，新營郡柳營庄人（今臺南市柳營區）。早年家境清苦，在堂叔劉澧芷（1855～1909）鼓勵下，於1886年（光緒12年）考取秀才。為家計故，放棄科舉之路，受聘於私塾教學，以培育人才，閒暇輒研究醫書，對醫理理解甚深，尤善於眼科。1888年為八老爺（地名，今臺南市柳營區八翁里）聘任協理家政，晚年賦閒居家。喜詩文，日治時期為「新柳吟社」（1922）社員，同社有新營沈森其、施水池、柳營劉明哲、劉神嶽、劉炳坤、劉明智等。[299]生平詩作，主要發表於《臺灣日日新報》、《詩報》、《南方》，以及曾笑雲編《東寧擊缽吟前集》等。

（二）劉神嶽

劉神嶽（1865～1921），名滄溢，又名滄奕，字申甫，新營郡柳營庄人（今臺南市柳營區）人。出身柳營望族。自幼穎悟過人，1883年（光緒9年）取中秀才。熱心社會事務，1897年（明治30年）任六甲併鹽水港辦務署參事。次年（1898）獲頒紳章，是年與府城秀才謝友我、文友魏博文同赴日本東京，再轉赴上海遍歷中國各地。1901年（明治34年）任鹽水港廳參事，1906年（明治39年）與各地方參事及紳士百有餘人，會集臺北府送別後藤民政長官。1907年任鹽水港製糖會社發起人之一，次年（1908）贊助汽車博覽會，後轉任嘉義廳參事（1910～1919）。1911年（明治44年）率先剪辮以推行風潮，時就讀於國語學校師範部的侄子劉明哲（1892～？）[300]、長子劉明朝（1895～1985）[301]亦毅然斷髮。劉氏喜

299── 張永堂編，《柳營鄉志‧人物篇》，臺南縣：柳營鄉公所，1999年，頁390。

300── 劉明哲為府城吳筱霞之女婿，曾任臺南州協議會議員、新柳庄長、查畝營區長、柳營庄長等職。早稻田政治科畢業。曾任嘉義銀行新營出張所任主任、查畝營（今柳營）庄長，1922年授佩獲紳章。曾任大東信託取締役（1926）、臺南信用組合理事，臺南州協議會員。後赴滿州國哈爾濱任職，再回臺南經營實業。曾任臺灣地方自治聯盟常務理事、臺灣新民報社監事。https://trd.culture.tw/home/zh-tw/people/104719，2021年7月21檢索。

301── 劉明朝，畢業於東京帝國大學法學部政治科（1922），曾參與組織臺灣文化協會。1923年被任命為總督府判任文官，為日治時期第一位臺灣人官僚。歷任總督府土木局勤務（兼內務府）、專

詩文，為「新柳營社」社員。其家財富甲一方，不吝持贈，義氣過人。1910 年（明治 43 年）在士林村仿日本東京舊火車站的型式而建造的洋樓，造型氣派華麗，乃巴洛克式建築的精品，可惜戰後遭政府沒收，1988 年拆離原址，非依原施工方法重建於彰化臺灣民俗村，2020 年已遭拆除。[302]

（三）蔡知

蔡知（1889～1942），字哲人、號春江，新營郡鹽水街人。前清秀才。[303]為人剛直，日治之後，曾擔任嘉義縣義竹庄、水上庄助役，後歸故里設「培英書塾」，教授漢學。為嘉義「玉峰吟社」（1915）社員。1922 年（大正 11 年）返回鹽水與蔡和泉、張水波等人創立「月津吟社」，被推舉為社長，其詩作長於詠人物及史事。[304]

（四）張水波

張水波（1906～1981），號豐玉，別號長春閣主人，新營郡鹽水街人。祖父張羅自福建泉州府清河縣來臺卜居佳里興（今臺南市佳里區），與張姓聚族而居，後遷至鹽水港為陶瓷商。張水波自幼學習漢文，精於詩詞，18 歲參與在赤崁樓舉辦的全臺詩詞競賽，以〈月津竹枝詞〉奪魁，備受矚目。戰後，舉家遷居臺北，設代書館維生，1981 年過世，享壽 75 歲。2014 年張水波女兒張吟香蒐整「月津吟社」社員作品，出版《月津吟社詩集》，傳承鹽水地區珍貴的文史資產。[305]

（五）黃金川

黃金川（1907～1990），新營郡鹽水街人。周歲時父親黃宗海過世，由母親黃蔡寅雅撫養成人。自幼受母親啟迪教育，少女時代，隨母親及兩

賣局翻譯官、地方理事官、新竹州內務部勸業課長、總督府殖產局水產課長、山林課長等職務，戰後曾任臺灣省參議員、制憲國大代表，後獲選為第一屆立法委員，並兼任合作金庫總經理、臺糖董事、臺泥常駐監察人、東方出版社董事等職務。https://zh.wikipedia.org/wiki/%E5%8A%89%E6%98%8E%E6%9C%9D，2021 年 7 月 21 日檢索。

302── 《柳營鄉志》〈人物篇〉、〈文化篇〉，臺南縣：柳營鄉公所，1999 年，頁372、391。

303── 涂順從，〈臺南縣民間藝文團體〉，《文訊》革新號第31期，1991 年 8 月，頁78。

304── 林明堃、黃哲永，《月津吟社詩選》，臺南：臺南市文化局，2014 年 3 月。

305── 林明堃、黃哲永，《月津吟社詩選》，臺南：臺南市文化局，2014 年 3 月。

位兄長黃朝琴、黃朝碧負笈日本，就讀於東京精華高等女校。18 歲畢業返臺後，拜鹽水蔡哲人為師，並加入「月津吟社」。凡有詩歌吟會皆積極參與，其後又從鹿港秀才施梅樵研習經史詩文，學藝益進。23 歲于歸高雄鉅商陳中和之子陳啟清，其後長居高雄。黃金川詩格律平穩，清麗細膩，展現女性詩人溫柔敦厚之特質，夙有「三臺才女」之稱。作品以七絕為主，頗多擊缽課題，詠物、詠史、寫景。最具特色者當屬思親、酬友等抒發真摯情感之作。1930 年（昭和 5 年）上海中華書局聚珍版刊行《金川詩草》，為其 18 歲至 23 歲婚前少女時代作品，收錄漢詩 237 首，為臺灣女性詩人的第一部詩集。1991 年黃金川逝世週年，後代重刊詩草，並加入婚後作品 119 首，由陳啟清先生慈善基金會出版。次年（1992），中研院文哲所重新編訂刊印為《正續合編金川詩草》。[306]

三、曾文郡（麻豆、下營）

（一）高山輝

　　高山輝（1870～1938），字澄秋，又字玉淵，號惕園。麻豆麻口里人。曾任麻豆林家二房書房塾師。擅脈理，曾在麻豆下街開設「善養堂」漢醫館。書法蒼勁秀逸，日治時期麻豆諸豪宅柱聯，多出自其手。1915 年（大正 4 年）與林泮（惕園）、黃文楷（珠園）共同創設「蔴豆書香院」，由高氏講授詩詞，林氏講授古文，黃氏講授四書。1925 年（大正 14 年）為慶祝其麻豆口宅邸落成，曾召開聯吟會，參與者多為地方碩儒及其門生，當日作品彙抄為〈祝高盛邱先生新居落成〉詩集。[307] 1928 年（昭和 3 年）重陽，創設麻豆第一個詩社「綠社」，並出任社長。[308]

306── 陳黃金川，《正續合編金川詩草》，臺北：中央研究院中國文哲研究所，1992年10月。《靜對遙峰：閨秀詩人金川女士紀念集》，高雄：陳啟清先生慈善基金會，1993年10月。林明堃、黃哲永，《月津吟社詩選》，臺南：臺南市文化局，2014年3月。
307── 該詩稿刊登於《南瀛文獻》第25卷，1980年。
308── 參考詹評仁，《柚城詩錄》，臺南：麻豆鎮公所，2003年，頁173。

（二）林拔

　　林拔（1873～1936）字俊卿，麻豆林家四房。父親林廷瑞，為文秀才。母親施氏蓮舫為府城進士施瓊芳（1845年進士）之女，施士洁（1877年進士）之妹。幼從父親同榜秀才莊左源學，日治後，擔任麻豆庄草店尾保正。1905年（明治38年）任麻豆公學校學務委員，1914年（大正3年）麻豆區信用組合成立，擔任首任組合長。1917年擔任麻豆區長，與麻豆諸仕紳共創「麻豆物產株式會社」，擔任社長。1920年任麻豆街協議會員，其後曾任麻豆庄長，鹽水廳參事。為「綠社」社員。哲嗣及孫輩街遷居臺南市。[309]林拔與固園黃氏兄弟有交誼，為「不老會」會員之一。

（三）黃文楷

　　黃文楷（1879～1957），字恭甫，又字珠園。原籍新營郡麻豆街，出生於臺南府城內城隍街，日本領臺後，遷居麻豆庄頂街。曾任麻豆辦務署雇員、麻豆區長役場書記、阿片煙高取次人（大盤商）、麻豆物產株式會社常務取締（常務董事）、麻豆街協議員、蔴豆書香院塾師。1928年，「綠社」創立後，擔任總幹事；戰後該社重整，出任社長。1947年當選麻豆鎮農會常務理事。[310]

（四）黃清淵

　　黃清淵（1881～1953），號憚園主人、憚園居士，曾文郡下營茅港尾庄人（今臺南市下營區）。經營中藥鋪為業。日治後，致力保存漢文化，不學日語、拒著和服，與佳里林泮理念相近，交情深篤。1898年（明治31年）曾遭頭社（今臺南市大內區）土匪綁架，歷時55天始脫險。晚年

309—— 參考詹評仁，《柚城詩錄》，臺南：麻豆鎮公所，2003年，頁149。
310—— 參考詹評仁，《柚城詩錄》，臺南：麻豆鎮公所，2003年，頁179。

309—— 參考詹評仁，《柚城詩錄》，臺南：麻豆鎮公所，2003年，頁149。
310—— 參考詹評仁，《柚城詩錄》，臺南：麻豆鎮公所，2003年，頁179。

有詩〈匪巢逸出五十週年書感〉，詩中以「俘虜」、「野老」自稱，此應與其對殖民者的抗拒，以及曾經深陷賊巢有關，後人視為志潔行廉之士。1928 年（昭和 3 年）加入嘉南大圳水利組合為議員，力爭農民權益。黃氏治學嚴謹，熟悉地方掌故，青年時期曾至府城就教於連雅堂。生平力作有《茅港尾紀略》（1922），他慎重地蒐集文獻，根據殘存碑碣、耆老口述訪談，努力撰成此書，詳錄故鄉茅港尾興衰史跡，共分 6 類，附有八景，獲得日本學者前島信次之讚賞。大正 14 年（1925），黃氏回福建漳州祭祖，沿途遊覽漳州、泉州、潮州、汕頭等地山水名勝，有 26 首紀行詩，寫景感懷兼而有之，題為《閩粵吟草》，返臺後，油印贈送親友。不料，日警竟以違反出版規則舉發之，臺南地方法院宣判有罪；經上訴，高等法院覆審後，以「本件上訴屬有理由」，改判無罪。生平至交林泮謂其「高風慷慨，雅量生成。兼讀其所著筆譚，見乎滿腔忠憤。發為謳歌，雖閒人而忙事，終俠骨而佛心」。著有《閩粵吟草》、《憚園筆譚》、《憚園隨筆》，為臺南地區重要的文史學家。[311]

（五）李漢忠

李漢忠（1895～1995），字步雲，號快園，以字行。曾文郡麻豆街人。幼時家貧，僅入公學校就讀二年，後即輟學為人幫傭。稍長，進私塾學習。曾隨林泮學習漢文，並從黃文楷習得詩法奧妙。1910 年經營「進利」號，以碾米、製粉為業，為當地製粉先驅。經商之餘，輒以參與詩會為要務。1925 年（大正 14 年）在臺南舉行的擊缽吟比賽中，以〈紅梅〉一詩奪元，聲名大噪。1928 年（昭和 2 年）加入麻豆「綠社」，為創社社員之一，曾任該社總幹事，與社友邱水、呂溪泉、吳登簒、陳明三經常相偕參加各

311── 參考吳新榮，《臺南縣志》卷8〈人物志〉，臺南：臺南縣文獻委員會，1980年，頁84-86。林金莖，〈黃清淵先生與先父林芹香〉，《南瀛雜俎》，臺南：臺南縣政府，1981年，頁99-120。馮勝雄，〈茅港尾的開發與聚落發展〉，臺南大學臺灣文化研究所碩論，2011年，頁121-129。

地擊缽聯吟，迭有佳績，亦為臺南「南社」社員。1940 年（昭和 15 年）應臺南「裕發行」之聘，經理庶務。戰後，擔任「麻佳水廠」廠長。為臺南「延平詩社」、「南瀛詩社」社員，亦曾任兩詩社之名譽社長及社長。生平喜讀杜甫與李商隱詩，推崇杜詩格律精嚴，足以表現家國之思；而李商隱情感深摯，風格香豔，最能符合詩人興味。生平漢詩多達上千首，多為擊缽課題，然而還是可以從中凸顯南臺灣的歷史記憶與地理特色。1994 年猶以百歲之齡參與在臺南鹿耳門舉辦的全國詩人大會，獲頒「百歲殊榮」獎牌。[312]生平作品未曾結集出版，漢詩作品多發表於日治時期的《臺灣日日新報》、《臺南新報》、《三六九小報》、《詩報》、《風月報》、《南方》，以及戰後的《鯤聲報》、《臺灣詩壇》、《詩文之友》、《鯤南詩苑》等報刊。

（六）呂溪泉

　　呂溪泉（1910 ～ 1973），字左淇，以字行。曾文郡麻豆街頂街人。祖先來臺相當早，明確時間已不可考。祖父呂新銀開轎店，以勞力維生，家境清寒。呂溪泉出生時祖父已 70 餘歲，一家生計全賴父親呂清梱經營小生意維持。10 歲入麻豆公學校，四年級開始跟隨當地塾師郭士品（石頭）學習漢文。1925 年（大正 14 年）公學校畢，因日本教師轟武夫遊說其父，始得以再讀兩年高等科。雖家貧，但漢文能力優秀，郭塾師因此允以免除學費，繼續就讀。1927 年 3 月，高等科畢業後到嘉南大圳興建工程麻豆班任臨時傭夫，因工時長、工作繁重，且日人以輕蔑態度待之，9 個月後憤而辭職。1932 年（23 歲）開始應邀至下營鄉大埤寮村教漢塾，其後又先後到曾文、北門、學甲、六甲等地設帳授徒。1937 年（昭和 12 年）

312── 參考黃洪炎編，《瀛海詩集》，臺北：臺灣詩人名鑑刊行會，1940年11月、魏梓園，〈本縣名詩人李步雲先生〉，《南瀛文獻》第13卷，1968年8月、林天祥，〈詩心舊夢──專訪李步雲〉，《中國文哲研究通訊》1卷4期，1991年12月、張秀嬌，〈李步雲傳統漢詩探析〉，《第九屆全國臺灣文學研究生研討會論文集》，臺南：臺灣文學館，2012年8月、陳益裕，〈騷壇人瑞──傳統詩壇大老李步雲〉，《文化的丰采・人物的風華》，臺南：臺南縣文化局，2003年11月、《聯合報》，1994年4月5日，第13版。

3月，在水利會六甲工作站協助整理灌溉臺帳[313]，受到水利會曾文郡庶務主任金澤金太郎賞識，遂被聘用為水利會臨時雇員。1939年轉任水利會曾文郡雇員，從此在該會服務20年，曾任嘉南農田水利會文書股長、供應股股長。直至1956年（民國45年）9月，始辭去該會，轉入臺南縣議會，擔任臺南縣議會總務組長。為麻豆「綠社」（1928）、「登雲吟社」（1934）社員，1936年（昭和11年）任教於學甲時，曾創「振文吟社」[314]。戰後與李步雲共創「南瀛詩社」（1951），擔任總幹事，凡二十餘年。呂氏詩、詞、賦及書法兼擅，22歲投稿彰化「崇正社」徵文，曾獲文宗王了庵評為第一，可見其文采。書法柔勁，自成一格，南瀛地區許多寺廟題聯多出自呂氏之手，目前佳里震興宮尚可見其落款之對聯。生前曾協助郭再強編撰《漫談麻豆社古今》一書，可惜書未完成，遽然長逝。生平著作以漢詩為主，多發表於《臺南新報》、《詩報》、《三六九小報》、《南雅文藝》……等報刊，僅少數手稿由子嗣留存，其中尤以兩篇未曾發表的駢賦〈春遊阿里山賦〉、〈春遊太魯閣賦〉最具特色。[315]

（七）吳登篡

　　吳登篡（1910～1980），字紉萱，曾文郡麻豆街中興里人。在麻豆下街自營商業。戰後擔任麻豆鎮公所市場事務員、麻豆鎮民代表會書記。1950年（民國39年），因「麻豆政治案」入獄，監禁綠島15年，獲釋後返家靜度餘年。吳氏曾任漢文教師，曾撰麻豆鎮港尾里潮音寺對聯。為麻豆「綠社」社員。[316]

313—— 灌溉臺帳，應指灌溉地臺帳，登錄資料包括地籍、戶籍、灌溉系統等，有關配水、會費徵收等均以此資料作為憑據，為農田水利重要的基本資料。參考林俊男，〈灌溉地臺帳之電腦化專論之四〉，《農業工程學報》25卷1期，1979年3月，頁19-20。

314—— 據呂左淇自傳，1936年學甲鎮李清油聘他前去教授當地青年，月定束脩30円，遂於謝家創「振文吟社」。可惜未滿三個月，日警認為呂氏為思想人物，將之驅逐遣返麻豆。

315—— 參考呂溪泉，〈自傳〉，詹評仁，《柚城詩錄》，臺南：麻豆鎮公所，2003年，頁61-62。

316—— 參考詹評仁，《柚城詩錄》，臺南：麻豆鎮公所，2003年，頁95。

（八）陳明三

陳明三（1914～1994），字紉香，曾文郡麻豆街大埕里人。麻豆公學校畢業，20歲開始從高澄秋、邱水兩夫子學漢詩文。26歲（1939）被日本警察徵調擔任苦力，1941年獲賞識，調升麻豆纖維組合服務，兼任壯丁團副團長。戰後初期，獲聘為漢文教師，因收入微薄，無法維持家計，乃去職從商，繼承父親陳朝貞經營的「宏大百貨行」，販售菸酒、鹽糖、布匹、陶缸、陶瓷器、菜刀、鐵釘等五金雜貨。經商得暇之時，即讀書作詩，自得其樂。畢生投入詩壇活動，與李步雲並稱「南臺詩壇詞宗」。自云：「濁水溪以南，南到高屏區。如有唱吟的場所，必然有我的影子出現」，可見其對漢詩以及參加詩會之熱衷。1993年哲嗣為祝賀其八十大壽，為編《紉香吟草》共477首。[317]

四、新化郡（新化、善化）

（一）王則修

王則修（1867～1952），譜名佛來，學名文德、則修，號旅中逸老，又號勸化老生、三槐居士、花蓮港生，曾以「王來」、「王貴」之名發表詩作。新化郡大目降（今臺南市新化區）人。曾拜卓仰山、林一枝、林颺年為師，20歲考上秀才，其後往福州應省試，未第。乙未（1895）割臺定議，隔年攜家人西渡至漳州府龍溪縣，1902年（明治35年）始返臺。棄儒從商，後經商失敗，於1916年（大正5年）至臺南米街（今臺南市新美街）教授漢文，1918年（大正7年）返回新化教讀。1920年（大正9年）清水楊澄若慕其名，延聘為家庭教師，為其子嗣楊肇嘉講授漢詩文，其寓齋號為「倚竹山房」，著有《倚竹山房文稿》。1928年（昭和3年）

317—— 參考詹評仁，《柚城詩錄》，臺南：麻豆鎮公所，2003年，頁254。胡珊，〈愛好舊體詩的耆宿——陳紉香先生〉，《南瀛文獻》第37卷，1993年4月，頁48-54。

返鄉設帳授學，名其書齋為「三槐堂」，著有《三槐堂詩草》。同年 8 月，創辦「虎溪吟社」，擔任社長。戰後「浣溪詩社」和「淡如詩社」於 1948 年（民國 37 年）合併為「光文詩社」，邀請王氏為顧問。1951 年 9 月及門弟子向全省徵募「眉齊雙壽」七律，為王則修祝壽，應募者 300 餘首，其後發行詩冊留念。2004 年王則修曾孫王金璋提供所藏手稿及剪報，由龔顯宗編校為《則修先生詩文集》，次年（2005）又有《則修先生詩文集續編》。《全臺詩》以龔本為基礎，並核對曾孫王金璋、孫女王美惠所藏原稿，及各報刊、詩選，汰其重覆，依序編列，共收錄 1,800 餘首。[318]

（二）蘇建琳

蘇建琳（1886～1960），字友章，號麟三，又號浣紅樓主，新化郡善化街東關里人。曾隨秀才林人文讀經史典籍，又從父親潛心學習歧黃之術，為中藥行「南昌堂」的第四代傳人。[319] 除在慶安宮前開設藥房為人切脈問診外，也進行藥材的泡製工作。精於婦兒科及眼科，留存多本臨床紀錄供後世參考。善化慶安宮內目前留存許多藥籤，乃當年蘇建琳提供給廟方刻成木板印刷模版，包括婦科 84 首、眼科 88 首、成人 120 首、小兒則有 60 首藥籤。在早期不輕易公開秘方的時代，能這樣大方釋出處方箋，實為罕見。因此洪鐵濤以「儒醫」來稱讚他：「《皇漢醫學》垂數千年，其間之靈驗方藥，往往為醫家嚴秘，年遠失傳，真堪痛惜。若湯火傷症，每因熱毒所攻而致命者，殊不易救。善化蘇建琳先生儒醫也，家製黃連膏發售，極有神效，且製法簡便，藥價亦廉。因事屬濟物，特三致意之。」[320] 蘇氏工於琴棋書畫，此外，對「和笙軒」的北管、「聚奎社」的十三腔亦出資大力支持，所作〈新百家春〉、〈新將軍令〉最受歡迎。1930 年（昭

318—— 參考龔顯宗，〈談《三槐堂詩草》出土的意義〉，收於龔顯宗編校《王則修詩文集》，臺南市立圖書館出版，2004年，頁124；吳新榮，《臺南縣志》卷8〈人物志〉，1980年；王信雄，〈詩翁王則修先生之生平〉，收於《南瀛雜俎》，臺南縣政府出版，1982年，頁89至90。

319—— 蘇建琳〈自述〉詩：「曾祖傳來本業醫，至余四世均相接」。

320—— 懺紅（洪鐵濤），「餐霞小紀」第八十五，刊於《三六九小報》第335號，1934年4月26日。

和5年）與王滄海創設「浣溪詩社」。受林珠浦〈仄韻聲律啟蒙〉影響，曾在《三六九小報》「新聲律啟蒙」專欄撰寫〈古人名聲律啟蒙〉、〈漢藥名聲律啟蒙〉，頗具趣味，著有《浣紅樓集》。[321]

（三）蘇東岳

　　蘇東岳（1902～1957），字雲峰，號太虛逸人、豫園主人[322]，新化郡善化街（今臺南市善化區）人。父親蘇致雨（1865～1925）前清時期為府城三郊買辦，因製糖事業被日本人併吞，飲恨終生，因此不准子嗣就讀公學校。蘇東岳自幼在家從父親學四書五經，一直到16歲（1917），才獲准進入灣裡公學校就讀。1923年（大正12年）參加「臺灣文化協會」，致力於民族運動的推展，曾在《臺灣民報》發表對聯：「善政莫施壓迫策，化民當與自由權」，激烈而剛直的言論為當道所忌，曾被日警搜家。1930年（昭和5年）與陳壽南（龍吟）、林清春（玉壺）[323]、洪順廷、蘇慎獨等人聘請府城秀才林珠浦到善化街教讀，講詩法、倡擊缽，帶動地方詩氣。1931年繼「浣溪吟社」（1930）後，與林清春、陳壽南等人創「淡如吟社」。時人稱蘇東岳（號醉香）、蘇聰曉（號癡香）、林清春（號惜香）、陳壽南（號悶香）為「淡如吟社四書生」。1937年2月，邀集「浣溪」、「淡如」兩詩社十餘人在其宅第「豫園」舉行新春聯吟會，敦聘新化宿儒王則修為詞宗，擊缽吟詩，並首度祭祀沈光文，後因日警關注而中斷。蘇氏喜臺灣文獻初祖沈光文作品，以沈氏私淑弟子自許。戰後，將「浣溪」、「淡如」兩詩社合為「光文吟社」。1946年（民國35年）受聘為善化國民學校囑託教師，擔任漢文課程（～1949）。1948年中秋，二度提倡祭祀沈光文，並成立「光文吟社」，是夜在其宅第設「中秋宴」，招待各地吟友。

321——黃文慧，〈百年鯤瀛詩社之研究〉，嘉義大學中文所碩士論文，2013年，頁81。「百年藥籤傳家珍寶」，《自由時報》，2003年9月9日，http://old.ltn.com.tw/2003/r-s/r-taiwanstrange909-2.htm，2021年7月18日檢索。

322——另號虛白、一真理人、了無生、醉香。

323——林清春（1902-1976），字玉壺。善化臺南師範教員養成所畢業，曾任教員三年，旋學糕餅業。曾任善化庄第一保保正、協議會員、組合長。戰後改棉布業，任東關里長、鎮民代表……曾聘臺南秀才林珠浦於慶安宮講學，組詩社，工草書，精南管。https://hwugr.pixnet.net/blog/post/213782398，2021年7月19日檢索。

除喜好吟詩外，蘇東岳亦寄情於書畫古玩，在住宅設金石室，收藏古錢、古鏡，達數百多件。1950年因長子蘇銀河被派往馬公擔任澎湖醫院任職，蘇東岳隨其赴澎湖居住5年，1956年12月返回善化，因高血壓引發中風，於次年（1957）3月病逝，年56。日治時期曾在《臺灣新民報》、《臺灣日日新報》、《風月報》、《臺南新報》、《詩報》發表作品，著有《小菜根》（1948）、《太虛詩草》、《太虛論說及雜錄》，編有《臺灣百家詩》、《浣溪詩草》（蘇建琳合編）。1984年善化豫園後裔刊印《蘇太虛紀念誌》。[324]

（四）洪調水

　　洪調水（1903～1990），字冰如，號濯纓，善化里西堡灣裡街（今臺南善化）人。少時受業於吳鏡秋秀才之「靜修軒」，與吳金川、林永生、葉作舟、陳丙申、陳鳩水、王文海為同門。[325] 1923年臺南師範畢業後，先後任教於茄拔公學校、南化公學校。1928年負笈東瀛，就讀東京醫專，攻讀醫科，畢業後赴東京順天堂實習外科、明明堂研究眼科。1934年返鄉設立「益仁醫院」，服務鄉梓達50年之久。曾任臺南縣文獻委員會委員、臺南縣醫師公會理事。著有《中國眼史譚》、《中國醫學之闡發宣揚》、《冰如隨筆集》[326]，其中以〈沈光文遺蹟與其詩作者〉（1953）、〈人傑陳子鏞〉（1953）、〈沈光文墳墓研考之始末〉（1962）尤具特色。〈善化鎮鄉土史略〉「善化拾錦」一節，以蘇建琳、蘇東岳、洪朝、林清春、陳天福、王景亮為「善化六詩友」[327]，頗能勾勒當地詩人形貌。至於醫界人士對其醫學著作《中國醫學之闡發宣揚》（1988，青春出版社）亦頗讚賞：「本身即為西醫眼科，卻鑽研中醫藥，非常精采，值得一讀」[328]。

324—— 參考龔顯宗，《臺南縣文學史》，臺南縣：臺南縣政府，2006年12月，頁185-190。盧嘉興，〈倡祭臺灣先賢沈光文的蘇東岳〉，《臺灣古典文學作家論集》（下），臺南：臺南市立藝術中心，2000年11月，頁1021-1088。

325—— 洪調水，〈恩師吳鏡秋〉，《冰如隨筆集》（二），《南瀛文獻》5：1，1959年3月，頁80。

326—— 《善化鎮誌》〈人物誌〉，臺南縣：善化鎮公所，2010年，頁719。

327—— 蘇建琳、蘇東岳詳正文。洪朝，字舜廷，善化東關里人。能詩工書，尤精對聯。所及臺灣俗語對，最放異彩。林清春，字玉壺，善化東關里人。能詩工書，其〈梅雪吟〉最入神，開振春布行。陳天福，字清修，善化六分里人。能詩善文，開神農中藥鋪。王景亮，字踏青，善化東關

第三節　日本漢文人在臺南

一、山形脩人

　　山形脩人（1845～1907），號雲林，又號西篁主人，東京府士族，生於日本福井縣。1872年（明治8年）開始出仕，1900年（明治33年）來臺，先後擔任臺中縣辦務署長、斗六辦務署長，1902年10月任臺南縣書記官，10月兼臺南慈惠院長及臺南縣文官普通試驗委員長，同年11月，任臺南廳長兼臨時臺灣土地調查局事務官。曾修建大目降（今臺南新化）虎頭埤。詩書畫三絕兼擅，嗜墨梅，人稱「畫梅太守」，著有《藥煙詩集》。在臺南期間與日本漢詩人三屋大五郎、原田吉太郎皆有交誼。曾撰〈三屋清陰俸官命著公學校用漢文讀本今為教科書公行冊數六始終用二千五百字編修之誠可謂偉業矣又嚮日見贈高作一絕即次其韻以博一粲〉：「二千五百字奇哉，從事南天足養才。拾實採花憑所擇，不惟詩伯又文魁。」[329] 又有〈和原田春境詞兄瑤韻〉：「清風爽颯度文筵，竹裡招賢別有天。為弟為師真落落，誰知講學遂於禪。」[330] 對兩詩友皆有高度評讚。府城舉人蔡國琳有〈山形廳長南國福星東瀛名士行政之餘不廢吟詠讀其梅花小詩清雅絕倫謹和呈〉[331]，讚賞其詩清雅：「南枝開向暖，吟賞愜幽情。仙夢羅浮醒，神清骨亦清。」、「不受塵埃染，亭亭物外情。瀛壖春信早，香韻十分清」。山形脩人1907年卒於廳長任上，因其別墅名「西篁庵」，過世後，吉川田鶴治郎編輯諸家悼念之詩作，集為《西篁薤露集》（1908年）。[332] 三屋大五郎有〈讀山形臺南廳長遺詩〉，詩前長序提及兩人之交誼：「山形臺南廳長，與余同鄉。初不相識。乙巳歲（1905）七月，余有公事，往游臺南，始謁廳長。一見如舊，然憾其相遇之不早也，其後魚

　　　里人。能詩，開光文印鋪。參考〈善化鎮鄉土史略〉，《南瀛文獻》2：1、2，1954年9月，臺南縣文獻委員會，頁66。

328—— 元宇中醫診所，https://blog.xuite.net/yuanyucmc/articles/41656962，2021年7月19日檢索。

329—— 刊載於《臺灣日日新報》，1905年8月23日。

330—— 刊載於《臺灣教育會雜誌》，1905年8月號。

331—— 此詩刊於山形脩人，《藥煙集・梅花詩小集》。

332—— 參考胡巨川，《日僑漢詩叢談》第4輯，高雄：春暉出版社，2015年2月，頁41-45。

雁往來不絕。今茲丁未（1907）一月，余又有公事，再遊臺南。廳長大喜，招飲於其官邸，供余以故鄉珍味，款待備至。作七律一首以謝，廳長亦次韻見酬，極具雅致。旋北未幾，忽聞廳長訃音。嗟乎，天意無常，何遽至此……」惋惜傷痛之情，溢於言表。

二、安江正直

　　安江正直（1866～1934），號五溪，日本美濃人，旅臺達 14 年之久。1900 年任臺南縣知事官房屬官。日本官方為有效統治臺灣，於一九○○年代起委託專人進行臺灣民間之「舊慣調查」，建築亦屬其一。1907 年（明治 40 年），擔任臺灣總督府民政部土木局臺灣工事部書記的安江正直奉命調查臺灣歷史性建築的史料，作為編纂臺灣建築史之用。安江受命後，曾至臺南、鳳山、鹽水港、南投、臺北各廳轄區內調查，並於同年 11 月 8 日呈交調查成果《復命書》，為杉山靖憲主編的《臺灣名勝舊蹟誌》（1916）奠定豐富的史料基礎。1909 年（明治 42 年）安江出版石川戈足在臺詩集《稗海楂程》，並有詩〈題石川柳城稗海楂〉：「嵌城花月夢猶酣，綺翠嫣紅信手探。麗句贏佗才女筆，傾殘金粉畫江南。」回應石川詩集所錄〈安江五溪見訪賦似〉：「同酌嵌城月，重逢拾墜歡。藏書千萬卷，植竹兩三竿。波浪翻胸裡，龍蛇躍筆端。官情澹於水，一醉笑彈冠。」以深厚的情感，憶念起當年兩人在崁城（臺南）吟風詠月，寄情書畫的美好歲月。安江正直平生以書法聞名，與臺灣文人雅士關係甚密切，所至之處，輒以提倡風雅為己任。任職臺南時，曾加入「浪吟詩社」；其後，亦加入臺北「瀛社」。1910 年（明治 43 年）春，返回日本，順道旅遊中國蘇杭，北臺人士為倡「千書會」以志之。[333]

333——「瀛社」https://www.stone.com.tw/tpps/forum.php?mod=viewthread&tid=21，檢索日期2022年3月7日。

三、磯貝靜藏

　　磯貝靜藏（1849～1910），號蜃城。1896年（明治29年）來臺，為日人所組織的「玉山吟社」社員。4月擔任第二任臺南縣知事，曾兼嘉義、鳳山縣知事。任內頗重文史，認為臺灣為新附之地，推行新政，必先對當地風俗習慣、歷史文化、地理環境有所了解，因此在諮詢仕紳耆老後，接受日人佐野氏推薦，聘舉人蔡國琳為參事。是年7月，採蔡氏建議，專案報請總督桂太郎提議將延平郡王祠列入祀典，經日本拓務省、內閣獲准後，改為「開山神社」。同年（1896）8月，倡修《臺南縣誌》，聘蔡國琳、陳修五、葉芷生，以及日人瀨戶晉、奧村金太郎、花岡伊之作為編輯委員，由瀨戶晉主纂。歷經10個月，於1897年（明治30年）6月完稿，1898年出版，其後，又續編《南部臺灣誌》。[334] 1900年（明治32年）2月秩滿去職，同年8月去世。[335] 在臺詩文甚多，其中以1896年（明治22年）12月15日《臺灣新報》刊登山形脩人在四春園邀請臺日官紳共聚唱和之作，最具代表性。時蔡國琳有〈磯貝先生大人招遊四春園即席賦呈七絕伏祈斧削〉詩相贈，磯貝以詩和之：「名流相伴到名園，墨舞筆歌繁不繁。只笑南瀛語未慣，吟壇盡日俱無言。」（〈次蔡先生見示詩韻〉）寫出了臺、日詩人藉由漢詩交流，雖熱絡卻無法以語言交談的「安靜詩會」景況。當時參與的日本詩人石川柳城有〈次磯貝明府韻〉：「不須紅袖拂塵清，一榻松風茶鼎鳴。園號四春秋更好，無花無月也多情。」大野辛夷[336] 則有〈次磯貝知事瑤韻並乞正〉：「浣暇來遊水竹園，園清不受世塵繁。相逢一笑無他事，雲月風花入唔言。」1899年8月，磯貝有幾首前往臺南的詩發表在《臺灣新報》：「四月清和南島天，野花林鳥亦欣然。薰風一路

334—— 此書在1901年已完成稿本，因故未出版，直到1934年臺南州共榮會將此書原稿重新編輯後出版。2012年卞鳳奎翻譯為中文出版，名為《新編南部臺灣誌》，由博揚文化出版。

335—— 黃典權等纂修，《臺南市志》卷七〈人物志〉，臺南：臺南市政府，1979年，頁397-398。

336—— 大野吉利，號辛夷、紫海，1896年擔任臺南地方法院長，參與磯貝雅宴外，亦經常當時擔任法院翻譯的趙雲石唱和。1897年11月退職東歸。參考楊永彬，〈日本統治初期日臺官紳詩文唱和〉，收在吳密察、若林正丈編，《臺灣重層近代化論文集》，臺北：播種者，2000年8月，頁112-113。

雲煙散，眼見新秧綠滿田。」（〈將發臺南和五溪韻〉）、「一路薰風送出城，水容山態易關情。籃輿未必落人後，咿軋能同車馬行。」（〈安平〉）、「舵樓放眼興尤酣，海闊天空不許探。一樣穩坡三百里，水雲深處是臺南。」（〈舟中〉），頗能凸顯北國詩人對南臺灣物候景觀與日常生活的觀察。

四、石川戈足

石川戈足（1847～1927），字子淵，號柳城，又號墨仙、可睡齋、蓮花峰，日本愛知縣海部郡佐屋村人。少時負氣節，奔走國事，致力於書畫，師事中野水竹、吉田稼雲，為日本當時著名南畫大家，兼擅詩書，人稱「三絕」。1896年（明治29年）應臺南縣知事磯貝靜藏之邀，來臺擔任臺南縣屬。曾與磯貝一起加入加藤重任、水野遵、土居通豫、中村櫻溪及臺籍陳淑程、黃植亭、李石樵等三十餘人共組的「玉山吟社」。[337]是年（1896）11月22日，應磯貝靜藏之邀，參加與臺南仕紳蔡國琳、陳修五、葉芷生，以及在臺南的日人大野辛夷、北洲阿部貞等三十餘人，於「新嘗祭」[338]前一日在「四春園」以詩相酬唱。[339]石川有〈次磯貝明府韻〉、〈四春園席上次大野判官韻〉，又有〈丙申十一月新嘗祭佳節前一日城東四春園小集次蔡國琳先生見示韻〉，特別提到南臺灣晴暖的天氣，以及臺日文化似已逐漸融合：「十月名園暖似春，好將翰墨答佳辰。臺民也解古皇典，宗廟明朝薦穀新。」[340]這聚會不只是詩人雅集，更表徵著日本傳統文化與臺灣社會的扞格似乎已然逐漸化解。同日有〈四春園席上分得麻韻〉：「寒雲漏月落清沙，倚遍池亭詩意嘉。休說異鄉多瘴癘，吾曹痼疾在煙霞。」臺灣雲霧蒸騰的山野，一般人視為瘴癘之鄉，然而，作為書畫名家，石川

337——1896年石川戈足與日人加藤重任、水野遵、土居通豫、黑江松塢、館森鴻、金子芥舟、山口宗義、吹野信履、齋藤鶴汀、草場金臺、林隆、伊藤天民、白井如海、磯貝靜藏、村上淡堂、岡木韋庵、木下大東、中村櫻溪及臺籍陳淑程、黃植亭、李石樵、章太炎等三十餘人於臺北縣艋舺江瀕亭共組「玉山吟社」。

338——新嘗祭，原為日本皇室的祭典之一，由天皇向神明與祖先獻上每年新收獲的五穀作為祭品，感謝今年賜予的豐收也藉此祈禱國事平安，是皇宮中重要的祭典之一。此祭典後來漸漸傳至民間，百姓為了向神明表達農作豐收的感謝，各地的神社也會在11月23日舉行新嘗祭。參考https://wattention.com/tw/koyomi-1123/，檢索日期2022年3月11日。

卻能帶著藝術之眼，酖愛那煙雲繚繞的迷離之美，給予臺灣風物一定程度的肯定。1897 年石川轉任大穆降（今臺南新化）辦務署長，1900 年 2 月臺南縣知事磯貝去職，石川於 3 月隨之退官。旅遊中國閩越，而後歸返東京。1906 年參與組織日本南宗畫會，1908 年前往中國，途經臺灣，4 月在臺北俱樂部舉行個人畫展，造成轟動。在臺年餘，自編漢詩作品《稗海槎程》，因賡和者眾多，又附加輯錄為《海上唱和集》，於 1909 年出版。山口透於序文中謂石川氏旅臺期間「頻出佳作，人人振起，頓增生氣，是洵可喜」，詩集中頗多與臺北、臺南友人相互往還、載酒探勝之作。〈寄懷臺南諸同人〉云：「憶曾聯袂事幽探，花月嵌城詩興耽。滿地綠陰梅結子，半檐紅玉荔分甘。飆輪一日達南北，舊雨十年亡二三。依約重看山水好，硯田耕盡白頭慚。」以深厚的情感，憶念起當年在臺南連袂探幽、吟風詠月的詩友。1930 年（昭和 5 年）《臺灣日日新報》舉辦石川柳城及吳昌碩兩位日、清大家的作品聯展，吸引多人前往參觀。

五、原田吉太郎 [341]

　　原田吉太郎（1857 ～ 1915），字弧南，號春境、春境居士，日本東京士族人。1896 年（明治 29 年）來臺任職於臺灣總督府民政局。先後擔任總督府國語傳習所教諭、滬尾公學校教務兼校長、頭份公學校教務兼校長、臺灣鹽務局屬、樟腦局書記、臺灣總督府國語學校書記，1904 年（明治 37 年）轉任日本秋田縣屬，是年 12 月臺南廳長山形脩人聘請他再度來臺，任臺南廳屬，給五級俸。1905 年原田有〈明治乙巳盛夏總督府開公學校教員講習會於臺南山形雲林明府臨開會式賀以演說其中有講習人員入禪之語比喻頗妙因賦一絕賡其意云〉：「西竹圍邊好設筵，明斯道欲對堯

339── 《臺灣日日新報》，1896 年 12 月 15 日、16 日。

340── 《臺灣新報》，1896 年 12 月 15 日。

341── 生年據〈明治四十年臺灣總督府公文類纂永久保存追加第四卷教育〉（1906-7-14），《臺灣總督府檔案·總督府公文類纂》，國史館臺灣文獻館，典藏號：000-01352。卒年據胡巨川，《日僑漢詩叢談》第 4 輯，高雄：春暉出版社，2015 年 2 月，頁 119。

天。行雲流水絕塵俗，四十二人心自禪。」[342]原田因山形脩人之賞識，再度從日本到臺灣任職，兩人交情匪淺。[343]從這一年（1905）7月25日發行的《臺灣教育會雜誌》第40號得知，原田吉太郎擔任「臺灣教育會」組織的臺南「地方委員」（1905～1908）。1906年（明治40年），原田獲小學校教員證書，並通過公學校教諭土語科教員檢定。1909年4月感染麻剌里亞（瘧疾），以「疾病不堪職」，辭退公職，但仍留在臺南。[344] 1912年左右，任臺南博物館館長，並擔任由臺、日人士共同組織的「采詩會」之幹事。該會所出版的刊物《采詩集》[345]，由澀谷豬之亮擔任發行人，窪田貞二為印刷人，臺南新報社負責印刷，而真正的運作者則是擔任編輯及評點工作的原田春境。主編《采詩集》後，原田春境大部分的作品多發表在該雜誌上。除漢詩外，原田還撰述《臺南博物志》、《骨董羹：支那故物訳述書》等著作。[346]

六、三屋大五郎

　　三屋大五郎（1857～1945），日本福岡縣越前人。筆名有：三屋清陰、清陰逸人、竹陰逸史、三屋恕等。為臺灣總督府招募來臺的國語學校第一回講習員，在臺灣掌教以及擔任報刊編輯長達四十餘年。1896～1908年先後任職於宜蘭廳宜蘭公學校、臺中縣臺中師範學校、臺灣總督府國語學校。國語學校任教期間，曾擔任《臺灣教育會雜誌》漢文部主筆（1903～1907）。1908（明治40年）赴福州擔任東瀛學堂主任。1916（大正5年）因病辭官返日。1921年（大正10年）6月來臺，是年8月擔任《臺南新報》漢文欄編輯（1921.8～1925.11）[347]，同時擔任長老教會中學校與女學校之教師。

342── 刊載於《臺灣教育會雜誌》，1905年8月號。

343── 1907年3月山形脩人過世時，原田有輓詩云：「徵逐豈惟詩酒緣，肝膽相照已三年。英姿彷彿人如在，忽跨連錢上九天」，收在臺南吉川鶴治郎《西崔薤露集》。

344── 1910年5月10日《臺灣日日新報》，仍以「臺南」原春境發表漢詩，可見當時仍在臺南。1912年6月16日《臺灣日日新報》第6版，「漢文」記事報導《采詩集》將發刊的消息。

345── 目前筆者所見者為1912年6月的創刊號，至1913年3月發行的刊物共10期，乃佳里詩人吳萱草、吳新榮的子嗣於1992年捐給吳三連文教基金會典藏的資料。

346── 生年據〈明治四十年臺灣總督府公文類纂永久保存追加第四卷教育〉（1906-7-14），《臺灣總

1922 年 8 月，升任《臺南新報》漢文欄主編，負責漢文部的論說、學術、通信、萬殊一本以及詩壇各欄位。三屋充分運用其漢詩文能力擴大交友圈，與臺灣漢詩人建立密切的互動網絡；同時透過其漢詩作品，以及對投稿者的點評，一定程度地引領了當時詩歌美學的走向。曾轉譯〈支那文學史一斑〉百餘篇，轉載吳德功《戴案紀略》、《施案紀略》等文獻史料。嘉義楊爾材讚云：「壽世奇才操史論，生花健筆把詩評。文章和漢通今古，言行溫良著姓名」（〈寄呈三屋清陰先生〉）。1925 年（大正 14 年）赴嘉義與擔任嘉義中學校長的長子三屋靜同住。1931 年（昭和 6 年）隨子北上，加入久保得二（天隨）、小松吉久（天籟）、尾崎秀真（古邨）等日本漢詩人共組的「南雅詩社」（1931 ～ 1935），1940 年（昭和 15 年）6 月返回東京。[348]在臺南期間，頗多凸顯在地特色之作，比如〈公園夕步〉：「新綠過雷雨，晚來晴氣浮。賣冰人走路，唧土燕歸樓。池水魚頻躍，竹西虹未收。前林風靜處，殘白照苔幽。」[349]寫雨過天晴，暑熱猶存的南國傍晚，在公園所見景象，前六句，色彩鮮麗、生氣勃勃。「賣冰人走路」以極淺白、口語化的文字入詩，頗具趣味。最後兩句，由躍動轉為幽靜，絢麗的色彩也歸於殘白冷青。另一組五絕〈長老教中學校[350]八勝〉，是三屋任教於長老教中學時所寫。詩前序云：「長老教中學校在臺南東門外平野。土地清淨，無半點俗氣，真神仙境也。余兼承乏于同校教師，日往親接其境，得短詩八首。乃記本紙，敬望大方和韻。」此乃英國基督長老教會在臺灣創辦的第一所中學，1939 年（昭和 14 年）6 月 21 日改為「長榮中學校」。三屋所詠八景為：聖教閣、望遠樓、聽竹堂、讀書室、鳴禽樹、竹樹林、拾翠徑、育英橋，為該校留下一九三〇年代的影像與校園氛圍，是相當難得一見的題材。

督府檔案・總督府公文類纂》，國史館臺灣文獻館，典藏號：000-01352。卒年據胡巨川，《日僑漢詩叢談》第4輯，高雄：春暉出版社，2015年2月。

347—— 三屋擔任《臺南新報》漢文欄編輯時，與王芷香、黃拱五、楊天健等「南社」詩人共事。

348—— 參考李龍雯，〈三屋大五郎在臺之教育及文筆活動的研究〉，臺南：成功大學臺灣文學所碩士論文，2012年。

349—— 刊於《臺南新報》，1922年5月14日「詩壇」，第07253號，第1版。

350—— 長榮中學於1885年（清光緒11年）由英國基督長老教會創辦臺灣第一所中學，當時校名「長老教中學校」。日本時代昭和14年（1939年）6月21日通過正式立案為「長榮中學校」。

七、小泉政以

　　小泉政以（1867～1908），字子潔，號盜泉，日本奧州盛岡人（今岩手縣盛岡）。4歲喪父，由祖父小泉梅軒撫育。10歲祖父逝，遂自持家計。個性恬澹，幼即嗜學，與當地古稀隱士為忘年交。及長骨格清癯，器宇軒昂。博覽強記，涉獵諸子百家，尤精佛典。日治後曾於1900到1907年間，5次到臺灣。1900年（明治33年）第一次來臺，投靠同鄉村上李門，任滬尾辯務署囑託。是年9月，因發表〈咒燈雜記〉於《臺灣日日新報》受矚目，遂入該報擔任記者。次年（1901）因故離職返日。1902年3月第2次來臺，結識臺南廳長山形雲林，遂至臺南擔任臺南廳事務囑託，8月轉至臺北擔任警察本署囑託。後應館森鴻推薦，擔任臺灣民政長官後藤新平秘書，頗受器重。後藤新平出任南滿鐵道總裁時，亦追隨考察。1907年（明治40年）因病乞假，歸日本岩手縣養痾。1909年（明治42年）9月，赴松島探勝，登高觀夕，忽杳然而去，不復可尋，遺書言：「不留形骸於人間」，時年43。遺有《盜泉詩稿》12卷，歿後由後藤新平出資，館森鴻編校，1914年（大正3年）4月於東京刊行。在臺南期間（1902）有〈開山神社〉、〈曾文溪遙祭家弟〉、〈臺南所聞〉、〈偶題〉，〈種婆羅蜜子歌〉等詩。後藤新平謂其詩：「奇警拗怪，脫盡恒蹊，自成一家。」館森鴻則云：「其所為詩，精神獨運，自出機軸間，有瑰奇飄忽者，然終莫掩其艱深怪僻之概，蓋學養所造然也。」[351]

八、結城琢

　　結城琢（1868～1924），字治璞，號蓄堂，真正的姓名叫由紀拓。日本兵庫縣但馬城崎人，善墨蘭。師從三宅武覺，後到大阪師從藤澤南國，

351── 參考館森鴻編，《盜泉詩稿》，東京：本莊堅宏編輯發行，1914年4月。莊怡文，《在理想的幻滅中尋找生之路：小泉盜泉《盜泉詩稿》研究》，臺北：稻鄉出版社，2018年3月。

又從小野幸山學習詩歌。1898年（明治31年）3月來臺，任職於臺南，可能是接續大野吉利臺南地方法院院長之職務。曾參加磯貝靜藏知事邀集之雅宴，亦參加臺南文人蔡國琳、連雅堂、陳瘦雲所組織的「浪吟詩社」。曾參與《臺南縣誌》之編撰。1899年應新竹縣知事櫻井勉之邀，與宮崎來城編撰《竹塹新誌》，其後又參加以兒玉源太郎總督別邸「南菜園」為中心，籾山衣洲創立的「穆如吟社」。在臺期間留下許多漢詩及水墨作品，其中有若干寫及臺南風景者：「千帆低襯曉霞新，水路南通是要津。滄海不波天欲雨，春潮平浸七鯤身。」（〈遊安平〉）、「濚濛四面水縈回，碧草茫茫石壘堆。億載金城只空在，春風獨護砲臺來。」（〈砲臺〉）、「江流漾漾接春潮，草色含煙午未消。一片蒲帆飛似箭，隨飛直到鏡清橋。」（〈返臺南舟中〉）[352]詩境澄澈，清新可讀。

九、鈴村讓

　　鈴村讓（約1868？～？），字串宇，愛知縣士族。1902～1914年間，及1920～1923年間曾擔任臺灣神社臺南御遺跡所主典，1923年（大正12年）10月擔任臺南神社宮司身分兼任臺南神社社掌，1925年（大正14年）10月兼任臺南神社彌宜，1926年（大正15年）11月告老辭職返鄉。鈴村讓曾在臺灣、日本與中國各地廣泛搜求前清時期臺灣8種方志，並由臺灣經世新報社重新以活字排版，1922年（大正11年）5月到12月，陸續出版《臺灣全誌》8卷，此乃臺灣史學界之盛事。鈴村在《臺灣全誌》出版之際，撰文說明蒐集出版這套書的心情：「余自明治三十四年（1901）來此島，百方索之。……改隸以後，幾三十年，官猶不能備之，

352—— 以上三首皆刊載於《臺灣新報》第481號，1898年4月20日，文苑欄。

而余十餘年之志得遂焉，則天之獨幸於余乎？」[353]此外，又撰有《琉球辨》（1915）。

鈴村讓 1907 年至 1922 年曾兼任開山神社之社司，乙未（1895）西渡福建的臺南進士施士洁（1856～1922）曾有長詩〈鷺門晤日本詩人串宇鈴村讓〉，詩題小註說明：「（鈴村）時司臺南延平王開山神社。」此詩豪壯中有悲涼，特別推崇鈴村讓能夠「改古搜奇」，在莊嚴的祀典中，開展出活潑的生機：「（前略）……瀛南今有鄭王祠，君能改古兼搜奇。千秋孤憤梅花知，馨香俎豆君所司。我獨與君異鄉國，苔岑何意成膠漆。鄭王寂寞三百年，老醜東施愧顏色。」[354]

1926 年 11 月，鈴村將辭職返鄉。與他翰墨緣深的臺南「南社」，由當期輪值者黃欣、黃溪泉兄弟，在固園四梅草堂為他舉行送別擊鉢吟會，並預先在《臺南新報》發布這個消息：「市內南社吟會，本屆例會值東為固園主人賢昆仲。適今回臺南神社社司鈴村串宇氏，告老辭職，將歸鄉井。氏與南社諸子，翰墨緣深。故黃氏乃乘例會之機。訂來十九日午后三時在其固園四梅草堂。開送別擊鉢吟會。現已撥東通知諸同人。屆期希望吟朋多數出席也。」[355]是日（11 月 19 日）以〈送別鈴村串宇翁歸東〉七律為題，舉行詩會，參與者有：趙鍾麒、林逢春、楊宜綠、黃欣、黃溪泉、洪坤益、吳子宏、許丙丁、王鵬程、謝國文、高懷清、王榮達……等 20 餘人，當日詩作刊載於《臺南新報》達 7 日之久。鈴村讓則有〈留別南社諸君子〉：「臺南一別再難看，握手懇言我掛冠。聊學首丘思本義，何忘傾○訂交歡。煙波萬里遙行艇，雲海幾重隱翠巒。何恐雁魚音問隔，郵書互可報平安。」[356]留別 26 年來寓居的臺南，以及翰墨情深的詩友，自有依依之情。

353── 清代臺灣方志彙刊，內容大要，https://www.ylib.com/set_cont.aspx?BookNo=0W-5&SNO=6，檢索日期2022年3月7日。

354── 此詩收錄於臺灣文獻叢刊《後蘇龕合集》。

355──《臺南新報》，1926年11月16日。

356──《臺南新報》，1926年11月29日。

日治時期「前世代」臺南傳統文人，大約出生於 1860 到 1885 之間 [357]，他們自幼接受的是以科舉考試為主的傳統漢文化教育，原先認同的是大清帝國政權，浸潤的是漢文化的氛圍。他們研讀四書、五經，有一套承襲自漢文化傳統的價值觀和生活方式，表現在詩文作品也以「言志」、「緣情」為兩大主軸。乙未割臺的政權轉移，在身分與文化認同上，產生了極大的割裂。這些日本統治後仍選擇留在臺灣的仕紳文人，於是衍生出他們面對變局的調適之道。或組織以詩社為主的社群，結集同好、共抒懷抱，或擔任報社漢文記者乃至創設報刊，透過現代化的媒體印刷，以詩、以文、以小說傳達他們對殖民時代的觀感。趙鍾麒、羅秀惠、蔡佩香、謝汝銓、連橫、陳渭川、謝維巖、王炳南即屬之。

　　至於 1885 年之後出生的「衍生世代」，出生於晚清，童蒙教育是傳統漢文化的典籍。但是在他們才要接受正式的教育時，日本殖民者的腳步已踏入臺灣。新的身分認同、文化型態、教育目的已幡然改變。這個世代通常接受的是漢文與日文的雙軌教育，科舉考試已然取消，新一波的知識視野透過現代化的教育啟迪他們。於是，作為被殖民者，這群衍生世代有另一種應世的方式。他們有的在臺灣接受教育後，又前往日本乃至世界其他國家接受新思想、新文化的衝擊，黃欣、林茂生、林秋梧、黃金川等皆屬之。有些雖非到島外接受教育，但是透過商業考察、觀光旅遊，前往海外；參加島內文化團體如臺灣文化協會、民眾黨、共勵會……同樣增廣他們的見聞，而可以為臺南地區的傳統文學注入新生命。一九三〇年代以遊戲諷刺為主的《三六九小報》、強烈批判殖民政權與資本主義的《赤道報》，就是這群衍生世代文人群，透過文學、文字將他們的與時俱進的理

357── 少數如蔡國琳、林人文出生的年代更早。

念與思想具體落實的成果。黃欣、謝國文、吳萱草、王開運、王鵬程、洪坤益、陳逢源、林秋梧等均屬之。

　　除了本地詩人之外，日治時期在臺南的日本漢詩人，主要是廳縣辦務署官員及其幕僚，如：臺南廳長山形脩人、臺南縣知事磯貝靜藏、大穆降辦務署長石川戈足、臺南縣知事官房屬官安江正直、臺南廳事務囑託小泉政以。也有教師與報社編輯，比如原田吉太郎、三屋大五郎，以及擔任臺南地方法院的結城琢、擔任臺南神社官司的鈴村讓。他們大多活躍在日本治臺的前期，為了方便統治新領地，日本當局派遣這些具有漢學素養的文人，藉由職務之便，與臺南當地的仕紳，乃至詩社團體（浪吟詩社、南社）舉行官紳聯吟雅會，建立起密切的互動網絡。除了詩會聯吟，他們更透過報紙（《臺南新報》）、期刊（《采詩集》）吸引以臺南地區為主的臺灣詩人積極參與，三屋大五郎在《臺南新報》、原田吉太郎在《采詩集》的點評，隱然成為當時漢詩壇的精神領袖、美學指導。尤其三屋大五郎從 1922 到 1925 年主編《臺南新報》漢文欄，更將日治初期對臺灣漢詩壇的影響力延展到日治中期，大概要到一九三〇年代由臺南文人創辦的《三六九小報》刊行後，才得以在漢詩文創作上開闢出一條屬於臺灣人自己的道路來。

第二章

日治下臺南古典文學社群

◆施懿琳

日治時期，統治者為了有效地掌控殖民地，除了早期的武力鎮壓以及後來的思想控制外，也使用較緩和的方式，試圖透過「同文」的關係拉攏臺灣知識菁英。明治維新之後，日本以新興現代化國家的姿態，積極地向外拓展版圖。西化的過渡階段裡，日本還是留存許多明治時期的漢儒，在當時的社會具有一定威望。嫻熟漢文的他們被派往清國去朝聖、學習、進行文化交流，成為所謂的「清國通」。統領臺灣之後，這些素有漢文涵養的舊儒，找到了可以充分發揮長才的舞臺。他們先後來臺，嘗試透過漢詩文，拉攏臺灣的知識階層，以日臺官紳共享漢文化的模式，進行對臺灣人思想的轉化，試圖達到輔佐日本統治的功能。[358]其中，「漢詩」是日臺文人交流最便利的方式。透過漢詩互動而結集的作品，比較具代表性的有：兒玉源太郎總督邀全臺詩人召開聯吟大會後集結的《南菜園唱和集》（1899）、民政長官後藤新平官邸「鳥松閣」落成時，對外徵詩，並將漢詩編輯為《鳥松閣唱和集》（1905）、田健治郎總督招待全臺詩人至其官邸聚會吟詠後，結集了《大雅唱和集》（1921）、內田嘉吉總督在大正 13 年（1924）元旦以〈新年言志〉七絕與日本天皇敕題，向臺人徵集漢詩而編有《新年言志》（1924）、第 11 任總督上山滿之進總督邀請全臺詩人聚會於東門總督府官邸，吟詠酬唱，而後編纂的《東閣唱和集》（1926）……這是就全島性的狀態而言；如果將焦點集中在臺南地區，則可以發現 1896 年 11 月 22 日，臺南縣知事磯貝靜藏與日人大野辛夷、石川柳城，以及當地仕紳蔡國琳、陳修五等 30 餘人在四春園雅集，拈韻賦詩，看似清雅歡樂之致。[359] 1900 年 3 月 15 日，第 4 任總督兒玉源太郎在臺北淡水舉行「揚文會」，廣邀全臺前清生員以上資格者參與。當時臺南縣有 60 人受邀，20 人出席。眾人公推臺北李春生為座長，臺南蔡

358—— 參考楊永彬，〈日本統治初期日臺官紳詩文唱和〉，收在吳密察、若林正丈編，《臺灣重層近代化論文集》，臺北：播種者，2000年8月，頁112-113。

359—— 1896年12月15日，北洲阿部貢〈四春園雅集序〉發表於《臺灣新報》。大野吉村（紫海）有詩〈次蔡詞伯韻〉：「暢懷且試酒詩遊，海島秋高夜色幽。却憶墨陀江上岳，一泓清影美人舟。」、〈次磯貝知事瑤韻並乞正〉：「浣暇來遊水竹園，園清不受世塵繁。相逢一笑無他事，雲月風花入晤言。」、〈次石川詞兄韻〉：「萍遊幾歲送秋春，又值黃花紅葉辰。欽子詞章錦千段，與他風物競清新。」、〈四春園清集分韻得紅字〉二首云：「碧落雪開旭影紅，盍簪恰好倚簾櫳。談論何厭語異，唱和儘欣文字同。園號四春風景麗，時方十月暑氛空。不知身作南瀛客，盛世恩波杯酒

國琳為副。[360]其後又於 1901 年 8 月，推舉蔡國琳為南部「揚文會」總代，幹事有：羅秀惠、王藍玉，常設委員有：盧德祥、張文榮、許廷光、蘇雲梯、黃修甫，書記則有：楊鵬摶、蔡夢蘭。當時以蔡國琳為首的南部文人群，並有創設「新學會」以鼓吹文明之構想。[361] 1905 年總督府編纂《鳥松閣唱和集》時，臺南詩人謝汝銓、趙鍾麒、楊鵬摶、陳渭川、胡南溟、連橫、蔡佩香、王炳南……等，並皆有詩收錄於其中。1921 年 10 月臺灣總督田健治郎招待八十餘位臺灣詩人於東門官邸茶敘賦詩，臺南詩人黃欣、連橫都在受邀之列，並皆有詩收錄於《大雅唱和集》。這些官紳唱和活動，確實有助於日本殖民者以柔性、漸進的方式拉近與臺灣知識菁英的距離，達到安撫民眾的目的，另一方面，也適度地化解臺灣仕紳因為政局巨變感受到的惶恐和不安。此外，透過這種官方鼓倡的形式，臺灣仕紳得以延續漢文化的命脈，藉由具有「言志、抒情」的詩歌與同好共抒懷抱，達到「聲應相求」的目的。[362] 這種臺日漢儒各有所需的心態，加上二十世紀初臺島道路開通、鐵道鋪設，交通便利與印刷術發達帶來報刊媒體的蓬勃、訊息的快速流通，以及文人的空間移動……凡此種種皆提供了「漢詩」極有利的發展環境。以下從「府城」（原臺南市）與「南瀛」（原臺南縣）兩區域，考察日治時期古典漢詩社的結集與發展。

第一節　日治時期「府城」詩社

一、「南社」系統的文人團體

　　晚清府城菁英：進士施士洁、許南英、汪春源、舉人蔡國琳均參與過臺灣兵備道唐景崧於 1889 年在臺灣道署所創立的「斐亭吟社」，帶動臺

中。」趙雲石有〈和四春園小集北洲大人原韻〉：「仙吏仙才第一流，行裝詩卷海南遊。蠻天十月如春暖，勝地名人境倍幽。」、「山圍白石水明沙，詩酒相酬客盡嘉。想見園亭行樂處，風流歌嘯傲煙霞。」

360——「杯浮揚文」，刊於《臺灣日日新報》，1900年3月18日，第6版。

361——蔡國琳，〈新學會序〉，《臺灣日日新報》，1900年4月25日。

362——李漢如〈與連雅堂書〉：「吾曹處人矮戶，能不低頭？滿腔抑鬱，無可展舒。發而為詩，可以興怨。必有一種不能言、不敢言、不忍言之清長沉痛，可入豪竹哀絲。如白石之詞、遺山之詩，留與後人作史料也。」《臺灣詩薈》第5號，臺北：臺灣詩薈發行所，1924年6月。

灣南部蓬勃的詩風。乙未（1895）割臺後，這些社會精英多數西渡避難，返回祖籍，只有蔡國琳短時攜眷西渡，不久又返回臺南。明治30年（1897）5月「住民去就決定日」到期後，蔡國琳與當地文人共組日治時期第一個臺南詩社「浪吟詩社」，帶動往後四十餘年南臺灣歌詠酬唱、擊鉢競技的黃金時期。日治時期以「府城」為中心的古典詩壇，最具代表性者為1906年創設的「南社」。如果整合、對照該社群，可以發現有一群同質性的文人，透過相同或不同名稱的詩社，緊密地互動，可以視之為「南社」系統的文人團體。茲先列表於下：[363]

	浪吟詩社 1897	南社 1906	春鶯吟社 1915	西山吟社 1920	桐侶吟社 1922	其他
蔡國琳 1843～1909	■	■				
張甄園 1843～？	■	■				
許廷崙 [364] ？～1917		■				
邱學海 [365] 1854～1928		■				
謝紹楷 1857～1939		■		■		創留青吟社，任社長。
鄭指陳 1862～1929		■				
趙鍾麒 1863～1936	■	■				與原田春境創「采詩會」
蘇雲梯 1861～1908	■					
黃郭熙 1864～1928		■		■		以成社

363—— 案：因為「南社」社員數量頗多，考慮篇幅，生卒年不詳、或活動力較弱者，不納入表格。
364—— 門生有吳萱草。

	浪吟詩社 1897	南社 1906	春鶯吟社 1915	酉山吟社 1920	桐侶吟社 1922	其他
陳鳳昌 1865 ～ 1906	■	■				
羅秀惠 1865 ～ 1942		■				瀛社
蔡佩香 1867 ～ 1925		■				
王則修 1867 ～ 1952		■				虎溪吟社、光文吟社
結城蓄堂 1868 ～ 1924	■					
林逢春 1868 ～ 1936		■		■		浣溪吟社、淡如吟社
胡殿鵬 1869 ～ 1933	■	■				
林馨蘭 1870 ～ 1924		■				瀛社、研社 萃英吟社
謝汝銓 1871 ～ 1953	■	■				
張秋濃 1871 ～ 1908	■	■				
楊鵬搏 1871 ～ 1922		■				采詩會
陳筱竹[366] 1871 ～ 1939		■				羅山吟社
佘君屏[367] 1873 ～ 1926		■				
連城璧[368] 1873 ～ 1958		■				*延平詩社

365—— 門生有高懷清、石暘睢、莊松林等。
366—— 門生有楊熾昌。
367—— 與鄒小奇，蔡佩香為曹洞宗國語學校同窗。
368—— 為「酉山七秀」之一，連橫之兄。

	浪吟社 1897	南社 1906	春鶯吟社 1915	酉山 1920	桐侶吟社 1922	其他
韓子明 [369] 1873 ～ ?		■		■		留青吟社 [370] 集芸詩學會 [371] 桐城吟會
鄒小奇 1874 ～ 1909	■	■				
吳宴珍 1874 ～ 1921		■				
安江五溪 1866 ～ 1934	■					
郭君盤 1875 ～ ?		■		■		
廖用其 1875 ～ ?		■		■		采詩會
許子文 1876 ～ 1957		■		■		留青吟社 桐城吟會 ＊延平詩社
楊宜綠 1877 ～ 1934	■	■				
黃拱五 1877 ～ 1949		■				
連橫 1878 ～ 1936	■	■				櫟社、瀛社
陳渭川 1879 ～ 1912	■	■				采詩會
謝維巖 1879 ～ 1921	■	■				采詩會
蔡維潛 ? ～ 1925	■	■				
盧韞山 ? ～ 1921		■				

369—— 為「酉山七秀」之一。女弟子有高春梅（雪芬）。

	浪吟詩社 1897	南社 1906	春鶯吟社 1915	酉山吟社 1920	桐侶吟社 1922	其他
吳乃占 1881～？		■				北門吟會 嶼江吟社 白鷗吟社
釋慎淨 1882～1923		■				采詩會
黃廷禎 1883～1943		■		■ （酉山社長）		
王炳南 1883～1952		■				嶼江吟社 蘆溪吟社 白鷗吟社 將軍吟社
莊玉坡 1883～？		■				瀛社 壽蘇吟社
黃欣 1885～1947		■		■		
王大俊 1886～1942		■				嶼江吟社 蘆溪吟社 白鷗吟社 將軍吟社 琅環詩社
陳雲汀 1886～？		■		■	■	桐城吟社 ＊延平詩社
謝國文 1887～1938		■				醒廬文虎社
沈森其[372] ？～？		■				嘉社 新柳吟社
吳萱草 1889～1960		■				嶼江吟社 蘆溪吟社 白鷗吟社 將軍吟社 琅環詩社 ＊南瀛詩社

370—— 與謝紹楷同組「留青吟社」。

371—— 1941年與吳子宏、潘春源等人成立。

372—— 哲嗣有沈榮律師、沈乃霖醫學博士。

	浪吟社 1897	南社 1906	春鶯吟社 1915	酉山 1920	桐侶吟社 1922	其他
白壁甫 ?～?		■	■	■		留青吟社 崁南詩學研究會
吳子宏 1890～1960		■	■	■	■	桐城吟會社長 ＊延平吟社社長
鄭啟東 1890～?		■		■		
林泮 1891～1946		■				綠社 登雲吟社
黃溪泉 1891～1960		■		■		
王鵬程 1891～1962		■				＊延平詩社
高懷清 1891～1976		■	■	■	■	桐城吟會 ＊延平詩社 ＊玉岑吟社（臺南分社）**373**
洪鐵濤 1892～1947		■	■	■		采詩會
謝溪秋 1892～1959		■				留東詩友會
陳逢源 1893～1982		■	■			瀛社 ＊薇閣詩社
趙雅福 1894～1962		■	■		■	以成社副社長
鄭國滇 1894～1983		■				北門吟會 白鷗吟社 琅環詩社 ＊鯤瀛詩社

373—— 何揚烈邀請參加。

	浪吟社 1897	南社 1906	春鶯吟社 1915	酉山 1920	桐侶吟社 1922	其他
陳文潛 1894～?		■				北門吟會 白鷗吟社 雄州吟社
陳嘯 1895～1959		■				北門吟會 白鷗吟社 琅環詩社 竹橋吟社
王芷香 1896～1929		■	■		■	
林海樓 1896～1961		■			■	*延平詩社
韓浩川 1897～1952		■				綠社
李炳煌 1897～?		■		■		*延平詩社
陳文石 1898～1953		■				西瀛吟社 嘉社 鼓山吟社 萍香吟社
譚康英 1898～1958		■				鷗社
洪子衡 1898～?		■				北門吟會 嶼江吟社 蘆溪吟社 白鷗吟社 *延平詩社
林江水 1899～?		■		■		南光社（畫會） 綠榕會（畫會）
廖印束 ?～?		■			■	*延平詩社
吳贊興 1900～1929		■			■	

	浪吟社 1897	南社 1906	春鶯吟社 1915	西川 1920	桐侶吟社 1922	其他
趙雅祐 1900～1974		■				屏山吟社 綠榕會（畫會） 以成社
許丙丁 1900～1977		■	■	■	■	鷗社 *（臺南天南平劇社） *延平詩社
葉占梅 1900～?		■		■	■	*延平詩社 *玉岑吟社（臺南分社）
莊孟侯 1901～1949		■	■		■	
林嘯鯤 1901～1969		■				*薇閣詩社
陳玉榮 1901～?		■			■	*延平詩社
王榮達 1902～?		■			■	*延平詩社
林秋梧 1903～1934		■			■	
顏興 1903～1961		■				*玉岑吟社（臺南分社） *延平詩社
曾松樵 1903～?		■			■	
楊乃胡 1913～1980				■ （酉山總幹事）		*延平詩社 *玉岑吟社（臺南分社）

表 01：臺南「南社」系統詩社及成員表。（打＊表示戰後詩社）

從表 01 看來，「浪吟詩社」成員除了兩位日本漢詩人結城蓄堂、安江五溪，以及「南社」成立前（1906）即已過世的文人外，幾乎都持續加入「南社」，且成為該社的核心成員。1915 年成立的「春鶯」及 1922 年成立的「桐侶」兩吟社，都是青壯詩人另組的詩社，可視為「南社」的分支；「酉山吟社」雖未特別標榜與「南社」的關係，但是，從其中有 26 位成員屬「南社」社員看來，將之視為「南社」支流，亦不為過。以下略說明之：

（一）浪吟詩社，1897

日本統治後，府城創立的第一個詩社為「浪吟詩社」。該社創立的背景，可見於連雅堂〈臺灣詩社記〉[374]：

> 耆舊凋零，騷壇減色，然而運會之來，莫可阻遏。臺灣詩社以是起焉……余歸自滬上，鄉人士之為詩者漸多，而應祥[375]忽沒，乃與瘦痕、吳楓橋、張秋濃、李少青等結浪吟詩社，凡十人。月必數會，會則賦詩，春秋佳日復集於城外之古剎，凡竹溪、法華、海會諸寺，靡不有浪吟詩社之墨瀋。朋簪之樂，無過於斯。

關於該社的創設時間，過去有兩種說法。其一、主張 1891 年（光緒 17 年）由許南英創設，日治後 1897 年（明治 30 年）連雅堂等人重振之。[376]其二、主張「浪吟社」創立於 1897 年，許南英並未參與創設活動。[377]諸多說法中，以王雅儀考證最為精詳[378]，她整理了連橫〈臺灣詩社記〉、〈詩薈餘墨〉（1924）、許丙丁〈五十年來南社的社員與詩〉（1953）、賴子清〈古今臺灣詩文社〉（1959）、盧嘉興〈記臺南府城詩壇領袖趙雲石喬梓〉（1976）、〈謝石秋公大事年表〉、胡鏡釗〈懷念籟軒翁〉（1965，《謝籟軒全集》）、

374—— 《連雅堂先生全集》（下），南投：臺灣省文獻會，1992年，頁97。

375—— 葉國禎（應祥），逝於1897年。

376—— 許丙丁，〈五十年來南社的社員與詩〉，《臺南文化》3卷1期，1953年6月；賴子清，〈古今臺灣詩文社〉（一），《臺灣文獻》10卷1期，1959年9月；盧嘉興，〈記臺南府城詩壇領袖趙雲石喬梓〉，《臺灣研究彙集》第15輯，1976年9月30日，都持這種說法。後續的研究者，如吳毓琪，《南社研究》，臺南：臺南市立文化中心，1999年6月；楊永彬，〈日本領臺初期日臺官紳詩文唱和〉，收於若林正丈、吳密察主編，《臺灣重層近代化論文集》，臺北：播種者，2000年；彭瑞金，《臺南文學小百科》，臺南：臺南市文化局，2014年，皆沿襲此說。

陳渭川〈端午醉陶然亭記〉[379]、王炳南《潛園寓錄》……等資料，對照比較之後，採取較寬鬆的篩選原則，列出 22 個「浪吟社」社員名單：

連小雅（連橫）、陳小葦（渭川）、吳楓橋、張秋濃、李少青、蔡維潛、蘇雲梯、曾鶴笙、楊宜綠、鄒小奇、韓筱湘、楊小迂、王小石、安江五溪、結城蓄堂、謝小玉（濟若）、陳小愚（鳳昌）、謝汝銓、蔡國琳、趙鍾麒、胡殿鵬、謝維巖。

這些詩人多以「小」字為號，比如：連雅堂作連小雅，陳渭川作陳小葦，李少青之「少」字同「小」，韓筱湘之「筱」字音同「小」，另有鄒小奇、楊小迂、王小石，可見以「小」字為別號正是浪吟社員的特色。

這個名單呈現了晚清到日治時期，府城最具代表性的詩人群體。其中一八四〇年代出生的蔡國琳是府城仕紳的領銜人物，日治初期，曾擔任「揚文會」的副座，在知識菁英階層具有象徵性的意義。一八六〇年代出生的趙鍾麒、胡南溟、蔡維潛，時值壯年，在當時扮演了承先啟後的關鍵性角色。至於一八七〇年代出生的，謝汝銓、張秋濃、鄒小奇、楊宜綠、連橫、陳渭川、謝維巖、李少青，都是 20 多歲的青年，他們受過深厚的漢詩文訓練，也對詩歌創作充滿了熱情。「浪吟詩社」兼具老、中、青三世代，對日治後的府城詩風具有相當程度的影響。

值得注意的是「浪吟詩社」有兩位日本詩人：安江五溪（1866～1934）與結城蓄堂（1868～1924），在日本統治初期透過漢詩與臺灣詩人建立良好的互動關係。安江五溪，1898 年任職於臺南縣知事官房，有〈將赴臺南赴此述懷〉三首[380]，將此行比擬為蘇東坡的貶謫南荒，感到深深的不安：

377—— 楊明珠，〈臺南「崇正社」、「浪吟詩社」、「南社」創立問題辨正〉（2001），王雅儀，〈再論浪吟詩社創立時間及其社員〉，《臺陽文史研究》第5期，2020年1月。

378—— 王雅儀，〈再論浪吟詩社創立時間及其社員〉，《臺陽文史研究》第5期，2020年1月。本文敘述參考其說。

379—— 抄錄於王炳南，《窗下文錄》。

380—— 《臺灣日日新報》，1898年3月6日，第4版。

九死南荒何足恨，客懷略似老東坡。此行聊要酬知己，奇絕於吾不願多。

（三首之一）

沒有登臨奇山異水的興味，更不想如蘇東坡般有著「茲遊奇絕冠平生」的開朗快意。幸好有「詩」，可以讓安江五溪姑且抒發愁懷。1910 年 8 月 9 日《臺灣日日新報》「編輯日錄」[381]載云：

> 本日編輯中，安江五溪氏來訪同人。告以將漫遊清國，竝出留別詩七律三章。讀之覺一往情深，有戀戀不忘之意。氏在臺服官十四年，與學士文人，最為款洽。所至以提倡風雅為任，<u>在臺南曾入「浪吟詩社」</u>。昨年又入「瀛社」。本年亦赴「櫟社」大會。詞人爭倒履迎之。春間將賦歸田，都人士為倡千書會，以為紀念。（底線為筆者所繪，以下同）

可見安江五溪頗積極參加臺灣詩社活動，與北中南重要詩社社員互相往來。1900 年離開臺南時，浪吟詩社陳渭川有〈次五溪留別以送行〉[382]詩：

> 左手持鰲右舉杯，<u>浪吟風氣為君開</u>。三年輕別短於夢，何苦淡文溪社來。
>
> （作者註：「浪吟」本社名）

臺南詩人羅秀惠也在浪吟詩社同人送別安江五溪的詩末，加註寫道：[383]

> 浪吟詩社諸子，皆臺南之俊秀也。五溪宦遊到此，朝夕唱酬，西窗剪燭，扶絕題襟，南圍聞歌，黯然分袂，固不覺其情現乎詞也。諸作各擅其長，或纏綿悱惻，或悲壯激昂，五溪此行，奚囊中定有生色者矣。

381── 《臺灣日日新報》，1910年8月10日，第5版。
382── 案：此詩未見於報刊，茲據王雅儀轉引王炳南，《潛園寓錄》，頁640。
383── 案：此詩未見於報刊，茲據王雅儀轉引王炳南，《潛園寓錄》，頁641。

由此可見安江五溪與「浪吟詩社」社友感情深厚，互動密切，而且這樣的互動長達三年之久。

另外一位參與「浪吟詩社」的日人結城蓄堂，1898 年[384]到臺南編纂《臺南縣誌》，也與臺南文人經常往來。目前似未見有直接證據得知結城為「浪吟詩社」社員，不過，從他在臺南任職多次與浪吟詩社社友往來互動，尤其是 1898 年，與陳渭川、連雅堂、羅秀惠同遊法華寺，彼此以詩和韻酬答；也多次與曾鶴笙、連橫同遊開元寺，不僅彼此以詩唱和，又稱共遊者為「同人」[385]。那麼，這個文人群體是不是「浪吟詩社」呢？從王炳南抄錄的《潛園寓錄》[386]，或許可以得到解答。《潛園寓錄》錄有結城蓄堂的〈春日寄吾廬小集與諸同仁分韻此日陳渭川連雅堂李嘯卿曾鶴笙諸君及予也安江五溪有約不來乃用姓字別作古詩一首只供一笑耳〉[387]：

> 陳雷相會次，壓倒天下豪。連榻披肝膽，落筆捲風濤。結交文字外，何嘆在蓬蒿。李花洒庭砌，煙月生林皋。曾聞唐賢世，一字幾推敲。安得才如許，妙詠千古高。（蔡玉屏曰：點綴工雅，尤見匠心。）

詩裡加灰底色者，為此次預訂參加聚會的同仁之姓氏。除結城外，其餘四人陳瘦雲（渭川）、連雅堂、李少青（嘯卿）、曾鶴笙（九皋）皆為「浪吟詩社」社員，也都有〈春日寄吾廬小集與諸同人〉分韻詩。結城以遊戲的方式，將各人姓氏鑲嵌於每句詩的首字，凸顯安江五溪的「有約不來」。這首詩將結城蓄堂與「浪吟」社友的關係連結得更緊密，應可證明結城亦為「浪吟詩社」的社員。[388]

384—— 案：據《臺灣日日新報》1898年4月1日，第1版，刊載其〈鵬飛行〉、〈從臺北到基隆途上〉、〈臺北書感〉，似為剛到臺灣之作。另據胡巨川〈結城琢詩〉：「結城琢……明治31年（1898）2月22日，受臺南縣知事磯貝靜藏之聘，來任臺南縣是物囑託……任縣史編纂委員任縣史編纂委員。」《日僑漢詩叢談》（五），高雄：春暉出版社，2016年3月，頁14。

385—— 結城蓄堂，〈題法華寺限韻次韻〉，《臺灣日日新報》，1898年7月28日，第1版；結城蓄堂，〈與諸同人再遊開元寺〉、〈三游開元寺同連雅堂曾馥笙〉，《臺灣日日新報》，1898年10月13、14日，第1版。

386—— 據王雅儀〈再論浪吟詩社創立時間及其社員〉：「《潛園寓錄》為王炳南手稿，共736頁。內容均為漢詩，作家則臺人、日人皆有之，有陳渭川、連橫、胡殿鵬、蔡佩香、蔡國琳、黃植

總的說來，「浪吟詩社」乃日治初期府城老、中、青三代熱中於讀詩、寫詩的傳統文人結集而來，其目的在結集同好，以延續漢文化。由於共同的興趣，或許基於統治的需要，少數日本漢詩人也加入這個團體。不似後來臺灣各地詩社以擊缽課題為主，「浪吟」詩友經常結伴閒遊府城的亭園、寺廟、古蹟，興致來時，往往針對人、事、時、地、物……各種實況，或詠懷、或寫景、或抒情，彼此和韻賦詩，也互相品評作品。在府城最重要的詩社「南社」創立前，這個團體以將近 10 年的時間（1897 ～ 1906）撐持了政權轉移後，漢文化在殖民時代所面對的種種挑戰。在臺南文學發展史上，具有不可忽視的重要性。

（二）南社，1906

1906 年府城詩人有感於「浪吟詩社」社員相繼凋零，詩社活動日漸沉寂，蔡國琳、胡殿鵬、趙鍾麒、謝維巖、陳渭川、連橫邀集楊鵬搏、羅秀惠、連城璧等臺南在地文人，為延續昔日府城蓬勃文風、詩學命脈而組織「南社」。創設之初，不像臺灣中部的「櫟社」標榜明確的創立宗旨、嚴謹的社約規章；也不像北臺灣的「瀛社」因地緣關係，社員數量極多，與殖民者維持著較親近的關係。南社社員蔡佩香曾云：[389]

> 就今日論之，則以「櫟社」為最興，以其社友多富，無論經費可以維持，即俯仰安閒，亦可坐待分韻。故每逢課期，交卷者甚夥。若「南社」則素無經費，且諸社友亦各有職任，無一閒散之人，是以每值課時而交卷者絕少。

組織比較鬆散性質的「南社」在 1906 年創立，一直要到社員謝維巖 1909 年參與「櫟社」活動歸來，認為當前「櫟社」活動力超越臺灣南北各地，期待

亭、陳基六、陳滄玉、中北觀生、石川戈足、毛綠軒等北中南各地的詩人，推測應是自《臺灣日日新報》、《臺南新報》、《臺灣新聞》所抄錄的，時間自 1899 年起。除了詩作本文外，也完整抄錄當時報紙編輯在詩末所下之評語，例如南部詩人的部分有蔡玉屏（國琳）、雲石山人（趙雲石）、蕉綠軒主、蔚村（羅秀惠）、劍花（連橫）、瘦痕（陳渭川）等人。」《臺陽文史研究》第5期，2020年1月，頁41。

387—— 王炳南，《潛園寓錄》，頁68-69。

388—— 參考王雅儀，〈再論浪吟詩社創立時間及其社員〉，《臺陽文史研究》第5期，2020年1月，頁54。

389—— 南樵，〈掬月樓詩話〉，《漢文臺灣日日新報》，1908年2月5日，第3版。

「南社」努力振作，以求與之並駕齊驅才開始活絡起來。緣此，社員共推舉人蔡國琳為社長，趙鍾麒為副社長，楊鵬摶、謝維巖為幹事，除原有的社員盧輶山、謝濟若、佘君屏、蔡佩香、謝國文、林馨蘭、黃欣、黃溪泉……外，又積極招募社員多達 70 餘人，「幾與『瀛社』並驅，從此和聲鳴盛，互通聲氣，亦文壇中之一勝事也。」[390] 從這一年起，「南社」開始積極發展，幾乎每年有定期的課題、詩會、徵詩；社員也往外地積極參加活動，與臺灣詩界建立相當密切的互動。略舉其中幾個較具特色者說明之：

1. 進士許南英返鄉掃墓省親

1912 年夏，離臺多年的許南英於 7 月返臺省親，是月 14 日「南社」設宴竹仔街醉仙樓旗亭開歡迎會，赴席者數十人，招藝妓彈唱侑酒。席定，由趙社長朗讀歡迎辭，許紳亦起述答辭，各盡其歡。既而由許南英述及宦海風波及革命變起情形，至晚間 11 時始散會。許南英有〈南社同仁在醉仙樓舉行歡迎會酒後歌〉[391]，表達離臺 18 年深刻的感慨，也為當時「南社」重要成員及其特色作了素描：

> 昔為此邦人，今為此邦客。一瞥滄桑十八年，蜃樓海市變化成陳跡。我從人海乍回頭，飄泊身如不繫舟。過海收帆問親舊，凋零大半令我多悲憂。吁嗟乎，雙丸跳擲疾如馳，死者不生生者死。獨留天水老詩豪[392]，高踞騷壇執牛耳。鬚眉尚認老邱遲[393]，爭譽楊修是小兒[394]。謝傅諸郎森玉樹[395]，林逋處士茁新枝[396]。元龍未除湖海氣[397]，仲雍斷髮居吳地[398]。黃粱夢醒一盧生[399]，仍在人間作遊戲。風流倜儻佘君屏，孤高落落胡南溟。若論肆應強人意，座中推讓蔡蘭亭。玉樹風前連氏子[400]，寄傲園林

390—— 一吟癡，〈蟬琴蛙鼓〉，《漢文臺灣日日新報》，1909年5月30日，第5版。
391—— 此詩收於許南英《窺園留草》，《全臺詩》第拾壹冊。
392—— 作者註：「趙雲石」。
393—— 作者註：「邱及梯」。
394—— 作者註：「楊雲程」。
395—— 作者註：「謝石秋、溪秋、星樓、霽若」。
396—— 作者註：「林湘畹竹友」。

稱佳士。黃洪俱是舊通家[401]，眼中諸人吾老矣。孰料餘生逢世變，乃與諸君重相見。南部粉黛北胭脂，醉仙樓上開詩醼。莘莘一輩濟時賢，豈特能詩結鳳緣。他日夢魂南社遠，不知斯會復何年。

8月16日（舊曆6月24日）關帝君聖誕，南社同人邀請許南英至竹溪寺祭拜關聖，並緬懷前清時期在該寺創立的「崇正社」。拈香祭畢，別室開筵，杯酒言歡，諄敘舊情：「覺風景不殊，而許氏離臺已十八年矣。俯仰滄桑，感慨係之！」[402]許南英有〈六月二十四日與社友往竹溪寺參謁關聖〉之二：

佛光神道兩虛無，淘汰將歸造化鑪。獨有綱常留正氣，能令崇拜起吾儒。
漫云唇齒同文國，忍看河山易色圖。父老凋零多白髮，猶聞倉葛大聲呼。

回想自己當年設立「崇尚正氣」的詩社時，懷抱著鼓舞儒生的熱血，而今版圖易主，故舊凋零，不勝感慨。許南英此次來臺，歷時半年之久，為臺南詩界提振許多活力，「南社」社員因此詩興勃發，連日雅集，和者如雲，得詩計以千首。當時許南英有〈嘯霞樓題壁〉二首、〈與謝石秋星樓林湘畹黃茂笙遊岡山超峰寺中途遇雨〉四首，尤為膾炙士林。[403]1913年元旦，「南社」諸詩友在吳園（吳筱霞宅）為許南英送行，並攝影留念。許氏以「毘舍耶客許蘊白」之名撰〈吳園送別入漳記〉，敘事簡練，無一複筆，描摹送別圖中府城諸俊秀，為臺南文學史留下珍貴的史料：[404]

右圖為大正二年元日，南社同人在吳園餞別毘舍耶客之會。是日也，夕陽未落，和神當春，花塢班聯，共攝斯影。從右起數，身隱花間僅露一

397——作者註：「陳筱竹、陳獻其」。
398——作者註：「吳旭初、宴珍、筱霞」。
399——作者註：「盧韞山」。
400——作者註：「連應榴」。
401——作者註：「黃拱五、洪坤益」。
402——《臺灣日日新報》，1912年8月11日，第6版。
403——《臺灣日日新報》，1912年9月4日，第6版。
404——《臺灣日日新報》，1913年1月12日，第6版。

面者，謝星樓也。其帽覆額，身亦隱約花間者，連逸流也。稍低一童而軍帽者，許紫雯之子伯珍也。童之右，蔡于漸也。中服不冠者，謝霽綠也。短褂而髭者，蔡蘭亭也。坐於蘭亭之右者，林湘沅也。湘沅左旁一老，皮裘而脫冠者，毘舍耶客也。客之前侍側二童，白帽者，吳筱霞之子守禮也。風帽者，蔡禹鼎之子漢融也。與客並坐者，趙雲石也。列坐其次者，鄭啟吾也。從左起數，立於蓮壺前者，園丁之女也，蓮壺之右正立者，雲石之子雅祐也。中折帽者，許紫雯也。白衣而垂手者，許景山也。立於景山、紫雯之中，烏衣而橫肱者，盧韞山也。短褂西帽、亭亭玉立者，謝溪秋也。溪秋肩後，洪坤益也。兩鬢似鬍者，蔡禹鼎也。與禹鼎並立者，黃幼青也。柱右白衣者，郭君盤也。髮蓬蓬立於筱霞之側者，三兒敦谷也。其高人一等並肩而立者，一則謝籟軒，次則林竹友也。獨立而整冠者，胡南溟也。樓上憑欄而瞷者，庖丁也。滄桑廿年，人生如寄，讀東坡詩不知斯會復何年，感慨係之矣。

1916 年 5 月，許南英第二次來臺，寓居固園黃家，再度與「南社」詩人及其親友歡聚。5 月 28 日臺南市人士在固園開歡迎懇親會，列筵十餘席，先懸設燈虎（猜燈謎），次由藝妓彈唱，以助清興。開筵後，由南社社長趙鍾麒致歡迎詞，許南英致謝詞，既而藝妓捧觴勸飲，賓主盡歡。許南英居固園達兩個多月，與諸詩友擊缽催詩，探奇選勝，殆無虛日。[405]自從 1895 年離臺後，數年間人事滄桑變異，不免感傷，許南英有〈四月二十一日南社同人小集〉[406]詩云：

> 宦海浮沉六十春，歸來故里等閒身。兩重黑海風濤惡，一輩青年日月新。
> 乘興聊穿靈運屐，科頭且脫惠文巾。我來不盡滄桑感，勝國衣冠少舊人。

405—— 《臺灣日日新報》，1916年5月24、30日，第6版。
406—— 此詩收於《窺園留草》，《全臺詩》第拾壹冊。

此外，許南英也有詩贈謝石秋、連雅堂、黃欣、許景山，更憶念起早逝的「南社」靈魂人物陳渭川，為臺灣詩界痛失詩豪而遺憾；也為其創始的「小羅天童伶京班（詳後），能由其弟陳洛川接續承辦而感到安慰：

嗚呼陳瘦雲，骨化形銷矣。自少能文章，放浪不羈士。淵淵金石聲，餘音猶在耳。憶昔五年前，我來君已死。湖海失元龍，令人悲喝已。轉瞬忽五年，我又旋鄉里。同人聞予來，攜手色然喜。獨有地下人，墓門呼不起。睇彼小羅天，梨園餘弟子。乃弟洛川君，彷彿還神似。（〈追悼陳瘦雲〉）

8月初，許南英擬從打狗（高雄）搭「蘇州丸」返回漳州，臨別前夕，與親友話別，並與「南社」諸吟友寫真留念，許氏有〈留別南社諸君子〉[407]詩云：

花滿瓊筵酒滿卮，雙星嘉會我將離。那堪讁宦逢秋日，況復他鄉別故知。隔座流鶯紅豆曲，大堤駱馬綠楊枝。中原鼎沸心如擣，未卜重來是幾時。

依依之情，溢於言表。此次離別，許南英果然不復與諸父老相見。離臺後不久，因林爾嘉推薦，前往荷屬東印度棉蘭，為華商張鴻南撰寫傳略，不幸於次年（1917）病逝異邦。許南英於日治後兩度來臺，引發詩壇相當大的迴響，尤其與「南社」詩人的互動，更是深深烙印在故鄉父老的記憶中。今臺南齋教「西華堂」猶留存當年許南英與「南社」社友在此擊缽唱和後撰寫的匾聯，足以發思古之幽情。

407── 此詩收於《窺園留草》，《全臺詩》第拾壹冊。

2. 南社嬉春與運河賞月

1914年3月「南社」舉行春會，並在黃氏固園舉行宴席，接待自北京返臺的社友連橫。當日出席的社員32人皆喬裝打扮，並在黃欣固園拍照片留念，名曰「南社嬉春圖」。這照片打破了一般人對臺灣傳統文人保守老舊的既定印象，詩人們的風趣、幽默，以及活潑的想像力，拉近了與社會大眾的距離。其中尤以連橫扮演的貴婦、趙鍾麒（雲石）扮演的烏龜頭、謝國文扮演的武士、謝溪秋扮演的老翁、楊宜綠扮演的閹豬者、張振梁扮演的黑人最具趣味。

連橫有〈題南社嬉春圖〉[408]長篇詩歌點出了遊戲中的奧妙：

大道有端倪，真人得其竅。鑿破混沌心，各擅平生妙。娥娥南社徒，嬉春恣奇紗。變化若有神，一一盡窮肖。或瞿而或腴，或老而或少。或白而或黑，或大而或小。或為游方僧，念佛入冥宵。或為赤社婦，慈心助醫療。或從屠沽遊，俠氣凌燕趙。或衣武士裝，寶刀怒出鞘。而我獨好奇，化作美人妙。羅裙六幅裁，拈花睞微笑。以此不壞身，幻為天花繞。吁嗟造物心，眾生亦微藐。蟲臂與鼠肝，隨形赴所召。斷鶴而續鳧，其名為詭弔。吁嗟南社徒，游戲亦夭矯。紛紛濁世中，面目誰能曉。盜跖而孔丘，衣冠虛其表。臧獲即侯王，貴賤本同調。況值春光和，萬物各震曜。寫此春人圖，收作春詩料。我亦圖中人，題圖發大笑。

詩人深諳莊子「物化」的哲理，了知造物賦形，變化無定，在紛紜的濁世中，人只有隨緣而化，才能所遇皆適。因此，扮演什麼角色，改變甚麼容貌，都可以歡喜而自在，「娥娥南社徒」之所以能夠「嬉春恣奇紗」的原因即在於此。

---

[408]── 作者註：「余歸自燕京，鄉中諸友公宴於固園，相約喬裝與會，至者三十有二人，合寫此圖為題於後。」《臺灣文藝叢誌》第1年第2號，「詞苑」欄，1919年2月1日。

南社社員活潑的元氣，亦可見於他們寓詠詩於遊戲中的「觀月會」。年年中秋後一日，南社皆舉辦盛會，1926年年9月22日（舊曆8月16日）的「觀月會」，尤為精采：[409]

是夕六時，社員陸續到新運河，參加酉山社友亦前後繼至。六時半，整列河岸上一一點名，缺三氏，為莊孟侯、蔡棕鼻、陳圖南等，再猶豫十分間，仍渺然。乃下船艙之中，鋪一片厚席作總鋪，兩舷高掛五色花燈，船頭揭對南社社燈，中一瓦斯琉璃燈，光射水面與月爭輝。居無何，莊、蔡、陳聯翩來，九朵解語花又姍姍入。視手錶，將七點，則分配鴛料理便飯、麥酒飲料水畢。恰屆定刻，放起煙火開船，以一雙石油汽船拽之，徐徐啟行。七時半，黃茂笙氏擬題〈十六夜泛舟即事〉，楊天健氏限韻十一尤，限一小時交卷，遲罰。共舉「桐侶社長」吳子宏、「酉山社長」黃廷禎、臺日通信員韓浩川、臺灣通信員高槐青及本社記者楊天健五氏，為閱卷審查員。凡詩失黏、失肩，與夫押韻牽強者，處以罰酒一瓶，若審查員偏袒者亦如之。於是各自構思，隨意飲噉。八時三十分卷已交齊，暫置不閱，蓋為時間問題也。遂開魔術演幕，茂笙氏手一白紙，燃以火，現出「南社萬歲」四字；又出張小像，使人指其五官，渠閉目遠立，取視能知指處也；後則於沸湯中抓物，絕不泡傷。既而，胡南溟彈胡琴，楊天健說笑話，吳子宏、黃廷禎、莊孟侯、林延年、盧承基繼之，許子文讀對月賦，洪鐵濤講衛生談，許丙丁、戴汝修變巴戲，至此各取自由行動。許松齡、陳炳璣、許丙丁、陳圖南、吳贊興、葉占梅暨外數人，或車鼓，或手踊，或唱採茶，或為婆歌，歡笑聲喧，幾將河伯鬧得發惱矣。最後，諸妓彈唱，管絃合奏，燕語鶯聲，響過行雲。其間獨個來賓，

409—— 《臺南新報》，1926年9月24日，第6版。

為精神界主幹兆麟和尚，以妓曲弗工，且無精神，忽自忍俊不禁，起唱西皮一□，曰〈討魚稅〉，聲調節拍，俱臻其妙，滿船拍手喝采。恰舫已抵岸矣，把時錶一望，針已指在十二點，乃再放煙火。大家上陸，呼別而散。此會會員三十餘名，加之校書，有四十多，洵一時之盛也。

（註：凡原文缺字者，皆以□標示，以下同。）

這篇報導很具體地記錄了「南社」及其分支「桐侶」、「酉山」詩社活動的實況：包括聚會的時間（舊曆中秋節次日下午6點半集合，7時出發）、地點（臺南新運河）、舟船設備（舟前懸掛一對「南社」社燈，中有瓦斯玻璃燈）、餐飲（「鶯料理」便當、啤酒飲料）、參與人數（會員三十餘名，加上女校書，共有四十多人）。行前放煙火，而後由兩搜汽油艇牽拽出航。在緩慢的航行中，先由「南社」幹事黃欣擬題〈十六夜泛舟即事〉，楊天健限韻十一尤，「桐侶吟社」社長吳子宏、「酉山吟社」社長黃廷禎，以及「南社」韓浩川、高槐青、楊天健五氏擔任審查員。限時一小時交卷，凡遲交、所作不符詩律（失黏、失肩、押韻牽強），以及評審有偏袒者，罰麥酒一矸。8點半交卷後，開始餘興節目，由活力充沛且多才藝的黃欣變魔術，接著胡南溟彈胡琴，楊天健、吳子宏、黃廷禎、莊孟侯、林延年、盧承基說笑話，公學校教師許子文讀〈對月賦〉，洪鐵濤講衛生談，許丙丁、戴汝修耍雜技，其他人如許松齡、陳圖南、葉占梅等，有的跳具有臺灣民間色彩的車鼓，有的表演日本的手踊舞，或是唱客家的採茶、婆歌，歡樂喧騰。諸妓（解語花）彈弦唱曲完後，彌陀寺住持王兆麟以其所唱不工，忍不住自己唱了一段京劇中的〈打漁殺家〉作為壓軸，「聲調節拍，俱臻其妙，滿船拍手喝采」，為該活動畫下美麗的句點。活動結束時，已午夜12點。於是再度放煙火，眾人上岸，呼別而散，實喧騰歡樂之至，也很能表現「南社」社員幽默、趣味、活潑的特質。

3. 兩度主辦「全臺詩人大會」1925 年、1929 年

　　全臺詩社第一回聯合大會 1924 年在臺北召開，次年（1925）春 2 月
7 日，轉由臺南「南社」承辦。其任務編組為：[410]

> 庶務係：黃茂笙、洪鐵濤、黃忻昭、王芷香外四名
> 設備係：吳子宏、吳贊興、楊世鐘
> 接待係：趙雲石、高懷清、李昆玉外五名
> 謄錄係：楊宜綠、王大俊外七名
> 餘興係：許丙丁、趙劍樵、盧承基

詩會當天假臺南公會堂舉行，共有 30 個詩社與會，會中黃欣提議置通信
機關於瀛社、桃社、竹社、中部聯吟會、嘉社、南社、旗津吟社、礪社計
8 處，以便時通消息。第三回大會由「中部聯合吟會」承辦，議事後，推
薦謝雪漁、洪以倫為左右詞宗，拈題〈舞龍燈〉，陽韻，詩體五律一首，
下午 5 時交卷，共得詩 146 首。夜間 10 時選畢開宴，宴罷發表，左右元
為「瀛社」林述三、「南社」黃伯壎，分呈賞品後，已是晚間 11 時。次
日午後 2 時，「南社」招待吟會開於固園，詩題〈固園聽鶯〉，東韻七律，
公舉張純甫、趙鍾麒二氏閱卷，下午 5 時收件，得詩 140 餘首。晚間 7
時開宴，10 時唱榜，由「中部聯吟會」許存德，及「南社」王則修二氏
掄元，各呈與贈品。黃茂笙氏對諸吟友各贈紀念相片一枚，至晚間 11 時
始散會。[411]

　　「南社」第二次主辦全島詩人大會在 1929 年 2 月 23 日舉行，此次
結合西山、桐侶、留青、錦文五社社長及社員共同主辦，公推「南社」

410── 《臺灣日日新報》，1925年1月21日，夕刊第4版。

411── .《臺灣日日新報》，1925年2月12日，夕刊第4版。

黃欣為籌備委員長，再由黃氏推薦辦事人員及各組分擔事務，籌備處共分為 7 組，各組置主務一名，專責其事；另由各主務選出組員多名，從事布置。會議當天，公會堂內外懸掛各社社旗，熱鬧異常。這次參加的詩會較先前更為踴躍，北自基隆，西至澎湖，出席者 234 人，詩社 44 個。其中「網珊」、「月津」兩社各一位女性詩人、旗津三位、臺南一位，「聯翩入席，巾幗裙展，薈萃一堂，相與和聲鳴盛，亦昇平景象也」。首題〈崁城春望〉，五律庚韻，詞宗臺北謝雪漁、鹿港陳槐庭氏；次題〈石佛〉，體七絕，韻一先，詞宗新竹鄭養齋、屏東郭芷涵兩氏。下午 5 時煙火一發截止收稿，並攝影留念，而後由新町南華女優團，登壇獻技，演出〈渭水河〉、〈黃鶴樓〉、〈斬黃袍〉三齣北管大戲，以助清興，賓主盡歡。首題左右元為鹽水「月津吟社」張水波、臺南「南社」吳子宏；次題左右元為臺中「櫟社」王石鵬、臺南「南社」洪鐵濤[412]，展現了「南方之強」的實力。

4. 南社十五週年紀念大會，1923 年

　　1923 年春，「南社」於 3 月 3 日、4 日承辦「中嘉南聯合吟會」，同時慶祝「南社十五週年」祝賀會。2 月起該社就開始緊鑼密鼓地準備，幹事黃欣除寄付金外，另寄贈金時計（手錶）兩個，及「南社十五週年紀念明信片」200 組，每組 8 枚，南社祝賀會實景以當贈品。社外則有社友謝國文的父親謝友我，以及府城富紳王汝禎各寄贈 20 圓，在經濟及人力方面都作了充分的準備。[413]

　　3 月 3 日「中嘉南聯合吟會」於臺南公館舉行完畢後，次日於固園黃家舉行「南社十五週年紀念大會」。是日（3 月 4 日），黃欣固園門前，

412—— 《臺灣日日新報》，1929年2月25日，第8版。
413—— 《臺南新報》，1923年2月15日，第5版。

交叉兩大太陽旗，並懸掛「南社十五週年祝賀會會場」巨幅布條。固園內池水明淨、花木爭妍。午後 2 時，群賢畢至，歡聚一堂。鐘鳴之後，由南社長趙鍾麒立於「荊花書室」前朗讀開會式辭，幹事長黃茂笙報告籌畫經過。其後，共推「櫟社」王竹修氏為左詞宗，無所屬鹿港詩人施梅樵為右詞宗，「櫻社」魏潤庵氏出題，「麗澤會」洪以倫氏限韻，題為〈橋影〉，定七絕，韻八庚，3 時起開始構思，4 點半交卷。所得佳作 200 餘首，晚間 7 時發表，左右元由「桃社」鄭永南氏、「玉峰詩社」林玉書奪得。8 時開宴，席間來賓，計 15 社，81 人，無所屬者 5 人。賓客相繼起誦祝文、祝詩約數十章，再由黃欣朗讀各地祝電，而後發表趣味百出之「福引」[414]，紅裙侑酒，盡歡至夜間 10 時始散。當日「酉山社」寄附 20 金，許廷光氏 5 圓，鄭養齋、曾吉甫二氏 6 圓，又有有志商人駱葆芝贈酒半打，黃比南贈筆墨各 60，高雄三友會面巾一捆，社員陳秋波贈色布兩疋，贊襄盛舉，使得整個詩會歡樂而圓滿。[415]

5. 主辦「臺灣文化三百年」全島詩人大會的波瀾 1930

　　1930 年（昭和五年）10 月 26 日 -11 月 4 日 [416]，臺灣總督府在臺南舉辦臺灣史上第一次以臺灣文化為主題的大型展覽會「臺灣文化三百年紀念會」。內容包含史料展覽會、教育展、產業展、衛生展、熱帶花卉展、藝術寫真展、水族館、電器館展覽會等靜態展覽，更有煙火、競馬、音樂、演藝、戲劇、電影、划龍舟、競馬、雜技等活動，活動持續到晚上，參與者達 20 萬人之多。[417]欣逢盛會，以「南社」為中心的臺南詩壇也興致勃勃地在 9 月召集臺南市「酉山」、「桐侶」、「錦文」、「留青」五詩社

414—— 福引，ふくびき，有獎抽籤，日本民俗之一。把金錢和物品掛在繩子上供人抽籤的一種遊戲。
415—— 《臺南新報》，1923年3月7日，第5版。
416—— 因為盛況空間，又延了3天，至11月7日始結束。
417—— 《臺南新報》，1923年3月7日，第5版。

聯合，擬乘此機會召開全臺詩人大會，協議 11 月 4 日在文廟賦詩，醉仙閣開宴，費用由五社負擔。[418] 這個協議到了 10 月初卻發生事端，經磋商後似已取得共識，[419] 孰知又於 10 月下旬生變。[420] 幸而，以「南社」次團體「春鶯吟社」（詳後）為主體的《三六九小報》在這一年的 9 月 9 日成立，發刊之初，就以〈頌臺灣文化三百年紀念〉作為第一期徵詩之課題，由趙鍾麒擔任詞宗。至截稿日止，共得詩稿 200 餘首，10 月 26 日 15 號首先刊登趙鍾麒四言長篇〈臺灣文化三百年紀念大會頌言〉，而後在「增刊號」（15 號增兩頁）刊登臺中王竹修、臺中（蔡）天弧、義竹陳春林、鹽水蔡哲人、竹山張達修、員林許蘊山、臺南白璧甫等前十名之作；10 月 29 日第 16 號刊登柏園、黃啟棠、周文俊、李林素珠、陳文石等「錄外」之作，讓臺南詩界不致於在重要的臺灣歷史時刻缺席。

1936 年（昭和 11 年）4 月趙鍾麒過世，社員許子文、謝溪秋、王鵬程三氏為代表，赴固園呈推戴狀，推舉黃欣為第三社長。黃欣接任後，推動社務頗為積極。議定每月舉行例會一次，集合該社諸吟友互相揣摩，以期精益求精。[421] 1937 年（昭和 12 年）中日戰爭爆發後，缽聲漸歇，活動始衰。1947 年（民國 36 年）黃欣過世，改由吳子宏擔任第四任社長。戰後，「南社」於 1951 年與「桐侶」、「酉山」、「錦文」、「留青」、「雞林」、「珊社」等臺南詩社詩友共同組成「延平詩社」，從此，改由「延平詩社」取代其在臺南詩界的主導地位。

（二）春鶯吟社，1918

「南社」成立後，社員林馨蘭（湘沅）和蔡佩香（南樵）先後於 1906 年、1908 年離開臺南，北上擔任《臺灣日日新報》漢文記者；陳鞠

418—— 《臺南新報》，1930年9月13日，第6版。
419—— 《臺灣日日新報》，1930年10月8日，夕刊第4版。
420—— 「臺南市五詩社，曩擬乘文化三百年紀念，倡開全島詩人大會，數次磋商，既破復成，既成復破，波瀾疊疊。蓋以臺南《三六九小報》為中心，且有某甲居中破壞，對此述長，對彼道短，不經之語瀰漫市內文界，其用意蓋亦有所在，而南社當此內部衝突，明攻暗擊，致社長趙鍾麒氏束手無策，亦不能收拾殘局，任其破裂云。」《臺灣日日新報》，1930年10月29日，第4版。
421—— 《臺南新報》，1936年8月22日，第4版。

譜逝於 1906 年、張秋濃逝於 1908 年、蔡國琳、鄒小奇逝於 1909 年、陳渭川（瘦雲）逝於 1912 年……為重振漢詩社，「南社」青壯派詩人洪鐵濤、趙雅福、吳子宏等，在 1915 年（大正 4 年）另籌組「春鶯吟社」，社員有白壁甫、高懷清、洪鐵濤、趙雅福、陳逢源、陳圖南、陳清澤、王芷香、吳子宏、莊孟侯。據許丙丁〈五十年來南社的社員與詩〉所述，春鶯吟社「是由南社年輕的社員別樹的一幟……都是南社後起之秀，自比春鶯出谷的意思。」1918 年（大正 7 年）8 月春鶯吟社小集於固園，新竹張純甫有〈固園小集呈春鶯團諸吟侶〉盛讚該詩社的活潑生命力： [422]

十年夢想到東寧，荏苒于今快此行。未得齊鳴隨五鳳，如黃聲裡鬪春鶯。

「春鶯吟社」與「南社」的重疊度相當高，1925 年（大正 14 年）5 月趙鍾麒在〈春鶯吟上巳小集〉詩序，把自己也視同「春鶯吟社」社員。他感慨十年前南社「裾屐少年」，今亦已歷經人事變遷，轉眼間「少者壯、壯者且物化矣」，春鶯吟儔，而今只剩 7 人： [423]

春鶯吟發生以來，與會者皆南社裾屐少年，別張一幟，晦明風雨，互相磋磨。每當春光三月，上巳良辰，輒仿蘭亭故事，以求友聲。不謂春光易逝，人事多遷，倏忽之間，少者壯、壯者且物化矣。碧翁胡不情至是也？乙丑上巳，<u>鐵濤君回首前塵，屈指吟儔僅餘七子</u>，因約同人復為斯集，賓主一堂，亦祇七人耳，乃以「子曰作者七人矣」為韻，各拈一字，各賦七律一章，余拈得『子』字，率成一律而述其略。

詩云：

422── 《臺灣日日新報》，1918年8月20日，第3版。

423── 〈春鶯吟上巳小集〉，《臺灣時報》，1925年5月1日。

歲歲春三逢上巳，年年禊事餘諸子。年歲催人人事催，青春日去紅顏萎。

豈獨春闌鶯不嬌，可憐鶯老春寧綺。蘭亭雲散迹無存，蓮社風流存有幾。

君悲髮短我鬢皤，年歲春吟同樂此。百年詩債未能酬，萬歲詩魂長不死。

趙鍾麒序中所言 7 人，除了他自己外，另外 6 位為：吳子宏（1890～
1960，乃俠）、高懷清（1892～1976，恨人）、洪鐵濤（1892～1947，
坤益）、趙雅福（1894～1962，少雲）、莊孟侯（1901～1949，小封）、
許仁珍（？～？），年齡的界限其實不全然存在於兩詩社間。鶯老春難再，
只有不死的詩魂才能重振往日清風雅韻。

1929 年（昭和四年）《臺灣日日新報》刊登一則有關「春鶯吟社」
的報導：[424]

> 臺南「春鶯吟社」為十餘年前「南社」後起之秀所組，衹今社員星散殂
> 落，所剩現僅五名。山陽風笛，不盡懷舊之思。為是社長洪鐵濤氏，乃
> 議重整旗鼓，繼開雅會。茲依該社向來之例，將於此上巳佳辰，擇名園
> 勝地，開會擊缽，近有一、二新社員之加入云。

「春鶯吟社」看似運作得相當艱難，闡揚詩道之路，似乎漫長而遙遠。幸
而次年（1930）9 月 9 日，以「南社」、「春鶯吟社」社員為主體的府城
文人，聯合創刊了《三六九小報》三日刊，避開一般報刊嚴肅的宏大敘事
模式，轉而以讜言狂語、瑣屑書寫，在嬉笑怒罵中，展現了傳統文人「微
言以諷」的絕妙手法。該刊以漢文刊登，文言與白話兼而有之。文類包括：
漢詩、漢文、隨筆、小說（章回、白話）、史料專文、短劇；內容更是豐

424—— 《臺灣日日新報》，1929年4月13日，第4版。

425—— 據報紙所載推算，「西山吟社」應創立於1920年，盧嘉興謂創立於1914年，誤。

426—— 謝紹楷，字國禎，號少庵，曾任留青吟社社長，西山吟社成員。西山吟社〈輓謝紹楷先生作
古〉：「年殘八十八，一領青衿長抱負。厄近平分日，半生熱血竟堪傷。」《詩報》230號，
1940年8月16日。

427—— 許丙丁，〈五十年來南社的社員與詩〉，《臺南文化》3卷1期，1953年6月30日；賴子清，
〈古今臺灣詩文社（二）〉，《臺灣文獻》10卷3期，1959年9月，頁79-80；盧嘉興，〈著
《仄韻聲律啟蒙》的林珠浦〉，《臺灣古典文學作家論集》（中），臺南：臺南市立藝術中
心，2000年11月，頁473。

富多元，雅俗共賞。從 1930 年（昭和 5 年）9 月發刊，到 1935 年 9 月止，總計發行 479 號，維持了 5 年之久，為臺灣漢文通俗文學刊展了一條嶄新的道路，也為臺南地區的漢詩壇注入活水泉源。

（三）西山吟社，1920

　　臺南市十三鋪「西山書店」（今臺南市中西區民權路）主人陳璧如（1871 ～？），素耽吟詠，1920 年[425]元宵節邀集當地老師宿儒林逢春、謝紹楷（1853 ～ 1940）[426]、韓子明等及年輕世代，於其所經營的書肆創立「西山詩社」。閒暇時拈韻鬥詩，社員參與情況相當熱絡，社員數量達數十人：傅幼懷、鄧天聰、林逢春、林草香、林子章、林連卿、林江水、連城璧、羅秀惠、李炳煌、梁瑞圖、廖用其、高燦榮、郭維鵬、郭君盤、郭維番、郭東洋、柯尚德、韓子明、韓子星、黃郭熙、黃廷楨、黃源榮、黃吉六、謝紹楷、許子文、張肇吉、周坤其、陳璧如、陳雲汀、陳鶴鳴、陳弼卿、施清雲、施調萼、蔡祖芬、蘇子潔、楊元胡、葉榮春、王棄人、王惠卿、吳子屏、吳德修、翁爾鏗、歐兆福。其中最受矚目者有「西山一舉七秀」：舉人羅秀惠，秀才謝紹楷、林逢春、連城璧、韓子星、韓子明、黃郭熙、歐兆福。[427]

　　1922 年 2 月 11 日紀元節過後，在回光醫院黃廷楨（1883 ～ 1943）[428]宅開會，公推黃廷禎為社長，陳璧如為副社長，陳鶴鳴、黃若臨、許子文、施欽璿四位為幹事。[429] 1924 年（大正 13 年）11 月，臺南市有志人士設「西山書畫研究會」，會員二十餘名，假西山詩社後進樓上為會場，每月開會 2 次，由畫家呂壁松（1873 ～ 1923）擔任指導教師。[430]

428—— 黃廷禎（1883-1943），1906年總督府醫學校畢業，1931年臺北醫學專門學校畢，臺北醫專檢定合格。曾任臺南刑務所囑託醫師（1906）、西門第一區區長、港公學校囑託醫、警察囑託醫、臺南市第一屆市議員、回光醫院醫師。新高新報社編，《臺灣紳士名鑑》，臺北：新高新報社，1937年，頁225。

429—— 《臺灣日日新報》，1922年2月17日，第6版。

430—— 呂壁松（1873-1923），泉州籍畫家。悉心研究南宗畫法，日治獲邀參展，京都洛陽美術會，授一等金牌獎。晚年作品益為高妙，山水、花鳥、人物、走獸，幾無不精通。門人有許春山、鄭清奇等。《臺灣文獻書畫：鄭再傳收藏展》，1997年，頁28。

1925年（大正14年）元宵節酉山吟社「創立五周年紀念」於臺南市武廟舉辦，該社「書畫研究會」會員作品一併陳列展覽，又於夜間舉行「文虎」（燈謎）活動，蔚為盛況。此次徵詩，共得詩百餘首，邀請新港林維朝擔任詞宗。[431]臺南仕紳黃欣有〈乙丑上元南社倡開全臺詩社聯吟大會，酉山吟社亦於是日開五週年紀念會。彼不能來，此不能去，因寄一詩以為祝〉：「春海崁城花滿筵，霓賞齊詠大羅天。山名二酉書千卷，人集三臺會五年。枝上新鶯求好友，雪中高士恰如仙。他時重續蘭亭宴，應許來生結勝緣。」[432]開元寺妙徹法師亦有〈恭呈酉山吟社五週年紀念〉：「擊缽宏開五載春，吟風嘯月奮精神。敲金振鐸靈心現，戞玉聯珠慧性真。學聖拈詩皆律士，宗儒作賦畫賢人。文章妙筆題雲錦，社運光輝萬古新。」[433]此外，臺南秀才謝群我、蔡蘭廷、洪鐵濤，新港文人林開泰、林翰堂、屏東陳子清……皆有詩賀之，可見「酉山吟社」在當地具有一定的重要性。

1930年「酉山吟社」創立十周年，擴大舉行紀念會。1920年創立時，社員原計九十餘人，10年後已有15人亡故。該社於創立紀念日（元宵節）後兩日，在開元寺側築「酉山吟社詩塚」，將已故社員牌位立於塚前，焚去十年所積稿，以祭逝者，並延僧誦經，由社長黃廷禎誦讀祭文。社員拈香後焚燒靈位牌，與詩稿灰併入詩塚中。儀式完成後，入寺中共享素筵。翌日，在臺南新町武廟舉行「十周年紀念會」[434]，參與者有：嘉義蘇友讓、陳沙蚋、鳳山姚松茂、高雄陳文潛，以及臺南市各詩社社員，計約九十餘人。由社長黃廷禎開場，副社長陳璧如報告詩塚設立經費，社員廖印束宣讀各地祝辭、電詩；黃欣代表「南社」表達祝賀之意。而後舉行擊缽，首唱〈鏡月〉五律，次唱〈假山〉七絕，發榜後於晚間8

431—《臺灣日日新報》，1922年1月30日，第4版。
432—《臺南新報》，「詩壇」欄，1925年2月11日，第5版。
433—《臺南新報》，1925年2月8日、2月11日，第9版、第5版。
434—《臺灣日日新報》，1930年1月2日、2月17日，第4版、8版。

點半開吟宴，至 11 時始散會。[435]其後，臺南「南社」趙鍾麒、胡南溟、楊宜綠、黃欣、黃溪泉、趙雅福、韓浩川、白劍瀾，麻豆「綠社」邱濬川、黃珠園、李步雲，中華旅臺人士王亞南……都有〈祝酉山吟社創立十週年〉詩賀之。[436]1943 年 7 月，社長黃廷禎氏逝世，諸同人在報恩堂開臨時總會，推選許子文、陳雲汀為正、副社長，幹事楊元胡、李炳煌、王棄人、高燦榮、蘇子潔、施青雲，並邀他社諸吟友蒞席參與擊缽，首唱以「二酉藏書」、次唱以「松濤」為題，每題計得 30 餘首詩。首唱雙元為洪子衡、楊元胡，次唱雙元潘春源、白劍瀾。[437]目前葬詩的「詩魂碑」猶在，十周年在武廟拍攝的紀念照尚存，由此可見 1930 年活躍在臺南詩壇重要人物的身影，彌足珍貴。

（四）桐侶吟社，1922

「桐侶吟社」為「南社」之分支，同樣因為「南社」老社員漸次凋零星散，未能積極參與每月課題或擊缽吟，因此，部分「南社」成員乃效「春鶯吟社」之例，於 1922 年（大正 11 年）4 月 3 日，在臺南市三四境同裕當鋪創立該社。「桐侶」與「同裕」諧音，同時有紀念同裕老董事涂湖伯的雅意。由吳子宏擔任社長，社員有：王芷香、趙雅福、洪鐵濤、白壁甫、林海樓、許丙丁、林秋梧、林海樓、王榮達、吳贊興（倩筠）、陳栢淳、陳炳璣、許松齡、曾神賜（松樵）、葉占梅（癯香）、黃比南、趙雅祐（劍樵）、楊文富、陳玉榮、黃仲甫、許仁珍、盧承基、楊世鐘、許伯源、莊孟侯、廖望渠、蔡國蘭、陳雲汀等。

1923 年「桐侶吟社」周年紀念，趙雅福有長篇詩歌賀之。同年 10 月，以〈情絲〉為題，向全臺徵詩，計得 360 餘首，投稿相當踴躍。[438]1924

435—《臺灣日日新報》，1930年2月23日，第4版。
436—《臺南新報》，1930年2月26日至27日。
437—《詩報》第299號，1943年7月12日。
438—《臺灣日日新報》，1923年10月31日，第6版。

年二周年紀念時，擴大舉行，以黃欣、黃溪泉昆仲之固園為會場，柬邀臺南各社吟侶，40多人參與。是會，公推「南社」社長趙鍾麒氏為詞宗，以〈春酒〉七律（支韻）為題。下午5時，攝影紀念；而後赴醉仙閣開宴，10時，始散去。[439]是年4月，趙鍾麒、趙雅福、韓浩川、高槐青、洪鐵濤、王臥蕉、林延年……皆有〈祝桐侶吟社二週年紀念會〉刊於《臺南新報》，其中尤以趙雅福之作，最是氣勢磅礴：

> 海外文章時蔚起，騷壇樹幟堅詩壘。福臺新詠發徽音，大雅扶輪追盛軌。
> 回首風流似散雲，榕壇落葉斐亭坵。忽聞雛鳳集梧桐，呼侶和鳴高岡喜。
> 龍門百尺聳喬柯，鳳友鸞儔相繼美。賦手多誇五鳳樓，鯤島文風挽頹靡。
> 德音相得益相昭，詩界敦盟南社始。座中多半探驪才，馳騁蘇韓杜與李。
> 珠聯璧合墨花香，不作樓臺嘘蜃市。旗鼓堂堂文陣雄，筆光射處奎垣指。
> 詩思高如新高山，詞源湧似鯤身水。吐吞日月氣風雲，來向騷壇執牛耳。
> 自嘆一生本不才，薇意蕪詞半張紙。願佈桐陰庇暍人，願作桐琴彈綠綺。
> 絃歌鼓吹吐含和，仔肩任重看諸子。即今出世恰成雙，浪擘吟箋寫歡喜。
> 珊瑚綠樹交枝柯，楝花絢爛雲香紫。共祝君家壽綿綿，十年百年蕃吟社。

「桐侶」詩友如同棲息在梧桐樹的雛鳳，以卓越的才華、清揚的志氣與吟侶同聲相和，為臺南詩壇開出新局面。臺灣島的文風賴其力挽頹勢，臺南城逐漸荒寂的缽聲也賴之重整旗鼓，對這個新興的詩社，抱持著相當大的期待。其後，桐侶吟社持續蓬勃的創作力，每年皆有徵詩例會。1925年4月3日，「桐侶吟社」假公會堂作碔軒開會，定刻一至，各社吟朋，翩然蒞止，由「南社」社長趙鍾麒擬題〈紅鯉〉七絕（先韻），至4時收卷，

439— 連橫，《臺灣詩薈雜文鈔》，南投：臺灣省文獻委員會，1992年，頁417。

錄呈趙鍾麒、施梅樵兩詞宗選取，並攝影留念。下午6時移宴西薈芳旗亭，席間吳子宏起述禮，趙鍾麒代表「南社」致謝，王榮達披讀祝文，並介紹新社員。酒後發布成績，分贈賞品而散。[440] 4月12日黃溪泉有〈祝桐侶吟社三週年紀念〉[441] 發表於《臺南新報》，對該社抱持著高度的期許：

> 高築吟壇伏墨兵，焦桐好侶有新聲。撞鐘莫笑僧無本，擊鼓多稱禰正平。
> 三載風騷開北戶，一時詞賦豔東京。鯤溟不少閒鷗鷺，會見朝陽作鳳鳴。

1930年《詩報》報導全臺各詩社概況時，「桐侶吟社」的資料如下：[442]

桐侶吟社

社址：臺南市白金町三丁目一六七

社長：吳子宏氏乃俠

副社長：洪坤益氏鐵濤

幹事：林海樓氏小珊

社員：葉占梅恨生、盧承基雪軒、莊孟侯小封、曾神賜松樵、黃比南太痴、許松齡湘舲、陳炳璣綺雲、廖印束蘭生、許仁珍寄生、許丙丁鏡汀、陳木池雲汀、吳松根春水、黃獅騰雄、許伯源柏園、林秋梧證峰、趙雅祐劍樵、林金師瑞青、李銀濤景千、陳玉榮潤琅、張蓮蒲蒲園、倪登玉韞山、陳□魁凱南、吳鏡清氷魂、王榮達哭濤。

社員20餘人，與原先創社時稍有差異，然仍持續活躍於詩壇。1932年該社十周年時，《臺南新報》與《詩報》均刊登慶祝紀念之作。[443]臺北黃水沛〈寄祝桐侶吟社十週年紀念〉[444]，將之與「南社」另一分支「春鶯吟

440── 《臺灣日日新報》，1925年4月7日，第8版。
441── 《臺南新報》，1925年4月12日，第9版。
442── 《詩報》，第2號，1930年11月30日，頁7。
443── 《臺南新報》，1932年4月6日，第8版。《詩報》第38號，1932年7月1日。
444── 《臺灣日日新報》，1932年4月12日，第8版。

社」相提並論，讚賞其具有強大的凝聚力，能在臺灣詩壇中豎立起鮮明的旗幟：

> 十載南望幟色明，騷壇團結似春鶯。文餘海嶠爭全盛，筆底波瀾愛老成。高會好因修禊事，一緘深致雅人情。漸離聞筑真同感，技癢今為聽缻聲。

1934 年 2 月 26 日麻豆詩人邱滄川在《三六九小報》「綠社吟壇日誌」寫了一段有趣的記事：

> （李）步雲君本日前往嵌城壽吳紉秋先生令堂，至今尚未見歸來，<u>想又為「南社」或「桐侶」詩魔魔去矣</u>！今日旬期，又值擊缽，諸同仁外出者有之，忙於公私事者亦有之，不知傍晚出席能達半數乎？

由此可略見府城詩社與麻豆詩社的角力，跨兩詩社的李步雲竟被嵌城的「詩魔」給「魔去矣」，「南社」及其附屬詩社所具有的特殊魅力，由此可知。一直到戰後初期，該社仍偶有運作，直至併入「延平詩社」。

二、女性詩社

（一）香芸吟社，1930

1930 年 10 月 30 日，象徵臺灣傳統詩發展至成熟階段的全島性刊物《詩報》發行了。此時，南臺灣有一群騷動的靈魂，嘗試著要趕上時代的列車，在男性為主的臺灣漢詩壇發出聲音。人稱「赤崁女史」的蔡碧吟（1874～1939）是這一群女性共同推舉出的領導者。1911 年，高齡嫁給父親蔡國琳門生「花花世界生」羅秀惠（1865～1943），引來輿論的譏評，其後，羅秀惠敗盡家財，風流韻事不斷，這是蔡碧吟生命中最大的挫傷。幸好有詩，幸好有飽滿的漢學，使得 57 歲的她依然活力充沛，願意挺身

接受府城女性同好的邀請，共同組織臺灣島內第一個女子自主發起的傳統詩社—香芸吟社。

《詩報》創刊號的編輯發出了這樣一份致歉公告：「臺南香芸吟社詩選及本報副會長杜香國氏吟稿寄到時，創刊號已在印刷中，故編入次號，幸諒之。」可見這個創設於中秋節的府城女性詩社在《詩報》編輯者心目中具有一定的分量，因此要特別登報致歉。同年 11 月，《詩報》第二號果然刊出了由蔡碧吟評選的香芸吟社擊缽錄：黃雪瓊、韓錦雲、石儷玉（中英）、黃菊人等共 15 首詩得獎，有趣的是每個人都名列「冠軍」，而又分冠軍一、冠軍二、冠軍三……鼓勵性的色彩相當濃厚。《詩報》第三號除了刊登「香芸吟社」遊戲競技的擊缽詩外，也指出該社的特色：「香芸吟社為南國萬綠一紅之閨秀吟社也，社員全部有名女士。置事務所於臺南市高砂町二丁目」。「萬綠一紅」點明當時臺灣島內多達二、三百個詩社裡，唯一純粹由女性組成的詩社之難能可貴。這個詩社有著明確的組織架構：「社長蔡碧吟、理事石儷玉、會計邱碧香、庶務黃菊人、幹事黃雪瓊、黃卿軒、韓錦雲、吳吟花、社員林（氏）好、蔡鶴兒、許靜月、許平、張美化、許湘雲、林阿端、陳寶珠、陳鄭市、曾錦鶯、盧金緞。」儼然一規模嚴謹的社會團體，有固定地點的事務所，並有社長、理事、幹事等職務分類，可見這群女性已具備現代分工的概念，不是即興組織的散漫藝文團體。

這個「萬綠一紅」的女詩人團體甫才成立，即研議參與由臺南地區詩社舉辦的臺灣文化三百年紀念全島詩人大會，並積極舉行擊缽吟會、參加臺南地區聯吟會，而後將社員作品投寄至《詩報》及《三六九小報》，增加其曝光率。從在地報紙《臺南新報》的報導看來，該社真正的靈魂人物是石儷玉（中英），石氏在臺南所扮演的漢詩文傳播角色及西渡中國後的抗日意識，頗具特色。會員裡還有位值得矚目的成員，即臺灣音樂界的奇

才一林氏好。她與夫婿社會運動者盧丙丁並肩作戰，在一九二〇～一九三〇年代以歌唱、以文化抗爭共同寫下動人的反殖民章篇。香芸吟社在1930年10月2日舉行「發起人磋商會」時，開會的地點就在盧丙丁等人活動的「工友會事務所」。[445]

（二）珊社，1932

　　另一個以女性為主體的是臺南文人林紫珊於1932年創立的「珊社」，社員乃林氏設夜校時，從他學詩的女弟子：朱麗貞、張惠美、王吟香、謝長天、林素秋、黃蕙香、蕭秀枝、張慧英、吳素秋、莊婉秀、翁錦霞、林素梅、陳芙蓉等。該社的活動包括社內的擊缽吟，以及社外的徵詩。1932年12月「珊社」第1期徵詩，詩題〈石虎〉，七絕，詩韻不拘，作品寄送到臺南市濱町一丁目吳紉秋收，可見吳紉秋亦協助林紫珊推動女性學詩。1933年3月，「珊社」第2期徵詩，得稿百餘首，由吳子宏擔任詞宗，選出前20名作品。在社內擊缽方面，1933年3月「珊社」擊缽，題為〈春夢〉，由兩位女性蘇柳汀、張華珍擔任左右詞宗，林紫珊自己有兩首詩各得左、右元[446]，這可能是林氏與學生之間對擊缽活動的模擬研習。1937年9月該社擊缽，以〈乞巧〉為題，邀請吳子宏、韓浩川、王傳池分別擔任「天、地、人」詞宗，社員參與頗為踴躍。[447] 1938年2月擊缽，以〈曉妝〉為題，由「香芸吟社」社長蔡碧吟擔任左詞宗，南社擊缽健將楊元胡擔任右詞宗[448]，由此皆可見林紫珊努力要將自己培訓的女弟子與府城重要女性詩社連結之用心。

445—— 這裡似有一條隱微的線索，牽連著傳統詩社和社會運動。香芸吟社的組織之所以如此完備，是否有可能受到工友總聯盟之影響？林氏好並不嫻熟漢詩書寫，之所以參加這個詩社，是否因為日本當局逐步打壓反殖民運動而嘗試做的一個跑道轉換？其中頗有耐人尋味之處。

446—— 《臺南新報》，1933年3月28日。

447—— 《詩報》第160號，1937年9月1日。

448—— 《詩報》第170號，1938年2月1日。

三、其他

（一）留青吟社，1925

由府城宿儒謝紹楷於 1925 年花朝日於臺南市寶町召其門人創立[449]，旨在培育社員韻學能力，希望能留名青史，故名。該社律詩、絕句與詩鐘並重，社員有：韓子明、許子文、白璧甫、白劍瀾、林逢春、林鹿鳴、林純爵、傅清源、傅金西、李化三、李士圭、高鐵耕、高烴齊、高士福、洪明熙、黃雲樵、黃榮村、薛桂友、陳南義、陳紹熙、陳文忠、蔡梅叟、吳慶澍、吳雪鴻。

1926 年舊曆 9 月 25 日，該社在赤嵌樓舉行「一週年紀念會」，由社長謝紹楷發束邀請南社、西山、桐侶各社吟朋參與。閉會後，於樓上攝影紀念，擊鉢賡詩，「西山書畫部」會員藉此機會當場揮毫助興。[450] 1927 年 4 月，為保存臺灣文獻，該社向海內外吟朋徵詩，題為〈臺灣雜詠〉七絕，不拘韻，邀請趙鍾麒擔任詞宗，共徵得三百餘首，參與頗為踴躍。[451]是時，臺南市詩社有南社、桐侶、西山、留青四社，社員不下百餘名，各社每月擊鉢敲詩，揚風挖雅，可惜皆詩幟獨樹，不相聯絡。有鑒於此，甫成立不久、能量豐沛的「留青詩社」在同年（1927）6 月倡議將四社組為一協會，各社輪流負責，以期互相砥礪、永久融洽；若逢全島詩社大會，亦可以群策群力，共圖設備之妥適。經該社訪問當地前輩及各社吟朋，獲得大多數贊同，擬起草會則，籌備發會事宜。[452]這個提議後來似未見落實，倒是「錦文詩社」成立後，開始了五社聯合。1929 年 11 月舉行的「臺南市內五社聯吟」[453]，及 1930 年 10 月五社主開「全島詩人大會」[454]，1936 年 10 月「臺南州詩人聯吟會」時，皆由臺南州下的五詩社承辦[455]，應該是前述聯合舉辦的精神之延續。

449—— 賴子清謂創於1924年，不過參考當時報紙，應是在1925年創立。又，陰曆2月12日或15日為百花的生日，稱為「花朝日」。

450—— 《臺南新報》，1926年10月28日。《臺灣日日新報》，1926年10月30日，夕刊第4版。

451—— 《臺灣日日新報》，1927年4月10日、9月4日，第4版。

452—— 《臺灣日日新報》，1927年6月17日，第4版。

453—— 《臺灣日日新報》，1929年10月3日，第4版。

454—— 《臺灣日日新報》，1930年10月8日，第4版。

455—— 《臺灣日日新報》，1936年10月9日，第8版。

1930 年 11 月，留青吟社員設立「漢字音義研究會」，講師黃雲樵，場所在武廟內佛祖廳或大天后宮事務所內，會費每年 6 圓，由該社同人著手募集會員。[456] 1939 年，謝社長過世，詩社漸歸冷落，嗣後戰火滔天，盟機轟炸無虛日，社員自顧不暇，以致藕斷絲連，直至 1951 年乃納入延平詩社。[457]

（二）錦文吟社，1927

1927 年 9 月 25 日臺南仕紳張文選在臺南小蓬萊旗亭（臺南市中西區大智街一帶）創設「錦文吟社」。成員有：張家標、林申生、張振樑，以及多位科舉出身的秀才：胡南溟、趙鍾麒、林珠浦、歐兆福、謝紹楷。

該社創社時頗慎重，據報載：「臺南家標外數氏，今回組織錦文詩社，於去二十五晚，假新町小蓬萊旗亭，招南社、桐侶、酉山、留青各吟儔，開會擊鉢，並舉發會式，是夕命題〈小蓬萊雅集〉，真韻，七律，共得詩七十餘首，延至子夜始散。小蓬萊旗亭為桐侶社友所營，位於新町，鹿耳濤聲，鯤身漁火，極視聽之娛云。」[458]就目前可見的資料，「錦文詩社」與桐侶、酉山、留青諸詩社的關係甚密切，1929 年元宵節在報恩堂開會討論全臺聯吟大會事宜、同年 7 月在法華寺與桐侶、留青詩友舉行擊鉢詩會、1930 年 10 月聯合臺南五社舉行全臺詩人大會，皆可看到「錦文吟社」社員的身影。值得一提的是，這個詩社雖創設得晚，參與活動者卻有許多是府城詩壇大老，以 1932 年刊登在《詩報》的訊息為例，這一年的 2 月舉行擊鉢詩會，以〈門神〉七律為題，前清秀才胡南溟、白璧甫任左右詞宗，獲得右元左二的是重量級老詩人趙鍾麒，獲得右二左十四的是秀才歐秀福，獲得右三的是秀才謝紹楷，獲得左八的是秀才林珠浦[459]；11 月以〈古

456—— 《臺灣日日新報》，1930年11月25日，夕刊第4版。
457—— 賴子清，〈古今臺灣詩文社（二）〉，《臺灣文獻》10卷3期，1959年9月版，頁82；《南雅文藝》第13號，1934年1月1日。
458—— 《臺灣日日新報》，1927年9月29日，第4版。
459—— 《詩報》第29號，1932年2月6日。
460—— 《詩報》第46號，1932年11月1日。
461—— 《詩報》第48號，1932年12月1日。

畫〉徵詩，計得 345 首，由中生代詩人許子文擔任詞宗，入選的有詩僧斌宗法師、張達修、石中英、王竹修、葉文樞等知名人士[460]；12 月以〈錢癖〉向全臺徵詩，計得 246 首詩，由前清舉人羅秀惠擔任詞宗，獲選的有鮑樑臣、陳若時、高文淵、許君山、王大俊等 20 名。[461]

1934 年冬季，「錦文吟社」較年輕的成員張家標組織詩鐘吟會，1935 年 2 月 5 日舊曆新正借座永安公司，盛開詩鐘擊鉢吟會。是日到的臺南市內諸吟社社友，達 40 多人。擬題「醃豬」對「雷」分詠格。公推韓子明、林珠浦二氏為左右詞宗。五時交卷，由王棄人、白劍瀾兩氏奪元，參與頗為熱絡。[462]該社在戰後於 1951 年併入「延平詩社」。[463]

（三）雞林吟社，1935

「雞林吟社」，1935 年由吳紉秋創設，以「詩鐘」為主。社員有張華珍、楊廷榮、黃耀堂、王畫嵐、陳逸生、洪子標、張華金、王畫舫、范家槐、莊錦川、黃大恭、呂氏霽月、柯氏雲鳳、洪氏湘紋、杜氏砆玉、吳氏殿君。[464]

（四）聽濤吟社，1939

「聽濤吟社」1939 年由洪鐵濤、吳子宏、林草香、張家標、李步雲等人共同創設，曾徵詩數期，又常舉行窗課小集。[465]

（五）集芸詩學研究會，1941

「集芸詩學研究會」1941 年 7 月由吳子宏、潘春源、韓子明創立，創設地點在臺南天后宮（今臺南市中西區永福路），社員有：高天厚、方國琛、韓子明、吳子宏、潘春源、陳海松、吳士林、鄭同祝、陳成章、張天送、陳春明、林子興、陳敬儒。[466]

462—— 《臺南新報》，1935年2月8日，第4版。
463—— 賴子清，〈古今臺灣詩文社（二）〉，《臺灣文獻》10卷3期，1959年9月版，頁82-83。
464—— 《詩報》第103號，1935年4月15日。
465—— 《詩報》第202號，1939年6月5日；賴子清，〈古今臺灣詩文社（二）〉，《臺灣文獻》10卷3期，1959年9月版，頁93。
466—— 《詩報》第257號，1941年10月6日；吳毓琪，《南社研究》，臺南：臺南市立文化中心，1999年6月。

（六）桐城吟會，1943

日治時期創設時間最晚的，當推 1943 年創立的「桐城吟會」。當時第二次世界大戰已爆發，時局動盪，舉凡南市所有詩社，處於支離滅碎當中，因此，各社冶為一爐，泛稱「桐城吟會」。課題有〈木瓜糖〉、〈溪烟〉、〈銀座步月〉等。推吳子宏為社長，社員有：白劍瀾、潘春源、林草香、盧懋青、李步雲、高懷清、黃柏卿、洪子衡、韓子明、許子文、鄭雲龍、張華珍、陳雲汀、沈毓祥、施清雲、蘇子潔、顏興、楊元胡、楊廷榮、吳子宏、吳榮彬、吳慶澍、王惠卿、王柳園。[467]

第二節　日治時期「南瀛地區」詩社

日治時期之所以產生「詩社林立」現象，如前所述，其實有其歷史背景。林芳年在〈鹽窩裡的靈魂〉[468]一文裡，清楚地指出私塾與詩社的關係，以及它們對地方文風推展的貢獻：

> 當鹽分地帶面臨一片的文化沙漠，新文學的幼苗尚未滋長露現頭額的時候，鄉下的書房（私塾）是擔荷誘導年輕一輩邁向智慧殿堂的保母……經年累月，鹽分地帶下的私塾逐漸改變面貌，在這時候成立「登雲」、「學甲」、「竹橋」、「白鷗」等詩社……嚴密的說，詩社就是書房的延長。當然每一個私塾不可能變成一個詩社，必以把較有號召力的私塾為中心，再吸收幾個私塾湊成一個詩社。基本會員是包括私塾老師與較有成就的學員們。而詩社領導者也即請私塾的實力派老師出來擔任，譬如過去曾擔任鹽份地帶下傳統詩社領導者的王大俊與王炳南等人，就是從前的私塾老師。

467——《詩報》第300號，1943年7月27日；賴子清，〈古今臺灣詩文社〉（二），《臺灣文獻》10卷3期，1959年9月版，頁96-97。

468——《林芳年選集》，臺南：中華日報，1983年，頁361-363。

日治時期的臺灣詩社肩負著「詩人雅集」與「漢文化教育」兩大功能，加上殖民者推展的現代化建設，包括：報刊的創立、印刷的普及、鐵道的鋪設、郵電的發達、餐飲業的蓬勃……促使臺灣各地傳統詩社蜂起。不只素有文化古都之稱的府城如此，以北門郡鹽分地帶傳統詩人群為中心的「南瀛地區」，也由原先零星的詩社，逐漸整合出街庄級、郡級的詩社，乃至曾（文）北（門）兩郡的聯吟、臺南州的聯吟，在缽聲不斷的全島聯吟大會（1924～1937）也未曾缺席。

一、北門郡詩社

日治時期「南瀛地區」的詩社，大部分集中在鹽分地帶，也就是當時的「北門郡」。這個「鹽窩」所孵育的詩社，前後多達九個：嶼江吟社、蘆溪吟社、竹橋吟社、白鷗吟社、學甲吟社、登雲詩社、鯤江吟會、將軍吟社、竹林詩學研究會，以下概為敘述之：

（一）嶼江吟社，1912（北門）

1912年中秋節，由北門吳溪（百川）、王炳南、王大俊、將軍吳萱草創立於北門庄。成員有王丁巧、王仰山、吳溪、潘煌輝（芳菲）、洪權（子衡）等。此為南瀛地區詩社之發端，又稱「北嶼吟會」、「北門吟會」。[469]第一期課題即以充滿在地色彩的〈嶼江泛月〉為題，由王炳南擔任詞宗，參與者相當踴躍。除前述會員之外，還有洪杭、陳文潛、王海宴、黃連標、王朝春、鄭國禎、徐青山、莊子淵、李魚史、吳漁翁等。往後的各期課題，也都透過刻鋼板油印的方式，寄送給社員。受邀擔任詞宗的，除了王炳南、吳萱草之外，最常受邀的是府城才子詩人王芷香。何以王芷香與北門詩人群關係如此密切？未來或許可以做進一步的追索。[470]

469—— 黃文慧，〈百年鯤瀛詩社之研究〉，嘉義大學中文所碩士論文，2013年，頁73、97。
470—— 「北嶼吟社課題詩鈔」，吳登神收藏。

（二）蘆溪吟社，1914（將軍）

1914 年，由於「嶼江吟社」的重要社員王炳南、王大俊移居將軍蘆溪畔，故改名「蘆溪吟社」，仍由王炳南、王大俊聯合創立。[471]

（三）竹橋吟社，1919（七股）

1919 年，陳嘯（峻聲）、陳先致、陳志光（昌言）創於七股，社員約數十名。後與將軍庄的「蘆溪吟社」於臺灣地方制度改正時，合併共同改組為「白鷗吟社」。[472]

（四）白鷗吟社，1921（佳里）

1920 年臺南廳的「北門嶼支廳」與「蕭壠支廳」合併為北門郡後，吳萱草與吟友聚商，設一全郡性詩社，因此合併街庄級的「蘆溪吟社」、「竹橋吟社」為郡級的「白鷗詩社」，設通訊處於吳新榮佳里醫院（今臺南市佳里區新生聯合醫院）。推吳萱草為社長，王炳南、王大俊為顧問，陳嘯（峻聲）、黃彩堂（逸樵）、曾媽願（梅痴）擔任幹事。詩社逐漸擴充後，社員數量多達五十餘人，主要成員有：佳里街的吳乃占、徐青山、鄭國湞、黃彩棠、郭朝、黃連標、周全德、陳丁燦、吳雪鴻；學甲庄的莊松柏、謝海鵝、謝源、洪爽（席舟）、謝和美、陳合、莊清池；北門庄的王大俊、王炳南、洪權、王金長、王丁巧、潘煌輝；將軍庄的吳萱草、吳本立、吳耀林、施獻忠、曾媽願；七股庄的陳嘯、陳昌言、黃標、黃大賓、陳文潛、黃汝馨、陳皮、張蓮蒲；西港庄的王克明、郭朝猛、黃圖、張上后。[473]一九二〇年代至一九三〇年代中期，「白鷗吟社」聚集南方詩壇精英，積極活動，儼然成為南瀛地區詩社的領導者。

471—— 黃文慧，〈百年鯤瀛詩社之研究〉，嘉義大學中文所碩士論文，2013年，頁97。

472—— 黃文慧，〈百年鯤瀛詩社之研究〉，嘉義大學中文所碩士論文，2013年，頁74。

473—— 吳登神，〈臺南縣鯤瀛詩會成立記〉，《南瀛文獻》35卷，1990年，頁135-136。

474—— 參考鄭喜夫，《吳新榮先生年表初編》，瑣琅山房發行，1977年9月，頁2-6。

475—— 賴子清，〈古今臺灣詩文社（二）〉，《臺灣文獻》10卷3期，1959年9月版，頁87。龔顯宗，《臺南縣文學史》，臺南縣：臺南縣政府，2006年12月，頁124。

每逢良辰佳節，經常舉辦吟詩擊鉢雅會，攤箋分韻，互相酬唱。社員佳作，多刊登於當時的報刊雜誌，極一時之盛。一直到戰爭期，日本當局開始打壓漢文，鉢聲始慢慢消歇。[474]

（五）學甲吟社，1933（學甲）

1933年3月19日，由莊松柏、謝源（斐元）在學甲慈濟宮成立「學甲吟社」。社員有：鄭啟東、謝海鵝、謝戊己、賴金印、曾媽願、洪爽（席舟）、謝和美、王金鍊、李輝華，推謝源為社長。[475]謝源，字斐元，號秀峰，「白鷗吟社」、「學甲吟社」社員，曾設塾鄉里，教授生徒。[476]謝海鵝 (1873 ～ 1935)，字白翔，為「白鷗吟社」、「學甲吟社」社員，歷任土地調查局書記、保正、聯合會長、庄議員、區委員等公職，並曾任職於學甲慈濟宮。[477]謝和美（？～？），「白鷗吟社」、「學甲吟社」社員，除詩文外，亦工書法。[478]賴金印（？～？），經營漢藥房，專精《燕山外史》與《千字文》[479]。王金鍊（？～？），戰後曾任學甲鄉農會總幹事、學甲慈濟宮董事長、南鯤鯓代天府管理委員會副主任委員。[480]

「學甲吟社」創立之初，曾向島內做第一期紀念徵詩，投稿者214人，詩622首，加上該社社員118首，共740餘首。邀請趙鍾麒、陳文石兩位詩壇前輩為左右詞宗，選出前50名，共84首。投稿且入選者除南部地區（佳里、北門、學甲、新化、臺南、麻豆、鹽水、安定）詩人外，汐止的謝尊五、臺北的吳金土、新竹的張奎五、關西的陳蒼髯、臺中的林仲衡、施斌宗、王竹修、高雄許君山……也都來稿，可見這個詩社創立之初，頗受詩壇矚目。[481]

476—— 國立臺灣文學館研究典藏組，《鹽分地帶作家名錄》，頁53。
477—— 國立臺灣文學館研究典藏組，《鹽分地帶作家名錄》，頁46。
478—— 國立臺灣文學館研究典藏組，《鹽分地帶作家名錄》，頁54。
479—— 國立臺灣文學館研究典藏組，《鹽分地帶作家名錄》，頁55。
480—— 國立臺灣文學館研究典藏組，《鹽分地帶作家名錄》，頁55。
481—— 北門郡學甲吟社，《學甲詩集》，1933年，吳登神收藏。

（六）登雲詩社，1934（佳里）

　　佳里興為古昔文教之地，人文薈萃。1934年由郭朝（瘦虹）、曾煥彰（浦雲）假震興宮西廊，即舊文祠所在地，創辦「登雲詩社」。由莊薦（省吾）擔任主事，郭朝、曾煥彰、許先景（筱村）、王舜裕（紹堯）擔任幹事，洪明哲（席舟）為會計，邱水（濬川）、莊仲卿、劉漢卿（肇修）、林泮（芹香）、王吉（期逢）擔任顧問。社員有：洪炳煥（鐵盦）、黃登祝（雪亭）、王子情（友三）、王舜懋（伯齡）、黃水連（泛溪）、高萬得（瑞雲）……還有幾位女性社員：王氏悅（雪香）、莊氏秀英（佩香）、莊氏幼（蕙香）[482]，該社課題錄曾以刻鋼板油印的方式發行。[483]

（七）鯤江吟會，1934（北門）

　　鯤江吟會1934年創設於北門蚵寮，由涂捷三、洪春風、洪傳興創立。以宣揚漢學為目的，主要活動為課題、聯對之創作。活動範圍小，以「村」為單位。社長涂捷三遷居高雄後，活動即停止。[484]

（八）將軍吟社，1935（將軍）

　　1935年成立於將軍庄金興宮，由吳本立（丙丁）邀請施獻忠共同創設。吳本立為吳萱草的弟弟，吳新榮的叔叔。該社聘請王炳南、王大俊為顧問。社員15人，包括：吳本立、施獻忠、吳王印、吳萱草、吳國卿等。先後由吳本立、吳國卿擔任社長。曾與附近五社成立「曾北六社聯吟會」。[485]

（九）竹林詩學研究會，1936（西港）

　　北門郡西港庄大竹林（今西港竹林村）郭良榮、郭大陣等諸有志，不忍坐視漢學沉淪，於1936年發起組織詩社，號「竹林詩學研究會」，在

482—— 「各社社友錄」，《詩報》第81號，1934年5月15日。

483—— 吳登神先生留存有1934年12月4日發行，登雲吟社印刷的《登雲吟社課題錄》，由郭朝擔任編輯兼發行人。

484—— 黃文慧，〈百年鯤瀛詩社之研究〉，嘉義大學中文所碩士論文，2013年，頁82-83。

485—— 賴子清，〈古今臺灣詩文社（二）〉，《臺灣文獻》10卷3期，1959年9月版，頁90。

當地郭姓宗祠開發會式。參加者甚夥，共舉郭良榮氏為社長。社員有：林泮、吳萱草、洪席舟等⋯⋯數十人，聘周麗中為導師。開會典禮當日，麻豆宿儒林芹香撰文以敘其事；吳萱草、洪席舟各有詩誌感，嗣後推行月課，有〈春夜〉、〈竹〉、〈七夕〉、〈茶樓〉、〈草帽〉等題，乃研究會而兼詩社的團體。[486]

二、新營郡詩社

（一）月津吟社，1922（鹽水）

新營郡鹽水街昔日文風鼎盛，人才輩出，1900 年（明治33 年），日本當局創設揚文會禮遇地方宿儒文士時，鹽水街尚有歲貢生楊式金、周黃裳，廩生趙愓如，生員葉瑞西、鄭壽山、黃朝彰、林登山、吳美卿、李延年、柯在庚、王子貴、陳錫圭、李耀坤、翁煌南等人參與。1922 年鹽水街詩人蔡知（哲人）公職退休後，回故鄉設立「培英塾」，設帳講授漢詩文。因感老成凋零、斯文將絕，令人惋惜，遂於是年重九與詩友蔡和泉、張水波（長春）創立「月津吟社」。推蔡知為社長，黃朝碧（奇樓）為副社長，社員有李海龍（雲飛）、黃重嘉（吹篴）、蔡伸金（秋江）、蔡和泉（連貫）、傅大樹（濃陰）、董丙丁（春暉）、張水波、陳登科（梯雲）、呂水田（春霖）、黃滿路（一經）、黃金川、黃桂華、李瓊華等共計15 人，社址位於鹽水街中境里三福路。

翌年（1923）參加「嘉社」及全臺詩人聯吟大會，1927 年3 月參加「羅山吟社開創立二十周年紀念大會」，1929 年2 月參加全臺聯吟大會，1930 年參加「嘉社」於鹽水公學校舉行的第13 回春季聯吟大會，能量頗強，一直到戰後，仍有活動。[487] 該社社員黃金川，尤為眾所矚目的女性

486—— 《臺灣日日新報》，「竹林詩學研究會發會式」，1936年2月13日，夕刊第4版；賴子清，〈古今臺灣詩文社（二）〉，《臺灣文獻》10：3，1959年9月版，頁91。

487—— 賴子清，〈古今臺灣詩文社（一）〉，《臺灣文獻》10卷1期，1959年9月版，頁97。林明堃、黃哲永，《月津吟社詩選集》，臺南：臺南市政府文化局，2014年3月。

詩人，著有《金川詩草》。另一位女詩人黃桂華亦是其中佼佼者，可惜生平事蹟不詳。

（二）新柳吟社，1922（新營、柳營）

　　1922 年新營詩人沈森其（友梅）、柳營劉明哲廣邀新營街、柳營庄詩人共同成立「新柳吟社」。社員有新營何冠卿、施水池、蘇寬蘭、陳帶（垂紳）、沈堤元、吳如東；柳營則有：劉獻池、劉明智、劉炳坤、劉振能、周崑崙、吳草參與。該社以舉行社課或擊缽吟會為主，1927 年 3 月曾參加「羅山吟社」創立二十周年紀念大會。歷任社長有：沈森其（友梅）、陳帶（垂紳），戰後該社仍持續運作。[488]

（三）明仁吟社，1934（鹽水）

　　1934 年由葉明吉（鴻基）、陳守葉（邦橋）創設於新營郡鹽水街六安藥房。社員有：李海參、吳波濤、鄭永堃、林金崑、黃必善、吳士美、林夢熊、蔡鶴樓、葉漢泉，以及女性社員蔡氏絲絲、葉氏彩華。部分社員，出自「月津吟社」蔡知門下。[489]

三、曾文郡詩社

（一）綠社，1928（麻豆）

　　1928 年重陽節，麻豆宿儒高山輝（澄秋）於麻豆下街創設「善養堂書房」（今麻豆中山路，後改稱「綠波山房」），文風傳承自麻豆「振文社」（1851～1915），「麻豆書香院」（1919～1926）。由高山輝擔任社長，黃文楷為總幹事，邱水為執行幹事。創社社員有林泮（芹香）、李漢忠（步雲）、林書風（雅堂）、黃文楷（珠園）、高山輝（暢園）、韓

488—— 賴子清，〈古今臺灣詩文社（一）〉，《臺灣文獻》10卷1期，1959年9月版，頁97-98。黃文慧，〈百年鯤瀛詩社之研究〉，嘉義大學中文所碩士論文，2013年，頁75。

489—— 「各社社友錄」，《詩報》第81號，1934年5月15日。賴子清，〈古今臺灣詩文社（二）〉，《臺灣文獻》10卷3期，1959年9月版，頁88。

浩川、邱水（濬川）、郭小川（曉村）、陳鵠（烈如）、葉旺丁（雲梯）、
吳明正、陳西湖、王蘊玉……等。其後又邀請呂溪泉（左淇）、吳來旺（詠
秋）、劉海傳（聯璧）入會。新進會員則有：王金元、吳登篡（紉萱）、
李老盈、李鬧福、林永古、林振德、邱廷溪、郭清泉（左源）、陳知江（麗
山）、陳縛（涵碧）、陳明三（紉香），其後由黃珠園接任社長。

　　「綠社」創設之初，經常舉行擊缽課題。社員參加各地聯吟詩會，表
現亮眼，頗受矚目。麻豆佳里原本地理位置就相鄰近，加上「綠社」幾位
中堅社員林泮、邱水本身就是佳里人，兩地文士往來密切，於是麻豆的「綠
社」經常聯合佳里的「白鷗吟社」共組「曾北聯吟會」，加大詩社的活動
能量。一直到 1936 年，因應街庄級詩社林立的現象，於是有「曾北六社聯
吟會」的產生，包括：綠社、白鷗吟社、學甲吟社、登雲吟社、將軍吟社、
竹橋吟社。每月輪開擊缽吟一次，一直到戰爭期，日人橫加干涉，六社僅
存按月一次聚會而已。此外，部分社員或因過世（郭小川、秋水、高澄秋
等），或因遷離麻豆（如葉旺丁、王蘊玉、韓浩川等），終使「綠社」活
動暫歇。[490]

四、新化郡詩社

（一）虎溪吟社，1928（新化）

　　1928 年 8 月，新化宿儒王則修門人於臺南新化創「虎溪吟社」。當
地有觀光名勝「虎頭埤」，故以之為名。推舉王則修擔任社長，社員有：
徐永昌（太瘦）、鄭江中（曉瘦）、蕭拋（榮彬）、林鬧橫（子秋）等新
化街人士，以及張達修（篁川）、簡水路（逢川）、張鳴鶴、陳壽南（龍
吟）、王開恩（峻峰）、林汝旋（有凱）、蘇澄秋（宜秋）等王則修門生

490── 詹評仁編，《柚城詩錄》，臺南：麻豆鎮公所，2003年11月，頁38-39。

491── 吳新榮，《臺南縣志》卷7〈文化志〉，臺南縣：臺南縣政府，1970年，頁94。黃文慧，〈百年
　　　鯤瀛詩社之研究〉，嘉義大學中文所碩士論文，2013年，頁78-79。

共 12 人。創社之初，每月定期舉行兩次擊缽會互評等第，以相勉勵。1937 年後，因日本禁止書房教學，詩社活動因之消歇。[491]

（二）浣溪吟社，1930（善化）

　　1930 年 7 月，臺南宿儒林珠浦門生蘇建琳（1886 ～ 1960）與善化庄長王滄海[492]（1891 ～ 1970）共同創立「浣溪吟社」。[493]

（三）淡如吟社，1931（善化）

　　1931 年善化蘇東岳、林清春另創「淡如吟社」，社員有蘇東岳、林清春、陳龍吟、蘇慎獨、蘇宜秋等。詩社課題有〈心鏡〉、〈愁城〉、〈杜鵑聲〉、〈梅妻〉等。1931 年，曾參加臺南五詩社聯合吟會。1937 年元宵節，蘇東岳曾代表「淡如吟社」撰寫〈臺灣文獻初祖沈光文夫子祭文〉，並發表於《詩報》153 號。[494]

五、新豐郡詩社

　　1921 年春，精漢學、通聲韻的歸仁庄長楊秋澄與林佳馨、陳瑞東等倡立「敦源吟社」。[495]會員約三十名，每月擊缽兩次。是年（1921）10 月曾以〈自轉車〉為題，向全島徵詩，交卷處：臺南新豐郡歸仁庄歸仁北吳蔭培書房，由吳氏評選。[4976]可惜創立未及三年，遭解散。一直到戰後始重振。[497]

492── 王滄海與麻豆首富林家的千金林順花結婚，成為擁有300多甲土地的大地主。《善化鎮誌》〈人物誌〉，臺南縣：善化鎮公所，2010年，頁702-703。

493── 龔顯宗，《臺南縣文學史》，臺南縣：臺南縣政府，2006年12月，頁109。

494── 賴子清，〈古今臺灣詩文社（二）〉，《臺灣文獻》10卷3期，1959年9月版，頁90。

495── 敦源吟社編，《歸仁勝蹟》與龔顯宗，《臺南縣文學史》，臺南縣：臺南縣政府，2006年12月，頁214-215，均謂創立於1922年，恐誤。因該社於1921年已有創設訊息刊載於《臺南新報》，詳後註。

496──「敦源吟社徵詩」，《臺南新報》，1921年10月2日。

497── 參考敦源吟社編，《歸仁勝蹟》，臺南：敦源吟社，1962年10月。

一九二〇年代臺灣新文學尚未興起之前，臺灣具有文學心靈的創作者用以表情達意的文學載體主要是古典文學。尤其是用以言志抒情的古典詩，更是積極地透過結社的方式聚集同好，藉由課題擊缽、徵詩競賽的方式來磨練詩藝，同時藉此傳遞傳統文化。從本章敘述的內容看來，日治時期臺南地區有兩個軸心團體在運轉，帶動了當時詩歌風氣：一是以「南社」為主體的「府城詩人群」；另一個則是以「白鷗吟社」為主體的「北門郡詩人群」。因審美觀、生活環境、生命經驗的差異，各自形成不同的書寫風景。值得注意的是，這兩大詩人集團，雖各有特色，卻非迥然對立。透過詩人的遷移流動、人際網絡的連結、詩社的聯吟、報章雜誌的發表刊載……串聯起彼此的關係。

　　府城與南瀛地區的文人，各居不同的空間與生活環境，因此形成都會與街庄之間書寫的差異。但是，他們之間並非完全斷裂的存在。如前面所詳細探討的詩社組織，部分詩人由於詩歌美學與創作理念相近，南瀛詩人王則修、王大俊、王炳南、吳萱草同時也是「南社」社員，彼此在創作主題與活動上便有重疊之處。此外，兩地的詩人有許多是親族，比如府城謝家與柳營劉家[498]、府城施家與麻豆林家[499]、府城黃家與佳里興莊家[500]、府城林家與麻豆李家[501]都有姻親關係。也有師生關係者，比如新化秀才王則修，早年曾在府城米街教授漢文；後來返鄉教學時，府城的王開運和王鵬程等人不辭路途遙遠，前往新化求教。又如府城的韓浩川曾到麻豆講授漢學，府城林逢春曾應善化街蘇東岳之聘，前往設塾教學，長達十餘年，高

498—— 謝國文娶劉神嶽姪女劉宜、謝石秋之女謝禮蘭嫁劉神嶽之次男劉明電。參考施懿琳編撰，《詩人的日常：臺灣古典詩人相關口述史》（上），臺南：臺灣文學館，2021年12月，頁79。

499—— 府城進士施瓊芳之女施蓮舫為閨秀詩人，嫁麻豆秀才林廷瑞。參考詹評仁編，《柚城詩錄》，2003年，臺南：麻豆鎮文化館，頁54。

500—— 黃溪泉三女黃京華嫁佳里興莊維藩，參考施懿琳編撰，《詩人的日常：臺灣古典詩人相關口述史》（上），臺南：臺灣文學館，2021年12月，頁126。

501—— 林秋梧之妹林秋雲嫁麻豆李步雲。參考施懿琳編撰，《詩人的日常：臺灣古典詩人相關口述史》（下），臺南：臺灣文學館，2021年12月，頁175。

502—— 比如以祭孔為主的「以成社」，以文化啟蒙民眾為主的「臺灣文化協會」、「共勵會」，以及純粹是性情投合者共組的「不老會」、「樂天會」，在此不詳述。

足有蘇銀河、劉育奇、蘇炳嵩、王鼎勳等。大臺南地區的文人透過親族、師生、詩社，以及其他社團關係[502]，讓府城與南瀛文人之間，有著一定的互動連結。

　　除了詩社組織之外，亦有其他連結臺南文人群體的方式，比如辦報。1930 年 9 月 9 日，以府城文人趙雅福、洪坤益、王開運、蔡培礎為中心創刊了《三六九小報》。這是一份漢文三日刊，每逢 3、6、9 日發刊，一直到 1935 年（昭和 10 年）停刊，共發行了 479 號。在當時三大官報（臺灣日日新報、臺灣新聞、臺南新報）擁有言論界主導權的時代，這個報刊自居於「小」，成於談笑之間，不做堂皇議論，希望透過通俗性的書寫，讓閱報者「讀我消閑文字，為君破睡工夫」，致力「託意於詼諧語中，寄諷刺於荒唐言外」。以瑣屑書寫、嘻笑怒罵的方式刻鏤下市井小民的面貌與時代的影痕，在詼諧荒唐的語言背後，其實還是有著以臺南／臺灣為主體意識的託意與思考。該刊內容多元，包括：聲律啟蒙、漢詩、筆記、雜、小說、史傳、笑話、評古錄……本卷第四章「散文」、第五章「小說」的部分，將有進一步深入的探討。

第三章

日治時期臺南古典詩的寫作主題

◆ 施懿琳

日治時期大臺南地區的詩歌創作數量相當多,以下分別從地理景觀、歲時節慶、飲食物產幾個角度呈現臺南漢詩人的書寫主題。

第一節　地理景觀與歷史記憶

日本治臺之後,為了方便統治,並消抹住民對前朝的記憶,透過土地測量、舊慣調查的方式,重新繪製符合行政者需求的地圖。本節擬藉由臺南文學地景的探討,嘗試瞭解臺南漢詩人在殖民統治下,如何透過詩歌書寫,繪製屬於臺灣人自己的「臺南文學地圖」。他們是從什麼樣的角度來觀察、書寫世變後臺南人的活動空間以及民眾日常生活?哪些臺南景點最為當地文人所矚目,而成為文學地景書寫的亮點? 1930 年元旦黃拱五於《臺南新報》發表〈擬選臺南八景〉云:

> 數年前,臺日報社有全島八景之投票募集,其中選者,雖各屬勝概,惟是天南地北,遊者不能一朝而盡,誠有遺憾。故余擬就臺南一方,或擇其舊蹟,或選以現狀可為遊覽,而定為八景焉,各略敘其來歷,並附一絕介紹於後,藉以補白新年紙上篇幅,祈勿笑我擬之不當也。

這可以視為臺南人士主動為自己所屬的時代、所生長的環境設定地標:壽園[504]瞻像、鄭祠賞梅、開元禮佛、王城[505]晚眺、公園坐月、運河競渡、城邊夜市、新町觀妓,確實能夠展現一九三〇年代臺南一地新舊並陳的風貌。以下嘗試從古蹟建築、庭園樓臺、酒樓餐館、河海景觀幾個面向,探討臺南詩人的地景書寫。

504—— 今湯德章紀念公園。
505—— 熱蘭遮城,今安平古堡。

一、古蹟建築與歷史記憶

　　清代府城以「十字街」[506]為商業中心，城的北邊為軍事重鎮、城南為文教區域、城西以航運貿易為主，城東則因為較為偏遠，西方基督教得以在此傳道宣教，「鎮北」、「寧南」、「西定」、「東寧」四坊各有其區域特色與功能。日人統治後，城牆逐漸拆除，街道拓寬、許多舊有的建築家居被拆毀，文人心中依然有一個舊的地圖與街市位置襯在新的地圖底層，隱隱召喚著他們的歷史記憶以及過往生活的印痕。以下先說殘存的兩城門及其城區：

（一）城東

> 迎春樓上對春風，北衛南屏一望中。
> 拂水兩行垂柳綠，燒空萬朵刺桐紅。
> 彌陀寺古歸遼鶴，羅漢門高斷塞鴻。
> 省識興亡彈指事，遺民猶說草雞雄。
> （連橫，〈迎春門遠眺〉）
> 迎春門外草如煙，累得詩人拜杜鵑。
> 故國已蕪王氣盡，口碑猶說永和年。
> （連橫，〈城東雜詩〉）

第一首詩題目下註云：「臺南府城已毀，惟迎春、寧南兩門尚存。」對於尚存的迎春門（東門），連橫以充滿懷舊的筆調訴說原名「刺桐城」的臺南，往昔「萬朵燒空」的豔麗風景，城邊有歷史悠久的彌陀寺，南方迢遙之地則有羅漢門，「彌陀寺」與「羅漢門」這兩個點之間拉展開的地理空

506—「十字街」可見於在清代府城地圖，為許多零售商店與百工技藝聚集之地，包括竹仔街、草花街、打銀街、鞋街、帽街、針街。

間，曾有過鄭氏勢力的崛起（草雞英雄）[507]，更有國號「大明」、年號「永和」的朱一貴起事，這都曾經振奮臺人，如春風吹拂，帶來生機和希望。兩詩的末二句都做了令人嘆惋的轉折：「省識興亡彈指事」，「興亡」不過是彈指之間；「故國已蕪王氣盡」，鄭氏復明也好、永和反清也罷，都已成荒涼的過往，此二句看似失望已極，但是末句以「猶說」二字反振，頗值得玩味！「遺民猶說草雞雄」、「口碑猶說永和年」，隱然指出這類反抗強權的英雄偉業，至今仍迴蕩在庶民百姓心中。

（二）城南

臺南另一座留存下來的城門為「大南門」，又稱「寧南門」，為通往南邊左營區之要道。大南門外，多為墓葬地，昔稱「鬼子埔」，雖鬼氣森森，卻是府城人每年掃墓必至之地，也留存許多前朝的史蹟，比如魁斗山的五妃廟、城外的法華寺、竹溪寺。「南社」社員蔡佩香有組詩〈清明日踏青詞〉[508]，詩前小序云：「陽曆四月五日，即陰曆三月清明日也。是日曇陰乍雨，踏青艱難，余亦隨俗，出郊祭墓。纔到寧南門外，被雨阻隔，暫避竹溪寺，後與二三踏青婦談話有感，因此口占踏青詞，為一時之餘興。」接著透過 10 首詩，呈現不同面向的「大南城」外風光，茲摘錄其中兩首：

> 五妃廟貌似含煙，節屆清明寒食天。
> 有恨未消巾幗事，思家空夢白雲邊。
>
> 遙指法華路幾叉[509]，子規啼徹倍思家。
> 尋春別有傷春處，滿地東風掃落花。

507—— 關於鄭氏的讖語，《臺灣外記》卷一載云：「萬曆甲辰，三月初十日，春暖融和，天氣晴明。廈門忽爾雲霧四合，雷電閃爍，霹靂一聲；海渚劈開一石，中悉隸篆鳥跡，識者文之曰：『草雞夜鳴，長耳大尾，銜鼠干頭，拍水而起。殺人如麻，血成海水。揚眉於東，傾陷馬耳。生女滅雞，十倍相倚。志在四方，一人也爾。庚小熙皞，太平伊始』」。臺灣文獻叢刊第60種，臺灣銀行經濟研究室，1958年10月，頁3。

508—— 《聖心會會報》第15期，1922年3月15日。

509—— 作者註：「小南門外古剎曰法華寺。」

清明是府城居民前往大南門外祭祖掃墓的重要時節，原本陰森冷寂的墓塚，在此時突然喧鬧了起來。其中有思念祖先的沉重哀傷，也有踏青兒女的輕快愉悅。蔡佩香詩裡提及三個地標，乃府城文人反覆歌詠的對象——竹溪寺、五妃廟、法華寺，這三個寺廟在臺南詩人筆下累積了大量的詩詠誦。1917年「春鶯吟社」曾到竹溪寺修禊祈福，1923年，「南社」的楊宜綠也在薰風駘蕩的春季，與友人「攜笻逐隊出南郊」，入到佛寺或聞僧人談禪法、或納涼小憩，甚至以橫榻為芙蓉館，滿足煙霞癖……楊宜綠〈春日遊竹溪寺即事〉[510]六首中的最後一首，尤具淒涼中的美感：

魁斗山頭夕照明，纍纍荒塚眼前滿。

行樂吾儕當及時，陌上花開歸緩緩。

由竹溪寺近處荒墳纍纍的魁斗山，聯想及葬身此處的五妃之生命抉擇，衝擊著同樣懷有亡國失鄉之痛的南社社員。胡南溟有〈哀五妃〉詩[511]，以宏大的氣勢，讚揚五妃的節烈，她們與寧靖王的殉國，驚天地而泣鬼神。夕陽斜照下，血一般殷紅的驚濤怒浪，似訴說著亙古以來亡國遺民的傷痛。與五妃廟同樣承載「遺民心事」的，還有南郊的「法華寺」。法華寺，為明遺李正青（茂春）所居之處，原名「夢蝶園」，面對無可奈何的時代，相對於五妃的「死」，李正青選的是「隱」的生命抉擇，他自比若超脫塵俗的莊周，故有「夢蝶園」的命名。入清後，為消抹前朝印記，遺民的居所被改為佛寺，首任臺灣知府蔣毓英始在此建寺，改名「法華寺」。乾隆年間臺灣知府蔣允焄在寺前開鑿「半月湖」（南湖），成為文人觴詠賞景的最佳去處。日治時期，湖水已乾涸、樓臺亦已頹圮，但是前來造訪的文人都不會忘記提及這一段風流韻事：

510—— 《臺南新報》，「詩壇」欄，1923年3月19日，第5版。

511—— 盧嘉興，〈清末臺灣的詩文大家胡南溟〉，刊於《臺灣研究彙刊》第5輯，1968年3月。

小南門外幾來曾，況值花明雨似繩。

海國桑滄無處士，佛門香火有殘僧。

一池水盡春何在，半月樓摧跡可徵。

往日風流賢太守，記將棟宇善修增。

（陳逢源，〈游法華寺〉[512]）

（三）城西

　　四城垣中，西面城牆最早為便利鐵道穿越而遭毀壞，1907 年又為了開拓西門路而環垣皆拆除。它不似「迎春門」、「寧南門」有可以遠眺的城樓，不過，文人仍經常藉由詩歌嘗試召喚昔日「商廛櫛比、樓櫓宏壯」的臨海市街景象。又名「鎮海門」的大西門，建於 1723 年，是臺江內海登陸臺灣最重要的門戶。早年統理全臺事務的「臺灣道署」座落於此，文人雅士常在署中的「斐亭」與「澄臺」聽濤觀海，府城商人聯合組織「三郊」的貿易活動亦經常穿梭於西門城外的五條港與城內的「六街」[513]，這是郊商、工人、攤販、手工店藝師、零售商、購物者往來之地，當然也有官員仕紳、世族大家生活於其間，是清代府城商業最繁盛之所在。1936 年南社成員的擊缽吟曾以「西定坊懷古」為題[514]，對比三、四十年前人西城門存／歿的差異：

孤懸斗大舊雄藩，不見當年鎮海門。

城郭人民華鶴語，球圖讖緯草雞魂。

紅毛井古泉猶冽，赤崁樓危瓦尚存。

何處登臨堪極目，夕陽蒼莽下中原。

512—— 作者註：「該寺建在明季李茂春故居夢蝶園之跡，清臺灣知府蔣允焄重新修葺，寺前穿半月池，其北畔造半月樓，常攜妓冶遊於此。」

513—— 六街即是六和境的竹仔街、武館街、大井頭街、帽街、下橫街與武廟街，他們在祀典武廟內設了「六和堂」作為辦事處。這一帶是府城的零售業商業街，商品多從「三郊」批發而來。參考詹伯望、范勝雄、陳凱劭等撰，《三五風華造府城——紀念臺南建城280週年特展圖錄》，臺南：臺南市文化資產保護協會，2005年10月，頁23。

514—— 1936年2月詩人於德泰行小集，以〈西定坊懷古〉為題舉行擊缽，詩作後刊於《臺南新報》。

（洪鐵濤）

主人好客酒盈樽，話到滄桑欲斷魂。

儘有繁華逐肥馬，何曾芳草憶王孫。

街坊無處看西定，城郭誰人問海門。

只見崇宮關聖域，豐碑石碣至今存。

（陳筱竹）

「鎮海門」雖已不見蹤影，但是，此處仍留有荷蘭人時代的「紅毛井」、歷經荷治、鄭轄、清治的「赤崁樓」[515]依然聳立，此外，帝王詔封的「祀典武廟」猶在，城西仍留存許多豐碩的文物史蹟，在漢詩的歌詠中，強烈地對比出「物是人非」的歷史興衰之感。詩人最常寫的是〈赤崁樓懷古〉、〈春夜會赤崁〉、〈赤崁秋望〉、〈赤崁樓觀海〉等詩題，以慷慨激昂之情，寫出孤臣孽子的悲苦與遺恨。如蔡佩香〈赤崁樓懷古〉「登臨憑弔鄭延平，大節不磨膽氣橫。熱血如潮成赤崁，忠魂無地哭長鯨。」即屬之。

（四）城北

城北是清代府城軍事機構集中之地，臺灣鎮署及其轄下的左、右、中三營均設置於此。城外為「鎮營閱操之所」[516]，也就是練兵的校場，又稱「演武場」。林珠浦（逢春）曾在〈崁南事蹟〉[517]組詩裡提到「演武亭」到日治時期也同樣面臨被拆毀作為它用的命運：「鎮北城廂外校場，秋期演武列戎行。亭臺今已無餘土，化作新朝○○○。」[518]

此地與軍事相關的地點，還有「總爺街」及「大銃街」，但在詩歌作品裡都未曾提及。作為軍事要地，城北的古蹟似乎與文學關係極遠，幸好

515── 筆者按；據清代方志，赤崁樓原屬明代之鎮北坊，今則屬臺南市的中西區，一般討論「城北」時，很少將之納入，因此，本文還是將赤崁樓放在「城西」一起談。

516── 《重修臺灣府志》卷4〈武備志／教場〉，臺灣文獻叢刊第66種，頁151。

517── 此詩刊於《三六九小報》第241號，「詩壇」欄，1932年12月6日，第2、3版中縫。

518── 筆者按：末三字難以辨識，以○標示。

城外有與鄭氏家族關係極密切的「北園別館」，即後來的「開元寺」，這是文人雅士經常走訪之處，也是僧俗二眾經常吟詠詩歌的佛門聖地。有趣的是，雖然在 1859 年，此寺名已確定為「開元寺」，文人歌詠時還是常用原先的「北園」或「海會」，懷古的色彩極濃，比如「南社」首任社長蔡國琳有〈北園別館〉詩[519]：

> 一過叢林倍愴然，當時霸業尚流傳。
>
> 菩提鐘徹三千界，粉黛香銷二百年。
>
> 斷壁蒼茫留夕照，老松蕭瑟鎖寒煙。
>
> 憑誰得問興亡事，古佛拈花笑坐禪。

藉由「北園」之名，想的還是當年鄭氏家族的霸業，以及歷史興亡之感。此外，胡南溟有〈海會寺〉[520]：

> 群峰高拱挹平原，遺廟紅牆弔故藩。
>
> 忠孝罪臣書有淚，興亡古佛笑無言。
>
> 花銜帝女填東海，草種王孫涕北園。
>
> 二百年前金粉地，缽聲猶護舊吟魂。

胡氏於詩題註：「北門有鄭氏北園別館，入清版圖改為海會寺，又改今開元寺，面木岡背海。」寫的還是鄭家恨事。

作為北城外歷史悠久、香火鼎盛的佛寺，前來開元寺不只有上述這類弔古傷今者，有的是詩人來此賞花敲詩的，比如南社曾在此舉行詩會，題為〈開元寺探梅〉；有的則是藉開元寺祭弔逝去的詩友，比如臺南進士許

519── 黃慎淨，《開元寺徵詩錄》。

520── 盧嘉興，〈北園別館與開元寺〉，《臺灣研究彙集》第3輯，1967年7月。作者註：「北門有鄭氏北園別館，入清版圖改為海會寺，又改今開元寺，面木岡背海。」

南英在印尼棉蘭過世後，南社為他舉行追悼詩會，社長趙雲石在〈開元寺追悼會弔許蘊白先生詩〉詩前小序敘緣起：「戊午（1918）花朝，距先生騎箕百日矣！適寺主柬邀同人為紀念寫真，余以先生香火之緣與謀追悼之會，並集同人以詩弔之。」這是從民眾的角度來看，自清代以來「開元寺」就是南臺灣的重要佛寺。

然而，1916 年之後，原本傳承自福建福州鼓山湧泉寺法脈的開元寺住持傳芳法師，在臺北圓山臨濟護國禪寺住持長谷慈圓的遊說下，與觀音山凌雲禪寺住持本圓法師、專門研究臺灣宗教的專家丸井圭次郎一起本到日本參詣京都妙心寺，造訪貫首元魯大國師，並獲賜黃檗板的大藏經一部及大正天皇御金牌一基。返臺後，開元寺於是年 12 月 16 日舉行大正天皇御金牌安座儀式，此後該寺改隸日本臨濟宗妙心寺派，而於一九三〇年代中期成為臺灣佛教的四大重鎮。[521] 這一次的日本京都之參訪，行前南社社員兼開元寺僧慎淨法師有〈送臨濟宗長谷上人偕傳芳和尚成圓本圓諸禪師之京都妙心寺迎請藏經於開元寺餞別有作〉，趙雲石、趙雅福、陳逢源、王則修亦皆有同題詩。年底迎回天皇萬安金牌並大藏經後，慎淨法師、吳子宏、王芷香、趙雅福、洪鐵濤、王則修等並皆有〈祝開元寺奉迎今上天皇陛下萬安金牌並大藏經典禮〉等同題詩。日本殖民者透過各種方式影響臺灣人民的意識型態，透由「宗教」一途產生的影響，在此可略窺一二。

二、庭園樓臺

乙未西渡避居中國的許南英，於 1912 年首度返臺[522]，意欲重尋昔日家居之「窺園」。該園曾租賃給日本某會社為宿舍，部分親族仍住前院，

521—— 參考慧嚴法師，《臺灣佛教史論文集》，高雄：春暉出版社，2003年1月，頁286-289。

522—— 據許地山〈窺園先生詩傳〉，這次許南英回臺主要是臺南南莊山林尚有部份產業，有意領回，但在華諸子嗣無人願意返鄉入臺籍，最後只好放棄，將所餘分給臺灣親族。此文收在許南英，《窺園留草》，1933年6月，北京：和濟印書館，頁16。

但是 1912 年因為修築大道，窺園面臨拆毀的命運，家中的梅花亦被遷移至另一個被變造過的空間四春園（詳後），許南英為此寫了兩首極為感傷的詩[523]：

秋風一敝廬，聞道作通衢。古諺屋成路[524]，君權水在盂。後來蠆納鼠[525]，爰止或瞻烏。思卜南莊外，山邊築一區。（〈敝廬因日人築路取用子弟輩將別謀住所〉）

主人宜避地，問汝亦何辜。共受鋤根苦，誰憐傲骨枯。清高原是累，依附況相誣。太息蟠根地，終應變道途。（〈窺園梅花二株被日人移植四春園聞 亦枯悴而死以詩弔之〉）

亡國破家的傷痛，溢滿字裡行間。許南英在詩註中，引臺灣俗諺云「家欲破，屋成路」，這個「家」本是生命主體扎根之處，乙未割臺，主人不得不遠走避難，沒想到十餘年間，故鄉面目全非，位於延平郡王祠畔馬公廟街的「窺園」即將遭到拆除，許南英最愛的梅花亦遭日人移植至「四春園」。這種人與花／屋「共受鋤根苦」的痛，恐怕不只許南英一人，類似狀況的還有吳筱霞、連雅堂、黃拱五。許南英這次返臺因無家可居，寄住在門生兼親戚吳筱霞的花園，時有詩〈嘯霞樓題壁〉其二云：

樓對竹溪西，欄杆與竹齊。好花多礙路，嘉樹自成蹊。歲月催人老，雲煙入望迷。窺園荊棘滿，移此暫羈棲。

吳氏雖有「嘯霞樓」[526]可供許南英寄居，其實其家族的別業「晚香樓」也已被日人徵用，改為博物館了。[527]這一次許氏返臺，博物館長原田吉太郎

523—— 以下兩首詩收於《窺園詩草》，《全臺詩》第拾壹冊。
524—— 作者註：「臺人有『家欲破，屋成路』之謠。」
525—— 作者註：「臺灣為防疫起見，每戶月必捕鼠二頭，否則納金，名曰『鼠組合』。」
526—— 據謝英從《臺南吳郡山家族發展史》考察，吳筱霞之「吳園」位於今臺南市大同路一段45巷至51巷之間。南投：國史館臺灣文獻館，2010年4月，頁206。

（春境）就是在該樓設宴邀請許南英、趙雲石、謝籟軒、黃欣等「南社」社員開會吟詩。時許南英有〈晚香樓即景〉[528]：

> 一瞥滄桑十八年，延陵齋館已雲煙。
>
> 尚餘青草數弓地，況是黃花九月天。
>
> 博雅參觀方物貴，清高親炙主人賢。
>
> 兒時我亦頻來此，再上高樓獨愴然。

一別 18 年，昔日富豪之家的齋館而今已被轉用為現代化的博物館，館中博物雖珍貴可鑑賞，但是世事如煙、繁華如夢的感慨，與他兒時頻來此地遊玩的美好回憶兩相對照，益添感傷，只能透過詩酒與舊友稍解愁懷。

府城有另一位於枋橋頭（今臺南市民權路）的吳園，是清代臺南豪富吳尚新於 1830 年（道光 10 年）建構完成，據聞所採購之土地為荷蘭時期甲螺何斌的庭園遺址。建造時依地形起伏，並聘請名匠仿漳州城外飛來峰形勝造假山，亭臺樓閣、奇花異卉，景致極為優美，歷來為文人詩酒流連之處，可惜到了日治時期，似乎子孫經營不力，以致有「標賣償債」之舉。黃清淵《茅港尾記略》〈吳園消夏〉[529]載云：

> 吳園者，俗稱吳厝公館也，係臺南吳氏之別墅。當街全盛時，為南北行旅之咽喉。而吳氏富甲一城，置田萬頃，在在皆有，蓋築此以作傳舍，兼做屯倉。內疊湖山水閣，遍植花卉，樹木蒼蔚，境頗幽緻。入其園者，幾疑別一寰宇。每當赤帝司權，街人士藉為避暑地，清風徐來，披襟當之，雖義皇上人不是過也。惜吳氏不自愛，既易其主，佳木伐盡，尚存欽馬槽一只及百年外璉霧一株，過是地者，寧無今昔之感！

527—— 日治初以吳氏晚香樓為博物館，至1920年臺南博物館始遷至原「兩廣會館」。

528—— 作者註：「樓為吳紳書齋。日人領土後，改為博物館，原田春境君管理。」此詩收於《窺園詩草》，《全臺詩》第拾壹冊。

529—— 黃清淵，《茅港尾紀略》，臺灣文獻叢刊第216種，頁136。

連橫《雅言》[530]也說到：

> 臺南有吳園者，為荷蘭甲螺何斌之故居；其水可達安平，港道猶存。嘉慶間，富紳吳尚新改建邸宅，旁拓花園，池水假山、迴樓曲榭，高低上下布置得宜，談者以為臺灣第一。顧吳之子孫日就凌夷，至標賣償債，則今之臺南公館也。

日治初期臺南地區缺乏較大的空間供集會使用，有大型活動時通常商借吳園或兩廣會館。因吳園宅院大、樓房多，有一部分借給日人居住，後開設「四春園旅館」。1908 年日方為籌建「臺南公館」，遂對吳家後代施壓，以一萬多元取得吳家一甲多的祖產。日人收購吳家土地後，將北邊吳園亭閣修建保存供民眾觀賞，大半的土地則用來興建「臺南公館」，此館於 1910 年 9 月興建，1911 年底竣工，一座具有公共集會功能之歐式建築物由此產生。[531]

原本吳尚新修建的「吳園」遂分割為三：1. 縮小為只有飛來峰、作礪軒與亭池的傳統中國庭園，仍舊稱為「吳園」、2. 歐式公共會館（1923 年更名「臺南公會堂」，1934 年增加一日式食堂「柳屋」）、3. 一座二層樓清幽日式旅館「四春園」。根據《臺灣新報》的報導，「四春園」早已在日治的次年（1896）便開始經營，臺南縣警察部員阿部貞邀集日本官員、臺南仕紳三十餘人在這個「駢植碧梧修竹、花果雜卉，短亭曲榭，點綴其間」的空間聚會，飲酒酣暢之際，「拈韻題詩、揮毫作畫、彈琴圍棋，陶然而樂焉」，聚會後有〈四春園雅集〉詩登於報刊。[532]其後，亦皆有文人在四春園聚會雅集，在詩中皆可見該園花葉扶疏、池映欄杆的庭園之美，以及揮毫吟詩的豪興：

530── 連橫，《雅言》，臺灣文獻叢刊第166種，頁72。

531── 盧嘉興，〈臺灣一大名園──吳園的築建者吳尚新〉，收在《臺灣研究彙集》第2輯，1967年4月，頁36。

532── 吳毓琪，〈從「吳園」到「四春園」：臺南詩人對園林情境的感覺形塑歷程〉，收在《海洋古都：府城文學之形塑學術論文集》，臺北：稻鄉出版社，2012年6月，頁337-338。

太原公子褐裘來，鯤島龍門兩扇開。

落葉打頭同看劍，對花握手且啣杯。

歌場遇舊餘豪氣，詩界興新拓霸材。

今日枋橋留盛會，墨雲飛灑滿庭苔。

（連橫，〈四春園雅集〉）

即景題詩覓句成，吟哦滿座起秋聲。

園亭日落峰初整，花木風過勢欲傾。

池水一泓清滌筆，欄杆四面朗於晶。

嗤余有負今宵約，何日文壇續舊盟。

（蔡佩香，〈四春園雅集會陳槐庭林獻堂林癡仙三詞兄偶吟〉）

至於「臺南公會館」，則在 1911 年 2 月甫才完工不久，臺南仕紳趙雲石、黃欣、蔡維潛就在此處接待自福建長樂來臺的舉人施景琛（涵宇），宴席上彼此都有「文章海外有同親」的歡喜，但也有著「衣冠乍改人猶舊，城郭依然世已更」的感慨。[533] 1912 年「南社」也在此處宴請許南英，黃欣有〈公宴許蘊白先生於臺南公館即倚放歌瑤韻賦呈〉[534]，許南英也有〈紳商學界在臺南公館開歡迎會賦此誌謝〉[535]應答之。有意思的是，雖在一個歐式的新建築裡宴客，黃欣的詩似與整個煥然一新的空間了無相關。想的是如何「匡時謀略」，感傷的是「十年歷盡滄桑變」，因此，其詩讀來相當沉鬱。對比許南英的酬答，反而有一種冷靜的持重，他清楚地指這是原是臺灣南方依山傍水的吳家庭園，建築結構是新的，環境則是清幽安靜的。他想到臺灣的暑熱，

533—— 黃欣〈和涵宇詞宗十八夕臺南公館即席見示瑤韻〉：「一葦偏教此地行，論文海外有同聲。衣冠乍改人猶舊，城郭依然世已更。漫把文章懷鹿耳，且將詞賦學蟲鳴。樽前無限滄桑感，四海由來盡弟兄。」刊於《漢文臺灣日日新報》，「藝苑」欄，1911年3月1日，第1版。

534—— 原田春境，《采詩集》。

535—— 此詩收於《窺園留草》，又錄於《全臺詩》第拾壹冊。

因此提及荔支與瓜果。他打開雙耳,聽到亦歐亦亞的歌曲,看到藝姬柔美的身姿。杯觥交錯、酣詠詩歌之際,他注意到透亮的窗、火樣的燈,他關注到眼前的美食與佳餚……這是一首舒展感官而書寫的詩。見故人老去,賞故鄉風味,讓萬里歸來的許南英有「轉悔來何暮,終應去不留」遺憾。而感傷是微微的,「有酒」的歡樂,「無官」的自由,「才華」漸失的暮年,都讓他的心濤如遠去的帆,漸行漸遠,終究消失在天地的盡頭。

「吳園」的主體雖面對巨大的切割,但,它猶然是詩人聚會最重要的場所。以詩作的數量來看,寫四春園與公會館的詩都遠不如吳園來得多。詩人在此處拈韻題詩、歌詠話別、懷人、聽雨……當他們同聚於「飛來峰」下寫詩時,那種鏖酒傳箋之樂,讓人不禁以為這是繼斐亭詩會之後,臺灣詩社的復興:

> 斐亭鐘斷後,南社復興時。洗琖同鏖酒,傳箋快論詩。春花侵曲檻,新
> 月蘸平池。獨倚飛峰下[536],無端感黍離。（連橫,〈南社小集〉[537]）

> 豪華事去忍重論,銅鉢能催作礵軒。春盡池亭非故主,劫餘花石記名園。舊
> 鷗新鶯詩千首,剩水殘山酒一尊。更向飛來峰上望,嵌城煙樹帶秋痕。[538]
> （陳逢源,〈王少濤過訪同連劍花、洪鐵濤假吳園作礵軒小集〉[539]）

詩人也在這充滿共同記憶的庭園哭弔逝去的友人,尤以許南英的逝世以及謝維嚴（籟軒、石秋）的死,讓他們格外感傷。謝石秋在 1918 年有〈哭許蘊白先生〉[540]詩云:

536—— 作者註:「是日會於吳園飛來峰下。」
537—— 連橫,《劍花室詩集》。
538—— 作者註:「園中假山名『飛來峰』。」
539—— 陳逢源,《赤嵌集》。
540—— 《臺灣日日新報》,「南瀛詞壇」欄,1918年1月22日,第3版。

天地逆旅間，君我竟相遇。相遇復幾時，君乃歸大暮。翹首望南溟，望斷雲邊樹。一枕入南柯，千里魂飛渡。多君不我遺，班荊來道故。音容若平生，執手驚相顧。聞君歸道山，此信將毋誤。歡然慶再生，雞黍新醑具。恍惚會坎南，妙語多清趣。吳園吳未沼，固園今猶固。[541] 疑君在南州，何以此相晤。叉手更無言，約我探佳句。吁嗟一杵鐘，人天各異路。起視夜何其，爐火猶半炷。不盡悲與歡，化為煙與霧。哭君作夢語，畢竟誰先窹。

沒想到三年之後，南社詩友又在吳園悲弔謝石秋的逝去：〈哭謝三石秋〉、〈吳園謝籟軒追悼會感作〉、〈哭石秋先生〉、〈哭謝石秋先生〉等詩，都是以「吳園」作為彼此交集寫的悲歌。其中以趙鍾麒〈吳園籟軒追悼會感作〉[542]，最足以表達這種喪失儔友的寂寞憂傷：

三年梅畔哭窺園，又值梅花哭籟軒。
吳苑前塵成隔世，蓬山去路阻招魂。
月沉玉樹烏衣夢，土蝕苔花碧血痕。
梵唄琅琅催熱淚，滿庭花草欲黃昏。

除了吳園，臺南還有一個在詩歌活動上非常重要的庭園——黃欣家族的「固園」。固園是臺南兩位仕紳兄弟黃欣（1885～1947）、黃溪泉（1891～1960）於1913年將祖傳「錦祥記」舊糖廍的土地營造成的日式庭園。日式房屋有10疊、12疊相連的榻榻米房間，周圍有木造走廊，並先後建造兩棟洋樓，兩個兄弟各住一棟，占地約4,000坪。日式房屋的後方有百坪大的水池，設有噴水、石橋、石燈籠，水中蓄鯉魚。水池四週有假山奇石，

541—— 作者註：「先生歸臺先後賓於吳園、固園。」
542—— 《臺南新報》，「詩壇」欄，1921年12月27日，第6版。

其旁種四株梅花，因此日式房取名為「四梅草堂」。池子東南有更大的池塘，池中有島，池畔有亭，這都成為喜愛傳統漢詩的黃氏兄弟與詩人互動的重要景點。[543]「固園」成立的第二年（1914）舊曆元旦，為歡迎自中國返臺的連橫，有 32 位詩人參加「喬裝會」活動，並拍攝了趣味橫生的「南社嬉春」寫真（詳本書前面所附照片）。其中有扮武士（謝國文）、扮獵人（張榜山）、扮貴婦（連雅堂）、尼姑（盧韞山）、和尚（陳筱竹）、護士（謝石秋）、兒童（黃欣）、小丑（吳筱霞）、閹豬者（楊宜綠）……等等，表現出文人幽默風趣的一面。

在漢詩書寫方面，1916 年許南英二度返臺時，南社社員有〈丙辰年許蘊白重返梓里南社同人假黃西圃固園盛開歡迎會以杜詩人生不相見動如參與商為韻〉、1921 年有〈辛酉仲春同人集固園四梅草堂分韻得魚韻〉[544]、同年還有〈冬日固園捕魚即事〉[545]、〈殘臘固園觀梅〉[546]、1922 年〈南社大會固園〉[547]、1924 年〈茅原華山先生見訪固園賦呈〉[548]、1925 年〈固園聽鶯〉[549]……等。到固園參加詩會的「南社」社員極多，趙雲石、陳逢源、連雅堂、趙雅福、林珠浦、謝溪秋、胡南溟、楊宜綠、洪鐵濤、王芷香、盧韞山、林秋梧、許丙丁、陳筱竹……參與度都相當高，可以想見「固園」為府城城東帶來的文化氣息。

至於南瀛地區居民，大多以農耕捕魚為主，不像府城有宏偉的庭園樓臺。目前唯一可看到詩人歌詠的，只有王則修於 1934 年寫的〈遊歸園十景〉[550]：

露臺春雨

十丈巍峨起露臺，水光雲影共徘徊。

每當細雨春風裡，添得新涼洗俗埃。

543—— 參考《黃天橫先生訪談錄》，臺北：國史館，2008年5月，頁41-42。

544—— 《臺灣時報》，「文苑」欄，1921年5月25日。

545—— 《臺南新報》，「詩壇」欄，南社擊缽錄，1921年11月23日，第6版。

546—— 《臺南新報》，「詩壇」欄，南社擊缽錄，1921年12月25日，第6版。

547—— 《臺南新報》，「詩壇」欄，南社大會擊缽錄，1922年12月9日，第5版。

548—— 《臺灣日日新報》，「南瀛詩壇」欄，1924年3月31日，第3版。

月門秋色

一痕秋色滿庭隈，竹影風聲伴綠苔。

夜半有人推戶出，恍疑身自月宮來。

圓潭垂釣

碧水澄潭曲又圓，魚兒喋唼戲荷邊。

一竿得得真堪樂，笑殺人爭釣譽先。

方沼採菱

夏秋菱茨滿方塘，小艇輕搖樂未央。

摘取崢嶸頭角銳，客來當作晚菘香。

石屏晚照

百級樓臺石作屏，晚風吹日影窺櫺。

更看夕照明於洗，猶放餘光戀野亭。

綠堤倒影

綠樹陰濃罨石堤，日斜清影入幽溪。

分明一幅西湖畫，印月三潭共品題。

虹橋策杖

閒扶竹杖老隨身，得得行吟向水濱。

步過彎橋詩思好，樹陰蒼翠鳥鳴春。

邱隅古洞

砌石甃成小洞天，一隅棲止自欣然。

箇中大有神仙趣，閱罷詩書抱月眠。

549—— 《臺南新報》，大正14年（1925）2月27日，8273-5。

550—— 《臺南新報》，「詩壇」欄，1934年4月15日，第8版。

老榕貫石

根蟠石罅葉垂蒼，幹老槎枒據一方。

我與大夫成久契，歲寒勵節傲風霜。

丹桂飄馨

月中仙桂倚雲栽，歲久經霜孕未開。

爛熳秋風今日始，清香留待福人來。

歸園位於舊臺南縣歸仁鄉看西村（今臺南市仁德區看西里），從這十首詩可想見該庭園有百級石階可登上露臺，觀夕賞月、登高遠眺。圓形的水池可供垂釣、採菱，跨過池塘的拱型虹橋是扶杖散策、吟詠詩歌必經之地。石瓦砌成的小洞天，乃憩息、展卷最佳的處所。園中有濃翠的草木、蟠結石罅的老榕，更有秋日飄香的丹桂……這個歸園乃府城竹仔街富紳吳世繩在道光年間所建。吳氏1831年逝世後，「吳園」才完成了一半，其子在隔年繼續將之完工，為吳家十三大公館之一，因此又有「吳二老爹公館」之稱。其後家道中衰，日治時期詩人陳江山從中國返臺買下庭園，取陶淵明「歸去來兮」之意，將庭園命名為「歸園」。1980、1981年左右，陳家後人將歸園剷平，改建樓房。目前該園已無跡可尋，唯有透過詩人當年的歌詠，才提供了比較具體的想像空間。[551]

三、酒館遊廓 [552]

清中葉，大西門及水仙宮一帶因商務繁忙、人口密集，煙花狹妓的風氣頗盛。道咸年間臺灣府學訓導劉家謀的〈海音詩〉[553]云：「睥睨東邊列

551—— 簡辰全，《終戰前歸仁市街之發展》，臺南：臺南縣政府，2010年12月，頁65-70。

552—— 日本自江戶時代開始對公娼實施「遊廓」制度，為了管理之便，將娼妓集中一地並以溝渠、圍籬、高牆等形式阻絕於一般市街之外，成為合法的性產業專區，稱為「遊廓」（ゆうか）。

553—— 劉家謀，《海音詩》，臺灣文獻叢刊第28種，頁17。

554—— 參考卓意雯，《清代臺灣婦女的生活》，臺北：自立晚報，1993年5月，頁128-129。

555—— 參考《漢文臺灣日日新報》，1905年8月12日。

556—— 參考《臺灣日日新報》，1919年7月17日。

屋居，冶遊只費杖頭餘。哪知切里徵村外，別有催科到女閭。」詩後註云：「大西門內，右旋而北，面城居者，皆狹邪家；肩挑負販之人，百錢即可一度……」。大西門外的佛頭港、北勢街也有許多茶肆酒樓，南勢街尤其是紙醉金迷之地，因此這個地區不但有「城邊街」之稱，更出現以「城邊貨」作為娼妓的代稱。[554]清代的風月場所，到了日治時期，隨著愈趨精緻奢華的娛樂需求，結合逐漸興起的大型料理店，於是出現了許多既有美饌又有藝妓相陪的餐館酒樓。據《臺灣日日新報》記載，1905年府城已有「醉仙樓」、「寶美樓」、「水仙樓」、「坐花樓」[555]；到了1919年，又出現了三層樓高的「西薈芳」。[556]其中以「醉仙閣」最富盛名，以其空間大、料理佳，時人評為「酒樓第一」。[557]臺南文人許多重要的宴飲活動，就是在這些酒樓舉行。比如1912年許南英返臺，南社招宴於醉仙樓，許氏為作〈南社同人在醉仙樓開歡迎會酒後放歌〉[558]，以長篇歌行體，痛陳離鄉遠遊的飄泊之感，去國十八年的滄桑之嘆，更逐一為與會的詩友點名塑形：執騷壇牛耳的南社老詩豪趙雲石，俊秀穎異如「大小謝」的謝家叔姪（石秋、溪秋、星樓），豪氣依舊的陳筱竹、陳獻其，已斷髮易服的府城吳家子弟（旭初、宴珍、筱霞），還有落落孤高的胡南溟、遊戲人間的余君屏、玉樹臨風的連雅堂……沒想到世變之後，還能再度相逢，來日會面難期，不妨在南北粉黛胭脂齊聚的醉仙樓放懷高歌、暢飲而醉：

> 昔為此邦人，今為此邦客。一瞥滄桑十八年，蜃樓海市變化成陳跡。我從人海乍回頭，飄泊身如不繫舟。過海收帆問親舊，凋零大半令我多悲憂。吁嗟乎，雙丸跳擲疾如馳，死者不生生者死。獨留天水老詩豪[559]，

557── 福州人唐大漢最早在府城竹仔街開設醉仙樓（本町三丁目），1913年承接外宮後街（今宮後街）的坐花樓，並開設醉仙樓分店（永樂町一丁目）。1918年唐大漢過世後，醉仙樓幾經易主，1924年結束營業。分店則換人經營後改名為「醉仙閣」。1921年醉仙閣轉由高得、高金溪父子經營，為「臺南第一的本島人料理店」。參考https://zh.wikipedia.org/wiki/%E9%86%89%E4%BB%99%E9%96%A3，檢索日期2022年3月14日。

558── 此詩刊於《窺園留草》。

559── 作者註：「趙雲石。」

高踞騷壇執牛耳。鬚眉尚認老邱遲[560]，爭譽楊修是小兒。[561]謝傳諸郎森
玉樹[562]，林逋處士茁新枝。[563]元龍未除湖海氣[564]，仲雍斷髮居吳地。
[565]黃粱夢醒一盧生[566]，仍在人間作遊戲。風流倜儻余君屏，孤高落落胡
南溟。若論肆應強人意，座中推讓蔡蘭亭。玉樹風前連氏子[567]，寄傲園
林稱佳士。黃洪俱是舊通家[568]，眼中諸人吾老矣。孰料餘生逢世變，乃
與諸君重相見。南部粉黛北胭脂，醉仙樓上開詩醼。莘莘一輩濟時賢，
豈特能詩結鳳緣。他日夢魂南社遠，不知斯會復何年。

除了「醉仙樓」外，另一個南社詩友經常前去的酒樓教是「寶美樓」。從
許南英〈壬子（1912）冬日吳園小集，以「鴛鴦」命題。林湘畹得雙元，
謝籟軒、趙雲石俱得眼，餘興未已，往寶美樓開宴〉[569]一詩可知，此樓確
與詩人的活動關係極密切，文人在園林聚會吟詩之後餘興猶存，因此往寶
美樓「續攤」：

> 神仙不羨羨鴛鴦，擱筆低頭讓老湘。
> 爭似芙蓉誇及第，故應竹葉喜稱觴。
> 美人自古無常態，醇酒今宵有別腸。
> 我占便宜舒老眼，累人破費阮公囊。

常年在北臺灣活動的陳逢源在其〈歸南有感〉詩曾云：「醉仙寶美各翻新[570]，
零落當年舊酒人。剩有杏庵長不老，看花已過廿年春。」為了競爭，兩酒

560——作者註：「邱及梯。」
561——作者註：「楊雲程。」
562——作者註：「謝石秋、溪秋、星樓、霽若（按：即濟若）。」
563——作者註：「林湘畹竹友。」
564——作者註：「陳筱竹、陳獻其。」
565——作者註：「吳旭初、宴珍、筱霞。」
566——作者註：「盧韞山。」
567——作者註：「連應榴。」
568——作者註：「黃拱五、洪坤益。」
569——此詩刊於《窺園留草》。

樓卯足全力翻新，原本在竹仔街的醉仙樓於 1932 年遷到西門町四丁目 79 番，並改名醉仙閣；寶美樓則於 1934 年從內新街遷往西門町二丁目，並建造為四層樓的建築，巍峨嶒峙，堪稱府城舊商區之地標。[571]

除酒樓外，臺南文人詩酒風流之處還有新町，這是日治時期臺南著名的風化區。1922 年（大正 11 年）臺南州廢止臺南市粗糠崎、媽祖港、南勢街等地的貸座敷（妓院），指定轄區內的臺南市新町一、二丁目為臺灣人貸座敷營業區，開啟新町遊廓（ゆうか）的歷史。[572]趙鍾麒曾仿李白〈將進酒〉，寫了〈新樂府〉[573]：

> 君不見，南北之車去復來，美人捆載金錢回。又不見，新町妓女新剪髮，塗鉛抹粉白如雪。人生得意須盡歡，莫使勞勞磨歲月。天生錢財必有用，祖公產賣錢復來。開燈吸煙且為樂，猜拳鬥酒來乾杯。大闊老，小瘟生，點煙盤，吸莫停。琵琶歌一曲，叮叮咚咚更好聽。妻寒子饑且不管，但願對花長醉醒。古來聖賢皆寂寞，惟有嫖客留其名。蘇州上海等遊樂，達旦連宵恣歡謔。荷包何為言少錢，麻燈債成又堪酌。珠花園，春華樓，開盤點煙兼陪酒，與爾同消夜夜愁。

以諷刺的手法，描述新町妓女髮式摩登、塗鉛抹粉，吸引大批嫖客耗盡家財、拋妻棄子，沉醉於溫柔鄉。在遊廓裡，恩客們猜拳鬥酒、聽藝旦唱曲、點煙盤[574]，恣情歡謔，一擲千金，終究落得變賣祖產、妻離子散。趙鍾麒

570——作者註：「醉仙閣、寶美樓，均舊酒家。」

571——參考薛建蓉、陳曉怡等撰，《穿越五條港：府城文學踏查地圖4》，臺南：國立臺灣文學館，2014年5月，頁41。

572——新町遊廓以臺南運河的汐止橋（現保安路和大智街口）為界，橋北側的新町一丁目是日本內地人和朝鮮人經營的貸座敷，橋南側的新町二丁目則是臺灣人經營的貸座敷。參考《臺南州觀光案內》，臺南州觀光案內社，1937年。

573——作者註：「點煙盤，仿李白〈將進酒〉。」此詩收於石萬壽〈趙雲石喬梓詩文初輯－詩〉，又錄於《全臺詩》第拾肆冊。

574——點煙盤是新町風化區特有的文化，目的是為了排解客人互搶煙花女子的紛爭。女子端起煙盤請客人，留下最後一支煙給自己選中的客人，表示願意有下一步的交易。如果客人不中意，得付十元煙盤錢，重新來。參考https://zh.wikipedia.org/wiki/%E6%96%B0%E7%94%BA%E9%81%8A%E5%BB%93，檢索日期2022年3月14日。

此詩，警示的意味頗濃。至於蔡佩香的〈新町竹枝詞〉，則比較類似實錄
的手法，凸顯新町遊廓的若干特色：

遙指新町一小隅，春光佳景可歡娛。
衣香鬢影迷魂窟，新易名辭貸座敷。

北國樓前月上時，長安游俠莫來遲。
仲居門首殷勤甚，呼客聲聲湖海兒。

冶遊直到玩春園，燕燕鶯鶯列似藩。
自道南腔渠北調，是誰稱意請君言。

翻新花樣進煙盤，不打茶圍[575]客亦歡。
最愛美人情意好，淡巴菰味勝於蘭。

松金樓上夜筵開，桃葉桃根取次來。
酒罷芳蹤何處去，吃冰謎語費君猜。[576]

原本稱為「勾欄」的「迷魂窟」，1922 年以後經日本當局整頓、改善後，
改稱「貸座敷」。妓女們倚門候客時，改用新潮的日語「湖海兒」向往來
的男子打招呼。當時本島人經營的貸座敷有：真花園、玩春園、愛月園等
近十家，第三首寫的「冶遊直到玩春園」即其一。打扮妖嬈、南腔北調的
妓女們，猶如圍籬般群聚在門口排列等候，一心一意期待有緣的顧客賞
光。第四首則使用了當時遊廓的專有用詞「點煙盤」、「打茶圍」，說明
點煙盤是臺灣妓院翻新的花樣，而受到美人青睞的男子，點起煙（淡巴菰，

575—— 據蔡佩香的說明：「臺俗吃煙盤，即滬江曰打茶圍。」
576——作者註：「吃冰乃諷妓客偷香之言，南部青樓中之流行語也。」

西班牙語 tabaco 的音譯），更覺得通身舒暢，香氣更勝幽蘭。最後一首，寫到宴飲的地點在新町最大、也是唯一的酒家松金樓。大智街、大仁街口的新松金樓 1923 年開始營業，雖然位於風化區，但純粹以餐點取勝，不涉風月，形成相當特殊的飲食文化（酒家菜）。諸多美豔的女子（桃葉桃根）先後來到新町的地標松金樓，陪伴恩客飲食歡宴後，始相偕往貸座敷玩樂。詩末作者有註云：「吃冰乃諷妓客偷香之言，南部青樓中之流行語也。」以細筆描繪的方式，記錄下百年前臺南遊廓文化的樣貌。

四、山海景觀

（一）海景

以上所寫，多屬府城的人文地理景觀。南瀛地區作為府城周邊的市鎮，則多為自然地理景觀。日治時期開始受到矚目的「鹽分地帶」，以臺南州北門郡的佳里、學甲、西港、七股、將軍及北門一帶，含有鹽分較多的沿海地區為主。在新文學方面，因為土地的鹹澀、貧瘠，當地的文人群發展出具有抗議、寫實精神的鹽分地帶文學。在古典文學方面，也往往可見詩人對江海、漁村風物的描寫。

以「釣翁」、「崛江漁夫」為號的北門嶼人王大俊，1922 年曾有〈北門郡八景〉[577]，從不同的切面呈現北門郡轄下佳里街、西港庄、七股庄、將軍庄、北門庄、學甲庄等地最具代表性的景觀：

北門製鹽

百畝鹽田夕照平，晴煙萬點海天青。

凝磚碧水無蹤跡，製出梅花玉屑馨。

577——《臺南新報》，「詩壇」欄，1922年1月19日，第6版。

嶼江泛舟

風正波平好盪舟，滿江煙景晚來幽。

數聲欸乃中流去，洗盡人間萬斛愁。

臥山觀海

夕照臥山此獨登，遙空放眼浪千層。

茫茫碧海看無際，浩淼流波氣鬱蒸。

蚵寮歸帆

滿江帆影照晴波，鼓棹齊回互唱歌。

好是日斜風利便，漁舟吹送入門多。

王廟納涼

欲解煩襟何處從，鯤身古廟好停筇。

老榕積翠橫階畔，時有微風爽意濃。

佳里檳榔

亭亭獨幹看凌霄，翠葉隨風鳳尾搖。

莫怪垂垂貪結子，嚼來唇上美人嬌。

北岡展望

半竿斜日臥山隈，四面煙村暮靄開。

園上物華郊外景，一齊併入眼中來。

菜溪垂釣

偷得浮生半日閒，攜竿來釣綠溪灣。

橋邊芳草縈新帶，繫駐春光不放還。

以下略談鹽田、嶼江、蚵寮與王廟。北門最具特色的景觀就是鹽田。「井仔腳瓦盤鹽田」是北門的第一座鹽田，也是現存最古老的瓦盤鹽田遺址。原為清治時期的瀨東鹽場，1818 年遷至此處，後來因為人工成本過高，

於 2002 年結束長達三百多年的曬鹽事業。[578]此處清一色為瓦盤鹽田，晴朗的天氣下，呈現極美麗的圖案。王大俊的〈北門製鹽〉：「百畝鹽田夕照平，晴煙萬點海天青」寫的就是麗日晴空下，映照著天光，一望無際的藍色鹽田。等到陽光曝曬，水分蒸發之後，呈現的是如玉屑般珍貴的結晶鹽。王大俊還有一組〈北門長嶼鹽田雜詩〉[579]其中寫到：「分明不是藍田地，更比藍田種玉多。」不只寫塊狀切割、映著藍天的鹽田之美，更凸顯其可貴的經濟價值。

北門嶼昔日為倒風內海急水溪口外的沙洲島。從清康熙輿圖和乾隆輿圖看來，此地皆扼守在漚汪溪（今將軍溪）口。乾、嘉年間，由於泥沙淤積，與陸地相連了。雖已陸連，但是，北門嶼仍有港口，將之分為北嶼和南嶼。以「北嶼釣客」為號的另一位北門詩人王炳南在〈北門嶼竹枝詞〉[580]，即指出了嶼分南北以及居民以曬鹽、捕魚為主業的現象：

蟹舍漁莊煙火稠，港南港北界深溝。

一生生計托何處，半在鹽田半釣舟。[581]

破曉揚帆出港過，夕陽歸棹唱漁歌。

入門兒女都來問，網得蝦魚有幾多。

就北門詩人來說，嶼江是一個書寫故鄉的重要地標。王大俊〈北門八景〉中的第二首〈嶼江泛舟〉，寫的是文人雅士的盪舟賞景，這類作品在北門地區的詩作中，占了最大多數。或題為〈嶼江觀月〉，或題為〈嶼江晚眺〉、〈嶼江雜詠〉、〈嶼江晴望〉、〈嶼江夏夕〉、〈嶼江晚浴〉、〈嶼江晚步〉、〈嶼江舟遊〉、〈嶼江坐月〉、〈嶼江觀海〉……詩人的生活幾乎

578——參考https://swcoast-nsa.travel/zh-tw/attraction/details/369，檢索日期2022年3月15日。
579——《臺南新報》，「詩壇」欄，1926年8月13日，第6版。
580——此詩收於王炳南，《北嶼釣客吟草》。
581——作者註：「北門嶼中有一港，故分曰南北。」

皆以「嶼江」為中心來寫景抒懷，和這個濱海的小漁村緊密不可分。王大俊有兩首詩，值得一提：〈嶼江觀海〉[582]：「獨立臥山眼界空，滄溟俯瞰萬潮雄。南瞻鹿耳浮門外，西望澎湖在眼中。龍氣翻江天欲動，鷗波撼岸日斜紅。鹽船破浪歸來急，檣影連雲掛晚風。」從嶼江眺望大海，可以南瞻鹿耳門、西望澎湖島，為讀者開展遼闊的視野。而觀景者的立足點在哪裡？「獨立臥山眼界空」，不是登樓閣亭臺而遠望，而是在地的一座山丘「臥犬山」[583]，王大俊以雄健之筆寫大海的怒浪狂滔，斜陽映照下，運鹽的船隻在風急帆滿的傍晚破浪歸來，凸顯了嶼江的濱海位置與經濟活動。另一首〈嶼江泛月〉[584]，則以柔和舒緩的筆調寫秋夜行船，出發地即在北門外將軍溪口的王爺港口，而這一次是從舟中遙望臥犬山：

王爺港口放扁舟，載月隨風任去留。

滿眼煙波供嘯傲，一天星斗自沉浮。

遙看臥犬凝秋色，近見雙春枕碧流。

夜半扣舷歌水調，驚飛沙上幾閒鷗。

八景中的「蚵寮歸帆」，主要是寫蚵民採蚵結束後乘船返家的景象。蚵寮，原名蠔寮，原為養蚵人家搭建草寮屯聚之地，位於臺南市北門附近沿海低窪地區。蚵寮漁港利用海岸沙洲後側之潟湖水域，或是鹽田魚塭間之排水道就地興建，土壤鹽分含量較高，多開發為魚塭及鹽田，是北門產蚵最佳之處。王大俊有〈蚵寮庄〉兩首[585]，以淺白的語言寫蚵寮居民在門口堆疊累累的牡蠣殼、巷口栽種菜瓜，看似清簡的生活，其實是一個以蚵致富的海邊村落：

582—— 此詩收於《詩報》第35號，麻豆綠社課題，1932年5月15日，又載《臺灣新民報》，「漢詩」欄，1933年6月16日，第8版。

583—— 鄭成功部將施琅，由漚汪溪南岸上陸，設將軍府於今之將軍鄉，又改歐汪溪為將軍溪，發給陳姓祖先屯墾契。陳姓開臺祖媽，陳細娘墓位於北門鄉北洋嶼臥犬山，俗稱「狗氤氳山」（Káu-ûn-khûn），屬紅龍繞甸穴，葬後十七年瑞龍公始為之立碑，據說是鄭成功軍師派人定更者，乃現存臺南縣最古老之明朝古墓之一。參考https://miao.temple01.com/about.php?tpl=96ff915，檢索日期：2022年3月15日。

環莊流水綠洋洋，門外橫堆牡蠣房。

莫看居民生計少，煙波佳景富漁鄉。

籬邊巷口不栽花，惟見春風種菜瓜。

且喜一般兒女子，也能結網為生涯。

第五首「王廟納涼」，寫的是位於北門庄，臺灣規模最大的王爺廟南鯤鯓。南鯤鯓所在地以潟湖為主，地形變動劇烈，陸化過程中不斷遇到水災、瘟疫，加上清中葉追捕蔡牽的福建水師提督王得祿感應神蹟，獻「靈昭海表」牌匾，鯤鯓王乃逐漸由瘟王性質轉變為地方守護神。[586]而這座規模宏偉的王爺廟，也因此成為北門民眾解憂、休憩，祈求平安的最佳去處。

以上敘述的是以倒風內海為主的北門地區海邊風物，至於往南延伸，屬於臺江內海的安平、鹿耳門一帶，同樣屬於臺灣西南海岸沙汕地形，同樣是當地文人經常流連、歌詠之處。今日安平區北端為舊安平聚落，乃漢人最早開發地之一，在荷蘭時期曾建有大員市鎮。除舊聚落外，安平區大部分土地為臺江內海淤積所形成的海埔新生地，以及市地重劃後填土所產生。至於安南區原先屬於臺江內海的一部分，臺江內海外緣瀕臨臺灣海峽處有北線尾等沙洲。最早的臺灣八景有 3 個景點在這兩個區域：鹿耳春潮、安平晚渡、沙鯤漁火，到了日治時期，安平港雖多淤積，依舊是賞月、渡舟的港口；鹿耳門與七鯤鯓也同樣是文人雅士懷古觀月的重要風景區。〈安平觀渡〉、〈安平泛月〉、〈鹿耳門懷古〉、〈鹿耳門泛月〉、〈鯤鯓月〉⋯⋯皆是府城文人在此處觀景吟詠之作。

584——《詩報》第149號，曾北聯吟社課題，1937年3月21日。

585——《臺灣日日新報》，「詩壇」欄，1915年9月2日，第6版。

586——參考林玉茹，〈瀉湖、歷史記憶與王爺崇拜 —— 以清代鯤鯓王信仰的擴散為例〉，《臺大歷史學報》第43期，2006年6月，頁77-78。

（二）山景

　　臺南市處於臺灣島的西南部，嘉南平原的核心位置。中西部有鹽水溪、曾文溪淤積平原，地勢平緩且有大小河川橫亙。東側有丘陵，屬於阿里山山脈的尾段，高峰為關子嶺的大凍山，標高 1,241 公尺。整體說來，臺南歌詠山中景物的詩歌數量相當少，最常入到詩人筆下的，大概只有位於白河區的關仔嶺。

　　關仔嶺位於白河區東側，是臺南著名的旅遊景點，四周有枕頭山、虎頭山、大凍山、雞籠山等群峰環抱，風景幽靜。關仔嶺為枕頭山之高山，海拔 270 公尺。溫泉區位於關仔嶺北側，1902 年，日本軍方在店仔口支廳關仔嶺庄發現溫泉，稱之為「靈泉」。1904 年吉田氏於當地成立溫泉旅館，1913 年 12 月，關仔嶺溫泉公共浴場落成，此後浴客絡繹不絕。該溫泉水質滑膩，帶有濃濃的硫磺味，成灰黑色，和陽明山、北投、四重溪並列為臺灣四大溫泉。[587]日治時期許多文人仕紳都愛到關仔嶺去，一方面可登山觀賞群山交疊、鬱鬱蒼蒼的景致；一方面可藉由洗溫泉滌除身心的塵埃，甚至可以治病療疾。

　　府城固園主人黃欣有〈關仔嶺〉詩[588]，以輕快的節奏，寫登關嶺尋覓靈泉沿途所見日影映照下的笠影，以及不動如佛的山岩，更得以聽聞蟬鳴與泉聲，令人生起清涼沁爽之感。

　　　　何處覓靈泉，關山別有天。蟬聲岩上急，笠影日中圓。

　　　　不動石如佛，無憂我亦仙。淙淙橋畔立，泉韻入詩禪。

開元寺的釋慎淨法師，亦有〈關仔嶺溫泉旅次〉： [589]

587──參考張溪南等纂編，《白河鎮志》〈風景名勝篇〉，臺南縣：白河鎮公所，1998年，頁398-399。

588──此詩收於賴子清，《臺灣詩醇》。

589──《臺灣日日新報》，「詩壇」欄，1917年2月27日，第6版。

曲曲盤蛇徑，崎嶇入翠微。黃昏山鳥哭，綠樹野風稀。

水韻潺湲逝，煙痕縹緲飛。涼宵清不寐，孤月照禪衣。

以清冷的筆調，寫山路蜿蜒崎嶇，如長蛇之盤旋。日落天昏時，山鳥啼哭、野風蕭颯，潺湲流水、縹緲飛煙，益添孤冷情調，恰與末二句夜暗之後凝定、不染紅塵的禪心相呼應。

北門詩人王大俊寫的〈遊關子嶺〉[590]，則省卻山行的歷程，逕寫「靈山」中的「靈泉」，治病療心之效。第三句以下，都是洗完溫泉後，塵垢皆除的悠閒自在，看山聽泉，皆愉悅開懷，更重要的是寫詩的靈感興發滿溢：

靈山龍脈湧靈泉，一浴身輕萬病痊。

是處居然別天地，吾曹偶住亦神仙。

青峰曉睡籠青靄，碧澗秋閒貯碧煙。

聽水庵前聽水響，悠悠詩思滿崇巔。

將軍庄的吳萱草有〈關仔嶺雜詠〉[591] 24 首，以曠放襟懷，直白地歌詠登山所見景色與浴罷後耳目一新的新視界，茲錄其一：

天然噴出溫泉水，洗我征塵萬斛開。

浴罷憑欄時一眺，群仙橫翠擁樓臺。

第二節　歲時節慶與迎神賽會

從詩歌可以想見臺南地區往昔的空間特色與歷史記憶，同樣的也可以透過詩了解昔時臺南的舊慣習俗。臺南詩人群中，經常以詩記錄庶民生活習尚

590——《臺灣日日新報》，「詩壇」欄，1934年10月17日，第8版。
591——此組詩刊於《臺灣日日新報》，「詩壇」欄，1917年7月13日，第6版。

的要推林逢春與蔡佩香。林逢春的〈臺灣節序故事雜詠〉結合歲時節令與飲食之間的關係極具趣味:〈新正之年糕〉、〈上元之浮圓子〉、〈清明之薄餅〉、〈端午之肉粽〉、〈七夕之糖粿〉、〈中秋之月餅〉、〈重陽芝麻餈〉、〈冬至之菜包〉。此外,蔡佩香的〈臺南嬉春竹枝詞〉,寫正月初一到十五的民俗活動,又結合「武館街」、「大舞臺」、「寶美樓」等地名或建物,別有地方風味。作為清代臺灣府城,臺南民眾在上元節自初夜至黎明連綿不息的春燈煙火,以及官衙在上元前後盛開春宴、喝春酒、召伶人登臺演戲……都為元宵節帶來熱鬧喧騰的景象。蔡佩香的〈走馬燈〉、〈兔仔燈〉、趙鍾麒、楊宜綠等人的〈舞龍燈〉都寫出了古都節慶的盛況。居住在將軍庄的吳萱草也有〈麻豆街觀燈詞〉十四首,不只從各種角度寫燈節的燈火通明、鑼鼓喧天,遊人的駢肩雜逐、仕女的爭妍鬥麗,更具特色的是,當時亦有跳車鼓(桃花過渡)的民間歌舞表演,甚至有掛枷戴鎖用來消災解厄的宗教性活動,試舉其中兩首為例:

　　成群逐隊雜人行,撲朔迷離一樣成。
　　過渡桃花相笑罵,眉波溜處若傳情。

　　由來迷信極癡心,幾令旁人笑不禁。
　　頸上掛枷身帶鎖,不知所犯罪何深。

臺南另一個熱鬧的節慶是端午的龍舟競賽,地點或在二重橋附近的五里臺江,或在安平渡口。詩人有觀龍舟競渡者,有懸艾人、蒲劍者,也有讀離騷、題醉鍾馗圖者……都以詩豐富了這個民俗節日。也有詩人藉此機會,對傳統民俗提出省思者,如楊天健〈五月五日和臥蕉韻〉[592]:

592——《臺南新報》,詩壇,1934年5月9日,第8版。

海疆不合楚風存，競渡何須弔屈原。

死節無關生自勵，高懸神鯉化龍旐。

強調臺灣的在地性與時代性，認為端午節憑弔 2000 年前遙遠楚地的屈原，似乎太過牽強。應著眼當下，強健體魄，並且以當代的鯉魚旗取代舊式的龍旗。這在一九三〇年代的臺南古典詩人群裡，頗具進步思想。

　　至於，中秋節的賞月活動，一直為詩人所重視。1912 年中秋節，由北門吳溪（百川）、王炳南、王大俊，將軍吳萱草在北門庄創立「嶼江吟會」。成員有王丁巧、王仰山、潘煌輝、洪子衡等。[593]此為南瀛地區詩社之發端，第一期課題即以充滿在地色彩的〈嶼江泛月〉為題，由王炳南擔任詞宗，參與者相當踴躍。除前述會員外，還有洪杭、陳文潛、王海宴、黃連標、王朝春、鄭國禎、徐青山、莊子淵、李魚史、吳漁翁等。[594]府城的「南社」，每年中秋前後都會舉行觀月會，通常在二重橋畔（昔安平第一橋及鏡清橋）集合，而後泛舟至安平港。1926 年南社觀月活動改為從新運河（今臺南運河）搭汽艇到安平，賞月之餘，同時可聽鹿耳潮聲、觀鯤鯓漁火，稍稍恢復舊運河時期，循水路從府城直抵臺江內海的景觀。為了慶祝新運河開通，南社幹事黃欣特別擴大規模舉辦這次的活動，事先在臺南新報刊登活動消息，精心安排社員在賞月吟詩後表演許多精彩的節目，包括：變魔術、說笑話、變把戲、拉胡琴、唱採茶歌，有的跳車鼓、有的表演手踊舞，最後由臺南佛教界領袖王兆麟唱京劇「打漁殺家」之後，才結束這一夜的活動。事後，並將此次活動詳細的刊登在報紙上，我們也因此有機會更清楚而具體地看到 1926 年南社文人如何以多元形式，歡樂而充實地度過他們的南都之夜。

593—— 黃文慧，〈百年鯤瀛詩社之研究〉，嘉義大學中文所碩士論文，2013年，頁73、97。
594—— 參考〈北嶼吟社課題詩鈔〉，吳登神收藏。

府城的迎神賽會，往往絲竹並奏，萬人空巷。蔡佩香的〈媽祖賽會竹枝詞〉[595] 10 首，寫出每年 3 月鎮南媽出巡遶境時，提燈行列、隨駕者、伴駕者、寫真者、女樂團、藝閣以及沿街設香案者的多種面向：

頒來盛典兩春秋，陳列華筵肅禮修。

終獻祭餘方撤饌，神靈降在鎮南州。

（天后宮媽祖曰鎮南媽）

沿街奉獻露無聲，不夜燈光繞赤城。

燦爛旌旗旗葉下，照來人影漫天明。

（提燈行列）

事務繁忙鬧一場，團圓午飯暢浮觴。

鹹甜兼味償辛苦，醉眼饞看飽進香。

（題賽會事務室）

號炮一聲報起程，香煙靄靄笑歡迎。

神輿纔出宮牆外，隨駕爭先步輦行。

（媽祖出廟，隨駕纔行）

二偶將軍伴駕前（千里眼、順風耳），高行闊步聳齊肩。

幾曾眼耳隨風過，明澈崎嶇路八千。

三叉路上鬧春風，賽會旗翻夕照紅。

只恐春光容易過，一齊寫照畫圖中。

（赴會寫真）

南華女樂步三叉，鶯囀初回日色斜。

借重西鄰嬌姊妹，衣衫勞汝送伊家。

（南華娼寮女樂隊）

爭奇鬥豔變輕妝，翠袖紅裙列道旁。

博得定評高中選，誇來詩意紫雲娘。

595——《臺南新報》，詩壇，1925年4月14日，第5版。

（評選藝棚。紫雲，藝妓名）

高踏輕枝國馬蹄，登雲有路帶香泥。

身輕混入同飛燕，搖曳徐行過短堤。

（三山團。登雲堂踏蹺）

儀從過去又輕騎，香燭迎神敞繡幃。

最是□頭人背後，當門紅影見迷離。

（沿街排香案，祈求平安）

南瀛地區北門庄的南鯤鯓迎王活動，其規模並不遜府城的迎媽祖。試看北門詩人凃一統的〈迎王竹枝詞〉[596]：

> 今朝鬧熱各爭長，神駕紛紛都上場。拍手一聲王船到，滿身暑汗不曾忙。」
> 嶼江潮水綠參差，五府王船急箭馳。波浪也如呈喜氣，紅男綠女兩邊隨。」
> 隨人參拜嶼江濱，一到神前頂禮頻。盡說鯤身五王到，北門從此靖妖塵。」
> 五府王爺入廟門，滿天鑼鼓徹宵喧。人如山海喃喃祝，香楮寫成千里香。」
> 嶼南嶼北本同莊。逐隊送王趁月光。爆竹雷轟聲聒耳。紛紛男女喜隨看。

位處於臺南北門的南鯤鯓為臺灣規模最大的王爺廟，祭祀李、池、吳、朱、范五位王爺。每年最重要的神明活動，就是迎請代天巡狩的王爺，這儀式在臺南地區盛行於沿海地區及倒風內海區域。原本臺灣西南沿海的信仰都是以媽祖為核心，清中葉由於海盜蔡牽的騷擾，南鯤鯓成為重要的戰場，而鯤鯓王護駕有功，神蹟靈驗，於是顛覆了原鄉的「瘟王」性質，成了保境安民的守護神。府城每年有兩個月迎王儀式，道光、咸豐年間倒風內海第一大港街鹽水港和麻豆街，也先後發展出迎王習俗。[597]凃一統這組詩寫鯤鯓王乘船起駕出巡時，善男信女夾道跟隨、人潮洶湧、爆竹聒耳、鑼鼓喧闐、壽金（香楮）燒飛四散達千里之遠的盛況，相當具體生動。

596——《臺南新報》，詩壇，1922年11月25日，第1版。

597——參考林玉茹，〈瀉湖、歷史記憶與王爺崇拜 —— 以清代鯤鯓王信仰的擴散為例〉，《臺大歷史學報》第43期，2006年6月，頁77-78。

第三節　飲食物產

　　雖然殖民者的勢力逐漸滲入島民的生活空間，但是，臺灣漢人仍利用歲時節慶迎神賽會，將傳統的民俗與信仰重現於逐漸現代化的城市街庄。此外，臺南著名的飲食，也是保存傳統臺灣文化的方式之一。連橫在《雅言》有云：「臺南點心之多，屈指難數；市上有所謂『擔麵』者，全臺人士靡之知之。麵與平常同，食時以熱湯芼之，下置鮮蔬，和以肉俎、蝦汁，糝以烏醋、胡椒，熱氣上騰，香聞鼻觀。初更後，始挑擔出賣；宿於街頭，各有定處，呼之不去，恐失信於顧客也。」[598]許丙丁在〈綠珊盦雜綴〉云：「余旅遍全臺，考查點心氣味，無論何物當避離臺南三舍。價廉味美，名符其實，況各點心業者，亦精心鬥巧、創造新味，諸如擔仔麵賣麵路、賣麵芋頭、肉粽吉……等所造之點心，尤擅特長，固已有口皆碑。」[599]南社曾在 1927 年以〈擔仔麵〉[600]為題，舉行擊缽詩會，留存了多首同題詩。

　　　　五味調和玉縷珍，輕挑夜叫六街巡。

　　　　南瀛食譜添佳點，一段豚香動雅人。

　　　　（趙鍾麒，〈擔仔麵〉）

　　　　一肩金縷六街巡，適口爭傳氣味真。

　　　　難得崁南名手在，好將食譜重翻新。

　　　　（黃溪泉，〈擔仔麵〉）

　　　　燈影街頭喚賣頻，一肩風味自堪親。

　　　　他年食譜翻新樣，絕勝銀絲膾鯉珍。

　　　　（韓浩川，〈擔子麵〉）

598——連橫，〈雅言〉，臺灣文獻叢刊第166種，頁85。
599——《三六九小報》第329號，1934年4月6日。
600——《臺南新報》，詩壇，南社擊缽錄，1927年3月1日，第6版。

麥黃米白粉條新，竹擔燈籠喚賣人。

沽客夜長眠不得，酸鹹妙味說津津。

（謝國文，〈擔子麵〉）

「輕挑夜叫六街巡」、「一肩金縷六街巡」指出了當時擔仔麵擔叫賣的地點即在昔日繁華的「六街」。[601]擔子前有燈籠照明，擔仔麵的湯汁「五味調和」，令人吃來津津有味，甚至比精緻的珍饈佳餚更吸引人。詩人用「玉縷」、「金縷」來形容麵條，美感十足。值得注意的是，遠近馳名的擔子麵並非固守傳統老舊的烹煮方式，而是臺南點心業者精心鬥巧所創造的新味：「難得崁南名手在，好將食譜重翻新」、「他年食譜翻新樣，絕勝銀絲膾鯉珍」，臺灣各地的點心，能向臺南擔仔麵這樣進入文人筆下，成為被詠誦的詩歌，委實不易。

臺南重要的物產有：虱目魚、烏魚子、檨、鹽、糖。熟悉地方掌故的蔡佩香在題為〈國姓魚〉的詩裡加註說明：「此魚原名麻虱目（麻薩末），因鄭延平來臺以此魚佐軍食，故名國姓魚。」在臺南詩人的作品裡，虱目魚已加上歷史記憶，成為英雄的隱喻。生活在臺南鹽分地帶的文人，對海產尤其熟悉。吳萱草〈虱目魚〉云：

莫說無因自產生，鄭王賜姓汝傳名。

鯤身海上曾遭網，鹿耳門前亦逐鯨。

一族潛蹤留絕島，千秋出處紀安平。

細鱗大有存明志，死後依然不轉睛。

別號「北嶼釣客」的王炳南，亦有〈虱目魚〉詩[602]：

601—— 六街指六和境的竹仔街、武館街、大井頭街、帽街、下橫街與武廟街，為昔日府城最繁華的商業街。
602—— 《詩報》第114號，曾北聯吟會課題，1935年10月1日。

北門瀕海盡魚池，三月腥風特地吹。圍圍接苔春水暖，洋洋觸網玉梭馳。
可人新味調羹好，飽我老饕下酒宜。莫說細鱗微族物，也同國姓大名垂。

騎鯨霸氣已成灰，魚字猶傳國姓來。潑剌跳波爭向暖，優悠逐浪共餐苔。
半年培殖味初美，四月嘗新網乍開。觸我滄桑無限感，忍教作膾下深杯。

臺灣最早養殖虱目魚的時間，很可能是在荷蘭統治時期，甚至更早西拉
雅族人已經會在沿海捕捉虱目魚了。養殖者必須從海裡撈取魚苗，並在
沿海魚塭裡養殖。日治時期執政者將虱目魚視為專賣物品，必須領有特
許牌的魚販才能賣虱目魚，因此虱目魚的價格高於草魚等淡水養殖魚
類，當時七股就有句諺語「富人吃虱目，窮人吃魚鮎仔鯽仔」。[603]北門
詩人王炳南，很能夠貼近在地的景觀書寫。當時北門沿海一帶，最具經
濟效益的應該就是養殖虱目魚，因此放眼望去，全部都是水光瀲灩的魚
池（魚塭）。三月，在春暖花開的時節，帶著鹹腥味的海風陣陣吹拂，
從視覺、嗅覺、觸覺都讓人真切地感受到置身於海洋之鄉。培養半年之
後，三月正是大收魚獲的季節，「可人新味調羹好，飽我老饕下酒宜」，
養殖者捕獲「潑剌跳波」的鮮魚網補上來，成了可口的下酒菜。四月，
又將鋪上新的魚網，繼續畜養，等待下一次的漁獲。這個群魚入網的意
象，突然觸動了作者的不忍之情：「觸我滄桑無限感，忍教作膾下深杯」。
這裡有詩人的愛生、護生之情，也有被殖民者入到日本當局網羅，無所
逃於天地之間的滄桑之痛。詠物以抒情的功能，由吳、王兩詩人的作品，
可略見一二。

603── 參考「行政院食農教學資源平臺」，https://fae.coa.gov.tw/theme_data.php?theme=kids_edu_
articles&id=1，檢索日期2022年3月15日。

日治時期臺南地區的漢詩書寫主題相當豐富，本章從地理景觀、歲時節慶、飲食物產三個面向進行探討。

　　地理景觀方面，主要扣住「人文」與「自然」兩大類，分別從古蹟建築、庭園酒館以及山海書寫三個角度觀察。由於政權的轉移，作為政治經濟中心的府城，逐漸由往昔的絢爛漸趨平淡。四城門的毀廢、家屋庭園的拆除，承載前朝記憶的史蹟文物快速地被消抹……曾經生活其間的庭園樓閣，也因為居民的遷徙而產生變異：吳園、窺園、晚香樓，或遭拆解、或被占用，已非昔日風貌。面臨殖民者異文化的挑戰，傳統文人努力藉由詠史詩、詠懷詩，歌詠古蹟，憑弔往事，記錄歷史，召喚府城過去的繁華景象，也多方抒發物是人非的感慨。清代的風月場所，到了日治時期，娛樂需求愈趨精緻，於是結合新興的大型料理店，出現許多餐館酒樓：寶美樓、醉仙樓因應而生。這同時也是文人交友酬酢、詩酒風流的遊戲場，大量的豔情詩、飲酒詩，以及文人間的送往迎來，詩歌酬答，大多在這些空間裡產生。位於濱海的西半部平原，臺南的自然景觀書寫，屬於「山」的部分較少，主集中在白河關仔嶺的歌詠。1902 年關子嶺溫泉被發現後，一九一〇年代與陽明山、北投、四重溪並列為臺灣四大溫泉。許多文人仕紳經常到關仔嶺，登山賞景，泡湯滌塵，多首旅遊詩、觀景詩於焉產生。至於「海」的景觀，則以臺江內海和倒風內海，以及舊臺南縣的將軍溪為主要書寫對象。從清代開始，府城文人已有鹿耳春潮、安平晚渡、沙鯤漁火等海洋景觀的描述，到了日治時期安平港雖已嚴重淤積，文人依然藉由新舊運河，乘船前往安平賞月吟詩，延續前清的文人風雅。至於，北門、將軍一帶的文人，如王炳南、王大俊等，在鹹澀貧瘠的鹽分地帶生活，以鹽田、魚塭、蚵寮、捕魚、農作為主要的書寫內容，呈顯府城周邊濱海漁村的景象。

日治時期府城及其周邊的歲時節慶活動，基本上無太大差別。本章以擅長記錄庶民生活習尚的林邊春和蔡佩香的雜詠組詩，多方面呈現從「新正」，直到「冬至」的節慶與飲食及民俗活動間的關係。此外，趙鍾麒、楊宜綠的〈舞龍燈〉生動地寫出古都節慶的熱鬧喧闐，吳萱草的〈麻豆街觀燈詞〉，以 14 首詩極寫麻豆元宵節的燈火通明、遊人的駢肩雜遝，仕女的爭妍鬥麗，較之府城毫不遜色。跳車鼓、划龍舟等民俗活動，乃至迎神賽會：三月的媽祖出巡、三月底至四月底的「迎王」習俗，都入到詩人筆下，展現了庶民百姓強大、鮮活的生命力。雖然殖民者勢力逐漸擴張，臺灣島民的生活慢慢地產生變化，但是，臺灣漢人仍透過歲時節慶、迎神賽會，將傳統的民俗與信仰重現於逐漸現代化的城市街庄。此外，透過古早味的飲食書寫，也是保存傳統臺灣文化的方式之一。臺南著名的點心小吃，以擔子麵為代表，承載著先民的生活經驗與智慧，「南社」於 1927年以〈擔子麵〉為題，舉行擊缽詩會，更為人所津津樂道。而與鄭成功緊密結合的國姓魚，同樣在詩人的反覆歌詠下，刻鏤著歷史印記，成為英雄的隱喻。多元的寫作面向，在在豐富了臺南古典詩的內容，在日本統治的五十年間留下可貴的文化資產。

臺南文學史 1
鄭轄－日治 ⑴ 1651－1895

發 行 人	黃偉哲
發 行 總 監	謝仕淵
主 編	陳昌明
作 者	施懿琳・陳家煌
督 導	陳修程・林韋旭
行 政	陳雍杰・李中慧・蔡宜瑾
出 版	臺南市政府文化局
地 址	永華市政中心 708201臺南市安平區永華路2段6號13樓
	民治市政中心 730210臺南市新營區中正路23號5樓
T E L	06-6324453
網 址	https://culture.tainan.gov.tw/
出 版	國立成功大學
地 址	701401臺南市東區大學路1號
T E L	06-2757575
網 址	https://www.ncku.edu.tw/
計 畫 執 行	文訊雜誌社
計 畫 主 持	封德屏
企 畫 行 銷	徐嘉君
執 行 編 輯	游文宓・曾士銘
校 對	施懿琳・陳家煌・杜秀卿・李星瑩・林裴雅・吳栢青・黃秀珠・黃亮鈞・楊淑娟・劉晉綸・嚴鼎忠
編 印 發 行	文訊雜誌社
	地址 100012臺北市中正區中山南路11號B2
	電話 02-23433142
	發行業務 高玉龍
	電子信箱 wenhsunmag@gmail.com
	郵政劃撥 12106756文訊雜誌社
美 術 設 計	黃子欽
印 刷	松霖彩色印刷事業有限公司
出 版 日 期	2023年11月
版 次	初版一刷
定 價	新臺幣670元
I S B N	978-626-7339-36-7
套 號	978-626-7339-41-1

GPN：1011201382 | 臺南文學叢書L163 | 局總號2023-735

國家圖書館出版品預行編目(CIP)資料

臺南文學史. 古典文學卷：鄭轄-日治(1651~1895)/施懿琳,
陳家煌作；陳昌明主編. – 臺南市：臺南市政府文化局, 國
立成功大學, 2023.11

　　面；　公分. –（臺南文學叢書；L163）

ISBN 978-626-7339-36-7(精裝)

1.CST: 臺灣文學史 2.CST: 地方文學 3.CST: 現代文學 4.CST:
臺南市

863.9/127　　　　　　　　　　　　　112017454